P9-AEY-402

GESCHICHTE DER
DEUTSCHEN AUTOBIOGRAPHIE
IM 18. JAHRHUNDERT

GÜNTER NIGGL

Geschichte der deutschen Autobiographie im 18. Jahrhundert

Theoretische Grundlegung und literarische Entfaltung

J. B. METZLER STUTTGART

CIP-Kurztitelaufnahme der Deutschen Bibliothek

Niggl, Günter
Geschichte der deutschen Autobiographie im
18. [achtzehnten] Jahrhundert : theoret.
Grundlegung u. literar. Entfaltung. – 1. Aufl.
– Stuttgart : Metzler, 1977.
  ISBN 3-476-00318-3

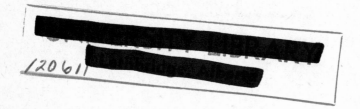

/20611

ISBN 3 476 00318 3

© 1977 J. B. Metzlersche Verlagsbuchhandlung
und Carl Ernst Poeschel Verlag GmbH, Stuttgart
Satz: Bauer & Bökeler Filmsatz KG, Denkendorf
Druck: Gulde-Druck, Tübingen
Printed in Germany

FÜR IRMGARD

INHALT

Zweiter Teil

Die deutsche Autobiographie in der Epoche des Pragmatismus
und der Empfindsamkeit (1760–1790)

VORWORT

Zu einer Zeit, da die Literaturwissenschaft auch in Deutschland ein neues Interesse an den Zweck- und Gebrauchsformen, an den nichtpoetischen Gattungen der Literatur zeigt, kann es nicht überraschen, einem Titel wie dem der vorliegenden Studie zu begegnen. Sowohl in programmatischen Schriften* als auch in historischen und interpretierenden Untersuchungen wird seit etwa zwei Jahrzehnten dieses lange Zeit vergessene Feld wieder entdeckt, und doch steht man noch immer ziemlich an seinem Rande, wohl deshalb, weil man bisher die Zweckgattungen auch in der Literaturwissenschaft mehr als kulturhistorische Dokumente denn als literarische Formen betrachtet oder nur die ästhetisch befriedigenden Beispiele ausgewählt und einer eingehenden Untersuchung gewürdigt hat.**

Dies gilt auch für die Gattung Autobiographie. An sich erfuhr sie unter dem Einfluß Wilhelm Diltheys, der die Selbstbiographie zur höchsten Form und vollkommensten Explikation der Lebensdeutung, ja zur Grundlage des geschichtlichen Sehens überhaupt erklärte***, während des ersten Drittels unseres Jahrhunderts schon relativ früh eine erste Blütezeit ihrer wissenschaftlichen Erforschung. Diese war geprägt von umfangreichen,

---

* In den fünfziger Jahren wurde zunächst der Essay bzw. die Didaktik als vierte Literaturgattung aufgewertet (Just, Wolffheim, Seidler u. a.); neuerdings hat Friedrich *Sengle* dazu aufgefordert, sämtliche rhetorischen und publizistischen Formen ins literarische System aufzunehmen und zum Gegenstand der theoretischen wie historischen Forschung zu machen (»Vorschläge zur Reform der literarischen Formenlehre«, Stuttgart 1967, ²1969, S. 12 ff.). – Vgl. auch Wolfgang Victor *Ruttkowski*, Die literarischen Gattungen, Bern und München 1968; Jost *Hermand*, Probleme der heutigen Gattungsgeschichte, in: Jahrbuch für Internationale Germanistik II, 1 (1970), S. 85–94, bes. S. 89 ff.

** Vgl. die Vorberichte in neueren Untersuchungen literarischer Zweckformen, z. B. Ludwig *Rohner*, Der deutsche Essay. Materialien zur Geschichte und Ästhetik einer literarischen Gattung. Neuwied und Berlin 1966, S. 23 f. – Heinrich *Dörrie*, Der heroische Brief. Bestandsaufnahme, Geschichte, Kritik einer humanistisch-barocken Literaturgattung. Berlin 1968, S. 1. – Wolfgang *Martens*, Die Botschaft der Tugend. Die Aufklärung im Spiegel der deutschen Moralischen Wochenschriften. Stuttgart 1968, S. 4. – Peter *Boerner,* Tagebuch. Stuttgart 1969 (Slg. Metzler 85), S. 1–7.

*** Wilhelm *Dilthey*, Der Aufbau der geschichtlichen Welt in den Geisteswissenschaften. Plan der Fortsetzung (geschrieben in den letzten Lebensjahren). Zuerst in: *Dilthey*, Gesammelte Schriften, Bd. 7, hg. v. Bernhard *Groethuysen*, Leipzig und Berlin 1927, S. 198–204; jetzt auch in der Neuausgabe des »Aufbaus«, Einleitung von Manfred *Riedel*, Frankfurt 1970, S. 244–251. – Kritik an dieser Basis der Diltheyschen Geschichtsphilosophie übten Hans-Georg *Gadamer*, Wahrheit und Methode. Grundzüge einer philosophischen Hermeneutik. Tübingen ²1965, S. 211, 261, 477 f.; *Riedel*, Einleitung, S. 65; zuletzt: Stephan *Otto*, Zum Desiderat einer Kritik der historischen Vernunft und zur Theorie der Autobiographie. In: Studia Humanitatis. Ernesto Grassi zum 70. Geburtstag. München 1973, S. 221–235.

z. T. monumentalen Gattungsgeschichten (Misch, Mahrholz, Klaiber, Beyer-Fröhlich)*,
die jedoch ihren schier unermeßlichen Stoff vor allem darum geschichtlich gliederten,
weil sie die Selbstzeugnisse als vermeintlich unmittelbare Spiegelbilder von Lebenswirk-
lichkeit und -gefühl einer Epoche, eines Standes, einzelner Autoren vorstellen wollten,
ohne die literarisierende Verfremdung einer jeden Niederschrift genügend zu beachten.
So konnte eine kurzschlüssige Parallele zwischen bürgerlicher Lebens- und autobiographischer Darstellungsform behauptet, die Gattungsgeschichte als direktes sozialge-
schichtliches Protokoll vom Aufstieg und Verfall des Bürgertums, ja als die »innere Geschichte eines Volkes« gelesen werden.** Noch am wenigsten gattungsfremd erscheint
Mischs Vorhaben, im Sinne seines Lehrers Dilthey mit der Geschichte der Autobiographie die Geschichte des menschlichen Selbstbewußtseins zu schreiben.***Aber selbst hier
werden die einzelnen Dokumente noch zu sehr als Mittel und Quelle, noch zu wenig als literarische Formen mit eigenen und eigenwilligen Traditionen gesehen, deren Bedeutung
sich nicht darin erschöpft, Ausdruck einer Bewußtseinsgeschichte zu sein.

   Kultur- und Sozialhistoriker, nicht Literarhistoriker also waren es zunächst, die von
der Gattung Autobiographie geschichtliche Gesamtbilder entworfen haben. Probleme
der Form und des Formwandels in der autobiographischen Literatur wurden damals wie
später eher in thematisch begrenzten, aber intensiven Spezialstudien untersucht (Stecher,
Rein, Lugowski, Minder; neuerdings: Hartmann, Bertolini)****, die allesamt wichtige
Vorarbeiten für eine künftige Formgeschichte der Gattung darstellen. Seit dem Ende des
zweiten Weltkriegs hat sich jedoch dieses Forminteresse zusehends auf autobiographi-

---

   * Georg *Misch*, Geschichte der Autobiographie, 4 hsl. Bde. (1904 als Preisaufgabe bei der Preuß.
Akademie der Wissenschaften zu Berlin eingereicht); zum Lebenswerk erweitert: 4 (in 8 Halb-) Bde.,
Leipzig, später Frankfurt 1907–1969: Bd. I: Altertum (1907, ³1949/50); Bd. II–IV, 1: Mittelalter
(1955–1967); Bd. IV, 2: Renaissance bis 19. Jahrhundert (geschrieben 1904, Erstdruck 1969). –
Werner *Mahrholz*, Deutsche Selbstbekenntnisse. Ein Beitrag zur Geschichte der Selbstbiographie
von der Mystik bis zum Pietismus. Berlin 1919. – Theodor *Klaiber*, Die deutsche Selbstbiographie.
Beschreibungen des eigenen Lebens, Memoiren, Tagebücher. Stuttgart 1921. – Marianne *Beyer-
Fröhlich*, Die Entwicklung der deutschen Selbstzeugnisse. Leipzig 1930, Nachdruck Darmstadt
1970 (Deutsche Literatur in Entwicklungsreihen. Reihe Deutsche Selbstzeugnisse. Bd. 1).
   ** *Mahrholz*, Dt. Selbstbekenntnisse, S. 1–9; Beyer-Fröhlich, Entwicklung, S. 3 f., 249.
   *** *Misch*, Geschichte der Autobiographie, Bd. I, 1 (³1949), S. 5 f., 11, 14. – Dieses Ziel verfolgt
auch noch die neueste Darstellung der europäischen Autobiographie im 18. Jahrhundert von
Ralph-Rainer *Wuthenow*. Sie versteht die autobiographische Literatur dieser Zeit als dokumentari-
schen »Begleittext« zur »Geschichte des Selbstbewußtseins« (S. 10), weshalb sie auch nicht die
Formentwicklung einer bestimmten Gattung und ihrer Typen, sondern das Problem der Selbstdarstellung in ihren verschiedenen Ausprägungen untersucht: Ralph-Rainer Wuthenow, Das erinnerte
Ich. Europäische Autobiographie und Selbstdarstellung im 18. Jahrhundert, München 1974.
   **** Gottfried *Stecher*, Jung Stilling als Schriftsteller, Berlin 1913. – Adolf *Rein*, Über die Entwicklung der Selbstbiographie im ausgehenden deutschen Mittelalter, in: Archiv für Kulturgeschichte 14 (1919), S. 193–213. – Clemens *Lugowski*, Die Form der Individualität im Roman. Studien zur inneren Struktur der frühen deutschen Prosaerzählung. Berlin 1932, S. 158–199 (3. Kap.:
Das mythische Analogon in nicht kunstbewußter Prosa des 16. Jahrhunderts). – Robert *Minder*, Die
religiöse Entwicklung von Karl Philipp Moritz auf Grund seiner autobiographischen Schriften. Studien zum »Reiser« und »Hartknopf«. Berlin 1936. – Rolf *Hartmann*, Das Autobiographische in der
Basler Leichenrede, Basel und Stuttgart 1963. – Ingo *Bertolini*, Studien zur Autobiographie des
deutschen Pietismus, Diss.(masch.) Wien 1968.

sche Darstellungen einzelner Dichter konzentriert, weil man von ihnen eher als von den anspruchslosen Beispielen der Nichtschriftsteller eine befriedigende Antwort auf die Formfrage erwartet. Untersucht werden dabei entweder reale Selbstbiographien von Dichtern (Trunz, Schüz, Aichinger, Seidler)* oder poetisch verwandelte Selbstdarstellungen (Stöcklein, Kunisch)** oder Aufnahmen autobiographischer Strukturen in die Dichtung (Müller-Seidel, Segebrecht).*** Immer steht dabei der Kunstcharakter der betreffenden Schriften, das Gelingen oder Mißlingen der ästhetischen Form im Mittelpunkt, während der gattungshistorische Gesichtspunkt mehr oder weniger zurücktritt.

Von hier aus gesehen, scheinen nur die formbewußten und formsouveränen Selbstdarstellungen der Dichter den Namen einer literarischen Gattung zu verdienen. Blickt man jedoch auf die gleichzeitigen theoretischen Abhandlungen zur Autobiographie, wird man eine Erweiterung des Kunstbegriffs gewahr. Oppel, Gusdorf und Pascal kommen bei ihren Definitionsversuchen zu dem gleichen Ergebnis, daß die Autobiographie durch die Absicht der rückschauenden Selbstidentifikation und Selbstinterpretation naturgemäß als Kunstwerk im Sinne eines genau gefügten Bauwerks aufzufassen sei.**** Aber nur noch Oppel denkt dabei ausschließlich an die Autobiographie der Dichter; der Franzose und der Engländer hingegen sprechen den bewußten Bauwillen jedem Autobiographen zu, erkennen darin ein gattungsimmanentes Gesetz, und namentlich hat Pascal in seiner durch zahlreiche Beispiele belegten systematischen Untersuchung über Wahrheitsproblem und Wahrheitsgestalt der Autobiographie (und ihren darin begründeten Unter-

---

* Erich *Trunz*, Anmerkungen zu Goethes Werken, Bd. 9: Autobiographische Schriften I, Hamburg 1955, S. 599–631. – Monika *Schüz*, Die Autobiographie als Kunstwerk. Vergleichende Untersuchungen zu Dichter-Autobiographien im Zeitalter Goethes. Diss. (masch.) Kiel 1963 (behandelt Rousseau, Alfieri, Goethe, Wordsworth, Chateaubriand). – Ingrid *Aichinger*, Friedrich Hebbel: Aufzeichnungen aus meinem Leben, in: Hebbel-Jahrbuch 1971/72, S. 139–158. – Herbert *Seidler*, Grillparzers Selbstbiographie als literarisches Kunstwerk, in: Österreich in Geschichte und Literatur 16 (1972), S. 17–35.

** Paul *Stöcklein*, Unstern. Eine nicht vollendete Novelle von Joseph von Eichendorff, in: (Katalog) Bayerische Akademie der Schönen Künste: Joseph Freiherr von Eichendorff. Ausstellung zum 100. Todestag. München 1957, S. 115–126. – Hermann *Kunisch*, Joseph von Eichendorff, Das Wiedersehen. Ein unveröffentlichtes Novellen-Fragment, aus der Handschrift mitgeteilt und erläutert, in: Aurora 25 (1965), S. 7–39. – *Ders.*, Die Frankfurter Novellen- und Memoiren-Handschriften von Joseph von Eichendorff, in: Jahrbuch des Freien Deutschen Hochstifts 1968, S. 329–389.

*** Walter *Müller-Seidel*, Autobiographie als Dichtung in der neueren Prosa, in: Der Deutschunterricht 3 (1951), H. 3, S. 29–50 (bes. über Hesse und Carossa). – *Ders.*, Fontanes Autobiographik, in: Jahrbuch der Deutschen Schillergesellschaft 13 (1969), S. 397–418. – Wulf *Segebrecht*, Autobiographie und Dichtung. Eine Studie zum Werk E. T. A. Hoffmanns. Stuttgart 1967.

**** Horst *Oppel*, Vom Wesen der Autobiographie, in: Helicon. Revue internationale des problèmes généraux de la littérature, Tome 4 (1942), S. 41–53, bes. S. 53. – Georges *Gusdorf*, Conditions et limites de l'autobiographie, in: Formen der Selbstdarstellung. Festgabe für Fritz Neubert. Berlin 1956, S. 105–123, bes. S. 119–121 (»oeuvre d'art«, »oeuvre d'édification«). – Roy *Pascal*, Autobiography as an Art Form, in: Stil- und Formprobleme in der Literatur, hg. v. Paul *Böckmann*. Heidelberg 1959, S. 114–119. – *Ders.*, Design and Truth in Autobiography. London 1960; dt. u. d. T.: Die Autobiographie. Gehalt und Gestalt. Stuttgart 1965, S. 217–221. – Zur Unterscheidung von Autobiographie und autobiographischer Dichtung zuletzt: Ingrid *Aichinger*, Probleme der Autobiographie als Sprachkunstwerk, in: Österreich in Geschichte und Literatur 14 (1970), S. 418–434, bes. S. 426 ff.

schied zum autobiographischen Roman) den Charakter dieser Gattung als einer struktu-
rierten und gleichwohl prinzipiell außerdichterischen Literaturform betont.*

Angesichts dieser vielstimmigen augenblicklichen Forschungssituation erscheint es
wünschenswert, einen Ausgleich der bisherigen Richtungen zu finden, vor allem die älteren Bemühungen um die Gattungsgeschichte mit dem neuen Forminteresse in Verbindung und Einklang zu bringen: Gattungsgeschichte als Formengeschichte wäre die Aufgabe einer künftigen Gesamtdarstellung der Autobiographie. Die vorliegende Arbeit versucht einige Schritte in dieser Richtung; sie will am begrenzten Beispiel der deutschen Autobiographie im 18. Jahrhundert die formale Entfaltung und Wechselwirkung aller damals vorhandenen oder entstehenden Typen dieser Gebrauchsform (einschließlich ihrer
Berührungspunkte mit Nachbargattungen) untersuchen und zudem die Gattungspraxis
mit der gleichzeitigen Entwicklung der Gattungstheorie konfrontieren, d. h. die Geschichte der Autobiographie in diesem Zeitraum als ein möglichst reichhaltiges Gewebe
der Formen und Formvorstellungen sichtbar machen. Gerade auf den Nachweis der Entfaltung des theoretischen Bildes und seiner Mitwirkung in der Gattungsgeschichte legt sie
besonderen Wert und greift dabei auf mitunter seltene, häufig erstmals in diesem Zusammenhang beachtete Quellen zurück. Denn die zeitgenössische Diskussion um die Autobiographie kann mit ihren formalen wie thematischen Ansprüchen, Erwartungen und
Zweifeln wohl noch am ehesten zwischen dem generellen geistesgeschichtlichen Hintergrund und dem spezifischen gattungspraktischen Vordergrund vermitteln und so besser
als eine allgemeine Kultur- und Sozialgeschichte, aber auch besser als jede moderne
Theorie den historischen Stellenwert der Gattung im literarischen, pädagogischen, politischen Leben der Zeit fixieren. Die Epochen des Gattungsbewußtseins bestimmen denn
auch die Epochengliederung der Arbeit insgesamt; generelle Vorgänge der Zeit sind dabei nur insofern berücksichtigt, als sie Formwandlungen verursacht haben, ohne ihren
unmittelbaren Niederschlag in der Gattungskritik zu finden (Pietismus, Empfindsamkeit). Um daneben die langlebigen Formtraditionen der einzelnen Typen in ihrem Behar-
ren wie in ihrer sukzessiven Auflösung genau verfolgen zu können und daran weitere
wichtige Markierungspunkte für die Gattungsgeschichte zu gewinnen, erhielten die In-
terpretationskapitel der Arbeit eine typologische Längsschnittgliederung, die sowohl in
die Vorgeschichte des 18. Jahrhunderts zurückreicht als auch über die Epochengrenzen
hinweg als heuristisches Prinzip beibehalten ist. In diese Typenreihen wurden möglichst
alle erreichbaren Beispiele eingeordnet und auf ihre formgeschichtliche Bedeutung hin
untersucht, so daß jede einzelne Schrift als Glied einer Kette diese erklären hilft, aber
auch umgekehrt von dieser Kette wie von den gleichzeitigen Beispielen der anderen Reihen ihren individuellen Stellenwert empfängt. Das 18. Jahrhundert aber wurde gewählt,
weil es sich bei näherer Prüfung des Gesamtstoffs der Autobiographik als der gattungsgeschichtlich entscheidende Zeitraum erwiesen hat, von dessen Errungenschaften in der
Theorie wie in der Praxis auch die gegenwärtige Autobiographie noch immer zehrt.

---

* Auch der jüngste Beitrag zur Theorie der Autobiographie: Bernd *Neumann*, Identität und Rollenzwang. Zur Theorie der Autobiographie. Frankfurt/Main 1970, teilt diese Vorstellung, fällt aber
andererseits in den alten, überwunden geglaubten Irrtum von der unmittelbaren Lebenswiedergabe
zurück, indem er Gattungstypologie und Gattungsgeschichte zu bloßen Abbildern der Sozialpsy-
chologie und Sozialgeschichte verkürzt (vgl. meine Anzeige in: Germanistik 13, 1972, H. 2, S. 295 f.).

Die Arbeit wurde durch ein mehrjähriges Habilitandenstipendium gefördert, wofür ich der Deutschen Forschungsgemeinschaft großen Dank schulde. Meinem Lehrer, Herrn Professor Dr. Hermann Kunisch, danke ich für die Betreuung der Arbeit während ihres Entstehens. Herrn Professor Dr. Friedrich Sengle danke ich für das große Interesse, das er dem Thema und seiner Durchführung von Anfang an entgegengebracht hat, und für einige wesentliche Gespräche, die mir vor allem im Hinblick auf die Methode einer Gattungsgeschichte sehr lehrreich gewesen sind. Zu danken habe ich der Bayerischen Staatsbibliothek München für die großzügige Ausleihe der oft seltenen Quellenwerke, den Archiven der Brüder-Unität in Herrnhut und Königsfeld (Herrn Richard Träger und Herrn Heinz Burkhardt) sowie der Stadtbibliothek Schaffhausen/Schweiz für bereitwillige und genaue Auskünfte und für freundliche Erlaubnis der Benutzung und Verwertung unveröffentlichten Quellenmaterials.

Die Arbeit wurde im Wintersemester 1972/73 von der Philosophischen Fakultät II der Universität München als Habilitationsschrift angenommen. Für den Druck wurde sie um das letzte Kapitel (S. 121–171) erweitert, in den übrigen Teilen gelegentlich präzisiert; neuere Literatur wurde nach Möglichkeit noch berücksichtigt. Zwei Abschnitte S. 6–14, 64–71) erschienen, leicht gekürzt, vorweg unter dem Titel »Zur Säkularisation der pietistischen Autobiographie im 18. Jahrhundert« in der Festschrift »Prismata. Dank an Bernhard Hanssler« (Pullach bei München 1974); für die freundliche Genehmigung des Wiederabdrucks sei dem Verlag Dokumentation gedankt.

München, im August 1976   Günter Niggl

ERSTER TEIL

Die deutsche Autobiogra
von den Anfängen des Pie
bis zur Mitte des 18. Jahrh
(1680–1760)

I. ANSÄTZE EINES GATTUNGSBEWUSSTSEINS

Die Geschichte der deutschen Autobiographie in der ersten Hälfte des 18. Jahrhunderts ist durch eine allmähliche, den Autoren selbst unbewußte Umwandlung der spätestens seit dem ausgehenden Mittelalter und der Reformationszeit überlieferten Formen und Typen gekennzeichnet. Diese werden zwar noch in jedem Falle traditionsgehorsam übernommen, aber im Laufe dieser wenigen Jahrzehnte durch einen neuen, sich rasch verstärkenden Willen zur Selbstdarstellung, ja Selbstbestätigung auf verschiedene Weise erweitert, umgestaltet und miteinander gemischt – in einem bis dahin unbekannten Wechselspiel, das mit seiner experimentierenden Beweglichkeit eine notwendige Vorübung für die spätere Individualisierung der autobiographischen Typen darstellt.

Die Zeit selbst jedoch wird diese unmerklichen Vorgänge noch nicht gewahr. Wie man im Praktischen nur die überlieferten Formen sieht und sie unverändert weiterzugeben glaubt, ebenso verharrt man im Theoretischen bei traditionellen Vorstellungen und Urteilen, die höchstens Ansätze eines Gattungsbewußtseins enthalten, da sie nur das Wahrheitsproblem der Autobiographie berühren und weder ihre Grenzen gegenüber Nachbarn genauer bestimmen noch ihre typologischen oder stilistischen Variationsmöglichkeiten diskutieren. Zudem beschäftigen sich bis zur Jahrhundertmitte nur zwei Gruppen von Schriftstellern mit dieser Sonderform: die Editoren einzelner Autobiographien oder autobiographischer Sammelwerke und die Verfasser geschichtswissenschaftlicher Abhandlungen, während alle Poetiken und Rhetoriken der Zeit noch keine Notiz von ihr nehmen.

Die Herausgeber begründen in ihren Vorreden die Edition autobiographischer Manuskripte vor allem mit deren höherer Authentizität gegenüber Biographien und anderen Lebenszeugnissen von fremder Hand. Schon Gottfried Wagners Dissertation über *Scriptores qui de sua ipsi vita exposuerunt* (Wittenberg 1716) bestätigt indirekt diese Überzeugung, indem er (als erster, wie er betont) einige dieser Schriftsteller mit knappen biographischen Daten vorstellt und an geeigneten Stellen Kostproben aus ihren Autobiographien im Text oder in Fußnoten zitiert, offensichtlich um seine Lebensabrisse mit authentischen Sätzen zu illustrieren.* Die eigentlichen Editoren der Folgezeit sprechen dann direkt von der »besondern Urkundlichkeit« solcher »wahren Geschichten«[1] und rechtfertigen den wörtlichen Abdruck aus den hinterlassenen Manuskripten damit, daß »nie-

---

* Behandelt werden sechs gelehrte Autoren des 16. und 17. Jahrhunderts (Neander, Spener, Bucher, Arnold, Planer, Michaelis), die in der Mehrzahl lateinische Lebensläufe verfaßt haben; nur aus Speners und Planers Beispielen werden von Wagner keine Zitate gebracht. – Am Schluß (S. 21 f.) werden weitere 70 Autobiographien aus allen Jahrhunderten und Nationen alphabetisch aufgezählt.

mand seine eigne Geschichte besser weiß, als er selbst« und überdies »die historische Wahrheit von einem schmeichelhafften Stylo [nach Art der Leichenpredigt] entfernet seyn soll«[2], d. h. man glaubt, daß sowohl in der Kenntnis der Lebensumstände als auch in der Wahrhaftigkeit des Urteils über Charakter und Fähigkeiten die eigene Lebensbeschreibung »alle die andern an Vollkommenheit übertrift«: »Andere sagen entweder zu viel, oder sie sagen zu wenig, entweder aus Neid, oder aus Mangel hinreichender Uhrkunden.«[3]

Neben dieser zweckoptimistischen Tendenz der meisten Vorreden, das spezifische Wahrheitsproblem selbstverfaßter Lebensläufe a priori mit einer raschen positiven Antwort zu erledigen, können aber auch grundsätzliche Zweifel an der Glaubwürdigkeit solcher Manuskripte begegnen. Gottfried Wagner und Gabriel Wilhelm Götten, der Herausgeber des autobiographischen Sammelwerks *Jetzt lebendes Gelehrtes Europa* (1735–40), sehen auch schon die Möglichkeit einer bewußten Wahrheitsentstellung durch die Autobiographen. Wagner macht daher zur Bedingung, daß sie »neque verecunde nimis, neque nimis libere de se narrent«, daß sie ferner nicht bloß das Lobenswürdige mitteilen und das Tadelnswerte übergehen, sondern alle Begebenheiten ihres ganzen Lebens aufrichtig (»bona fide«) berichten sollten.[4] Jene Gefahren der Selbstschmeichelei und des Eigenruhms bestimmen denn auch Götten, von den Gelehrten nur eine schlichte Erzählung ihrer Lebensumstände und Schriften zu erbitten, damit er sie dann als Biograph bearbeiten, d. h. stilistisch vereinheitlichen und mit seinem Urteil ergänzen könne.[5] Er gibt damit zu erkennen, daß er autobiographische Nachrichten nur als unerläßliche Faktensammlung für den Biographen, noch nicht als Gefäß für die Selbstdarstellung ihres Autors anerkennt; er wünscht weder ein direktes Selbstporträt, das traditionsgemäß zwischen Lebenslauf und Schriftenverzeichnis einzuschalten wäre, noch eine indirekte Selbstcharakteristik in Aufbau und Stil. Auch die Rezension seines Sammelwerks in Gottscheds *Beyträgen zur Critischen Historie* (1736) wünscht noch keine Selbstdarstellung der Einsender, wenn sie dem Herausgeber empfiehlt, in den künftigen Bänden die »Ungleichheit der so vielfältigen Schreibart« der Artikel noch stärker als bisher »mit seiner eigenen geschickten Feder« auszumerzen.[6]

Das Lager dieser Skeptiker wird noch verstärkt durch die Historiker, die freilich nirgends die Zuverlässigkeit speziell der Autobiographie, wohl aber allgemein die der zeitgenössischen und Augenzeugen-Berichte beurteilen. So stimmen Lenglet du Fresnoy und Bolingbroke darin überein, daß die »gleichzeitigen Gewährsmänner« trotz ihres grundsätzlichen Vorzugs vor anderen Quellen im Falle eigenen starken Engagements am ehesten von der Wahrheit abweichen[7], daß man bei ihnen statt Historien oft nur Schutzund Streitschriften antreffe, »in welcher man zuweilen die Sachen so weit treibet, daß sie die Wahrscheinlichkeit verlieren«[8], so daß man als Historiker gerade die zeitgenössischen Quellen am strengsten prüfen müsse[9]; analog empfiehlt Zedlers Universallexikon (Art. »Historie«, 1735), die Berichte »derer Coaevorum« nur »bey indifferenten Dingen« zu verwerten, in Fällen dagegen, wo »der Wille an denen Materien einen Antheil hat«, die »Non-coaevi« vorzuziehen.[10] Am ausführlichsten begründet Ernestis Dissertation *De fide historica recte aestimanda* (Leipzig 1746) ihre Zweifel, »num rem vere scriptores, atque ita dicere voluerint, ut viderant, atque acceperant«[11], und macht neben der notwendigen Einseitigkeit der Beobachterperspektive vor allem Furcht und Liebe für die nur schwache Wahrscheinlichkeit der Augenzeugenberichte verantwortlich. [12]

Aus allem ergibt sich, daß bis zur Mitte des 18. Jahrhunderts die Gattung der Selbstzeugnisse und speziell der Autobiographie nur hinsichtlich des Problems ihrer faktischen historischen Wahrheit ins Blickfeld der Theoretiker tritt. Den einen ist ihre Glaubwürdigkeit eo ipso garantiert, die anderen begegnen ihr mit gesteigertem Mißtrauen. Zwischen beiden Ansichten findet noch keine Vermittlung statt, es bleibt bei einzelnen Appellen, die »veritatis ratio« [13] einzuhalten, ohne daß nach der Erfüllbarkeit dieser Forderung gefragt würde. Das Gesetz der unausweichlichen Aufrichtigkeit in der bewußten Selbstmitteilung jedes Autobiographen, die gattungsimmanente Wahrheit der Autobiographie ist noch nicht erkannt, infolgedessen werden auch die Möglichkeiten einer geschichtlichen, typologischen oder soziologischen Differenzierung der Gattungsbeispiele noch nicht erwogen. In der ersten Hälfte des 18. Jahrhunderts gibt es daher noch keine Spiegelung und Wechselwirkung von Theorie und Praxis, der Gattungshistoriker erhält für diese Zeit von den noch sehr blassen Vorstellungsbildern weder für die Gliederung noch für die Deutung seines Materials brauchbare Hinweise, er ist bis zur Jahrhundertmitte auf die Kenntnis der Traditionsstränge angewiesen, die aus den früheren Jahrhunderten weiterwirken und die Typologie der Gattung noch bis tief ins 18. Jahrhundert hinein bestimmen.

II. DER WEG ZUR SELBSTDARSTELLUNG IM WECHSELSPIEL DER GATTUNGSTYPEN

1. Die typologische Säkularisation der religiösen Autobiographie

In der ersten Hälfte des 18. Jahrhunderts herrschen unter den autobiographischen Typen die religiösen Konfessionen vor: es ist die Blütezeit des deutschen Pietismus, der in der Reaktion gegen eine dogmatisch erstarrte Obrigkeitskirche eine dogmenferne, zu Gott unmittelbare, vornehmlich von den Gemütskräften bestimmte Frömmigkeit wiederentdeckt, dabei aber die lutherische Rechtfertigungslehre als theologische Grundlage beibehält*, was eine ständige Kontrolle des eigenen Glaubens- und Gnadenstandes an den äußeren Merkzeichen der wechselnden Zustände und Stimmungen der Seele notwendig macht[1]. Daraus resultiert eine neuartige Bekenntnisliteratur, die überwiegend in der zweckdienlichen Form der geistlichen Stunden- und Tagebücher auftritt und nur gelegentlich als rückblickend-zusammenfassende Geschichte der eigenen religiösen Erlebnisse erscheint. Für beide Fälle hat die neue Darstellungsform nicht der Gründer des Pietismus, Philipp Jacob Spener, sondern sein auch sonst einflußreichster Schüler[2] August Hermann Francke geprägt. Denn Speners *eigenhändig aufgesetzter Lebens-Lauff* (1683/86)[3] bewegt sich noch ganz in den Bahnen der traditionellen Biographik: auf den annalistischen Bericht der äußeren Studien- und Berufslaufbahn, die er weniger von eigener Tatkraft als von göttlicher Providenz gelenkt deutet, folgt eine statische Selbstcharakteristik hinsichtlich seiner Tätigkeiten und Mängel in Amt und Predigt, zuletzt ein allgemeines Sündenbekenntnis mit der Vergebungsbitte an Gott und die Gemeinde. Mit curriculum, portrait und confessio sind damit drei verschiedene Traditionsformen aneinandergereiht, höchstens durch den Unterton der Selbstanklage lose miteinander verbunden. Es leuchtet ein, daß eine solche Form für die Darstellung religiöser und seelischer Krisen, Wandlungen und Durchbrüche, wie sie jetzt in pietistischen Kreisen erlebt werden und zur Formulierung drängen, wenig geeignet war. Darum ist es für die Entstehung und Ausbreitung der Bekenntnisliteratur innerhalb der pietistischen Bewegung in Deutschland entscheidend gewesen, daß schon wenig später (1690/91) August Hermann Francke seine religiösen Erlebnisse in die Form einer Bekehrungsgeschichte mit genau benennbaren Phasen gekleidet[4] und zum Muster eines ganzen Bekehrungssystems[5]

---

* So beruft sich Francke am Ende seines »Lebenslauffs« ausdrücklich auf Luthers Definition des Glaubens in der Römerbrief-Vorrede (im Anschluß an Joh. 1, 12): August Hermann Francke. Werke in Auswahl. Hrsg. von Erhard *Peschke*. Berlin 1969, S. 28.

erhoben hat. Das bedeutet zunächst Wiederbelebung der augustinischen Tradition, doch erscheint dieses Muster jetzt verwandelt in eine gedrängte, fast ängstliche Gestalt. Denn Francke hat seine Stationen: Sündenerkenntnis, Sündenangst, Glaubenszweifel, Erlösungswunsch, ringendes Gebet, dann plötzliche Erleuchtung und Glaubensgewißheit, in Gestalt eines kurzen, aber heftigen Bußkampfes und überraschenden Durchbruchs auf engem Raum dramatisch konzentriert. Er tut es in bewußt pädagogischer Absicht, um auch anderen »mit dem Atheismo luctirenden Menschen« zu helfen, »weil die Exempel mehr zu moviren pflegen, und gewiß eben dergleichen damahls in meinem Gemüth vorgegangen.«[6] Franckes Bekehrungsschema wird in der Folgezeit vor allem als Grundlage für die Praxis der pietistischen Tagebücher wichtig, die als Seelenprotokolle alle bei Francke vorgezeichneten Phasen durch tägliche Selbstbeobachtung herbeiführen und nachvollziehen sollen. Daneben tritt als Ergänzung die summarische Deutung in der eigenen Erweckungsgeschichte. Beide Formen übernehmen später auch andere pietistische Richtungen, wie etwa die Herrnhuter Brüdergemeine*; während dabei die Diarien das strenge Schema des Franckeschen Bußkampfes nicht mehr zugrunde legen, greifen die Bekehrungsgeschichten, von Pietisten gleichwelcher Provenienz verfaßt, gern auf das hallische Muster zurück, weil es am besten den unwillkürlichen Wunsch nach dramatischbewegter und zugleich geschlossener Darstellung der göttlichen Heilstat zu erfüllen verspricht.

Die bekannte Sammlung solcher Zeugnisse in Johann Henrich Reitz' *Historie der Wiedergebohrnen* (²1701, ⁴1717) ist dabei eher als eine Sackgasse in der Entwicklung dieses Typs anzusehen. Schon der Untertitel der Sammlung: »Exempel gottseliger ... Christen, Männlichen und Weiblichen Geschlechts, In Allerley Ständen, Wie Dieselbe erst von GOTT gezogen und bekehret, und nach vielen Kämpffen und Aengsten, durch GOttes Geist und Wort, zum Glauben und Ruhe ihres Gewissens gebracht seynd« läßt eine starke Uniformität der Beispiele erwarten. In der Tat haben die Berichte hier, namentlich im ersten Teil mit überwiegend *auto*biographischem Material, von Franckes erzählfreudiger und psychologisch nuancenreicher Darstellung nur das bloße Aufbaugerüst bewahrt, woran sich regelmäßig eine Aufzählung der besonders trostreichen Bibelworte und der stets gleichen Gnadenwirkungen anschließt. Fast scheint es sich um Antworten auf vorgelegte Fragenreihen zu handeln, womit der Sammler den hier ohnehin

---

* Hier wurde das mündliche und schriftliche Selbstbekenntnis vor allem innerhalb der sog. »Banden« oder »Gesellschaften«, freiwilligen Zusammenkünften gleichgesinnter Brüder zu gegenseitiger offener Aussprache, in Form von »Bandenbücheln« und »Bandenbriefen« festgehalten. Näheres hierzu bei Gottfried *Schmidt*, Die Banden oder Gesellschaften im alten Herrnhut, in: Zeitschrift für Brüdergeschichte 3 (1909), S. 145–207, bes. S. 175–179. Nach Schmidt (S. 177, Anm. 106) wurden bei der Revision des Unitätsarchivs nach 1760 viele Bandenbriefe gefunden und vernichtet, zudem haben die Synoden von 1764, 1769, 1775 die Vernichtung solcher Geständnisse, auch der im Privatbesitz befindlichen, empfohlen, so daß heute wohl nur noch wenige Zeugnisse dieser Art existieren werden. Eine Edition etwaiger Restbestände von Bandenbücheln oder Bandenbriefen wäre darum für unsere bisher recht spärliche Kenntnis des streng pietistischen Tagebuchs um so verdienstvoller. – Dagegen erscheinen selbstverfaßte Lebensläufe innerhalb der Brüdergemeine erst in den fünfziger Jahren und erleben in der zweiten Jahrhunderthälfte ihre Blütezeit. Näheres u. S. 62ff.

vorhandenen* Schematismus noch verstärkt hat. Dennoch glaubt er, damit einen Strauß »von vielerley Farben und mancherley Kräfften«, ja einen »lebendigen Spiegel« zu liefern, worin »ein jeder … am besten sehen und vernehmen (kan) sein Bild, Gestalt und Gleichheit, oder seine Ungleichheit, und was ihm fehlt, wie nahe oder wie fern er noch seye vom Reich GOttes«[7], ohne zu bemerken, daß sein eigener normierender Dogmatismus zwar seine pädagogische Intention befördern kann, zugleich aber eine formale Erstarrung des dafür beanspruchten literarischen Typs bewirken muß.

Der pietistischen Autobiographie war insgesamt ein anderer, weniger isolierter Weg vorgezeichnet. Er wird sofort deutlich, wenn man beachtet, daß keineswegs jede pietistische Erweckungsgeschichte sich auf die Schilderung des Bekehrungsvorgangs selbst beschränkt. Gerade die als Folie stets vorangestellte Darstellung des Weltlebens, des »natürlichen Menschen«, ist oft genug die Einbruchstelle für eine thematische Erweiterung der religiösen Bekenntnisschrift. Diese thematische Erweiterung ist schon des öfteren bei genauen Analysen der einschlägigen Beispiele, so etwa von Werner Mahrholz[8] oder jüngst noch von Ingo Bertolini[9], gesehen worden (und sie ist bei aufmerksamer Lektüre auch kaum zu übersehen). Aber sie ist dabei von Fall zu Fall mehr oder weniger verlegen als eine Beeinträchtigung der Reinheit der Bekenntnisschrift, als ein bedauerlicher Erdenrest hingenommen oder gar abgewertet worden[10]. Sieht man hingegen diese Erweiterung neutral gattungshistorisch, wird sie als eine zunehmende typologische Überlagerung der religiösen Bekenntnisschrift erkennbar. Das soll im folgenden begründet werden.

Schon bei Francke wird die fast zwei Drittel der Bekehrungsschrift umfassende Vorgeschichte mit Einzelheiten aus der Studien- und ersten Berufszeit gefüllt, deren Mitteilung weder zum Verständnis der Bekehrung noch gar für den pädagogischen Zweck der Schrift nötig wäre. Wohl versucht Francke, auch diese Vorgeschichte in das Netz der Polarität Gott-Welt (im Sinne des johanneischen Κόσμος-Begriffs)[11] einzufangen, doch lassen Reflexionen über die rechte Kindererziehung oder die Aufzählung aller Lehrer, Kolleg- und Disputationsthemen dieses Bezugssystem zeitweilig halb vergessen[12]; dazu kommen als längere Exkurse die ausführliche Geschichte des Collegium philobiblicum und die der Molinos-Übersetzung[13], beide ausdrücklich zum Zweck der Selbstverteidigung eingeschaltet, obwohl das Bekehrungsschema anschließend den Autor dazu zwingt, auch diese Tätigkeiten noch dem verwerflichen »Weltleben« zuzurechnen. Hier stoßen deutlich zwei gegensätzliche Intentionen zusammen, und Francke gelingt nur mühsam die Überbrückung. Geschichtlich gesehen, ist hier der Schnittpunkt zweier konträrer Gattungstraditionen erkennbar: die Tradition der religiösen Konfession will nach augustinischem Vorbild die Bekehrung als den Angelpunkt des eigenen Lebens darstellen und dieses von Anfang an auf jenes Hauptereignis hinordnen; sie wird durchkreuzt von der Tradition der Berufs- (meist Gelehrten-) Autobiographie, die den beruflichen Werdegang von den Studienjahren in die öffentliche Wirksamkeit mit ihren wechselnden Erfol-

---

* Schon Gottfried Stecher hat darauf hingewiesen, daß allein durch die Lektüre von Bekenntnisschriften in pietistischen Kreisen das individuelle Erlebnis von vornherein literarisiert und durch schriftliche Fixierung noch mehr normiert wurde. – Gottfried *Stecher,* Jung Stilling als Schriftsteller, Berlin 1913 (Palaestra. 120), S. 22.

gen und Konflikten als das eigentliche autobiographische Thema betrachtet und seit dem Ende des 16. Jahrhunderts durch mehrere umfangreiche, zunächst noch lateinisch geschriebene Werke, vor allem in Frankreich (Junius, Thuanus, Huetius), aber auch in Deutschland (Ursinus, Andreä) vertreten ist und im 18. Jahrhundert eine neue Blütezeit erleben wird.[14]*

Das soeben bei Francke beobachtete typologische Nebeneinander wird in Johann Georg Hamanns *Gedanken über meinen Lebenslauf* (1758)[15] zu einem bedeutsamen stilistischen Ausgleich von Vorgeschichte[16] und Erweckungsprozeß[17] gebracht, weil hier, wohl zum einzigen Mal in der deutschen Bekenntnisliteratur, eine hypotaktische Einheit in der Darstellung des weltlichen und geistlichen Geschehens gelingt. Ermöglicht wird sie durch die besondere Situation der Niederschrift: unter dem frischen Eindruck des Erweckungserlebnisses wird die Rekapitulation des eigenen Lebens zu einem Preis auf die prüfende Führung Gottes, die Hamann dabei in den häufigen Gebetseinlagen von der Vergangenheit her durch den gegenwärtigen Punkt der Neugeburt hindurch in alle Zukunft vorausentwirft. Diese Verbindung aller drei Zeitbereiche hat die formale Konsequenz, daß in allen Teilen dieses *Lebenslaufs* eine annähernd gleich deutliche Zeichnung der Umwelt (Angehörige, Freunde, Reiseeindrücke) gleichmäßig von Selbstanklagen, Reflexionen und Gebeten durchzogen ist, der Erweckungsprozeß nur durch einläßlicheres Erzählen und bewegteres Tempo formal aus dem übrigen Bericht herausragt. Vor allem beschränkt sich die psychologische Selbstbeobachtung nicht mehr, wie noch bei Francke, auf Bußkampf und Durchbruch; vielmehr werden schon bald Skizzen der eigenen Seelenumstände und Verhaltensweisen in die Vorgeschichte eingestreut[18] und dabei als Folge der Sündhaftigkeit, letztlich als Wirkung der »schweren« Hand Gottes[19] gedeutet. Wenn überdies das äußere Geschehen (Berufswechsel, Reisen) als Ausdruck der seelischen Unruhe erklärt wird[20], so ergibt sich im ganzen eine klare kausal-hierarchische Gliederung, worin der Detailrealismus des äußeren Berichts wie der psychologischen Analyse allein der Veranschaulichung des göttlichen Handelns zu dienen hat.

Neben den Formen der reinen und der untermischten Bekehrungsgeschichte begegnet in der religiösen Autobiographik des 18. Jahrhunderts noch eine dritte Gruppe, deren Vertreter wohl ebenfalls beabsichtigen, ein Bekehrungsschema ihrer Lebensdarstellung zugrundezulegen, in Ermangelung eines entsprechenden Bußkampferlebnisses jedoch keine eigentliche Umkehr, sondern einen meist schon länger vorbereiteten und schließlich durch einen äußeren Anstoß bewirkten religiösen Entschluß für ihren »Durchbruch«

---

* Diese typologische Überlagerung hat neuerdings Gerhart von *Graevenitz* (Innerlichkeit und Öffentlichkeit. Aspekte deutscher »bürgerlicher« Literatur im frühen 18. Jahrhundert. In: DVjs 49, 1975, Sonderheft »18. Jahrhundert«, S. 1*–82*) veranlaßt, den Charakter der pietistischen Autobiographie als einer religiösen Bekenntnisschrift überhaupt in Frage zu stellen, in ihr vielmehr nur eine erbauliche Ausschmückung des zeitgenössischen Typs der Gelehrtenautobiographie zu sehen und selbst ihre zentrale Vorstellung des »Durchbruchs« als Übernahme aus den akademischen Karrierechroniken zu vermuten (S. 20* ff.). Aber der einzige Beleg, den von Graevenitz dafür gibt (aus der 1744 verfaßten »eigenen Lebensbeschreibung« Christian Wolffs: S. 21* Anm. 59), spricht eher dafür, daß der aus biblisch-mystischer Tradition stammende Begriff des »Durchbrechens« (vgl. August *Langen*, Der Wortschatz des deutschen Pietismus, Tübingen²1968, S. 238, 414) hier einmal auch auf den Erfolg des Gelehrten säkularisierend übertragen worden ist.

erklären. Im ganzen folgt diese Gruppe der milderen Anschauung Speners[21] über die nur bedingte Notwendigkeit von Bußkampf und Sündengefühlen zum Gewinn der Wiedergeburt. Dadurch aber wird in ihren Lebensdarstellungen das Franckesche Muster nahezu umgekehrt: auf eine kurze Vorgeschichte, die bereits die stufenweise Weltabkehr illustrieren soll und darum kaum ein Sündenbekenntnis enthält, folgt die ebenfalls undramatische Entscheidung für Gott, und nun erst setzt der Kampf mit der Welt ein, die diese Abkehr mit Spott und Verfolgung bestraft. Nicht das Leben eines Sünders also, sondern das eines Gerechten, dessen Verdienste freilich stets der ungeschuldeten göttlichen Gnade zugeschrieben werden.

Ein sehr frühes Beispiel dafür ist die Lebensbeschreibung der Johanna Eleonora Petersen, geb. von und zu Merlau: in ihrer *kurtzen Erzehlung / Wie mich die leitende Hand Gottes bißher geführet / und was sie bei meiner Seelen gethan hat* (1689, ²1719)[22], wird diesem Titel gemäß vor allem die allmähliche Abkehr von der (adeligen) Welt zu Christus hin in anschaulichen Stufen (Bibellektüre, Entschluß, eine »Thäterin des Wortes«[23] zu werden; Konflikt mit der widerstrebenden und endlich verleumdenden Standeswelt) psychologisch fein und aufmerksam nachgezeichnet. Das Durchbruch-Schema ist wohl zu erkennen, aber die eigene Seelengeschichte wird nicht als Sündengeständnis und Bußkampf, sondern als eine Zunahme der religiösen Erkenntnis und der von oben geschenkten Gnadenerweise verstanden und so die Schilderung dieses ganz von Gott geführten und ganz seinem Willen anheimgegebenen Lebens zugleich als Unschuldbekenntnis gegen die Lästerungen der Feinde konzipiert.

Deutlicher zeigt sich der Unterschied zum hallischen Bekenntnisschema ein Menschenalter später in der *Lebensbeschreibung* ihres Mannes Johann Wilhelm Petersen (1717, ²1719)[24]. Hier findet man keine Konfession seelischer Kämpfe mehr (weshalb auch sonst die psychologische Selbstschilderung stark zurücktritt). Statt dessen wird als »Durchbruch« die Erkenntnis des wahren Christentums auf Grund theologischer Gespräche im Spenerschen Kreis relativ an den Anfang gerückt[25] und daraufhin noch eine Reihe von Erlebnissen direkter Visionen und Offenbarungen (Aufschließung der Apokalypse im chiliastischen Sinne, Apokatastasis-Lehre u. a.) als unvermittelte Einbrüche ins Leben beschrieben. Es ist dabei aufschlußreich, daß Petersen diese erst in einem Anhang[26] als eine Kausalfolge göttlicher Lektionen gedeutet hat.* Denn in den Lebenslauf selbst hat er sie nicht zur Veranschaulichung eines inneren geistlichen Prozesses, sondern vor allem deshalb eingebaut, um ihre Wirkung auf seine weiteren äußeren Schicksale mitteilen zu können, nämlich die wachsende Gegnerschaft einer Welt, deren Intrigen und Verhöre er bis in die wörtliche Wiedergabe von Briefen und Protokollen einzeln darzulegen bemüht ist.[27] Diese Selbstverteidigung verschafft ihm zugleich willkommene Gelegenheit, nach verschiedenen einschlägigen Schriften nun auch im Lebensbericht seine theologische Doktrin vorzutragen. Solcher rechtfertigend-didaktische

---

* Es ist darum anachronistisch, wenn *Mahrholz* (Deutsche Selbstbekenntnisse. Ein Beitrag zur Geschichte der Selbstbiographie von der Mystik bis zum Pietismus. Berlin 1919, S. 156) die Stufenleiter dieses Unterrichts bereits »Entwicklung« nennt. – Analog dazu hat Johanna Eleonora Petersen dem Neudruck ihrer Lebensbeschreibung (1719) eine freilich nur additive Reihung ihrer Offenbarungsträume und chiliastischen Meditationen als Anhang beigegeben und damit das didaktische Moment auch in ihrer Schrift verstärkt.

Hauptzweck übertönt hier die traditionelle, auch von Petersen noch behauptete Intention, die innere (religiöse) Geschichte der Seele zu bekennen, so sehr, daß auch die oftmalige Beteuerung der gnädigen Führung Gottes bereits wie ein literarischer Topos wirken muß. Nicht zufällig ist Petersens Autobiographie die erste aus pietistischem Raum, die schon zu Lebzeiten des Autors von diesem selbst unter seinem Namen und Titel als selbständiges Buch in Druck gegeben worden ist und in deren Vorrede das wirkliche Ziel: Verteidigung gegen die Widersacher, kaum mehr vom vorgeschobenen Zweck der Erbauung verdeckt wird. Sie ist ein Beispiel dafür, wie von einzelnen sektiererischen Vertretern des Pietismus schon in dessen Frühzeit die religiöse Konfession aus einer Bekehrungsgeschichte in eine Schutz- und Propagandaschrift für die eigene Person und Lehre mehr oder minder bewußt umgewandelt werden kann.

Daß in den späteren Jahrzehnten auch im hallischen Kreise selbst das Franckesche Bekenntnisschema unterwandert wird, dafür ist Joachim Langes *Lebenslauf* (begonnen 1720, gedruckt 1744) [28] ein anschauliches Zeugnis. Wohl berichtet auch Lange im ersten Abschnitt (§ XI und XIII) [29] noch von geistlichen Anfechtungen und Glaubenszweifeln während der Studienzeit, doch werden sie nicht mehr näher ausgeführt und auch sofort als eine damals nur eingebildete Gottesferne in ihrer Bedeutung fürs Lebensganze so sehr abgeschwächt, daß hier allenfalls von einer vorübergehenden Krise, aber nicht mehr von Durchbruch oder Wiedergeburt die Rede sein kann. Vielmehr herrscht auch hier von vornherein der Dank an die stets bewahrende Gnade Gottes vor, der eine geistliche Umkehr als Angelpunkt der Darstellung gar nicht mehr erwarten läßt. Aber selbst der Begriff der »gnädigen Führungen« durch die »hertzlenckende Hand Gottes« [30] erscheint hier je länger je mehr nur noch als formales Band, das die Lebenseinzelheiten bequem aneinander zu reihen erlaubt. Lange verfolgt denn auch mit der Publikation seiner Lebensgeschichte handgreiflichere Ziele, als ein religiöses Bekenntnis abzulegen: die Darstellung seiner Laufbahn als Schulmann, Prediger und Theologieprofessor dient ihm einmal dazu, seinen Schülern, Kollegen und Freunden mit detaillierten Ratschlägen und Warnungen aus dem Fundus seiner vielseitigen Berufserfahrungen praktisch zu nützen. [31] Daneben spielt aber auch das Motiv der Selbstdarstellung eine wichtige Rolle: so will er mit seinen Augenzeugenberichten über die Entstehung des hallischen Pietismus [32] in dieser Bewegung zugleich die eigene Herkunft und Richtung gegen ihre noch vorhandenen Feinde verteidigen; nicht zuletzt aber beabsichtigt er mit der Mitteilung seines Werdegangs und seiner Berufserfolge (wozu auch die detaillierte Charakteristik seiner Schriften gehört) [33], sich auch für die Zukunft als einen noch durchaus rüstigen akademischen Lehrer zu beurkunden und auf diese Weise der neuerlichen Abnahme seiner Hörerzahl zu steuern. Das wird am Ende der Vorrede ausdrücklich als eines der Ziele des Buches genannt [34], und so haben wir zuletzt auch hier wieder eine der Selbstempfehlung dienende Schrift vor uns, die freilich im Unterschied zu Petersen statt eines apologetischen Tones mehr das didaktische Moment hervortreten läßt.

In manchem konservativer, auch weniger schulmeisterlich wirkt, um noch ein spätes Beispiel für diese Gruppe zu nennen, die Selbstbiographie Friedrich Christoph Oetingers (geschrieben 1762/72, gedruckt erst 1845) [35]. Selbst hier ist noch ein Nachhall der Bekenntnistradition spürbar, wenn Oetinger seine Entscheidung fürs Theologiestudium unter Hinweis auf sein literarisches Vorbild nun allerdings schon bewußt zum Durchbruch stilisiert: »Mir ging's gerade wie Augustino, der auch zwischen zweyen hing, als er sich zu Gott bekehren wollte.«[36] Gerade solche Literarisierung zeigt aber, daß dieses Ereignis auch hier keinen organisierenden Wert mehr für die Lebensdarstellung besitzt. Dafür erscheint, deutlicher als bei Lange und selbst bei Petersen, als entscheidendes Kompositionsprinzip, wenigstens in der ersten Hälfte, das Motiv der »äußern Schickungen Gottes«[37], womit Oetinger vor allem den sprunghaften Verlauf seiner theologischen Irr- und Umwege erklären kann.* Solche »Führung mit mir« betrachtet er sogar, neben der Philosophie und dem Sinn der Hl. Schrift, als die dritte Säule seines Lehr-»Gebäus«[38], weshalb er denn auch seinen Lebensbericht a priori als § 3 seiner »Genealogie der reellen Gedanken eines Gottesgelehrten«[39] konzipiert. Daraus erhellt aber zugleich, daß auch Oetinger ihn nicht mehr niedergeschrieben hat, um andere mit Beispielen göttlicher Providenz zu erbauen, sondern um den Gang seines theosophischen Denkens zu demonstrieren. Darum kann die zweite Hälfte der Lebensdarstellung, nach dem endlichen Fund der philosophia sacra, auch noch des Schicksalsgerüsts entbehren und braucht nur noch diese Oetingersche Lehre weiter zu explizieren – vor der Folie andersartiger Meinungen in den von Oetinger besuchten separatistischen Gemeinden, durch Darstellung seiner Dispute und Bekehrungsversuche, durch die Zeichnung der geistigen Physiognomie der Lehrer, Freunde und Kontrahenten. Damit mündet aber auch dieser Lebensbericht in das Genre der Gelehrtenautobiographie, die diesmal ohne jeden polemisch-apologetischen Ton im ruhigen Aufweis der Berufsstationen, auch der zahlreichen Schriften und ihres Echos vornehmlich eine Entstehungs- und Wirkungsgeschichte der eigenen Gedankenwelt bieten will.

Am Ende dieser Beispielreihen für die typologische Säkularisation der pietistischen Autobiographie ist als ein Sonderfall in dieser Entwicklung *Johann Christian Edelmanns von ihm selbst aufgesetzter Lebenslauf* (1749–53; gedruckt erst 1849)[40] zu berücksichtigen. Diese Selbstbiographie steht noch einmal deutlich in der apologetischen Tradition, indem sie aus Anlaß einer polemischen Fremdbiographie[41] diese absatzweise zitiert und daran jeweils eigene Berichtigungen und umfangreiche Ergänzungen anschließt. Aber auch unabhängig von diesem Aufbauprinzip bleibt durch den ironisch-sarkastischen Grundton Edelmanns in der Charakteristik seiner theologischen Gegner und der von ihm besuchten Sektengemeinden die Rechtfertigung seines in Wort und Schrift propagierten Freidenkertums als Hauptmotiv der Lebensbeschreibung stets gegenwärtig. Dabei fällt auf, daß diese Streitschrift zwar scharf gegen den Erweckungsglauben der Pietisten zu Felde zieht, formal aber für den eigenen geistlichen Stufengang das pietistische Bekehrungsschema keineswegs selbstironisch oder parodistisch, sondern in vollem Bekenntnisernst übernimmt, indem Edelmann auch für seinen Weg vom Bibelglauben über

---

* Wohl betont Oetinger dabei die Teleologie der Vorsehung, aber das Bild der »äußern« Schickungen schließt die Vorstellung einer immanenten Entelechie aus, so daß es auch noch hier problematisch erscheint, den strengen organologischen Begriff der »Entwicklung« anzuwenden. Vgl. Georg *Misch,* Geschichte der Autobiographie, Bd. IV, 2, Frankfurt/Main 1969, S. 816 f. – Marianne *Beyer-Fröhlich,* Einführung in: Pietismus und Rationalismus, Leipzig 1933, Nachdruck Darmstadt 1970 (Dt. Literatur in Entwicklungsreihen, Reihe Dt. Selbstzeugnisse, Bd. 7), S. 12. – Ingo *Bertolini,* Studien zur Autobiographie des deutschen Pietismus. Diss. (masch.) Wien 1968, S. 265, 274.

die Suche nach dem wahren Christentum bis zur Erkenntnis der Göttlichkeit der Vernunft Vorbereitungszeit, Glaubenskampf und »Kräftichen Durchbruch einer neuen Geburth«[42] aneinanderreiht und dabei nicht nur das Vertrauen auf die Vorsehung, sondern sogar noch ganz im augustinischen Sinne innere Stimmen und die Lektüre von »ungefehr« beibehält.[43] Die Unbedingtheit und lebensumwandelnde Kraft des Erweckungserlebnisses der Pietisten nimmt also auch noch ihr schärfster Gegner in Anspruch, um seine eigene Vernunftreligion gleichfalls als von Gott eingegeben[44] darzustellen, wobei das Bekehrungsschema hier noch deutlicher den Aufbau bestimmt als bei den gleichzeitigen Selbstbiographien der Pietisten, nicht zuletzt durch die ständigen Hinweise des Rückblickenden auf die Vorläufigkeit der jeweils berichteten Erkenntnisstufe.[45] Man kann diesem Gerüst sogar die oft gerühmten Landschaftsschilderungen einordnen, die in ihrer barocken, von arkadischen Topoi bestimmten Bildlichkeit sich noch keineswegs realistisch[46] verselbständigen, vielmehr von Edelmann als Offenbarungen Gottes in der Natur[47] oder als Bilder paradiesischer Freiheit[48] gedeutet und so als weitere Kampfmittel gegen die biblische Offenbarung und die Glaubensgebundenheit der Christen eingesetzt werden. Gleichwohl beherrscht auch bei Edelmann das Bekehrungsschema nicht mehr das ganze Buch, auch bei ihm ist der Lebenslauf weithin zu einer Berufsautobiographie geworden, die nicht müde wird, alle Einzelheiten der Ausbildung, der beruflichen (auch schriftstellerischen) Erfolge und Schwierigkeiten, nicht zuletzt der verschiedenen Reiseabenteuer und –begegnungen zu erzählen, ohne dabei jedesmal auf das religiöse Leben Bezug zu nehmen. Dabei wäre es jedoch, gattungshistorisch gesehen, ganz abwegig, für diese Tendenz zur Weltlichkeit den Weg Edelmanns von der »Finsternis« des christlich-biblischen »Blindglaubens« zum »Licht« der Vernunft[49] verantwortlich zu machen.[50] Im Hinblick auf die generelle Entwicklung der religiösen Autobiographik seit Francke wird vielmehr deutlich, daß Edelmanns Lebensbeschreibung, völlig unabhängig von Richtung und Ziel seines religiösen Weges, das Schicksal der typologischen Säkularisation mit allen anderen Bekehrungsgeschichten in diesem Zeitraum teilt.

Für die religiöse Autobiographie sind damit wohl genügend Mosaiksteine gesammelt, um ein erstes Bild dieses Typs und seiner Gliederung in der ersten Hälfte des 18. Jahrhunderts zu gewinnen: Die reine Konfession im Sinne einer Beichte (Sündenbekenntnis, Bekehrung, Mitteilung der Gnadenerweise) hat die Bewegung des deutschen Pietismus zwar wieder erneuert, aber doch nur im engeren Raum der Gemeinde (als Erbauungs- und Vermächtnisschrift) verwirklichen können, und auch dann existiert sie gewöhnlich in der Form des geistlichen Tagebuchs, seltener in der einer rückblickenden Seelengeschichte. Die pietistische Autobiographie zeigt vielmehr von Anfang an die Neigung, die äußeren Daten des Lebens nicht nur als unerläßliches (chronologisch-topographisches) Gerüst zu sehen, sondern dem weltlichen Leben mit und neben der religiösen Geschichte Raum zu gönnen, oder gattungstypologisch gesprochen: die traditionellen Modelle der religiösen Konfession und der Berufsautobiographie hypotaktisch oder auch schon gleichberechtigt nebenordnend zu verbinden. Denn die Tradition des letzteren Typs war am Ende des 17. Jahrhunderts schon so deutlich in die allgemeine Vorstellung einer Autobiographie getreten[51], daß die führenden und also öffentlich wirksamen Vertreter der neuen Bewegung des Pietismus ihre Absicht, die Geschichte ihrer Bekehrung als religiöse Konfession zu verfassen, typologisch nicht mehr rein verwirklichen konnten. Am ehesten bleibt der Bekenntnischarakter noch gewahrt, wenn das strenge Franckesche Bußkampfschema zugrunde gelegt wird. Die quietistische Lebensauffassung hingegen, deren Vorsehungsvertrauen sich ganz dem führenden Willen Gottes anheimgibt, bringt zumeist statt der Bekehrungsgeschichte einen Lebenslauf mit religiösen Bezugspunkten und Leitmotiven (die weise Direktion der Hand Gottes), in deren Rahmen sich dann die weltlichen Ereignisse (Unglücksfälle, Reisen, Berufskämpfe) um so ungestörter erzählen lassen. Je stärker dabei das Vorsehungsmotiv hervortritt, desto mehr wird gleichzeitig der Beichtcharakter der religiösen Autobiographie abgebaut. An die Stelle der Sündenklage tritt das Unschuldbekenntnis, das sich überdies oft mit didaktischen und apologetischen Tendenzen im Kampf gegen kirchenpolitische Gegner verbindet. Damit aber öffnet sich die religiöse Konfession des 18. Jahrhunderts, und zwar von Anfang an, einer typologischen Säkularisation, ohne daß der Keim dieser Säkularisation schon notwendig in ihr läge. Den Anstoß dazu gibt vielmehr eine allgemein zu beobachtende Zunahme des individuellen Selbstbewußtseins, das quer durch alle Typen der Gattung das Motiv der Belehrung und Erbauung immer mehr vom Motiv der Selbstdarstellung und Selbstbestätigung ablösen läßt. Die religiöse Konfession als Unschuldbekenntnis bedeutet dabei für die Gattung insgesamt einen kräftigen Impuls in diese Richtung.

2. Die Entfaltung des Selbstbewusstseins in der Berufsautobiographie

Neben der religiösen Bekenntnisliteratur behauptet im 18. Jahrhundert als zweiter wichtiger Typ diejenige Lebensbeschreibung ihren Platz, die nicht primär das innere Leben beobachtet und bekennt, sondern den Blick stärker, manchmal ausschließlich auf die äußeren Erlebnisse und Schicksale richtet und auch von dort ihr Aufbau- und Deutungsprinzip empfängt. Kann man die religiöse Konfession, wie sie der Pietismus am Ende des 17. Jahrhunderts gezeitigt hat, durch ihr verfeinertes Instrument der Autopsychographie als einen originellen Neuansatz innerhalb der augustinisch-mystischen Tradition betrachten, ohne den auch die rein psychologische Konfession im Laufe der zweiten Hälfte des Jahrhunderts sich nicht hätte entfalten können, so setzt die pragmatische Lebensbeschreibung in diesem ganzen Zeitraum fast ungestört ihre jahrhundertealte Überlieferung fort, und kann darum auch die junge pietistische Autobiographie schon sehr bald, wie wir gesehen haben, typologisch unterwandern.

Mehrere Traditionsstränge verschiedenen Alters lassen sich hier unterscheiden. Der älteste und wohl am meisten verbreitete ist seit dem ausgehenden Mittelalter allmählich aus den bürgerlichen Haus- und Familienbüchern erwachsen* und hat der Selbstbiogra-

---

* Die Entstehung dieses Typus zeichnet Adolf *Rein*, Über die Entwicklung der Selbstbiographie im ausgehenden deutschen Mittelalter, in: Archiv für Kulturgeschichte 14 (1919), S. 193–213. – Rein nennt (S. 208) als erste in sich geschlossene deutsche Selbstbiographie das von Burkhard Zink 1466 in seine Augsburger Chronik eingelegte »besunder buech, wie ich Burkhart Zingg von meinen

phie bis ins 18. Jahrhundert hinein oft genug den Charakter einer privaten Chronik bewahrt. Sie wird, wie schon das Familienbuch, für die Nachkommen geschrieben und ist in der Regel nicht zur Weitergabe in fremde Hände, geschweige zur Veröffentlichung bestimmt. Gegenseitiger literarisch-formaler Einfluß und unmittelbare Wirkungsgeschichte sind also hier ausgeschlossen, doch läßt sich die auffällige Kontinuität der Form leicht mit der Biographie als der benachbarten Leitgattung[52] erklären, deren veröffentlichte Muster der Leichenpredigt, des Nachrufs, der Eloge, der literarischen Porträtgalerie (nach antikem Vorbild: Nepos' *De illustribus viris*)[53] allgemein bekannt waren und ihr durch Jahrhunderte stabiles Aufbauschema: Lebenslauf, Charakteristik, Werkverzeichnis, nun auch für die familiäre Autobiographie bereithielt. Dieses Grundmuster bringt zunächst die Ahnenreihe, darauf die Umstände der eigenen Geburt und Taufe, aus der stets nur knapp berücksichtigten Kindheitsgeschichte die auffälligen Erlebnisse (meist Unglücksfälle), sodann die einzelnen Stufen der Erziehung in Haus und Schule. Die Darstellung von Reisen und Abenteuern, sei es zu Bildungszwecken in den Studienjahren, sei es in Berufsgeschäften unternommen und erlebt, kann sich anschließen und ist dann fast immer sehr ausführlich gehalten, was auf eine Benutzung eigener Tagebücher schließen läßt. Die weitere Berufslaufbahn, wichtige Käufe und Verkäufe, Heirat, Geburts-, Krankheits-, Unglücks- und Todesfälle, gelegentlich auch die großen ins Einzelleben eingreifenden politischen und wirtschaftlichen Ereignisse (Kriegsläufte, Hungersnot) werden in den späteren Abschnitten zumeist annalistisch aneinandergereiht, also wohl jahrweise hinzugefügt (weshalb die kompositorische Bruchstelle häufig die Abfassungszeit des ersten Teils verrät). Dem Lebenslauf folgt die Selbstcharakteristik: sie vermag bis ins 18. Jahrhundert hinein die psychologische und moralische Person nur einem vorgeprägten Temperament zuzuordnen und höchstens die äußere Konstitution und Lebensweise (Verhalten bei Krankheiten, Diät, Tageseinteilung) zu individualisieren. Der Gelehrte ergänzt diese Konturen der Eigentümlichkeit fast immer durch das traditionelle Schriftenverzeichnis, das den Lebenslauf an Umfang übertreffen kann: er bringt darin oft die ganze Entstehungs- und Wirkungsgeschichte dieser Werke im einzelnen und pflegt auch noch die inedita, Pläne und Entwürfe aufzuzählen, um im vollständigen Umkreis seiner Arbeiten und Interessen mehr als in direkten Worten die eigene geistige Physiognomie zu spiegeln.

Dieses Grundmuster bleibt elastisch genug, um die Verlagerung thematischer Schwerpunkte zuzulassen, je nachdem die Berufslaufbahn, die Häuslichkeit oder die Abenteuerlichkeit eines Lebens dem Verfasser besonders merkwürdig erscheint: auf diese Weise bilden sich schon im Laufe des 16. Jahrhunderts aus der gemeinsamen Wurzel die beiden wichtigen Untergruppen der Berufsautobiographie und der abenteuerlichen Lebensgeschichte heraus.

Vielfach bewahren beide die Intention der Familienchronik als ihres Ausgangspunktes, indem sie das Erlebte einfach registrieren und den Nachkommen als ein in sich Interessantes und Denkwürdiges überliefern. Die bloße, noch um keinen Kausalnexus besorgte Addition der Begebenheiten ist bereits hinreichendes Kompositionsprinzip, der Lebens-

---

kintlichen tagen gelept und wes ich mich genietet han und wie es mir gangen ist.« (Die Chroniken der deutschen Städte vom 14. bis in's 16. Jahrhundert, Bd. 5, Leipzig 1866, S. 122–143).

zusammenhang ist weder im Ich noch in Gott, sondern allein in der Welt zentriert[54], weil das Leben auch in der Selbstbiographie noch ganz wie in der Familien- und Weltchronik als Kette von Ereignissen, noch nicht als individuelle Schicksalsfolge gesehen wird.

Mit dem Beginn der Reformation jedoch, die ein streitbares Zeitalter ohnegleichen, im Religiösen wie im Politischen, heraufführt, bildet sich mit der Literaturform der öffentlichen Apologie auch für die Selbstbiographie in Deutschland eine neue folgenreiche Motivtradition. Spezifische Verteidigungsschriften, die sich auf aktuelle Anklagepunkte der Gegner konzentrieren und sie direkt entkräften wollen, gehen voraus (Paracelsus, *Vorreden in das Buch Paragranum* 1528–29, *Die sieben Defensionen* 1538; Agrippa von Nettesheim, *Apologia* 1533; Herzog Albrecht von Preußen, *Bekenntnis einer Christlichen person* 1551)[55]. Seit der Mitte des 16. Jahrhunderts kann es dann geschehen, daß zur Rechtfertigung des eigenen Handelns und Denkens die ganze Lebensgeschichte als Argumentationskette benutzt wird. Schon Götz von Berlichingen gibt als alleinigen Grund seiner *Lebens-Beschreibung* (1561/62) die Korrektur der Irrtümer und Verleumdungen seiner »Mißgönner« an[56]; auch Bartholomäus Sastrow plante in einem vierten (nicht erhaltenen) Teil seiner Autobiographie (1595/96) die Aufdeckung aller feindlichen Ränke, um seinen »Widerwertigen … das Maul stopffen« zu helfen[57]. Selbst wenn in diesen frühen Beispielen die apologetische Intention zunächst noch keine Veränderung in der additiven Form hervorruft, ist doch insgeheim in dem zu verteidigenden Ich ein neues Zentrum gefunden, das auf die Dauer notwendig einen neuen selbstbiographischen Typus herausbilden muß.* Schon die von vornherein stärkere Orientierung auf das Forum der Öffentlichkeit läßt dies erwarten – nicht zufällig ist die erste gedruckte deutsche Autobiographie, die *Wahre und einfältige Historia Stephani Isaaci* (1586)[58], zum Zwecke der Selbstrechtfertigung verfaßt und vom Autor selbst herausgegeben. – Man kann sagen, daß das damals aufkeimende Individualitätsbewußtsein in erster Linie durch die verschiedenen literarischen Formen der persönlichen Apologie, namentlich wenn damit eine Rekapitulation des eigenen Lebensganges verbunden ist, bewahrt und weitergegeben worden ist: auch nach den Reformationskämpfen bleibt die apologetische Selbstbiographie erhalten und findet etwa in Johann Valentin Andreä (*Vita* 1642, seinem Fürsten handschriftlich überreicht), Anna Maria von Schurmann (Εὐχληρία 1665, 1677), Uriel Acosta (*Exemplar Humanae Vitae* 1687) wichtige Vertreter, die sich jetzt alle der lateinischen Sprache bedienen, um möglichst weit Gehör zu finden.

In diesem 17. Jahrhundert erscheint daneben erstmals als dritter möglicher Anlaß einer Selbstbiographie die Aufforderung der Freunde an einen öffentlich wirksamen Mann

---

* Da Clemens *Lugowski* (Die Form der Individualität im Roman. Studien zur inneren Struktur der frühen deutschen Prosaerzählung. Berlin 1932, S. 165–167) dazu neigt, den Zweckgesichtspunkt der Selbstbiographie zu unterschätzen, verkennt er in der neuen apologetischen Intention den Keim einer möglichen Individualisierung dieser Gattung. Bei Götz etwa wäre sehr wohl zu überlegen, ob seine Absicht der Selbstrechtfertigung nicht doch bereits das Zentrum der Schrift aus der Welt (»Rechtsgemeinschaft«) in das Ich verlegt (Lugowski, S. 167 f.) und, wenigstens zwischen den Zeilen, schon einen persönlichen Lebenszusammenhang spüren läßt; bei Sastrow jedenfalls übersieht Lugowski (S. 166), daß dessen Autobiographie überhaupt erst im vierten (nicht erhaltenen) Teil ein apologetisches Ziel angestrebt hätte, die ersten Teile also als Gegenargument unbrauchbar sind.

(Gelehrter, Staatsmann, Kirchenfürst), die Geschichte seiner Tätigkeit vor dem Hintergrund der Zeitereignisse festzuhalten. Noch kaum in Deutschland, um so mehr in Frankreich entsteht auf solche Weise eine Reihe von ebenfalls lateinisch verfaßten Berufsautobiographien, die nun auch schon zu Lebzeiten des Verfassers gedruckt erscheinen, ohne eines polemischen oder rechtfertigenden Antriebs bedurft zu haben (Franz Junius 1594, [2]1613; Jakob August Thuanus 1620; Johann Amos Comenius 1668; Pierre Daniel Huetius 1718). Alle genannten Traditionen werden in Deutschland auch im 18. Jahrhundert fortgesetzt oder neu aufgenommen.

Wieweit die *private Chronik* in dieser Zeit noch gepflegt wird, entzieht sich wegen ihrer naturgemäßen Dunkelziffer weithin unserer Kenntnis. Bisher sind nur wenige Beispiele dafür aus öffentlichen und privaten Archiven ans Licht getreten und verdanken dabei ihre Publikation dem mehr oder weniger zufälligen antiquarischen oder kulturhistorischen Interesse ihrer Entdecker. Solange hier nicht mehr Zeugnisse zugänglich werden, kann die Geschichte dieses Typs im deutschen 18. Jahrhundert nicht zureichend geschrieben werden; hier muß es genügen, an drei Beispielen: *Friderici Lucae eigentliche Lebens- und Todesgeschichte* (ca. 1696–1708), Barthold Hinrich Brockes' *Lebens-Beschreibung* (1724–1735) und Jacob Friedrich Reimmanns *Eigene Lebens-Beschreibung oder Historische Nachricht von Sich Selbst* (1735), Möglichkeiten und Modifikationen dieses Typs in seiner Endphase zu illustrieren.

Noch ganz in der Art des Burkard Zink schreibt der Prediger Friedrich Lucä im Anschluß an sein Buch *Schlesiens kuriose Denkwürdigkeiten oder vollkommene Chronik* (Frankfurt 1688) die eigene Lebensgeschichte [59] und bezieht sich dabei öfters auf diese seine Heimatchronik als auf »vorher Beschriebenes«[60], um es in der Selbstbiographie nicht mehr wiederholen zu müssen. Diese war gleichwohl nur für die Familie bestimmt und wurde erst fünf Generationen später von einem Nachfahren in der Mitte des 19. Jahrhunderts aus rein historischen Gründen als ein »Zeit- und Sittenbild ... des siebenzehnten Jahrhunderts« publiziert [61]. Die erste Hälfte darin nehmen die Studienjahre und hier vor allem die Reisen an den Rhein und über die Niederlande zurück nach Schlesien ein: nach dem Vorbild der älteren Reisebeschreibungen werden nacheinander die verschiedenen Fahrterlebnisse, die Sehenswürdigkeiten und Curiosa der besuchten Städte aufgeführt, dabei aber nur selten eigene Gefühle oder Empfindungen berührt. Es ist noch immer ein Sammeln der Außendinge, ein Staunen über die bunte Welt, das Ich macht sich noch kaum durch eigene Urteile bemerkbar. Vielfach sind die Berichtspartien im Präsens gehalten, also wohl unmittelbar aus dem sicher zugrundeliegenden Tagebuch übernommen. – Ein solches muß auch dem zweiten Teil, dem annalistisch gebauten Bericht über das Berufsleben als Prediger in Brieg, Liegnitz und Kassel, als Quelle gedient haben. In aller Ausführlichkeit werden hier die Vokationen, das Hofleben, das eigene Verhältnis zum Fürstenhaus, ja sogar dessen persönliche Schicksale behandelt – die Grenze zur Landeschronik bleibt fließend. Demgegenüber tritt das eigene Familienleben zurück: wohl verzeichnet Lucä auch hier die näheren Umstände der Geburten und Todesfälle (samt ihren mysteriösen Vorzeichen); doch fehlt noch jede Schilderung des häuslichen Lebens, jedes Bild der Alltagsexistenz, und wieder bleibt die Gefühlswelt ausgeschlossen.* Wie noch in jeder Chronik, erscheinen auch hier nur die besonderen, schicksalhaft eintretenden Vorfälle der Aufzeichnung wert, und so rangieren für Lucä Hausbrand, Überschwemmung und Komet, Berufung, Begräbnis und Hochzeit auf gleicher Stufe. Er bemüht sich dabei noch kaum um eine kausale, desto mehr um eine temporale Verbindung der einzelnen Erzählblöcke, der das alte barocke Fortuna-Schema zugrunde liegt. Dazu tritt die in den Lebenschroniken seit jeher beobachtbare [62] Distanzlosigkeit des Ich gegenüber der berichteten Welt, so daß dem Autor jede Absicht einer Selbstdarstellung oder gar -deutung im Spiegel seiner Erlebnisse noch fehlt. Lucä schreibt nicht für sich selbst (und eben darum auch nicht für die Öffentlichkeit), sondern allein für die eigene Familie, in deren »Scatul«[63] diese Chronik neben anderen Dokumenten, Ehrenurkunden und Medaillen aufbewahrt werden soll. Aber auch im Hinblick auf die Nachkommen bemüht sich Lucä um keine Deutung der erlebten Schicksale, nirgends spricht er Lebensresultate in allgemeinen Maximen aus; sehr wohl aber hält er einzelne Rechtsgeschäfte fest[64], um der Familie bei etwaigen künftigen Streitigkeiten Argumente an die Hand zu geben – womit noch um 1700 die Herkunft dieses Typs aus den spätmittelalterlichen Hausbüchern bekräftigt wird.

Noch ein Menschenalter später begegnet in Barthold Hinrich Brockes' *Lebens-Beschreibung* (1724–1735)[65] ein Beispiel für die private Chronik. Mit Ahnentafel, Darstellung der Ausbildungsstufen, Reiseberichten, Familien- und Berufsnachrichten läßt sie den gewohnten Themenkatalog, mit der Gliederung in eine breit erzählte Jugendgeschichte (1724–1728 geschrieben, bis zur Gründung des Hausstands reichend)[66] und in eine jahrweis geführte, knappere und lückenlose Bestandsaufnahme der Berufsjahre (1730–1735 geschrieben)[67] das typische Aufbaugerüst erkennen. Anders als Lucä (und die Tradition der Familienchronik) versucht jedoch Brockes von Anfang an durch das Motiv der Dankbarkeit gegen Gott für alle Rettung aus leiblicher und sittlicher Gefahr einen religiösen Bezugsrahmen zu schaffen: dadurch rückt er seine Aufzeichnungen, die er nicht mehr für die Familie, sondern für sich selbst niederschreibt, bewußt in die Nähe der (moralischen) Konfession, wenigstens im umfangreichen ersten Teil. Das dabei verwendete Bild der göttlichen Hilfe ist für Brockes jedenfalls eine wichtige Brücke zur Selbstcharakteristik, die neben dem sittlichen Verhalten vor allem auch die eigene Empfindungswelt mit einschließt (sehr deutlich in den Reiseberichten, die statt Lucäs baedekerartiger Aufzählung des Gesehenen ganz aus der eigenen Gefühlsperspektive erzählen): Nähe und Überwindung abenteuerlicher Gefahren[68], »tiefe Empfindlichkeit« bei Betrachtung römischer Tempelruinen[69], deren nähere Bezeichnung jetzt überflüssig geworden ist**. Aus solcher neuen Ich-Zentrierung ist es auch zu erklären, daß sich Brok-

---

* Zwar glaubt man z. B. im Kapitel »Unerwartete Liebesfesseln. Verheiratung.« (S. 196–205) zunächst Ansätze einer Gefühlsbeschreibung zu entdecken, doch wird man spätestens bei einem Satz wie: »Indem nun die Ströme keuscher Liebe mein ganzes Herz anfülleten bis zum Ueberlaufen« (S. 201), der Ausdrucksschranken gewahr, die hier von der noch gültigen barocken Metaphorik aufgerichtet sind; sie paßt indessen genau in dieses Kapitel, das nichts anderes will, als die gesellschaftsgebundenen Zeremonien des Freiens und Vermählens zu wiederholen, das öffentliche Bild des Geschehens zu dokumentieren: ein Liebesbekenntnis liegt ihm noch fern.

** Die Einzelheiten bleiben in der Lebensbeschreibung unerwähnt, obwohl Brockes ausdrücklich bemerkt, er habe »in Rom alles Merkwürdige besehen, wovon ich Verschiedenes notiret« (Selbst-

kes bei der Erwähnung seiner poetischen Arbeiten nicht mehr mit einem bloßen Registrieren begnügt: er sucht bereits nach Gründen und Anlässen zu seinem späteren Dichterberuf, deutet seine Kindheitslektüre als »eine beqvehme und leichte Thüre dazu« [70] und gibt später eine relativ ausführliche »Nachricht auf welche Weise ich zur Poesie gekommen.« [71] Es ist aber bezeichnend, daß Brockes diese Ansätze zur Darstellung einer für ihn wichtigen Kausalreihe noch als einen »Absprung« wertet, wodurch »der Faden meiner Erzehlung« »unterbrochen« worden sei [72]: die traditionelle Vorstellung der Chronik nötigt den Verfasser fast noch zur Entschuldigung, wenn er die sonst peinlich beobachtete zeitliche Folge zugunsten eines bedeutsamen Entwicklungsstranges einmal ausnahmsweise durchbricht. So verwundert es nicht mehr, wenn der zweite Teil, das annalistisch gebaute Schlußdrittel, sich vollends wieder in die Tradition der Lebenschronik einfügt: als ihr Kennzeichen erscheint auch hier die unvermittelte Addition häuslicher und beruflicher Glücks- und Unglücksfälle, die gleichrangige Behandlung qualitativ ungleichartiger Denkwürdigkeiten (Hausbau, Unfälle, Beförderungen, Gesandtschaften an fremde Höfe). Auch die Geburten und Schicksale seiner leiblichen und geistigen Kinder setzt Brockes einfach nebeneinander [73]; bei letzteren ist ihr Auflagenerfolg, öffentliches Echo und allgemeiner Nutzen mit dankbarem Stolz regelmäßig notiert, so daß hier am Ende eine Art catalogus scriptorum zustande kommt.

Bei aller Traditionstreue unterscheiden sich die beiden Chronisten von ihren Vorgängern dadurch, daß sie sich nicht mehr dagegen sperren, ihre zunächst nur für die Familie bestimmten Lebensnachrichten auch einem größeren Publikum zugänglich zu machen. Schon in Lucäs Testament findet sich der Satz: »Will aber Jemand mein curriculum vitae mit geschickter Feder entwerfen, wie ich dasselbe schriftlich aufgemerket, ... soll es ihm freistehen« [74], wobei es bereits offen bleibt, ob ein solcher Biograph aus der Familie stammen müsse oder nicht, und ebenso, ob diese Lebensbeschreibung dann nicht auch publiziert werden dürfe. Im Falle Brockes' wissen wir, daß schon Götten in sein *Jetzt lebendes Gelehrtes Europa* (I. Teil, 1735) [75] die eigene Lebensbeschreibung des Dichters leicht gekürzt, sonst aber meist im Wortlaut (auch die Reiseabenteuer!) übernommen hat, und es ist anzunehmen, daß ihm auf seine öffentliche Bitte um Beiträge hin (1734) [76] Brockes die schon seit einem Jahrzehnt geführten Aufzeichnungen als Materialien überlassen hat.*

Noch einen Schritt weiter geht darin der dritte hier zu nennende Chronist, der gelehrte Hildesheimer Superintendent Jacob Friedrich Reimmann, der seine *Historische Nachricht...von Seiner Person und Schriften* [77] auf mehrfachen Wunsch seiner Freunde** 1735–1740 verfaßt und sie auch zur Publikation bestimmt hat, sie freilich erst posthum

---

biographie, S. 186) – das Reisetagebuch wird also nicht mehr, wie noch bei Lucä, als Quelle ausgebeutet.

    * Dafür spricht die weithin wörtliche Übereinstimmung beider Fassungen. Göttens Bemerkung (Gelehrtes Europa, T. 1, S. 9), er habe von einem Freunde Brockes' »das mehreste ... erfahren, was ich hie erzählen werde«, ist eine wohl von Brockes gewünschte Verschleierung der tatsächlichen direkten Vermittlung.

    ** Vgl. Vorbericht des Herausgebers *Theune*, S. [IVf.]. Bereits in ihrem Entstehungsjahr verweist Götten, Gelehrtes Europa, I, 1 (1735) am Schlusse seines Reimmann-Artikels (S. 790) auf dessen künftig erscheinende ausführliche Selbstbiographie hin.

(1745) von einem seiner Enkel hat edieren lassen. Indem Reimmann einem Wunsche von außen nachkommt, zählt er zu den frühen Beispielen in Deutschland, die an die schon erwähnte[78] französische Tradition anknüpfen. Zugleich bewirkt der öffentliche Leserkreis gelehrter Freunde eine neue selbstbewußte Erzählposition, wie sie der Familien-Chronik von Natur aus fremd sein muß. Reimmann repräsentiert denn auch den typologischen Übergang von der privat-chronikalischen Aufzeichnung zur öffentlichen Gelehrtenautobiographie. An die Chronik erinnert noch das blockhafte Erzählen, das sich noch nicht um kausale Begründungen kümmert, oder die Vorliebe für das Ausmalen einprägsamer Erlebnisse und Kalamitäten. Am deutlichsten kehrt Reimmann gegen Ende seiner Aufzeichnungen zur Chronik-Manier zurück, wenn er im Zuge eines längeren Nachtrags auf knapp zwei Seiten[79] einen summarischen Überblick über die Weltereignisse während seines Lebens gibt, die Könige und Kaiser und Päpste aufzählt, die er erlebt hat, und die auffälligen Veränderungen und Entdeckungen im Wirtschafts-, Kultur- und Kirchenwesen berührt: ganz wie ein Weltchronist, dessen Rolle hier vielleicht zum letzten Mal gespielt wird, begnügt sich Reimmann damit, als ein »lebendiger Zeuge«[80] dieser Weltveränderungen aufzutreten; denn noch ganz unhistorisch besteht hier die Beziehung von Ich und Weltbegebenheit in der bloßen uhrzeitlichen Gleichzeitigkeit, ohne daß auch nur an die Möglichkeit eines gegenseitigen Einflusses gedacht würde.

Im übrigen aber, vor allem im curriculum, liegt der Hauptakzent schon bald auf der Darstellung der einzelnen Stationen der Schulausbildung und Berufslaufbahn, so daß diese Lebensbeschreibung gleichermaßen an ein familiäres wie an ein öffentliches Publikum gerichtet ist; zumal sie am Ende, wenn auch noch nicht in eine Passage der Selbstrechtfertigung, so doch in eine genaue Nachzeichnung theologischer Kontroversen einmündet[81], woran Reimmann mit eigenen Schriften beteiligt war. (Das später folgende ausführliche »historische Verzeichnis«[82] seiner sämtlichen Schriften, deren »besonders Schicksaal«[83] dabei im einzelnen rekapituliert wird, greift diese Fehden noch einmal ergänzend auf). Aber auch stilistisch versucht Reimmann bereits, einen Erzählstandort für beide Publikumskreise zu gewinnen: sein gegenüber Lucä und Brockes neues Talent der Umweltzeichnung[84], gelegentlich von humorvoll-selbstironischem Unterton begleitet, und die schon bei Brockes zu beobachtende Gabe, die damaligen Empfindungen zu vergegenwärtigen (Lampenfieber vor der ersten Predigt, Schmerz über den Verlust der Bibliothek)[85] helfen ihm, mit und zwischen den genau berichteten Fakten die Lebensatmosphäre von damals wieder zu erwecken und so (noch völlig unbewußt) der Erzählung oft genug eine räumliche Tiefe zu geben, die nicht nur die Familie interessieren konnte. Reimmanns Lebensgeschichte ist ein anschauliches Beispiel dafür, wie allein schon die autobiographische Darstellungskunst die Musterbildlichkeit des erzählten Lebens und damit den Öffentlichkeitscharakter einer solchen Autobiographie konstituieren kann.[86]

Es läge nahe, wenigstens in der darauffolgenden Selbstcharakteristik oder «Specialia, ... die meine Person insonderheit betreffen«[87], einen nur privaten Abschnitt bei Reimmann zu vermuten; doch gerade seine Beteuerung, daß sie »zwar eben von keiner Wichtigkeit sind, aber meinen Kindern und Kindeskindern vielleicht nicht unlieblich zu lesen fallen möchten«, und daß er um deretwillen »diesen Aufsaz« (er meint die ganze Schrift) »vornehmlich gemachet habe«[88]: gerade diese Versicherung verrät seinen

Blick auf die Öffentlichkeit; ein rein privater Chronist hätte die Familie als Empfängerin nicht eigens betonen müssen. Reimmanns Doppeladresse zeigt sich denn auch in der thematischen Mischung dieser Specialia, wo auf Körperkonstitution, Diät und Krankheiten die Studier- und Bücherlust, die Predigt- und Unterrichtsmethode folgen, und zugleich in seinem Bemühen, den Eindruck eines privat-individuellen Charakters solcher Mitteilungen durch stete Berufung auf Vorbilder und Parallelen aus antiker und neuerer biographischer Literatur zu neutralisieren: mit dieser gewissen Entpersönlichung des Selbstbildnisses erhöht er seine Allgemeingültigkeit und rechtfertigt seine Publikation. Dazu kommt, daß Reimmann in allen Teilen seines Buches immer wieder Maximen auf Grund seiner Lebens- und Berufserfahrungen formuliert, dem Leser Ratschläge und Warnungen gibt, und so auch hierin über den privaten Kreis hinaustritt. Im ganzen bietet damit Reimmann schon um 1740 das Herdersche Ideal einer Lebensbeschreibung[89], und dies um so mehr, als sich auch Herder diesen Typ als eine Erneuerung und Veröffentlichung der alten Familienbücher vorgestellt hat. Reimmann ist allerdings ein erster und einsamer Vorläufer der von Herder gewünschten ruhigen und vorurteilsfreien Lebensrückblicke, die erst auf Grund seiner Appelle in den neunziger Jahren allmählich in Erscheinung treten.[90]

Vorerst bedarf der Gelehrte (und Politiker) in Deutschland noch eines *apologetischen* Anlasses, um seine Lebensgeschichte, gar im Hinblick auf ihre Veröffentlichung, zu schreiben. Allerdings vollzieht sich dabei im zweiten Drittel des 18. Jahrhunderts gegenüber den vorangegangenen Generationen ein bedeutsamer thematischer Wandel. Bisher, vor allem seit dem 17. Jahrhundert, beschränkte sich die Selbstverteidigung zumeist auf den religiösen oder kontroverstheologischen Bereich, weshalb in der Regel Geistliche, Theologen, Sektengründer die Verfasser apologetischer Lebensberichte waren. Noch die Bekenntnisschriften des Ehepaars Petersen[91] stehen in dieser Tradition, und als ein sehr spätes Beispiel dafür können *Ludwigs von Zinzendorf* ΠΕΡΙ ΕΑΥΤΟΥ oder *Naturelle Reflexiones* (1746)[92] gelten. Denn auch hierbei handelt es sich noch immer um die öffentliche Apologie eines Kirchenmannes, der hier freilich die autobiographische Darstellung in eine knappe Bilderreihe zu Anfang[93] der umfangreichen (in periodischen Blättern erscheinenden) Schutzschrift zusammendrängt, um ausschließlich den Fortschritt seiner Friedfertigkeit (»Condescendenz«) in der theologischen Disputation mit den Gegnern an einigen konkreten Beispielen aus seiner Studienzeit (Wittenberg, Utrecht, Paris etc.) zu veranschaulichen und so am Eingang der weiter nicht mehr biographisch gestalteten Schrift die Notwendigkeit dieser Selbstverteidigung eines von Natur aus irenischen Menschen um so eindringlicher zu begründen.

Seit etwa 1740 aber ändert sich nicht nur die Thematik, indem die religiösen Streitfragen zunehmend von philosophischen, spezialwissenschaftlichen oder politischen Themen durchsetzt oder abgelöst werden; auch der apologetische Charakter selbst nimmt eine neue, mehr indirekte Gestalt an: die Selbstrechtfertigung kann noch überall als Anlaß nachgewiesen werden, doch wird er in der Autobiographie selbst nicht mehr ausgesprochen; folgerichtig bleiben auch der ganze Streitfall und die Gegner in der Regel unerwähnt oder spielen absichtlich eine nur untergeordnete Rolle: an die Stelle breit angelegter Verteidigung tritt das Bestreben, in scheinbar ruhiger Sicherheit den fremden falschen Urteilen ein nicht selten ins Positive stilisiertes Selbstbildnis entgegenzustellen; gelegentlich apologetische Abschnitte können als Nachgewitter gewertet werden. Solcher weitgehend geübte Verzicht auf Polemik schafft dabei auch von hier aus die Voraussetzung für ein endliches Einmünden dieser Gruppe in die von der Familienchronik herkommende spätere Form der unprätentiösen Lebensbeschreibung. Zudem spiegelt dieser Wandel des apologetischen Typs im 18. Jahrhundert das sich entfaltende Selbstbewußtsein eines Berufsstandes, der als erster in Deutschland seine Vertreter zur Niederschrift öffentlicher Autobiographien ermuntert und dies in der Folgezeit fast zu einem Standesbrauch werden läßt.

Eingeleitet wird diese Entwicklung durch Gelehrten-Lexika im frühen 18. Jahrhundert, die im ausdrücklichen Unterschied zu Menckes und Jöchers Unternehmen [94] nicht die verstorbenen, sondern die noch lebenden Gelehrten in bio-bibliographischen Artikeln vorstellen: Christian Polycarp Leporin, *Jetzt lebendes gelehrtes Deutschland* (1724) und Gabriel Wilhelm Götten, *Das Jetzt lebende gelehrte Europa* (3 Teile, 1735–40) sind hier vor allem zu nennen. Es lag in der Natur der Sache, daß Götten zuvor in einer besonderen »Eröffnungs«-Broschüre (1734)[95] die zeitgenössischen Gelehrten zur Mitarbeit durch autobiographische Nachrichten aufforderte, und schon im ersten Teile lagen etwa der Hälfte aller 90 Artikel eingesandte Autobiographica zugrunde [96]. Göttens sofortiger Erfolg ist ein sicheres Indiz für das erwachende Bewußtsein eines Standes, der in einer Galerie literarischer Selbstbildnisse sich der übrigen Welt als eine Sondergruppe innerhalb der Gesellschaft darzustellen unternimmt.*

Dies macht alsbald Schule auch in anderen Berufskreisen: schon 1740 publiziert der Hamburger Musikschriftsteller Johann Mattheson im Selbstverlag die *Grundlage einer Ehren-Pforte, woran der Tüchtigsten Capellmeister, Componisten, Musikgelehrten, Tonkünstler etc. Leben, Werke, Verdienste etc. erscheinen sollen* [97], eine Sammlung von etwa 150 Biographien, wovon »aus gedruckten Büchern das wenigste«, »aus eigenhändigen Berichten ... und aus glaubwürdigen Handschriften« das meiste herrühre [98]. Noch zehn und zwanzig Jahre früher war er mit entsprechenden Einladungen an seine Standeskollegen auf nur geringes Interesse bei ihnen gestoßen [99]; jetzt konnte er schon etwa 40 Beiträge »ex autogr.« [100] einrücken: 24 hat er davon bearbeitet und in Er-Form gebracht, die übrigen im Ich-Wortlaut selber sprechen lassen. Mattheson weiß in seinem temperamentvollen Vorbericht eine Reihe von Beweggründen für die Sammlung anzuführen: neben dem allgemeinen Vergnügen an den Lebensläufen früherer Generationen und der Erbauung über die darin erkennbaren Wege Gottes [101] betont er den speziellen pädagogischen Nutzen der Berufsnachrichten berühmter Komponisten für alle

---

* Diese Idee hat auch später nichts von ihrer Anziehungskraft eingebüßt, fast aus jeder der nachfolgenden Generationen lassen sich solche Sammlungen – z. T. durch Porträts illustriert – nachweisen. Außer Göttens Lexikon, das später unter anderen Titeln von E. L. Rathlef (1740–44), Joh. Christoph Strodtmann (1745–55) und Ferd. Stosch (1756–81) fortgeführt wurde, seien als Beispiele genannt: Christoph *Weidlich, Zuverläßige Nachrichten von denen jetzt-lebenden Rechts-Gelehrten,* 6 Theile, 1755–1766 – Sammlung von Bildnissen gelehrter Männer und Künstler, nebst kurzen Biographien derselben, hg. v. Christoph Wilhelm *Bock* und Joh. Philipp *Moser,* 2 Bde., Nürnberg 1791–94. – Bildnisse jetzt lebender Berliner Gelehrten, mit ihren Selbstbiographien, hg. v. S. M. *Lowe,* Berlin 1806.

»angehende Musikanten, Organisten, Spielmeister«, da sie daraus lernen können, »daß sich ihre Sache nicht so mit ungewaschenen Händen angreifen lasse«, vielmehr »alle berühmte Leute, deren Geschichte hier zu finden, ... ihre niedrige und hohe Schulen ... mit Fleiß und Ernst besuchet....«[102] In der Tat richten alle Beiträge der *Ehrenpforte* ihr Hauptaugenmerk auf die Darstellung der musikalischen Ausbildung durch Lehrer und Bücher, doch versäumen sie dabei nur selten, am Anfang ihrer Laufbahn die »ungemeine Begierde zur Musik«[103] als eine ursprüngliche Neigung zu bekennen, deren Ursache ihnen »verborgen«[104] bleibe. Die Wahrnehmung ihrer Künstlernatur führt sie aber nicht dazu, deren Entfaltung im weiteren Lebenslauf psychologisch zu analysieren; dessen war die Generation Matthesons noch nicht fähig. Es genügt ihr, mit den Zeugnissen eines rasch entwickelten Talents und früher Erfolge die Exklusivität des Künstlers gegenüber anderen Berufen und mit der Schilderung der fruchtlosen Widerstände des Elternhauses gegen die Berufswahl[105] die Unbeirrbarkeit des eigenen exzeptionellen Weges darzutun. Daneben hat Mattheson die in den späteren Teilen der Berichte oft breit geschilderten Wechsel der Vokationen und Hofdienste[106] beibehalten, um seine schon im Vorbericht ausgesprochene Überzeugung zu belegen, »der grosse Gott hätte mit einigen ... nicht weniger seltsam gespielet, als da er aus Fischern Apostel machte: wenn wir zumahl die Erhebungen der Küchenjungen, Ackerknaben, Schuknechte, Leibeigenen und armen Schüler an Lulli, Calvisius, Arnold, Hofmann und vielen andern bedenken.«[107] Zur These der dunklen Herkunft des Talents gesellt sich die seiner Auserwähltheit, und ihr entspricht die Dankesformel der Autobiographen, daß Gott sie »aus dem Staube erhoben«[108]. Es wäre verfehlt, solche Akzente für versteckte Sozialkritik zu halten; das Gegenteil ist der Fall: die bestehende Gesellschaftsordnung wird bejaht, um den eigenen Stand in ihr emporzuführen. Immer klarer läßt sich so das Hauptziel der *Ehrenpforte* erkennen: gemäß ihrem Motto »Ars honore nutritur« ist Mattheson bestrebt, sowohl durch ausdrückliche Polemik gegen die noch vorhandene Geringschätzung des Musikerstandes[109] wie auch durch versammelte (Selbst-) Darstellung ihrer berühmten Vertreter (worunter er sich gleichfalls mischt), ihnen und sich selbst jene »Ehre ... auszutheilen«, die »die feineste und beste Nahrung ... aller Kunst, Wissenschaft und Gelehrsamkeit ist.«[110] Freilich werden noch ein Menschenalter später Johann Adam Hillers *Lebensbeschreibungen berühmter Musikgelehrter* (Leipzig 1774, ²1786), deren zweiter Auflage noch ganz im Stile Matthesons die Selbstbiographie des Herausgebers beigefügt ist, erneut das Ziel der *Ehrenpforte* anstreben müssen, bevor sich mit den Lebensdarstellungen Schubarts (1778/79, ediert 1791/93 und Ditters von Dittersdorf (1799) die ersten selbständigen Autobiographien aus diesem Berufskreise hervorwagen werden.[111]

Vorbild für solche Verselbständigung aber ist die Gelehrten-Autobiographie, die seit Leporins und Göttens Kompendien mehr und mehr auch in Einzelpublikationen erscheint; Joachim Lange (1744) und Jacob Friedrich Reimmann (1745) sind uns als die frühesten Beispiele dafür schon begegnet. Um die gleiche Zeit hat auch Christian Wolff auf Bitten Friedrich Christoph Baumeisters, der bereits eine Schrift *Vita, fata et scripta Chr. Wolffii philosophi* aufgesetzt hatte und diese durch authentische Nachrichten verbessern wollte, eine Selbstbiographie verfaßt[112], die dann freilich kaum von Baumeister, desto mehr von Johann Christoph Gottsched in dessen *Historischer Lobschrift des ... Herrn Christians ... Freyherrn von Wolff* (Halle 1755) benutzt worden ist. [113] Gegenüber Baumeister hatte Wolff (6. Jan. 1744) als Zweck seiner autobiographischen Materialien ausgesprochen, dem Leser »eine Idée von meiner Philosophie« zu vermitteln, vor allem »um das praejudicium zu benähmen, als wenn ich bloß des H. von Leibnitz Philosophie weitläufftiger ausführen oder erklären wollte. « [114] Er ist denn auch in der ersten Hälfte [115] bis ins einzelne bestrebt, seinen Weg zum selbständigen Philosophieren ¬aufzuzeichnen: die Unzulänglichkeit der bisherigen Denksysteme (repräsentiert durch Unterricht und Lehrbücher) wird als Ursache für die Weckung der eigenen Kombinationsgabe und abstrahierenden Vermögens betont und die Geschichte des eigenen Lehrgebäudes in jeweils momentaner (nicht durchgängiger) Kausalität begründet. Die philosophische Vor- und Umwelt steht immer im Dienste des eigenen Einfallsreichtums, der – analog zur Künstlerautobiographie der Zeit – als unerklärter und unerklärlicher Mittel- und Zielpunkt die erste Berichtshälfte beherrscht.

Aber nicht nur dieses Bild seiner geistigen Originalität, auch die anschließende Geschichte seiner öffentlichen Wirksamkeit und seines schließlich europäischen Ruhmes ist von einem ungewöhnlichen Selbstdarstellungswillen geprägt, der auch Tatsachen ohne weiteres zu den eigenen Gunsten zurechtrückt. Das Superioritätsgefühl des Schreibenden ist vor allem am Bauplan der kleinen Schrift abzulesen. Schon zu Beginn [116] versäumt er nicht, die zufällige Kongruenz seines Geburtstags mit dem des preußischen Königs Friedrich II. zu erwähnen, und er knüpft daran den Bericht einer selbstgestellten frühen Nativität über Verlust und Wiedergewinn der königlichen Gnade: als Erzählgerüst wird damit eine Lebenskurve vorangestellt, die allein von den regierenden Häusern (an Gottes Stelle?), keinesfalls von der akademischen Umwelt bestimmbar erscheint. Aber auch noch diese Kurve wird von Wolff in der Erzählung selbst auf überraschende Weise umgewandelt: in Baumeisters Abschnitt »de fatis Wolffii« setzt er an die Stelle der Vertreibung aus Halle seine triumphale Rückkehr dorthin [117] und verbannt seine kaum mehr apologetisch zu nennende Schilderung von Anlaß und Verlauf der Vertreibung in einen kurzgefaßten Anhang. [118] Damit wird statt des tatsächlichen Auf-und-Ab ein einziges Aufwärts suggeriert: auf die Lernzeit folgt der Weg zum eigenen Denken und Lehren, daran schließt sich die ununterbrochene Kette der oft gleichzeitigen Vokationen und Akademieaufnahmen [119], begleitet von Gunstbeweisen der europäischen Fürsten, wobei Wolff die hallischen Machinationen verächtlich zur bloßen Folie der um so ehrenvolleren Marburger Zeit degradiert. [120] Dazu paßt völlig, daß er die an traditioneller Stelle [121] folgende Selbstcharakteristik in die Form einer kritischen Übersicht aller sein Porträt wiedergebenden Medaillen, Kupferstiche, Gemälde kleidet, weil er so auch die Kennzeichnung seiner äußeren Züge sofort wieder mit dem Nachweis seines weitverbreiteten Ruhms verbinden kann. Höhepunkt und rundenden Abschluß [122] bilden die Reportage seines Wiedereinzugs in Halle, die Dokumentation der europäischen Wirkung seiner Schriften und der nochmalige Hinweis auf die Gunstbezeugungen der preußischen und französischen Krone.

Im ganzen bewegt sich damit Wolff noch durchaus im überlieferten Formrahmen, sprengt ihn noch nicht wie später die psychologische Lebensdarstellung, doch vermag der neue Wille zur Selbstrepräsentation bereits spürbaren Einfluß auf Themenwahl und -anordnung auszuüben, schon kann der äußere Schicksalsverlauf so umgestaltet werden, daß alle Mächte der Umwelt der Selbstverwirklichung des Helden zu dienen scheinen: das Ich wird zum Souverän und Lenker der eigenen Lebensgeschichte erklärt.

In wesentlich bescheidenerem Ton und Rahmen verfolgt das gleiche Ziel der Selbstbestätigung die *Fortgesetzte Nachricht von des Verfassers eignen Schriften,* die Johann Christoph Gottsched der 6. (und in erweiterter Form der 7.) Auflage seiner *Weltweisheit. Praktischer Theil* (Leipzig 1755 bzw. 1762) statt einer Vorrede vorangestellt hat.[123] Gottsched beruft sich dabei auf mehrere Vorgänger (Wolff, Mosheim, Formey)* und auf Stolles Anregung in der *Historie der Gelehrten*[124], es solle »jeder Schriftsteller die Veranlassungen und Absichten seiner Bücher bekannt machen.**Wir dürfen in der jungen Tradition derartiger »Nachrichten« einen weiteren Quellfluß für die Gelehrten-Autobiographie im 18. Jahrhundert erblicken, der freilich, wie wir gesehen haben, bereits in manchen catalogi scriptorum innerhalb vollständiger Lebensgeschichten eine Parallele vorfindet. Und wie dort die Berufslaufbahn in eine Geschichte der eigenen Schriften ausmünden (Brockes) oder in einer deutlich abgesetzten Bücherschau ihre nur anders akzentuierte Wiederholung erfahren kann (Reimmann), so bedeutet es für den Typus keinen großen Wandel, wenn nun bei Gottsched einmal nicht das curriculum, sondern der catalogus zum Ausgangspunkt der Gelehrten-Autobiographie gewählt wird. Denn zu einer solchen erweitert sich in der Tat diese *Nachricht*, weil sie nicht nur die näheren Anlässe und Wirkungen von Gottscheds poetischen und wissenschaftlichen Schriften, sondern auch seine Erfolge im akademischen Lehramt und dazu den kausalen Zusammenhang beider Bereiche in jahrweiser Folge bietet; einzelne Anekdoten und Stimmungsbilder (Begegnung mit anderen Gelehrten, Neid und Intrigen einzelner Kollegen, publikumswirksame Festvorträge)[125] geben der Darstellung zusätzlich Relief und Atmosphäre. Wohl bewirkt ihre typologische Herkunft, daß ausschließlich die Berufswelt zur Sprache kommt (die Gottschedin etwa erscheint nur in der Rolle als gelehrte Helferin ihres Mannes)[126] und also sowohl räumlich wie zeitlich (1719 bis 1734 bzw. 1744) nur ein Ausschnitt des Lebens geboten wird. Daß aber Gottsched einfach mit dem Jahr seines ersten Schriftstellerns beginnen, also auf Mitteilung von Herkunft, Elternhaus, frühe Erziehung und Schulausbildung verzichten konnte, ohne den damaligen Charakter der Gelehrten-Autobiographie irgend zu verfehlen, beweist einmal mehr, wie wenig der Entwicklungsgedanke noch um 1760 dem Autobiographen lebendig war. Sein Ziel bleibt vorerst noch das statische Selbstporträt, das auch Gottsched, wohl in Erinnerung an das von ihm gerade damals (1755) bearbeitete Wolffische Ruhmesbild[127],

---

* Christian Wolffs »Ausführliche Nachricht von seinen eigenen Schriften die er in deutscher Sprache herausgegeben« (Frankfurt 1726, ³1757) gibt, kurz nach seiner Vertreibung aus Halle in apologetischer Absicht geschrieben, im 1. Kap. (S. 1–22) einen kurzen historischen Abriß seiner Publikationen, beschränkt auf Inhaltsangabe und Mitteilung der Auflagenhöhe; die übrigen Kap. (S. 23–672) behandeln neben seiner philosophischen Methode Inhalt und Ziel seiner Schriften in systematischer, nach Disziplinen geordneter Folge. Trotz seines bekenntnishaften Charakters ist das Buch in diesem Hauptteil kein historischer Bericht, wohl Empfehlungs- und Schutzschrift für die eigene Philosophie, aber noch keine Selbstbiographie.
** Zit. nach: *Gottsched,* Weltweisheit, Vorbericht, Schlußabschnitt. Vgl. *Stolle,* Anleitung, Vorrede zur 2. Auflage (1724): »Man setzet an den meisten Lebens-Beschreibungen gelehrter Leute aus, daß man darinnen die Historie ihrer Schrifften zu vergessen pflege. Die Ursache aber ist keine andre,

freilich viel unauffälliger ins Positive retuschiert, wenn er etwa den für ihn lebensge-
schichtlich epochalen, aber wenig günstig verlaufenden Kunststreit mit den Zürchern
kurzerhand unerwähnt läßt.

Ordnet man schließlich die bisher behandelten Beispiele der deutschen Berufsautobiographik aus der ersten Hälfte des Jahrhunderts nach der Art ihrer Veröffentlichung, so
ergibt sich auch dabei das Bild eines sich entfaltenden Selbstbewußtseins der Autobiographen. In den dreißiger Jahren gelangen autobiographische Aufzeichnungen nur innerhalb der Sammelwerke (Götten, Mattheson) in die Hand des Publikums. Dabei werden die Materialien noch oft vom Herausgeber bearbeitet und z. B. Brockes' Lebensbeschreibung (1735) als Aufzeichnung eines seiner Freunde deklariert[128]; ebensowenig
wagt es Mattheson in der *Ehrenpforte* (1740), seinen eigenen Beitrag in der Ich-Form zu
liefern, auch hier wird ein Freund als Biograph vorgeschoben.[129] Anfang der vierziger
Jahre bestimmen dann fast gleichzeitig Christian Wolff, Reimmann und Joachim Lange
ihre Lebensbeschreibungen zur Publikation: während noch Wolff seinen Bericht nur als
authentisches Material für eine Fremdbiographie versteht und als Gewährsmann unerwähnt bleiben will, um unter dem Schutz einer scheinbaren Objektivität sein eigenes Bild
aufzustellen[130], wünscht Reimmann bereits einen unmittelbaren, auch in der Ich-
Form unveränderten selbständigen Druck seines Manuskripts – freilich erst für die Zeit
nach seinem Tod[131]; Lange wagt es dann als erster dieser Gelehrtengeneration, noch
zu Lebzeiten und ohne fremde Mitwirkung seine eigene Geschichte als selbständiges
Buch herauszugeben[132], und wenn Gottsched sein gelehrtes Leben (1755) auch noch
nicht als eine selbständige Schrift erscheinen läßt, so bietet er es als Vorspann zu einem
populären Lehrbuch auf womöglich noch belebterem Markte an.

3. Die Entwicklung des Erzählbewusstseins
in der abenteuerlichen Lebensgeschichte

Neben dem Typ der Berufsautobiographie der Gelehrten setzt in der ersten Hälfte des
18. Jahrhunderts auch der andere Zweig der Haus- und Familienchronik, der abenteuerliche Lebensbericht, seine Tradition fort und erfährt dabei gleichfalls entscheidende
Wandlungen. Es wurde schon angedeutet[133], wie auch dieser Typ von langer Hand,
wenn auch auf meist untergründigem Wege, seit dem 16. Jahrhundert vorbereitet ist und
wie er frühzeitig als ein der Berufsautobiographie gleichwertiger Zweig aus der Chronik
erwachsen konnte, insofern manches aufgezeichnete Leben seinen Schwerpunkt nicht in
der häuslichen Alltäglichkeit, sondern in (Berufs-) Fahrten und den damit verbundenen
Reiseerlebnissen besaß.

---

als, daß die Auctores selten sich angelegen seyn lassen, die Umbstände ihres Lebens selbst, umb-
ständlich aufzuzeichnen; andre aber wie sie mehrentheils hiervon die behörige Nachricht nicht haben, also können sie auch selbige der Welt nicht mittheilen. Es wäre demnach zu wüntschen, daß alle
diejenigen, so Bücher herausgeben, die Historie davon, irgend in der Vorrede derselben zu beschreiben sich die Mühe nehmen möchten. « Der letzte Satz zeigt, daß Stolle noch nicht an eine zusammenhängende Geschichte der eigenen Schriften denkt, wei sie Gottsched dann unternommen hat.

Diese scheinbar nur inhaltliche Spezifikation hatte aber sehr bald auch formale und darüber hinaus wirkungsgeschichtliche Konsequenzen. Denn während der Zweig der Berufsautobiographie schon bald die Aufmerksamkeit des Autors auf seine gesellschaftliche Stellung lenkte, somit die Aufnahme auch des apologetischen Moments in die Darstellung ermöglichte und den Keim des späteren Individualitäts- und Selbstbewußtseins mit allen gattungsformalen Folgen legte, lenkte die Stoffülle der abenteuerlichen Lebensgeschichte zunächst von der eigenen Person ab; darum hat dieser Typ die ausschließliche Konzentration der Familienchronik auf Realien und äußere Ereignisse und das damit zusammenhängende Desinteresse an der direkten Selbstdarstellung länger als die Berufsautobiographie, nämlich bis über die Mitte des 18. Jahrhunderts hinaus bewahrt. Bestes Zeugnis dafür ist, daß er im Gegensatz zur letzteren auch nach 1700 nicht daran denkt, an die Odyssee des Lebenslaufs eine Selbstcharakterisik anzuhängen. Es gilt vielmehr, nach einer summarischen Skizze der Kindheit und »Auferziehung« das Hauptthema und den Anlaß der Niederschrift: die Reiseabenteuer als Pilger, Kaufmann, Handwerksbursch, Soldat in allen erinnerten und zudem meist in Reisetagebüchern festgehaltenen Einzelheiten nochmals aufzurollen und diese Fahrten schließlich in die Ehe und den bürgerlichen Beruf einmünden zu lassen. So knapp und relativ farblos Ausgangs- und Zielpunkt gegenüber dem Mittelstück in der Regel auch gehalten sind, so darf dieser autobiographische Typ dennoch nicht mit den älteren und gleichzeitigen Reisebeschreibungen identifiziert werden. Denn diesen fehlt die eigentliche biographische Intention, vielmehr verfolgen die Reiseberichte seit den Pilgerfahrten nach dem Hl. Land [134] und den Handelsreisen im ausgehenden Mittelalter einen allgemein-praktischen, sei es geographischen, sei es völker-, reise- oder geschäftskundlichen Zweck: der allgemeine Nutzen solcher Erfahrungsberichte bringt es denn auch mit sich, daß sie, wenn auch noch selten genug, so doch gelegentlich seit dem späten 15. Jahrhundert, zum Druck befördert werden [135], ja 1584 mit Siegmund Feyerabends *Reyßbuch des Heiligen Landes* eine erste Sammlung solcher Beschreibungen veranstaltet wird. Demgegenüber bleibt die abenteuerliche Lebensgeschichte als eine nur thematische Sonderform der Hauschronik streng an die Familie und Nachkommen gerichtet, erstrebt noch auf lange Zeit keine Publikation und wird vom späten 15. bis zur Mitte des 18. Jahrhunderts tatsächlich nie in der Zeit ihrer Entstehung und wohl nur zu einem geringen Teil seit der zweiten Hälfte des 19. Jahrhunderts aus den Archiven, und auch dann nur für einen kultur- oder militärgeschichtlich interessierten Leserkreis, veröffentlicht. Bis jetzt kennt man von deutschen Beispielen dieses autobiographischen Typs lediglich: Johannes Butzbach, *Hodoporicon* (um 1505 lateinisch geschrieben, ediert nur in deutscher Übersetzung 1869) [136], Christophs von Thein *Selbstbiographie* (geschrieben 1516, auszugsweise ediert 1863, vollständig 1875) [137] und *Reisen und Gefangenschaft Hans Ulrich Kraffts* (geschrieben um 1616, ediert 1861) [138]. Die Größe der hier vorliegenden Dunkelziffer läßt sich erahnen, wenn man bedenkt, daß dann erst wieder seit dem Beginn des 18. Jahrhunderts abenteuerliche Lebensgeschichten überliefert sind; nun aber bereits in zwei ständisch differierenden Untertypen: einerseits setzen sich die Reiseautobiographien aus bürgerlich-handwerklichen Kreisen in J. C. A. Hammerschmids *Reyß- und Lebensbeschreibung* (1700–1716, ediert 1915) und Johann Dietz' *Mein Lebenslauf* (um 1735, ediert 1915) fort, andererseits wird in des Feldmarschalls Dubislav Gneomar von Natzmer *Lebenslauf, von ihm selbst aufge-*

setzt (1722, Schlußwort 1730; ediert 1881), in den fragmentarischen Jugenderinnerungen des Fürsten Leopold von Anhalt-Dessau (um 1730, ediert 1860) und in des Pandurenobersten Franz von der Trenck *merkwürdigen Leben und Thaten* (noch zu Lebzeiten des Autors ediert 1747, ²1748) die Tradition einer Selbstbiographik führender Militärs sichtbar, die die Darstellung der Karriere mit der Schilderung der Feldzugserlebnisse verbindet und eine besondere Mischform von Berufsautobiographie und abenteuerlicher Lebensgeschichte ergibt. Die lange Verborgenheit beider Zweige dieses Typs hat es mit sich gebracht, daß Herder beim Versuch seiner Typologie 1790[139] dieser autobiographischen Sonderform noch nicht hatte ansichtig werden können, und selbst für Georg Misch (1904)[140] war die Überlieferung dieses Typs noch so spärlich, daß er ihre Beispielreihe nicht wahrgenommen hat. Auch heute ist, wie man sieht, die Kette noch sehr lückenhaft, nur in Umrissen kann vorläufig der Weg und allmähliche Wandel dieses Unterstroms beschrieben werden.

Analog zur Berufsgeschichte[141] bleibt auch in der *Reiseautobiographie,* gleichgültig ob sie in geraffter Form sich auf äußere Daten und Fakten beschränkt (v. Thein) oder in breiter epischer Schilderung jedes noch so geringfügig scheinende, aber im Reisetagebuch aufbewahrte Detail zu unterhaltsamer Belehrung der Nachkommen auszubreiten unternimmt (Krafft), in erstaunlicher Kontinuität bis ins frühe 18. Jahrhundert die Erzähltechnik des planen Aneinanderreihens der Einzelvorfälle bewahrt. Noch des böhmischen Kanzlisten Johann Caspar Hammerschmid *Reyß- und Lebensbeschreibung* (1700–1716)[142], vermutlich nicht die zeitlich letzte dieser Art, ist nach diesem alten annalistisch-chronikalischen Schema gebaut und gerade für die spezifischen Reisejahre (als eines »Veld-Kuchlschreibers« im österreichischen Zweifrontenkrieg 1695–1698) wird diese Übung des sukzessiven Aufzählens der einzelnen Stationen zusätzlich durch beigefügte Skizzen der Fahrtrouten (meist auf der Donau vom Schwäbischen über Wien nach Peterwardein und zurück) illustriert[143], ja gelegentlich wird der Erzählfluß des Textes durch die Zeichnung des »Donauflus« (samt den auf der Reise berührten Orten) unmittelbar ersetzt.[144] Im ganzen herrscht der Charakter der Dokumentation vor, allenthalben spürt man die Reisediarien als Quelle der Aufzeichnungen, einmal wird ausdrücklich ein selbstverfaßtes *Journal* (der Reise zu den Friedensverhandlungen von Karlowitz 1698) eingerückt[145], im Bewußtsein, damit den Augenzeugenbericht eines außenstehenden Beobachters über das bunte Zeremonienspiel eines politisch bedeutsamen Vorganges zu liefern.

Trotz aller Naivität des reihenden Registrierens lassen sich aber bei Hammerschmid wie schon bei seinen literarischen Vorgängern Ansätze zu Resümees, zusammenfassenden Maximen und Werturteilen beobachten[146], die die Fähigkeit des Autors zu bewußter rückschauender Deutung und Bilanz verraten; auch das Strukturbild der »enttäuschten Hoffnung« erscheint gelegentlich[147], wie es Clemens Lugowski als Kennzeichen einer biographisch-zusammenfassenden Hand schon für die deutsche Selbstbiographie des 16. Jahrhunderts nachgewiesen hat.[148] Einmal sogar gewinnt Hammerschmid die Perspektive des Historiographen, wenn er am Ende des Pfälzischen Krieges (1697) die Gedanken und Entschlüsse der feindlichen Könige mitteilt[149], um so die eigene Rückreise aus dem Feld mit der hohen Politik unmittelbar zu begründen. Hier wie im *Journal* von Karlowitz stellt der Autor sein Leben unvermittelt in den größeren Weltzusammenhang, ohne freilich politisch-zeitgeschichtliche Reflexionen daran zu knüpfen: das Weltgeschehen greift auch hier noch wie ein unerklärliches Naturereignis ins eigene Leben ein, weshalb die Darstellung anschließend abrupt und wie selbstverständlich ins Enge und Nächstliegende zurückfällt.

Solcher »unökonomische Distanzwechsel«*, wie er bis in das frühe 18. Jahrhundert alle autobiographischen Aufzeichnungen in den Hauschroniken charakterisiert, weicht bei ihnen jedoch, soweit die spärlich vorhandenen Zeugnisse ein Urteil erlauben, in den nun folgenden Jahrzehnten einer sich konsolidierenden Perspektivenkonstanz als dem Ausdruck einer immer bewußter auswählenden und komponierenden Darbietung des Erlebnisstoffes. Hauptantrieb dazu ist eine neue Erzählfreude, wie sie vereinzelt schon im 16. Jahrhundert (bei Thomas und Felix Platter, Hans Ulrich Krafft)[150] lebendig, dann aber über mehrere Generationen hin verschüttet war.[151] Wenn sie jetzt wieder erwacht, zeigt sie gegenüber dem früher allein möglichen linearen Erzählen eine neue Fähigkeit, die Fülle des detailrealistisch gesehenen Stoffes in anekdotisch geschlossene Einheiten zu gliedern und in einer Kette relativ selbständiger Einzelbilder nach einer Art Guckkastenprinzip vorzuführen. Äußerlich zeigt sich dies in der Vorliebe, die Erzählung in kleinste Kapitel und Abschnitte aufzuteilen und diese gern durch überlappende Zeitadverbien (»inzwischen«, »unterdessen«, »mittlerweil« u. ä., die z. B. bei Dietz und Bräker passim begegnen) zugleich zu verklammern und voneinander abzuheben. An solcher Tektonik wird erstmals eine Erinnerungshaltung sichtbar, die den Lebenslauf nicht, wie in den bisher betrachteten Typen der Gattung, auf die Gegenwart oder Zukunft des Schreibenden orientiert (Preis der göttlichen Providenz, Selbsterkenntnis, Selbstbestätigung, Belehrung anderer), sondern das Vergangene des Lebens als Vergangenes aufruft und die eigene Erinnerungsfreude in der ausschmückenden Vergegenwärtigung der Bilder als Selbstzweck gelten läßt.

Kronzeuge für dieses neue Erinnerungserzählen ist Meister Johann Dietz' *Mein Lebenslauf* (um 1735)[152]. Der Autor selbst betont im Vorwort, daß er »einige Dinge, so mir begegnet und selbst mit Augen gesehen«, seinen Freunden erzählt habe und dabei von ihnen »ersuchet worden« sei, »solches nacheinander aufzuschreiben.«[153] Wie in den chronikalischen Rückblicken oft eigene Tagebücher als Quelle sichtbar bleiben, so erscheint hier die mündliche Erzählsituation als eine mitformende Vorstufe für die schriftliche Fixierung. Unwillkürlich sucht diese neue Erzählfreude auch ein größeres Publikum, und so erscheint hier nicht von ungefähr statt der in Hauschroniken üblichen Anrede an Familie und Nachkommen die Formel der Freundesbitte, die bisher nur bei Memoiren von Staatsmännern oder Autobiographien berühmter Gelehrter begegnet war[154], nunmehr aber auch bei den Aufzeichnungen eines weitgereisten Handwerkers auftaucht; folgerichtig stellt sich Dietz nicht mehr die eigene Familie, sondern den

---

* Dieser Ausdruck stammt gleichfalls von *Lugowski* (Individualität im Roman, S. 183) und bezeichnet den ungeordneten, weil ganz der Folge des Berichtsstoffes gehorchenden Übergang von Nah- und Fernschilderung durch den Chronisten (im Gegensatz zum künstlerischen Erzähler).

»Nächsten« als seinen Leser vor, dem er seine Erlebnisse allerdings nach wie vor nicht zur Unterhaltung, sondern allein »zum Dienst, Lehre und Warnung, zu wahrer Gottesfurcht und Vertrauen auf GOtt« [155] aufgezeichnet haben will. Aus allem wird sichtbar: analog zur gleichzeitigen Selbstbiographie Reimmanns [156] bezeichnet Dietzens *Lebenslauf* den Übergang von der privaten Chronik zur öffentlichkeitsbestimmten Darstellung der eigenen (sensationellen) Reiseerlebnisse.

Diesem Übergangscharakter entspricht Dietzens Erzählposition durch das ganze Buch hindurch. An die Herkunft aus der Hauschronik erinnert das Bestreben, den Erzählstoff in einen traditionellen religiös-moralischen Rahmen zu zwingen. So erscheint zu Beginn das Bild des Lebenslaufs als einer von Gott geführten Kreisbahn, die durch die Welt hindurch zum Geburtsort, fast zum Geburtshaus zurückführt [157], was die dazwischenliegenden Erlebnisse als flüchtige Vergänglichkeiten abzuwerten scheint. Auch die wenigen Kapitelüberschriften [158] betonen mit den herkömmlichen Stufen eines Handwerkerlebens (Erziehung, Lehre, Wanderjahre, Meisterschaft und Ehe) mehr die Heimat als die Fremde; schließlich versuchen die vielfach eingestreuten Maximen und Notabene [159], die verschiedenen Erlebnisse nachträglich als moralische Exempla zu deuten, als könnte ihre Mitteilung nur so gerechtfertigt werden.

Dieses traditionelle Schema wird aber nun von Dietzens neuem Erzählwillen von innen her aufgesprengt. Schon die ungewöhnliche Aufschwellung der beiden Reisekapitel widerlegt die am Zuhause orientierte Kapitelfolge. Zugleich werden die belehrenden Maximen von der dargebotenen Stoffülle als Marginalien an den Rand gedrückt. Denn ob Dietz nun die Pestjahre in seiner Jugend, seine Erlebnisse als Feldscher im Türken- und Dänenkrieg, als Schiffsarzt im Eismeer bis Grönland und Spitzbergen, auf Wanderschaft durch Norddeutschland oder schließlich seine Ehe- und Berufshändel als Hofbarbier in Halle schildert: immer ist er vor allem bestrebt, die Wünsche seines Publikums nach spannenden Geschichten zu erfüllen. Darum wird die äußerlich-schematische Kapitelgliederung jetzt überlagert vom neuen durchgängigen Stilprinzip einer Aufteilung in kleinste und dabei sehr häufig anekdotisch zugespitzte Erzähleinheiten, die das fahrende und seßhafte Leben dieses Mannes als eine ununterbrochene Reihe außergewöhnlicher Vorkommnisse erscheinen lassen. Wohl werden auch bei Dietz in die lockere Folge der Einzelgeschichten an passender Stelle noch immer die aus der Tradition der Reisebeschreibungen herrührenden topographischen, ethnologischen, naturkundlichen Beobachtungen [160] eingeschaltet, aber schon solcher Anschauungsunterricht (z.B. über Einzelheiten der Walfangtechnik) [161] kann jetzt als ein abenteuerliches Geschehen mit gleitendem Übergang zum Jägerlatein dargeboten werden. Noch läßt Dietz die Begebenheiten selbst als Thema vorherrschen und versteht das Ich nur als den konstanten Berichterstatter, dessen Gefühle und Empfindungen er zwar nennt, aber noch nicht gestalten kann; das gilt sogar für das letzte Drittel, wo die Darstellung der Ehe- und Berufskonflikte im Ton der Selbstrechtfertigung zur Ich-Zentrierung neigt. Immerhin gelingt es dem neuen Anekdotenstil bereits, die einzelnen Erlebnisse dem Leser unmittelbar zu vergegenwärtigen: durch andeutende und spannungssteigernde Vorankündigungen, durch dramatisierende Interjektionen, Gebets- und Gesprächseinlagen. [162] Unterstützt wird diese Technik der Vergegenwärtigung durch den weitgehenden Verzicht auf konkrete Jahreszahlen, die nur in den Anfangs- und Schlußabschnitten, nicht aber in den umfangreichen Reisekapiteln begegnen[163]; an ihre Stelle treten die unhistorischen Jahres- und Tageszeiten, die wie die topographischen Beschreibungen die Vorgänge nur illustrieren, nicht chronologisch fixieren wollen – weder auf der Linie des eigenen Lebens- noch gar auf der des allgemeinen Weltlaufs.

Mit den genannten Stil- und Aufbauneuerungen verläßt Dietz endgültig den Boden der gewissenhaft sammelnden und ordnenden Chronik. Er tut diesen Schritt sogar bewußt; denn mit dem wiederholten Hinweis, daß eine extensive Aufzählung seiner beruflichen Tätigkeiten im Felde und als Hofbarbier »gar zu lange hier sein möchte«[164], läßt er erkennen, wie sehr er die alltäglichen Vorkommnisse zugunsten ungewöhnlicher und eben darin erst erzählenswerter Erlebnisse abblendet und so sein Leben willentlich ins Abenteuerliche stilisiert. Dazu paßt Dietzens gelegentliche Affinität zu darstellerischen Übertreibungen bei bestimmten, häufig wiederkehrenden Themen: bei Liebesabenteuern, Jagdberichten, Räuber-, Rauf- und Gespenstergeschichten[165], nicht zuletzt bei der zweiten Eismeerfahrt, in deren Verlauf er bis zum Nordpol gelangt sein will.[166]

An dieser Stelle liegt die Frage nahe, wieweit sich diese neue Erzählweise der Reiseautobiographie mit der des gleichzeitigen Reise- und Abenteuerromans berührt. Seit 1720 existieren nebeneinander die Nachfahren des höfisch-historischen Romans, die Ausläufer des galanten Romans und vor allem der in der pikaresken Tradition stehende »niedere« Roman, der seit den ersten Übersetzungen von Defoes *Robinson* (1720) bis zur Jahrhundertmitte eine zweite Blütezeit in Deutschland erlebt.[167] Im Gegensatz zum alten Pikaroroman baut dieser neue Typ von Robinsonaden und Pseudo-Robinsonaden mit seinen Handlungsverläufen und Episoden nicht final eine schon zuvor gedeutete Welt auf[168], sondern bietet in unbekümmerter Reihung eine Kette von meist selbsterlebten Begebenheiten, Schicksalen und episodisch eingebauten weiteren Lebensläufen, die alle nicht mehr das religiös verstandene Baldanders der Fortuna demonstrieren wollen, ja nicht einmal mehr die Intention von Reuters *Schelmuffsky* (1696/97) besitzen, im Spiegel eigener Reiseerlebnisse sich selbst darzustellen[169] und in solcher Ich- und Weltdeutung die zeitgenössische Kultur satirisch zu kritisieren; der neue Typ des niederen Romans will lediglich die bereits formelhaft gewordene Vorstellung der »Fatalitäten« zum »beliebigen Zeit-Vertreib und Gemüths-Ergötzung«[170] anspruchsloser Leserschichten benutzen. Das spiegelt sich auch in den Titeln dieser volkstümlichen Romane, die nach Defoes Vorbild (*Das Leben und die gantz ungemeine Begebenheiten ... des Robinson Crusoe*, Hamburg 1720) mit Vorliebe ein »merckwürdiges Leben und gefährliche Reisen«, eine »wahrhaffte Geschichte, wunderbare Fata und ganz besondere Begebenheiten« oder auch ein »merckwürdiges und wunderbares Schicksahl... als eine gantz besondere lustige Lebens- und Reise-Beschreibung« ankündigen.[171] In den zwanziger Jahren ist das Attribut »wahrhafftig« beliebt, danach tritt »wunderbar« an seine Stelle, doch wird nun die Glaubwürdigkeit der seltsamen Fata durch Zusätze wie »von Ihm selbst beschrieben«[172] oder »aus dessen eigenen hinterlassenen Schriften«[173] bekräftigt.

In Aufbau, Zielsetzung und sogar Titelgebung entfernt sich also der niedere Roman nach 1720 von seinen Vorgängern und nähert sich den realen Reise- und Lebensbeschreibungen: denn auch einem Dietz geht es einerseits schon darum, die eigenen Erlebnisse auf möglichst unterhaltsame Weise zu erzählen; andererseits bestimmt auch bei ihm weder ein Welt- noch ein Selbstbild, sondern nur der Grad der spannenden Ereignishaftigkeit der einzelnen Geschehnisse ihre Auswahl und Zeichnung. Darüber hinaus muntert das Entgegenkommen des neuen Unterhaltungsromans den realen Reiseautobiographen auf, bestimmte Motive und Szenerien abenteuerlicher, burlesker, erotischer Art aus der Romanwelt in die eigene Erzählfolge zu übernehmen und damit deren Unterhaltungswert zu erhöhen. Schon allein das Grundmotiv des wandernden Handwerksburschen, dazu Liebesabenteuer, Duelle, Räuberszenen, exotische Reisen und Kriegsberichte sind im niederen Roman zu Hause[174], finden sich aber ebenso in den Epigonen des höfischen Romans[175], Duelle und erotische Abenteuer außerdem konzentriert in dem niederen Typ des sog. »Studentenromans«[176]. »Schwankhafte Anekdoten, amüsante Liebesverwirrungen, possenhafte Situationen« sind nach Herbert Singer[177] aber auch charakteristische Züge des galanten Romans, den er deswegen auch Komödienroman nennen konnte. Das bedeutet: eben die Motive und Anekdoten bei Dietz, die es nahelegten, nach der Verwandtschaft seiner Lebensbeschreibung mit dem gleichzeitigen Roman zu fragen, sind Ingredienzien aller zeitgenössischen Romantypen, so daß es nicht mehr wundernehmen kann, ihnen als Schmuckmittel auch in einer realen abenteuerlichen Lebensgeschichte dieser Zeit zu begegnen.

Es bleibt indes bei gelegentlichen Übernahmen, so daß keine Nachahmung eigentlicher Lügenromane, etwa von Reuters *Schelmuffsky* vorliegt, obwohl – dies ist gegen Consentius[178] festzuhalten – auch Dietz es durchaus versteht, sich des langen Messers zu bedienen. Aber ein *Schelmuffsky* will die zeitgenössische Reisebeschreibung bereits parodieren[179], das übertriebene Flunkern und Prahlen seines Helden, das sich in den fortwährend eingestreuten derben Wahrheitsbeteuerungen ständig selbst demaskieren will, gehört zu seinem Wesen, so daß sich von diesem Zentrum aus die anfängliche Gattungsparodie zur Stände- und Zeitsatire vertiefen kann.[180] Dietzens Reiseautobiographie dagegen kommt erst im Eifer des Erzählens wie von ungefähr ans Aufschneiden, ihre vereinzelten Lügenpartien sind Zutat, nicht Wesensmerkmal und im Gegensatz zum Lügenroman kaum durch Ironiesignale[181] markiert. Am ehesten wohl läßt sich diese Erzählweise so erklären, daß Dietz hier die mündliche Tradition des unwillkürlichen Ausschmückens und »Garnspinnens« der Weitgereisten zu einer Stilfigur des okkasionellen Übertreibens literarisiert und sich dabei vorgeformter Versatzstücke aus der eigenen Romanlektüre bedient.

Neben den bürgerlichen Kriegs- und Reiseautobiographien sind in Deutschland aus den Jahren um 1730 erstmals vergleichbare Parallelen aus dem Adelsstand mit den Lebens- und Feldzugserinnerungen zweier preußischer Heerführer überliefert: dem *Lebenslauf* des Feldmarschalls Dubislav Gneomar von Natzmer (1722/30)[182] und den fragmentarischen Erinnerungen des Fürsten Leopold I. von Anhalt-Dessau (um 1730)[183]. Beide Manuskripte sind weder dem zeitgenössischen Typ der »Memoires«, wie sie damals noch fast ausschließlich in Frankreich geschrieben werden[184], noch der allgemeinen Geschichtsschreibung zuzuordnen. Denn weder wählen sie einen Regenten oder einen Hof (auch nicht den eigenen) zum Zentralobjekt ihrer Darstellung[185] noch bieten sie unpersönliche Kriegshistorie. Vielmehr sind es genaue autobiographische Aufzeichnungen (in deutscher Sprache), die wie alle profanen Typen der Gattung wiederum aus der Familienchronik erwachsen, was im Falle Natzmers der ausdrückliche Vermächtnischarakter noch unterstreicht[186]; sogar die Publikationsabsicht, obwohl die Autoren hohem, öffentlichem Stande angehören, bleibt hier noch offen; Natzmer, in seinem Schlußwort an die Söhne[187], widerrät eher eine Veröffentlichung und empfiehlt um so nachdrücklicher die Lektüre im Familienkreis. Die Eigentümlichkeit dieser Sonderform besteht jedoch in ihrer Mischung von Berufsautobiographie und Abenteuergeschichte: der führenden Stellung ihrer Autoren entsprechend, beschränkt sie sich nicht, wie die Kriegserinnerungen der Bürger und einfachen Soldaten, auf die Schilderung ihrer Feldzugserlebnisse, sondern läßt darin und dazwischen die damit verbundene Berufskarriere, ja die eigene Mitwirkung dabei[188], als roten Faden erkennen. Beginnend mit Geburt, Herkunft und Auferziehung, werden schon auf den ersten Seiten wildes Temperament und frühe Neigung zum Soldatenwesen betont[189], und auch wenn im weiteren Verlauf abwechselnd die allgemeine Kriegspolitik und die konkreten Ereignisse der selbsterlebten Feldzüge die Hauptthemen bilden, wahren die Autoren immer den eigenen Blickpunkt und vergessen über der Abenteuerlichkeit der Geschehnisse nicht, ihre »terrible Passion« zum Dienst[190], ihr Verhältnis zu den Vorgesetzten, ihren militärischen Ehrgeiz und Lerneifer hervorzuheben[191]. Die dabei zumindest zwischen den Zeilen erkennbare Absicht der Selbstdarstellung läßt, weil sie letztlich die Niederschrift auf die gegenwärtige Gestalt des Autors bezieht, trotz mancher Abenteuer-Partien ein episches Erinnerungserzählen nicht recht aufkommen, weshalb auch die Beispiele dieser Sondertradition in fortlaufendem Text, noch ohne Aufteilung in kleine Einheiten, geschrieben sind.

Bei aller Verwandtschaft im Programm zeigen aber die beiden Schriften in der strukturellen und stilistischen Durchführung doch auch bemerkenswerte Unterschiede. Die Aufzeichnung des um eine Generation jüngeren Fürsten Leopold von Anhalt-Dessau erscheint dabei als die gattungsgeschichtlich ältere. Der Aufbau zeigt noch eine chronikalische Annalistik, Leopold behandelt die freien Jahre der Ausbildung und Kavaliersreisen nur ganz knapp[192] und steuert rasch auf die militärische Laufbahn zu (1694–1703, wo das Fragment abbricht)[193]. Dabei tritt immer nur der Feldherr in Erscheinung, nie der Fürst, so daß weder Regierungsantritt noch Heirat (1698), weder Innenpolitik noch Hofleben noch gar privater Bereich berücksichtigt sind. Leopolds Hauptinteresse gilt dem eigenen Aufstieg, gespiegelt in der wachsenden Zahl seiner Regimenter[194], und später seinen militärischen Erfolgen im größeren Zusammenhang der miterlebten und mitgestalteten Feldzugsgeschichte. Weithin intendiert er dabei eine Kriegshistorie aus persönlicher Sicht, läßt sein Ich sich im Kreis der übrigen Befehlshaber bewegen und sieht auch im Rückblick alles Geschehen nur durch das Perspektiv des Kommandeurs. So nimmt er einerseits in der allgemeinen Politik, etwa bei der Vorgeschichte des spanischen Erbfolgekriegs, nur Truppenbewegungen wahr[195] (die Welt der diplomatischen und Kabinettspolitik existiert für ihn nicht), andererseits werden von ihm die Feldzüge, Belagerungen, Erstürmungen nicht unmittelbar nachgezeichnet, sondern wie vor der Generalstabskarte rekapituliert[196]: die Befehlshaber sind die einzig Handelnden, wobei der

Autor die Entscheidungen seiner Kollegen mitunter einer nachträglichen Kritik unter-
zieht[197], die Truppen selbst erscheinen als bloße Instrumente der Feldherrn-
kunst.[198] Nur ausnahmsweise steigt Leopold vom Hügel herab und schildert im Augenzeugenbericht ein konkretes Unternehmen (Besetzung von Quedlinburg, Rückzug bei
Höchstädt)[199]. Hier werden Terrain und Situation wenigstens für einen kurzen Moment anschaulich, sonst aber läßt diese militärische Lebenschronik noch keine detail-
liert-spannende Erzählung zu. Dem entspricht die nur gelegentliche, und auch dann stets
schematisch-formelhafte Mitteilung der eigenen Empfindungen.[200]

    Demgegenüber zeichnet sich der Lebenslauf des Freiherrn von Natzmer, obwohl etwa
zehn Jahre früher geschrieben, durch eine neue Aufmerksamkeit auf das konkrete Einzel-
erlebnis aus, weshalb jetzt neben der Berufswelt auch Jugendzeit und privater Bereich berücksichtigt werden.[201] Grund dafür ist nicht zuletzt die minder hohe gesellschaftliche
Stellung des Autors, der sich von seinem Rang her nicht wie der Fürst von Anhalt-Dessau
verpflichtet fühlen mußte, die eigene (militär-)geschichtliche Rolle hervorzuheben. Dennoch überrascht hier die Fähigkeit zur Detailerzählung und einer damit verbundenen
Selbstdarstellung. Die Nachrichten über die allgemeine Kriegspolitik und den generellen
Verlauf der Feldzüge beschränken sich auf gelegentliche kurze Überblicke[202], Natzmer verzichtet oft ausdrücklich auf genaue Beschreibungen dieser Gesamtverläufe
(Campagnen, Battaillen, Expeditionen, Belagerungen), indem er auf bereits vorhandene
oder künftige Werke der Geschichtsschreibung verweist[203], will vielmehr nur das
Selbsterlebte aus notwendig beschränkter Sicht schildern und dies nur ausnahmsweise[204] als subjektiven Beitrag zur allgemeinen Kriegshistorie verstanden wissen. Denn
in der Regel erinnert sich Natzmer seiner konkreten Erlebnisse an der Front und im Lager, auf Reisen und in Gefangenschaft so genau und ausführlich, zeigt vor allem eine so
ausgesprochene Vorliebe, gefährliche Situationen (Nahkämpfe mit säbelschwingenden
Türken, Verwundung, schwere Krankheiten, Gefangenschaft, minutiöse Vorbereitung
und Verlauf einer Flucht etc.)[205] als spannende Einzelgeschichten vorzuführen*, daß
auf weite Strecken auch der Rahmen einer subjektiven Kriegshistorie gesprengt und das
Genre der Abenteuergeschichte erreicht wird. Neben der hier in Ansätzen schon erkennbaren Erinnerungsfreude ist bei Natzmer zudem, im Unterschied zu Leopold wie zu
Dietz, ein deutlicher Wille zur Selbstdarstellung als Beweggrund seines Lebensberichts
festzustellen. Er äußert sich in der Beobachtung der eigenen Gefühlsregungen und Stimmungen[206], vor allem im wiederholten Bekenntnis zum soldatischen Ehrgefühl[207],
zum Anspruch auf den »honneur d'un Gentilhomme«[208]. Letzteres geschieht in Szenen, die die Abwehr von Intrigen oder Konflikte mit den Vorgesetzten dramatisch als in-
terne Abenteuer den äußeren Kampfszenen zur Seite stellen. Daneben vergißt es Natzmer
nie, die Gunstbezeugungen des Fürsten (König Friedrichs I.) und der berühmtesten Feld-
herrn seiner Zeit (Prinz Eugen, Herzog von Marlborough) gegen seine Person und Leistung, wiederum gern in anekdotischen Begegnungsszenen[209], sorgfältig zu registrieren und mit ihrem Lob und Tadel den eigenen Stellenwert innerhalb des Metiers anzu-

---

    * Wie man angesichts solcher Erzählpartien von »schriftstellerischer Unbeholfenheit« und
»Schwerfälligkeit« bei Natzmer sprechen kann, bleibt unverständlich (Theodor *Klaiber*, Deutsche
Selbstbiographie, Stuttgart 1921, S. 38).

deuten. Im ganzen erweist sich für diesen Lebenslauf die konsequente Nahperspektive mit ihrer subjektiv-detailrealistischen Darstellung als ein vorzügliches Stilmittel, die intendierte Mischform von abenteuerlicher Lebensgeschichte und ichbezogener Berufsautobiographie in eine homogene Form zu bringen.

Auf der Traditionslinie dieser Mischform ist als letztes Beispiel der ersten Jahrhunderthälfte Franz Freiherrn von der Trenck's *Merckwürdiges Leben und Thaten* (1747, ²1748) [210] überliefert. Es ist die erste Schrift dieser Art, die mit genauer Publikationsabsicht verfaßt wird: Trenck hat sie in seinem Wiener Arrest noch während des Prozesses gegen ihn und die Übergriffe seines Pandurenkorps als aktuelle Apologie geschrieben und auch sogleich veröffentlicht[211]. Diese besondere Situation, die ihn zumeist mit dem eigenen Korps im solidarisierenden »wir« sich identifizieren läßt, und der ständige Blick auf das Lesepublikum erklären weithin die eigentümlich neue Kombination von Abenteuergeschichte und Selbstdarstellung eines höheren Militärs in diesem dritten Beispiel. Es ist Trenck darum zu tun, eine möglichst zugkräftige und publikumswirksame Selbstverteidigung unters Volk zu bringen, und er bedient sich dazu gleich mehrerer Mittel. Im Grundriß seines Lebensberichts knüpfte er an die Art des »alten Dessauer« an und breitet die großen Operationspläne der erlebten Feldzüge auf erhöhtem Standort aus: das eigene Regiment wird auf dieser Berichtsebene bewußt in die Reihe der übrigen Korps eingeordnet. Die Zwischenräume dieses Rasters werden sodann mit farbigen Augenblicksbildern gefüllt, nun aber fast ausschließlich aus der eigenen unmittelbaren Erlebnissphäre, nämlich innerhalb des begrenzten Aktionsradius »seiner« Panduren. Der mittlere Standort eines Obersten erlaubt ihm dabei leichtes und rasches Pendeln vom Überblick zur Nahaufnahme, und gerade mit diesem ständigen Wechsel erreicht er die gewünschte Aufwertung der eigenen Truppe wie der eigenen Befehlshaberrolle vor der Folie der übrigen Korps. Der wechselnde Tonfall des Erzählers unterstützt noch diese Akzentuierung. Denn während Trenck die allgemeinen Übersichten noch in einem relativ neutralen Berichtsstil vorträgt, schildert er die einzelnen Heldentaten seiner Panduren gern mit einem bramarbasierenden Unterton. Mitunter steigert er dieses Prahlen zu einer bald scherzhaft-höhnischen, bald entrüsteten Rechtfertigung seiner Soldateska[212] und weist dann die gegen sie erhobenen Vorwürfe als »Roman-hafte Erzehlungen« feindlicher Gazetten zurück[213], nicht ohne diese »Histörgen« sofort nacherzählend nochmals zum Besten zu geben[214]. Die sich hier nur verdichtende generelle Doppelintention des Buches als einer unterhaltsamen Apologie[215] bewirkt im ganzen einen unruhigen, unepischen Erzählstil. Denn die ganz auf die gegenwärtige Situation des Schreibenden bezogene Selbstdarstellung läßt bei Trenck noch weniger als bei Natzmer isolierte Erinnerungsbilder à la Dietz zu, vielmehr sollen das pausenlose Abrollen aller »Fatalitäten«[216] und die oft jagenden Satzperioden etwas von der Atemlosigkeit des Geschehens und darin wieder von der Unüberwindlichkeit der eigenen Bravour vermitteln.

Den Notenschlüssel für diese durchgängige Tonart einer auftrumpfenden Selbstbekräftigung findet man in der Gestalt der Jugendgeschichte[217]. Als Präludien seines späteren Draufgängertums erscheint dort eine Kette von Bubenstücken, Duellaffären und Liebesabenteuern, die auf Grund ihrer schablonenhaften Wiederholung noch deutlicher als schon bei Dietz einen Einfluß aus der Romanlektüre des Autors vermuten lassen. Man gewinnt den Eindruck, daß Trenck zu Beginn seines Buches mit Hilfe vorgeprägter literarischer Schemata bewußt in die schon fertige Rolle eines Romanhelden schlüpft, um sie dann im weiteren Verlauf seiner Tatengeschichte untergründig weiterspielen zu können. Darin verdeutlicht sich zugleich der wesentliche Funktionsunterschied solcher romanhaften Elemente bei Dietz und Trenck: Dietz will damit lediglich unterhalten und verstreut sie darum auch über den ganzen Text seiner Abenteuergeschichte; Trenck dagegen versammelt sie alle an den Anfang, zwar auch zur Unterhaltung, primär aber als Mosaiksteine eines höchst künstlichen Selbstporträts, das in seiner Künstlichkeit geeignet ist, aus der Romanwelt sogleich zur Eröffnung der Apologie die Gloriole des »Helden« zu entleihen.

Doch bleibt es gattungsgeschichtlich bedeutsam, daß die Reiseautobiographie des Feldschers Dietz und die Verteidigungsschrift des Freiherrn Franz von der Trenck, obwohl ständisch und damit typologisch verschiedener Herkunft, etwa gleichzeitig und unabhängig voneinander die traditionelle Linie des realen Berichts gelegentlich verlassen und zur romanhaften, d. h. künstlich-vorgeprägten, nicht-realistischen Ausschmückung ihrer Lebens- und Selbstdarstellung greifen. Diese Beobachtung führt zu der weiteren Frage, ob und inwiefern diese beiden Beispiele vor der Mitte des 18. Jahrhunderts eine damals eventuell schon vorhandene theoretische Grenze zwischen Roman und (Auto-) Biographie überschreiten oder neu abzustecken unternehmen.

Ein kurzer Blick auf die zeitgenössischen Erzähltheorien* kann diese Frage klären helfen. Freilich ist, wie wir gesehen haben, in der ersten Hälfte des Jahrhunderts die Sonderform »Autobiographie« noch nicht ins literarische System aufgenommen, und man muß sich für diesen Zeitraum noch mit der gröberen Konfrontation von Roman und Historie begnügen; aber schon sie kann aufschlußreiche Hinweise geben.**

In den Poetiken des 17. und frühen 18. Jahrhunderts bis zu Gottscheds *Critischer Dichtkunst* (1730) wird die nach dem Kriterium der Fiktionalität getroffene aristotelische Unterscheidung von poetischer und historischer Erzählung[218] noch sehr streng

---

* Dieser Blick wird erleichtert durch die fördernde Sichtung des Materials bei Wolfgang *Lockemann*, Die Entstehung des Erzählproblems. Untersuchungen zur deutschen Dichtungstheorie im 17. und 18. Jahrhundert. (Deutsche Studien 3). Meisenheim am Glan 1963. Weil Lockemann das Erzählproblem in den einzelnen Poetiken (von Opitz bis J. J. Engel) im Verhältnis zum jeweiligen Dichtungsbegriff untersucht, fragt er zu Beginn jedes Kapitels auch nach den Unterscheidungsversuchen zwischen dichterischem und außerdichterischem (historischem) Erzählen.

** Es ist dabei vorausgesetzt, daß die Poetiken der Zeit auch den »niederen« Typ zu den Romanen und diese insgesamt zu den poetischen Gattungen rechnen. Letzteres gilt seit den aristotelischen Theoretikern der Renaissance über Huet bis über die Mitte des 18. Jahrhunderts hinaus (hierzu: Klaus R. *Scherpe*, Gattungspoetik im 18. Jahrhundert, Stuttgart 1968, S. 41 f.; Georg *Jäger*, Empfindsamkeit und Roman, Stuttgart 1969, S. 104–106; Wilhelm *Voßkamp*, Romantheorie in Deutschland, Stuttgart 1973); ersteres wird etwa bestätigt durch den Aufsatz »Einige Gedanken und Regeln von den deutschen Romanen« (in: Critische Versuche, 2. Bd., Greifswald 1744, S. 25): »Ein Roman darf nicht allezeit die Begebenheiten berühmter und durchlauchter Personen erzählen; sondern die Geschichte von Personen mittlern Standes, und so gar der Bürger und Bauren können auch die Vorwürfe dazu seyn.« Auch *Gottsched*, Critische Dichtkunst (²1737), S. 147 unterscheidet »Staatsromane« und »bürgerliche Romane« und rechnet sie zu den »hohen« bzw. »niedrigen« Fabeln (beide Belege zit. nach Jäger, S. 104 f.). Die gegenteilige Behauptung von Max *Götz* (Der frühe bürgerliche Roman in Deutschland 1720–1750, Diss. München 1958, S. 6 f.) trifft also nicht zu.

bis in den stilistischen Bereich hinein ausgelegt. Hauptzweck der Poesie sei das »Ergetzen«, die »verwunderung in den gemütern«[219]; darum versuche sie ihre Sachen »in einer sonderbahren Ordnung und Art« »lieblich und anmuthig« zu erzählen[220], »ihren Vortrag lebhafter zu machen« und dadurch »die Einbildung ihrer Leser zu erhitzen«[221]. Dabei wird immer wieder als das stilistische Hauptkennzeichen der poetisch-fiktiven gegenüber der historisch-berichtenden Erzählweise das Vermögen des Dichters hervorgehoben, die darzustellenden Handlungen und Charaktere durch »allerhand künstliche Umstände« »als gegenwärtig vor Augen (zu) stellen«[222], »die Verstorbenen gleichsam auf(zu)wecken« und »sie reden und handeln (zu) lassen, wie sie bey ihrem Leben würden gethan haben«[223], womit die Nähe der epischen zur dramatischen Gattung als der fiktiven Dichtart schlechthin betont werden soll. Umgekehrt wird der Geschichtsschreibung lediglich eine beschreibend-aufzählende Berichtsweise, eine »natürliche« oder »einfältige Erzählung«[224] zugestanden, die »nur von Stück zu Stück die Umstände / oder auch wohl...das was vorhergegangen und nachgefolget ist /...vor sich nehmen (darff)«[225], weil es die Aufgabe des Historikers sei, »die nackte Wahrheit zu sagen, das ist, die Begebenheiten, die sich zugetragen haben, ohne allen Firniß, ohne alle Schminke, zu erzählen.«[226] Solchem »bessern und gründlichern Berichte« fehle freilich »sonderliche Anmuth«[227], was jedoch als ein sachlich begründeter Mangel zunächst noch in Kauf genommen wird.

Um 1740 jedoch lockert sich die traditionelle Scheidung: Breitinger und kurz darauf Batteux erlauben jetzt auch dem Historiker »zuweilen den Pinsel des poetischen Mahlers«, »insofern er dadurch seiner Haupt-Absicht aufhelfen, und in seiner Erzehlung ein helleres Licht anzünden kann.«[228] Wenn Batteux gar zugesteht, man finde »keinen Historienschreiber, dem es nicht gefallen hätte, der Wahrheit, an die er gebunden war, gewissermaßen ungetreu zu werden, die Form zu verändern, und dieses Dramatische [die Personenrede]... in seine Erzählung einzustreun«[229], so verurteilt er diese Formänderung nicht mehr, wie noch Gottsched[230], als einen Verstoß gegen das Gattungsgesetz, da »nichts matter und einförmiger (wäre), als eine Erzählung, wenn sie allemal bey einerley Form bliebe«[231], d. h. ihm sind die nach wie vor als »poetisch« klassifizierten Mittel der Ausschmückung und Vergegenwärtigung kein exklusiver Ausdruck der rein fiktiven Gattungen. Auf stilistisch-erzähltechnischer Ebene ist damit zwischen poetischem und historischem Bereich eine Art kleiner Grenzverkehr zugelassen, da auch die jetzt immer häufigere Aufnahme der reflexionsfreundlichen Geschichtsprosa in den didaktisch ausgerichteten Roman[232] inzwischen theoretisch gerechtfertigt ist.[233] Darum kann wenig später Johann Adolf Schlegel[234] in diesem Grenzraum die neue Zwischengattung der »prosaischen Dichtkunst« ansiedeln, die die Vorteile von »reiner Poesie« und »bloßer Prosa« vereinigt und aus bestimmten Arten von Gesprächen, Briefen, Satiren und Romanen gebildet wird.* Die gleiche Tendenz verfolgt zur gleichen Zeit Gellert:

---

* Schlegel geht sogar schon bis zur Behauptung, zwischen dem dichterischen und nichtdichterischen Ausdruck letztlich nicht unterscheiden zu können: »... die Gränzen der Poesie fließen mit den Gränzen der Prosa so sehr in einander, daß das schärfste Auge, sie genau zu entdecken, und das Gebiete der einen von dem Gebiete der andern zu scheiden, nicht vermag.« (Charles *Batteux* / Johann Adolf *Schlegel*, Einschränkung der schönen Künste auf einen einzigen Grundsatz. Leipzig 1751, S. 287). Vgl. *Lockemann,* Entstehung des Erzählproblems, S. 152.

seine *Praktische Abhandlung von dem guten Geschmacke in Briefen* (1751) empfiehlt auch für diese Zweckform ein »lebhaft erzählen«, so »daß man die Sache nicht allein versteht, sondern daß man glaubt, sie selbst zu sehen und ein Zeuge davon zu seyn«: »kleine Gemälde« der Umstände und die Personenrede sind wieder die vorzüglichen Mittel zur »Anmuth der Geschichte«, der ebendarin trotz ihres »prosaischen« Grundcharakters »eine Art Poesie« bescheinigt wird.[235]

Aus alledem darf der Schluß gezogen werden, daß die Poetiken seit 1740 stillschweigend auch dem zwischen Geschichts- und erzählendem Briefschreiber stehenden Autobiographen das Recht auf lebendig-»poetische« Erzählung zugestehen. Daraus aber folgt, daß Dietzens und Trencks Beispiele auch für die Vorstellung der zeitgenössischen Erzähltheorie den Boden ihrer Gattung nicht verlassen, vielmehr nur einen Platz im neu eröffneten stilistischen Zwischenbereich[236] in Anspruch nehmen.

Damit ist der Kreis der autobiographischen Typen für die erste Hälfte des 18. Jahrhunderts in Deutschland durchschritten. Es hat sich gezeigt, daß mit Ausnahme der religiösen Autobiographie, die durch das dramatische Bekehrungsschema Franckes einen originellen Neuansatz innerhalb ihrer Geschichte erfährt, die übrigen Typen und Zweige die alten Traditionen der Familienchronik und der Apologie bis 1720 ungebrochen, danach modifiziert weiterführen. Der reich vertretene Typ der Berufsautobiographie erobert dabei eine beherrschende Stellung: er kann die junge Tradition der pietistischen Bekehrungsgeschichte von Anfang an unterwandern und kann sich in den Kriegserinnerungen hoher Militärs mit dem Typ der abenteuerlichen Lebensgeschichte verbinden. Da er auf Grund seiner apologetischen Tradition als der ursprüngliche Typ für die Selbstdarstellung anzusehen ist, verrät sein zunehmender Einfluß auf die ganze Gattung ein erstarkendes Selbstbewußtsein aller Autobiographen im Laufe der ersten Jahrhunderthälfte, was sich auch im allmählichen Wandel von der privaten, oft noch im Chronikstil verfaßten Aufzeichnung zur öffentlichkeitsbestimmten Lebensdarstellung quer durch alle Typen zeigt. Zudem bewirkt das neue Selbstbewußtsein eine ständische Gliederung der Typen (Gelehrte, Künstler, Militärs, Handwerker), steigert mit dem dadurch bestätigten und geförderten Standesbewußtsein der Autobiographen wiederum ihr Selbstgefühl und bereitet so für die Gattung insgesamt den Individualismus des späten 18. Jahrhunderts vor.

ZWEITER TEIL

Die deutsche Autobiographie
in der Epoche des Pragmatismus
und der Empfindsamkeit
(1760–1790)

I. DIE ENTFALTUNG DES GATTUNGSBEWUSSTSEINS

Das Bewußtsein von der Autobiographie als einer eigenständigen literarischen Gattung wird in Deutschland zu Beginn der zweiten Hälfte des 18. Jahrhunderts in der Diskussion um die Biographie vorbereitet. Die Erörterung der neuen pragmatischen Methode in der Geschichtsschreibung veranlaßt alsbald die literarische Kritik, auch die Sonderform der Biographie in ihrem Verhältnis zur allgemeinen Geschichte genauer zu bestimmen. Als einer der ersten in Deutschland greift dieses Thema Thomas Abbt auf: im 161. Literaturbrief (1761)[1] erwartet er vom Biographen »nichts weiter, als die Zusätze, die in dem Plan einer großen Geschichte nicht konnten gebracht werden; keineswegs aber die Erzählung grosser Begebenheiten, die er als längst bekannt voraussetzen muß.«[2] Bewußt ordnet Abbt die Biographie – thematisch wie stilistisch – einer »niedrigern Sphäre« zu: sie soll »die Todten ohne Titel, ohne Gefolge«[3] wieder hervorrufen*, also ganz aus dem Zusammenhang der allgemeinen Geschichte lösen und nur ihr »Privatleben« beschreiben, so daß das Dasein dieser Männer »ein näheres Muster für eine große Menge werden kann«, der Leser es »in Absicht auf sich, und nicht in Absicht auf den Helden beurtheilet«.[4]**

Diese Vorherrschaft eines pädagogischen Gesichtspunkts, der noch diesseits allen historischen Interesses jedes noch so berühmte Leben auf das Typische und immer Wiederkehrende des Menschencharakters hin betrachten will, hatte schon einige Jahre früher (1752) Abbts Gewährsmann in dieser Frage, der englische Kritiker und Biograph Samuel Johnson, als Bedingung jeder nützlichen Lebensbeschreibung genannt. Der fragliche Artikel des *Rambler*[5], von Abbt in einer *Nachschrift* zum 211. Literaturbrief (1762)[6] größtenteils übersetzt, erklärt die »allgemeinen und hinreissenden Erzählungen der Geschichte« für unfähig, dem einzelnen für sein Leben »brauchbaren Unterricht« zu bieten[7]; darum sei es das besondere Amt des Biographen, »nur leichte über solche Verrichtungen und Vorfälle wegzuglitschen, die eine gewöhnliche Grösse hervorbringen«, dafür um so mehr »die Gedanken in die häuslichen Vertraulichkeiten hineinzuführen, ... wo

---

* Noch *Gatterers* Allgemeine historische Bibliothek 1 (1767), S. 93 (»Vom historischen Gewissen«) teilt diese Auffassung: »Jenseits des Grabs sieht man weder Kronen, noch Fürstenhüte: hier liegt blos der Mensch, der das unpartheyische Urtheil der Nachwelt über seine Tugenden und Laster erwartet.«

** Vgl. Abraham Gotthelf *Kästners* Lebensbeschreibung Hrn. Christlob Mylius, in: Sammlung einiger Ausgesuchten Stücke der Gesellschaft der freyen Künste zu Leipzig. Zweyter Theil. Leipzig 1755, S. 496: »Das Gedächtniß eines Verstorbenen zu erhalten, ist eine Bemühung, die sich weniger auf ihn, als auf uns, die wir ihn überleben, bezieht«, weshalb ein Nekrolog »nicht so sehr eine Lobschrift, als eine Ermunterung, zur Nachfolge in lobenswürdigen Handlungen, seyn (soll)«.

die äusseren Anhängsel bey Seite gelegt werden, und die Menschen übereinander nur durch Klugheit und durch Tugend hervorragen.«[8] Johnson wendet sich damit zugleich gegen die bisherige Praxis der meisten Biographen, die Lebensumstände in einer trockenen Chronologie aneinanderzureihen und, unaufmerksam auf »Sitten und Betragen ihrer Helden«, die Darstellung ihres »wahren Charakters« zu versäumen.[9]

In dieser neuen Bestimmung der biographischen Aufgabe harmoniert mit Abbt und Johnson sogar die Stimme Rousseaus, der gleichzeitig mit den genannten Literaturbriefen im *Emile* (1762) zur selben Frage Stellung nimmt und sie gleichfalls durch eine klare Definition der Biographie gegenüber der allgemeinen Geschichtsschreibung beantwortet*; da diese »weit mehr die Handlungen als die Menschen«, und auch dann höchstens den »öffentlichen« Menschen, also »weit mehr sein Kleid, als seine Person« zeichne, lese er mit seinem Zögling lieber besondere Lebensbeschreibungen, um ihn »das menschliche Herz kennen zu lehren.«[10] Denn auch Rousseau erwartet vom Biographen ein scharfsichtiges Auge, das seinen Gegenstand überallhin verfolgt und an ihm »alle alltäglichen und kleinen, aber dabei ... wahren und charakteristischen Züge« erspäht, in denen allein sein Wesen sich entdecken lasse.[11] Bei der Auswahl für seinen Schüler muß er freilich bis auf antike Beispiele, namentlich auf Plutarch als den Meister andeutender Charakter- und Gebärdenzeichnung zurückgreifen, da in der Gegenwart – und hier verschärft der Franzose das Urteil Johnsons zu allgemeiner Zeitkritik – »die Wohlanständigkeit der Gesellschaft« in der Literatur wie auf der Bühne, in der Geschichte wie in der Biographie nur noch den geschmückten Menschen, nicht mehr das intim-genaue Bild erlaubt.[12]

Aus allen bisher genannten Vorstellungen über die Biographie spricht der Wunsch, mit der Lektüre von Lebensbeschreibungen der Wahrheit über den Menschen näherzukommen. Man glaubt, daß die bisher übliche Praxis der bloßen Aufzählung äußerer Taten diesen Wunsch nicht erfüllen könne, zu sehr erscheint ein solcher Lebenslauf nur als Ausschnitt und Miniaturbild der großen Geschichte. Darum auch wird um 1760 die neue pragmatische Methode, für die allgemeine Geschichtsschreibung gerade in diesen Jahren immer dringender gefordert (Abbt, Home, Gatterer), zunächst nirgends als Auskunftsmittel für die Biographie empfohlen. Als der einzige Weg, zum inneren Wesen des Menschen vorzudringen, erscheint im Gegenteil vorerst die pointierte Antithetik von Historie und Biographie, also die ausschließliche Darstellung der Privatsphäre des Helden, wobei sogar die Zeitfolge zugunsten einer anekdotischen Psychologie vernachlässigt werden kann. Die Biographie wird im Grunde aufgefordert, sich dem statischen Charakterbild (dem »portrait« der Franzosen) zu nähern, das nicht die Form einer Geschichtserzählung haben muß. Die damit gestellte Frage, welchen Ort die Biographie künftig im Spannungs-

---

* Vorgebildet war diese Abgrenzung in Frankreich durch Lenglet du *Fresnoy*, Methode pour êtudier l'Histoire, Paris 1713: »Die specielle Lebensbeschreibungen haben einen Vortheil, der sich bey der Generalhistorie nicht findet. Diese soll den Augen der Menschen nichts, als öffentliche Handlungen und Vorfälle, so einen Einfluß in grosse Begebenheiten haben, oder Folgen derselben sind, vorstellen; da uns hingegen die besondern Lebensbeschreibungen die Privathandlungen, die Gemüthsarten und den Charakter grosser Männer zeigen.« (Des Herrn Abts Lenglet dü Fresnoy Anweisung zur Erlernung der Historie. Aus dem Französischen übersetzt von P(hilipp) E(rnst) B(ertram). III. Theil. Gotha 1753, S. 898).

feld von Historiographie und Anthropologie beziehen soll, werden schon die Erörterungen der nächsten Jahre in doppelter Weise beantworten.

Die erste Antwort gibt die pragmatische Geschichtsschreibung: Zwar vertritt hier Johann Christoph Gatterers Aufsatz *vom historischen Plan* (1767)[13] mit der thematisch strengen Scheidung von Historie und Biographie noch deutlich – oft wortwörtlich – die Position Abbts (wobei er sich wie dieser auf Nepos beruft), nur daß er bereits den chronologischen Aufbau auch für die Biographie als Alternative neben der weiterhin gültigen, von der Antike sanktionierten systematischen Gliederung empfiehlt; aber schon zu derselben Zeit erteilt der aus eben dieser Göttinger Schule stammende Wittenberger Kirchenhistoriker Johann Matthias Schröckh in den ersten drei Vorreden (1767, 1769) seiner achtbändigen Sammlung *Allgemeine Biographie*[14] eine klare Absage an die privat-anekdotische Form der Lebensbeschreibung, wobei er Gatterers Bekenntnis zu ihr eigens als contrarium benutzt.[15] Auch Schröckh ist davon überzeugt, daß es Aufgabe der Biographie sei, Musterbilder vor den Augen der Welt aufzustellen. Sie erscheinen ihm aber nur dann sinnvoll und lehrreich, wenn sie die Eigentümlichkeit ihres Helden hervorheben, »worinne er sich von andern Menschen unterschieden habe«[16]. Um dieses charakteristische Bild zu gewinnen, müsse die Biographie das *ganze* Leben ihres Helden, also nicht nur seine »Privathandlungen«, sondern auch »seinen Antheil an der allgemeinen Geschichte seiner Zeit« beschreiben, und ihn so »von allen Seiten« und »in Lebensgröße« vorstellen.[17] Darüber hinaus fordert Schröckh ganz selbstverständlich die pragmatische Untersuchung der Absichten und Beweggründe, Mittel und Hindernisse, um durch solche kausale Verknüpfung von Gesinnung und Tat den Helden »nicht nur in seiner ganzen Größe darzustellen, sondern diese auch begreiflich zu machen«[18]. Folgerichtig kann er auch nicht mehr wie Gatterer systematische und chronologische Gliederung als zwei grundsätzliche Möglichkeiten für die Biographie nebeneinander gelten lassen, sondern spricht von der genauen »Zeitordnung« als einer »nothwendigen Methode«, da nur sie den »Gang des Geistes von Jahr zu Jahr«, das »Wachsthum« und die »Abwechselungen« des Lebens[19] veranschaulichen könne*; darum auch kritisiert er die Gewohnheit der »neuern Französischen Schriftsteller«, an die Lebensbeschreibungen noch stilistisch-bravouröse »Charakter«bilder anzuhängen, statt die allmähliche Ausbildung dieses Charakters schon in der Biographie selbst zu zeichnen.[20]

Auch für den Pragmatiker bleibt also das Ziel der Biographie, große Männer vor allem »in ihrem Geiste und Herzen«, die »Züge ihres sittlichen Bildes« darzustellen[21]; doch erreicht sie dieses Ziel für ihn nur, wenn sie sich als Gattung innerhalb der Geschichtsschreibung versteht und auch an den neuesten Fortschritten ihrer Methodik teilnimmt. Denn wenn der Historiker in diesem und den folgenden Jahrzehnten überzeugt ist, daß

---

* Den ersten Impuls zu dieser dezidierten Auffassung gab vielleicht die Rezension seiner frühen, noch der traditionellen Methode verpflichteten Proben auf biographischem Gebiet (»Abbildungen und Lebensbeschreibungen berühmter Gelehrten«, 2 Bde., Leipzig 1764–1766) in der Allg. hist. Bibliothek 2 (1767), S. 207–231, die den chronologischen Aufbau erneut zur Diskussion stellt und ihm den »Vorzug des Pragmatischen« zuerkennt (S. 212 f.). Vgl. noch Allg. hist. Bibliothek 4 (1767), S. 351 und 6 (1768), s. 131 f., 136 f., wo Nicolais »Ehrengedächtnis Herrn Thomas Abbt« (1767) wegen seiner geschlossenen Ordnung nach der Zeitfolge als Muster der modernen Biographie gerühmt wird.

gerade das neue kausalpsychologische Verfahren des Pragmatismus besser als frühere
Methoden das Dunkel geschichtlicher Zusammenhänge erhellen könne, so muß es ihm in
erhöhtem Maße für die Klärung eines Einzellebens, eines sich in Stufen ausbildenden
Charakters geeignet erscheinen. Gerade weil dieser nicht als festes Porträt, sondern als
ein Werdendes und Bewegtes, eben als »Leben« gesehen wird, gilt nicht mehr die anekdotische, sondern die pragmatische Biographie als der Weg zur biographischen Wahrheit.

Darin stimmt mit dem Historiker Schröckh auch der Dichter Christoph Martin Wieland überein. Dieser erachtet in seinen *Unterredungen mit dem Pfarrer von **** (1775)
»Abbildungen des wirklichen Lebens und Charakters einzelner merkwürdiger Menschen« für den größten Gewinn, den die »Theorie der menschlichen Natur« und die »Philosophie des Lebens« aus dem Schatz menschlicher Erfahrungen und Beobachtungen
ziehen könne.[22] »Aber damit solche moralische Individualgemälde wirklich *nützlich*
werden, muß man sich nicht begnügen, uns zu erzählen, *was* diese merkwürdigen Menschen gethan haben, oder *was* sie gewesen; man muß uns begreiflich machen, *wie* sie das,
was sie waren, *geworden sind.*«[23] Doch unterscheiden sich beide Aussagen in ihrem
jeweils deutlich metiergebundenen Wahrheitsbegriff. Während nämlich der Historiker
die Konturen einer Gestalt nicht zuletzt in ihrer Verbindung mit tatsächlichen Gescheh-
nissen in der Geschichte entdeckt, im »historischen Grund«[24] das eigentliche Fundament seiner Charakteristik erblickt, betont der Romanautor Wieland im Anschluß an
sein Bekenntnis zur pragmatischen Biographie, es könne uns dann »gleichgiltig« sein,
»ob eine solche Person einen historischen oder gefabelten Namen führt, ob der Mann
Agathon oder Epaminondas, Gil-Blas oder Tom-Jones heißt, wenn er nur wahres Leben
athmet, nur durchaus wirklicher Mensch ist.«[25] Hier hat Wieland, der in seinen Romanen gern die Rolle des Erzählers als eines pragmatischen Geschichtsschreibers betont
und dabei zwischen Historie und Dichtung scheinbar scharf unterschieden[26], einmal
mehr verdeutlicht, daß er der bloßen »historischen« Wahrheit die innere Wahrheit »auf-
richtiger Gemälde der Menschheit«[27] überordnet, die gleichermaßen in Geschichte
und Dichtung, Biographie und biographischem Roman begegnen kann und so den Unterschied zwischen fiktiver und nichtfiktiver Gestaltung als zweitrangig erscheinen läßt.
Denn wichtiger als solche Differenzen ist Wieland das allen Individualgeschichten gemeinsame didaktische Ziel, im Helden nicht nur »wahre Züge unsers eignen Bildes« erblicken zu lassen, sondern uns vor allem auch zu lehren, »wie wir es anfangen müßten,
um selbst zu werden oder nicht zu werden, was er war.«[28] In dieser Zielsetzung trifft er
sich am Ende wieder mit dem Historiker, auch wenn dieser dem »Endzweck des moralischen Nutzens«[29] biographischer Werke weniger pointierten Ausdruck verliehen hat
als gerade der Dichter.

Im Zusammenhang dieses Vorstellungsbildes einer pragmatischen Biographie erwächst nun auch ein neues Verständnis der Historiker für die *Auto*biographie, wobei wie
schon in der ersten Hälfte des Jahrhunderts Autobiographien, Mémoires, historische
Briefe gelegentlich unter dem gemeinsamen Oberbegriff des Augenzeugenberichts zusammengefaßt erscheinen können. Die beiden letzteren Gattungen sind für den Pragmatiker vor allem deshalb bedeutsam, weil sie als »geheime Nachrichten« aus dem Privatbe-
reich der Großen jene begehrten »kleinen Umstände« liefern können, die den Blick »hin-

ter die Maschinen« in das »würkliche« Triebwerk der Weltbühne gestatten[30]; als eine unersetzliche Stoffquelle ermöglichen sie überhaupt erst jede Art pragmatischer Geschichtsschreibung. Aber über diesen Quellenwert hinaus entdecken die Pragmatiker in autobiographischen und Memoiren-Schriften auch ein methodisches Muster. Um jener vorbildlichen Kausalmechanik der Mémoires in der Praxis der allgemeinen Geschichtsschreibung nahezukommen, wird der Historiker von Gatterer[31] aufgefordert, sich durch analoges systematisches Nachdenken »über die Begebenheiten seines eigenen Lebens, seiner Familie, seiner Freunde« in die Kunst des Pragmatischen einzuüben. »So gros auch der Unterschied zwischen dem Catheder und dem Throne, zwischen dem Hausvater und dem Könige, hierin zu seyn scheint, so komt es doch hier nur auf den Grad des mehrern und wenigern an.« Und da im übrigen von allen Begebenheiten gleich welcher Größe der Satz »Eadem fabula agitur« gelte, könne sich der Geschichtsschreiber, »mit eigenen Erfahrungen im Kleinen ausgerüstet«, nunmehr »in die grosse Welt« wagen. Hier erscheint die pragmatische Autobiographie fast schon als die naturgegebene Form dieser Gattung, die sich wie von selbst einstellt, wenn jemand über sein Leben nachdenkt, und die deshalb auch als praktikables Modell für die neue Historie überhaupt empfohlen werden kann. Von daher wird es verständlich, wenn man gelegentlich von Verfassern pragmatischer Geschichte die direkte Stellung und Einblicksmöglichkeit eines Memorialisten fordert[32] oder wenn Lessing (1759) nur mehr den Zeithistoriker, sofern er Augenzeuge des von ihm Beschriebenen ist, als »wahren Geschichtschreiber« anerkennt und alle bedauert, die sich der undankbaren Arbeit des Abhörens der eigentlichen Zeugen unterziehen und »Gebauers bleiben müssen, wenn sie Thuani werden könnten.«[33]

Doch bleibt diese extreme Auffassung schon damals vereinzelt und umstritten. In der Regel setzt sich auch bei den Pragmatikern die traditionelle Skepsis der Historiker gegenüber der prinzipiellen Glaubwürdigkeit der Selbstzeugnisse und zeitgenössischen Quellen fort. Chladenius gesteht zwar zu, daß ein Selbstbiograph »noch am ersten von seinen Entschließungen oder Begebenheiten die Welt belehren (könte)«, aber da keiner gerne »seine Fehler, Schwachheiten und Fehltritte (entdecket)«, so werde »gemeiniglich nichts (erzehlet), als was so schon vielen bekannt gewesen,« und die wenigen, die wie Holberg oder Bernd »die gemeinen Schrancken der Particularitäten überschritten«, bestätigten als Ausnahmen nur die ungleiche »Offenhertzigkeit« der Autobiographen, so daß bei Konkurrenz ihrer Erzählungen »viel verborgenes übrig (bleibt)«[34]; Gatterer schränkt seinen »Grundsatz der historischen Demonstration«: »Was unbegeisterte Urheber (d. i. Geschichtsschreiber ihrer eigenen Thaten) und Augenzeugen sagen, das ist wahr«[35], sofort durch die Bemerkung ein, daß der »Vorwurf der Begeisterung« »bey Berichten der Urheber und Augenzeugen fast immer als gegründet vorauszusetzen«[36] und darum »diese Gattung historischer Beyträge ... mit auserordentlicher Vorsicht und Kritik zu behandeln«[37] sei; positiver urteilen die Biographen Nettelbladt (1765) und Schröckh (1772ff.), die, wie schon Götten, die autobiographischen Quellen als vorrangige Materialsammlung speziell für Biographien oder als Korrektiv für schon vorhandene Lebensdarstellungen werten* und ihnen auch dann noch »großen Nutzen« zusprechen, wenn

---

* Chr. D. *Nettelbladt,* Vorrede zu: *Weidlich,* Zuverläßige Nachrichten von denen jetzt-lebenden Rechts-Gelehrten (1765): »Zu Ausfertigung recht pragmatischer Lebens-Geschichte ist fast unum-

sie parteiisch geschrieben sind[38]. Immer aber steht das Selbstzeugnis, sei es als stoffliche Quelle, sei es als methodisches Muster, auch noch für den Pragmatiker nur im Dienste der Geschichtsschreibung, es kann auch in seinen Augen noch keinen selbständigen literarischen Gattungswert erlangen. Keinem Historiker auch dieser Jahrzehnte wäre der
Gedanke gekommen, autobiographische oder Memoiren-Texte als eigenständige Zeugen der Geschichte zu sammeln, zu übersetzen, zu kommentieren; das Aufkommen solcher Sammlungen um 1790 darf als deutliches Zeichen einer Neubewertung dieser Sonderform verstanden werden.[39] Bis dahin aber bleibt ihre Dienerrolle unbestritten, ja sie
wird von Gatterer sogar aus dem Plinius bewiesen[40], der in seinem familienhistorischen Erlebnisbericht an Tacitus (Vesuvausbruch, Tod des Onkels) sich selbst nur als
Stoffübermittler verstanden und dem Geschichtsschreiber Auswahl und Bearbeitung
ausdrücklich überlassen habe, denn: »aliud est epistolam, aliud historiam: aliud amico,
aliud omnibus scribere«[41], was Gatterer für eine kräftige Stütze seiner Unterordnungsthese hält, ohne schon erkennen zu können, daß Plinius im verschiedenen Publikumsbezug wohl die Andersartigkeit, aber keinen Rangunterschied der beiden geschichtserzählenden Formen ausgedrückt hat.

Im Unterschied zu den Historikern kommt Wieland durch persönliche Anlässe auf die
Gattung Autobiographie zu sprechen und versteht sie von Anfang an als eine selbständige
literarische Form, wobei er jedoch ebenfalls die neue pragmatische Methode voraussetzt.
Schon 1759 spricht er von der »Analogie« und dem »Zusammenhang«, die man »in allen
Entwicklungen, Ausschweiffungen, Sprüngen, Flügen und Metamorphosen seines Geistes finden« könnte, wenn man eine »Chronologische Geschichte« davon besäße.[42]
Nur einige dieser Termini lassen sich schon der Organismus-Vorstellung zuordnen, andere widersprechen ihr noch, gemeinsam aber ist ihnen bereits das pragmatische Bild einer logischen Aufeinanderfolge auf der Zeitgeraden. Alle scheinbare Willkür und Ungleichheit seines Charakters glaubt Wieland allein durch zeitliche Reihung in ein Kausalnetz einfangen und damit als eigentümlich, vielleicht als wesensnotwendig erklären zu
können. Doch ist es für ihn bezeichnend, daß er diese innere Geschichte nicht isoliert,
sondern nur in Verbindung mit einer Geschichte seiner Werke darstellen will, um etwa
seine jetzige Strenge gegen die eigenen Jugendschriften zu begründen: »hier würde die critische Geschichte meines Geistes, meines Geschmaks, meiner Schriften etc. am besten angebracht werden können.«[43] Geist, Geschmack, Schriften – sie liegen für Wieland auf
der gleichen Ebene, sollen wie bei Schröckh anstelle der alten parataktischen Reihung in
einen einzigen Lebenszusammenhang verschmolzen werden.

Auch später spricht Wieland in den schon genannten *Unterredungen* (1775) von der
Notwendigkeit, zum besseren Verständnis seiner Werke die Umstände ihrer Entstehung
und den jeweiligen »Gemüthszustand« ihres Autors in einer historischen Folge darzustel

---

gänglich nöthig, daß gewisse Umstände, die man sonst nicht wohl in Erfahrung bringen kann, von
demjenigen selbst, dessen Leben zu entwerffen ist, an die Hand gegeben werden.« (zit. nach: Lebens-Geschichte Johann Jacob Mosers, von ihm selbst beschrieben, 1768, Motto). – *Schröckh* behandelt in seinen Quellenkritiken am Ende jeder Biographie die etwaigen Selbstzeugnisse des Dargestellten stets an erster Stelle: z. B. Allg. Biographie, Bd. 4 (1772), S. 394 (Julianus Apostata); Bd. 5
(1778), S. 395 f. (Thomasius); Bd. 7 (1789), S. 341 (Sixtus V.).

len: nur »die Geschichte meiner Seele« könne die einzelnen Schriften »in ihrem wahren
Lichte« zeigen.[44] Wieder sollen seelische Zustände und Vorgänge nicht, wie in den
psychologischen Selbstanalysen der Zeit, für sich beobachtet und ausgelotet, sondern als
Triebfedern für die Geschichte der öffentlichen Tätigkeit, hier des Schriftstellers, betrachtet und eingeordnet werden. Mit solchen hypotaktischen Zuordnungen des persönlichen zum öffentlichen Bereich geht Wieland bereits über seine Vorstellung von der Biographie als eines »moralischen Individualgemäldes« hinaus; sein Schema der Autobiographie zieht hier eher eine Parallele zur Schröckhschen Biographie und zur allgemeinen
Geschichtsschreibung, die gleichfalls die »geheimen Nachrichten« des häuslichen Lebens
als die verborgenen Ursachen der öffentlichen Taten in die Darstellung einzubauen unternehmen. Wieland hat damit als erster das Modell einer psychologisch motivierten
Künstler-Autobiographie skizziert, wie sie bald darauf in Rousseaus *Confessions* eingebaut erscheint und im 19. Jahrhundert weiter ausgebildet wird (Goethe, Alfieri, Grillpar-
zer). Wieland selbst aber findet noch nicht den Mut, einen solchen biographischen
Selbstkommentar seinem Publikum vorzulegen, da dieses in der Autobiographie eines
Dichters keinen wahrheitsgetreuen Bericht erblicken könne: es wittere darin die unwillkürliche Neigung, »mehr die Gesetze des Schönen und Anständigen als der historischen
Treue« zu beachten und die Umstände jeweils durch »Kunstgriffe« so zu modeln, wie es
»die bessere Wirkung des Ganzen« erfordere.[45] Die Überzeugung, daß jede Autobiographie nicht nur den Charakter einer streng nicht-fiktiven Literaturgattung wahren
müsse, sondern daß ihr auch alles Beschönigen und Eliminieren im Detail zugunsten der
Komposition versagt sei, wird dabei von Autor und Publikum durchaus geteilt; um so
schroffer muß darum der Kontrast wirken zwischen dem Selbstbewußtsein des Dichters,
die Wahrheit seines Lebens und Wirkens in der geforderten Tatsachentreue darstellen zu
können, und dem Zweifel des Publikums an dieser Fähigkeit, ja am Willen des Dichters,
zwischen Roman und realem Lebensbericht zu unterscheiden. Der hier erstmals auftretende Streit um die Möglichkeit einer Dichter-Autobiographie wird als Continuo die gat-
tungstheoretische Erörterung durch das ganze kommende Jahrhundert begleiten[46];
denn dieser Typus läßt den für die Autobiographie allgemein wie für jede literarische
Zweckform zentralen Konflikt zwischen Wahrheit und Schönheit am deutlichsten hervortreten und stellt auch immer wieder die Frage nach seinem möglichen Ausgleich. Vorerst freilich scheint keine Lösung in Sicht: der Dichter des Gesprächs von 1775 kapituliert
noch vor dem öffentlichen Mißtrauen und entschließt sich, das Manuskript seiner
Selbstdarstellung erst nach seinem Tode freizugeben.

Den Gegenpol zum pragmatischen Standpunkt in der biographischen Frage bildet Johann Gottfried Herder. Das Problem der Biographie spielt in seiner von den Ideen der
Geschichte, des Individuums, der Humanität bestimmten Gedankenwelt naturgemäß
eine wichtige Rolle, und so hat sich Herder von der Frühzeit bis in die letzten Lebensjahre
mit verschiedenen Lösungsversuchen, deren Wechsel und Nuancen den Gang seiner geistigen Entwicklung spiegeln, an der Erörterung dieser Frage beteiligt. Gegenüber allen
bisher genannten Überlegungen zeichnen sich aber Herders Beiträge durch einen radikal
neuen Ansatz der Fragestellung aus; dieser bringt es mit sich, daß Herder als erster und

konsequent von Anfang an das biographische mit dem autobiographischen Problem unmittelbar verbindet und auch in der späteren Auseinandersetzung um diese Sonderform der eigentlich belebende Mittelpunkt bleibt.

Begründet ist die neue Sehweise in Herders ausdrücklichem Bekenntnis zur Individualität jeder Menschenseele. Schon in der *Einleitung* zu seinem Denkmal-Torso *Über Abbts Schriften* (1768), wo er erstmals von der »Kunst« spricht, »die Seele des andern abzubilden«[47], fordert er, »den Geist eines Menschen wie ein einzelnes Phänomen, wie eine Seltenheit«[48] aufzufassen, und tadelt an der gegenwärtigen Psychologie – und damit indirekt auch an der biographischen Theorie eines Johnson oder Abbt –, daß sie noch immer »bloß nach dem Bekanntesten, das alle Menschliche Seelen gemein haben, ihren Weg durch Schlüsse und Errathungen fortsetzt«[49]: den Linées in der Geisterlehre will er einen Buffon zur Seite stellen, der »eigensinnig in ihre Classen falle, und Individua zergliedere.«[50]

Einem solchen dezidierten Glauben sowohl an die Einzigartigkeit jeder Seele wie auch an die zentrale Bedeutung des psychischen Charakters muß sich ungleich schärfer als jedem Pragmatismus das Wahrheits- und Erkenntnisproblem stellen. Dies ist denn auch für Herder die eigentliche, fast die einzige Frage; ihr gegenüber müssen die formal-methodischen Forderungen der Historiker vorerst nebensächlich erscheinen. Herder geht es zunächst um die Erkennbarkeit der individuellen Gestalt überhaupt, und so ist es folgerichtig, wenn er sofort auch das Problem der Selbsterkenntnis in diesen Fragenkreis einbezieht, ja zum Ausgangs- und Angelpunkt seiner Überlegungen macht. So schon in der genannten *Einleitung* von 1768: »welcher Mensch weiß, was im Menschen ist, ohne der Geist des Menschen in ihm? und auch dieser kennet sich nur, so wie wir unser Gesicht kennen, anschauend, aber nicht deutlich.«[51] Das Selbstbewußtsein ist nur »verworren«, traumhaft, »abgerissen«[52], so daß wir die eigenen Gedanken und unser Antlitz nur erkennen, wenn wir doppelgängerisch von außen auf uns zukommen, und kaum wagt Herder an den »dunkeln Grund unsrer Seele« zu rühren, »in dessen unabsehbarer Tiefe unbekannte Kräfte, wie ungebohrne Könige, schlafen.«[53] Noch ist Herder überzeugt, daß »wir uns selbst nicht ... von innen kennen« und darum, »wenn wir auch alle wie Montagne wären, schwerlich vollkommene Biographen unser selbst werden könnten.«[54] Um so geringer veranschlagt er den Erkenntniswert einer Lebensbeschreibung von fremder Hand; wenn überhaupt, so könne der Biograph seinen Mann nur »von außen« studieren, »um die Seele desselben in Worten und Handlungen aufzuspähen«[55] – eine Skepsis, die vorerst bei der Einsicht in die unausweichliche Subjektivität jeder Lebensdarstellung resigniert und darin deren eigentliche Aporie erblickt.*

Herders Reisejournal von 1769 bringt auch hier die Wende. Dieses Dokument einer persönlichen Selbstentdeckung, zugleich Kronzeuge für das erwachende Selbstbewußtsein einer ganzen Generation, überwindet mit einem Mal alle eben noch gehegten Zweifel an der Möglichkeit von Selbsterkenntnis und Selbstdarstellung. Schon allein die Existenz

---

* Herder hat denn auch im anschließenden »Torso« (Werke, ed. *Suphan*, Bd. 2, S. 268–294) nicht die Nachfolge Nicolais angetreten, sondern hat aus den Schriften Abbts, und auch hier vornehmlich vom scheinbar Äußeren her, aus Sprache und Stil, die geistige Gestalt des Schriftstellers wenigstens zu »umreißen« versucht. Vgl. ebda, Bd. 2, S. 290.

dieses Journals kann als lebendiges Beweisstück gelten, überdies entwirft darin der Reisende unter der Fülle seiner Zukunftspläne die Idee eines Rückblicks ins eigene Leben, den er wie das Tagebuch als Mittel künftiger Lebensgestaltung gebrauchen will: »kein Schritt, Geschichte, Erfahrung, wäre vergebens: ich hätte alles in meiner Gewalt: nichts wäre verlöscht, nichts unfruchtbar: alles würde Hebel, mich weiter fortzubringen.«[56] Auch wenn Herder weder damals noch später diesen Plan verwirklicht hat, so bekräftigt schon das enthusiastische Konzept seinen neuen Glauben an eine fruchtbare, d. h. wesenserschließende Erforschung der eigenen Erlebnis- und Gedankenwelt.

Daß dieser neue Glaube keine Augenblickszuversicht gewesen ist, zeigt die 1774 entworfene, 1778 ausgearbeitete Schrift *Vom Erkennen und Empfinden der menschlichen Seele*, die das (auto)biographische Thema erneut aufgreift. Als die drei einzigen Wege zur »wahren Seelenlehre« nennt sie »Lebensbeschreibungen, Bemerkungen der Aerzte und Freunde, Weissagungen der Dichter«[57], und es ist bezeichnend, daß Herder jetzt unter »Lebensbeschreibungen« vor allem die Selbstbiographien versteht und sie zuerst und am ausführlichsten behandelt. Von ihnen in erster Linie erwartet er die Mitteilung »tiefer Besonderheiten«[57] und sieht ihren Erfolg allein von »Aufrichtigkeit«, »Treue« und »Muth« des Autopsychographen bedingt: »hätte er Muths genug, in den tiefen Abgrund Platonischer Erinnerung hinein zu schauen, und sich nichts zu verschweigen: Muth genug, sich durch seinen ganzen belebten Bau, durch sein ganzes Leben zu verfolgen, ... welche lebendige Physiognomik würde daraus werden, ohne Zweifel tiefer, als aus dem Umriß von Stirn und Nase.«[58] Der Seitenhieb auf Lavaters aktuelle Versuche, »durch das Aeußerliche eines Menschen sein Innres zu erkennen«[59], ist zugleich ein Stück Selbstkritik Herders an seiner früheren Resignation, die in der analogen biographischen Methode das einzige Mittel individuellen Menschenstudiums hatte sehen können. Nun da es möglich erscheint, das »innere Ich«[60] direkt zu erforschen, entwickelt Herder auch sogleich einen zweistufigen Plan der Selbstdarstellung, indem er, seinen persönlichen Gedanken aus dem Reisejournal für die theoretische Psychologie verwertend, im Fortschreiten vom Selbstporträt zur Selbstbiographie eine nochmalige Steigerung der Ichanalyse erblickt. Wenn er dabei vom »treuen Geschichtschreiber sein selbst« den Nachweis erwartet, »daß kein Mangel und keine Kraft an *Einem* Orte bleibe, sondern fortwürke ... und in jeder Würkung man den Abdruck seines ganzen Ich mit Kraft und Mangel liefern *müsse*«[61], so führt damit nach Wieland nun auch Herder den pragmatischen Gesichtspunkt für die Autobiographie ein. Doch bleibt gerade in diesem gemeinsamen Ziel der Unterschied ihrer Wege dorthin deutlich. Weil Wieland, wie die pragmatischen Historiker, das punctum saliens des Erkenntnisfortschritts in der Anwendung des kausalpsychologischen Entwicklungsschemas, Herder dagegen im qualitativen Sprung von der Fremd- zur Selbstcharakteristik erblickt, betont Wieland mehr den historiographischen Charakter der Autobiographie, Herder mehr den eines Selbstporträts, das um die zeitliche Dimension bereichert ist. Daraus resultiert der thematische Akzentunterschied in den beiden Vorstellungsbildern: während Wieland die Geschichte der Seele und die Geschichte des äußeren Wirkens kausal verbindet, betrachtet Herder die psychische Entwicklung isoliert, will sie als Eigenleben der Seele ohne Zusammenhang mit dem äußeren Geschehen verfolgt sehen. Nur solche Konzentration scheint ihm die Zeichnung der Individualität zu verbürgen, denn in schier hymnischen Sätzen erträumt er sich wahre

»philosophische Zeiten« von »eignen Lebensbeschreibungen« dieser Art, die nicht nur
auf »allgemeine Formeln und Wortnebel« verzichten, sondern »den ganzen Mann auch
von Seiten zeigen, von denen er sich eben nicht zeigen will«[62] – womit Herder, in genauer Gegenposition zum Pragmatismus und zu Wielands Publikum, erstmals das
Hauptargument für die gattungsimmanente Glaubwürdigkeit der Autobiographie formuliert.

In der Folgezeit kehrt Herder von diesem Enthusiasmus wieder zu einer ruhigeren Betrachtungsweise zurück, die auch die Frage des öffentlichen Nutzens oder Schadens solcher Selbstenthüllungen bedenken lernt[63], und nähert sich damit der von vornherein
stärker pädagogisch-praktisch orientierten Sehweise Wielands, der jetzt umgekehrt die
Aufwertung der Selbstbiographie gegenüber der Biographie ausdrücklich von Herder
übernimmt. Denn noch im gleichen Jahr (1778) zeichnet Wieland eine Klimax vom biographischen »Schattenriß« über die »Plutarchische Biographie« zur Selbstbiographie
[64], was für ihn gleichbedeutend ist mit der Steigerung von »allgemeinen Formeln« über
»kleine individuelle Züge und Geschichtchen« zur »Offenherzigkeit« einer »ohne Rücksicht auf die Welt, blos sich selbst erzählten … Geschichte seines Geistes und innern Lebens.«[65] Offensichtlich erblickt er darin eine Steigerung in der Wahrheitserkenntnis;
und wie er hier die Autobiographie als kostbarstes Vermächtnis eines Mannes an die
Nachwelt schließlich sogar noch mit sinngemäßen Zitaten aus Herders enthusiastischen
Sätzen feiert[66], so verspricht er sich kurz darauf von der mit Spannung erwarteten »geheimen Geschichte« Rousseaus, wieder ganz herderisch, eine Einführung »in das Heiligthum seiner Seele«, ja deutet sie als »Geschichte nicht dessen, was er schien oder gern gewesen wäre, sondern was er wirklich in seinem eignen Bewußtsein war.«[67] Man darf
freilich nicht übersehen, daß Wieland damit die Aufrichtigkeit des Selbstbiographen
noch nicht wie Herder als ein Gattungsgesetz verkündet; er urteilt hier noch ganz ad hominem und vertraut dem Autor nur nach dem Maße seiner sonstigen Glaubwürdigkeit.
Diese einmal vorausgesetzt, anerkennt aber auch Wieland die unausweichliche Subjektivität der autobiographischen Darstellung als die dieser Gattung eigentümliche Form der
Wahrheit. – Ein schwächeres Echo dieser Anschauung findet sich übrigens wenig später
in seines Freundes Johann Joachim Eschenburg *Entwurf einer Theorie und Literatur der
schönen Wissenschaften* (Berlin 1783); es ist das einzige Lehrbuch der Zeit, das innerhalb
der »Rhetorik« unter den Gattungen der »historischen Schreibart« auch die »Biographie«[68] und dabei in einer (kleingedruckten) Anmerkung von wenigen Zeilen bereits
unsere Sondergattung berücksichtigt: »Es giebt eigne Lebensbeschreibungen, die, wenn
sie mit unpartheyischem Beobachtungsgeiste abgefaßt sind, einen vorzüglichen Grad des
Lehrreichen und Interessanten haben.«[69] Auch hier also ist schon die Steigerung gegenüber der Biographie angedeutet, deren Ziel ganz im Sinne des Pragmatismus in der
»vollständigen Charakterisirung« einer »handelnden Person« gesehen wird, »um dadurch die Kenntnisse der Seelenlehre und der menschlichen Natur zu befördern.«[70]
Im großen und ganzen also konnte sich Herder in seiner Bevorzugung der Autobiographie auch von der Seite der Pragmatiker bestätigt fühlen und so verleiht er auch künftig
seiner Vorliebe für diese Gattung beredten Ausdruck. In den Theologie-Briefen etwa
(1781, ²1786)[71] erscheint ihm die Lektüre von »Selbstbekänntnißen« nach wie vor als

das tauglichste Mittel, um das »Besondre« in der Geschichte, »die kleinen Züge, wo sich
... der einzelne Mensch verräth«, kennen zu lernen.[72] Um diesen Pluspunkt der Selbstdarstellung noch besser hervorzuheben, stellt er ihr auf der biographischen Seite die
»Elogia Lobreden und Leichengedichte« als abschreckende Folie gegenüber: ihren »Idealen« und »Allgemeinsätzen« zieht er die »Portraite« und »bestimmten Handlungen«[73]
der eigenen Lebensbeschreibungen entschieden vor.* Wieder, nun schon fast in epi-
grammatischer Kürze, bekennt er sich zur gattungsimmanenten Wahrheit der Autobiographie: » *Wie einer ist, so thut er:* wie er denkt, so schreibt er; am meisten, wenn er *von
sich selbst* schreibet.«[74] Doch anders als noch 1778, sieht er den Wert solcher Bekenntnisschriften nicht mehr so sehr in einer selbstzwecklichen Erkenntnis der menschlichen Seele, als vielmehr in ihrer pädagogischen Möglichkeit, als »Spiegel menschlicher
Gemüther und Lebensweisen« dem Leser »täglich einen neuen Freund oder Warner« zu
schenken und ihm also nützlicher zu sein als »schlechte Journale und Romane«[75], die
der Pädagoge hier mit den Elogien auf gleiche Stufe stellt.**

Diese neue Auffassung vom höheren Wert der Selbstdarstellung innerhalb der charakterologischen und biographischen Gattungen bleibt aber nicht auf den Diskussionskreis
der Literaten beschränkt; sie beginnt sich in den achtziger Jahren allgemein durchzusetzen, und ein wesentliches Verdienst daran haben neben Herders Anregungen zweifellos
die schon 1766/70 geschriebenen, doch erst 1782 postum erschienenen *Confessions* Jean
Jacques Rousseaus.[76] Dieses Buch bekennt sich nicht nur zur absoluten Unwiederhol-
barkeit der Einzelexistenz[77]; es glaubt auch, daß diese Individualität, wenn überhaupt,
nur durch Selbstdarstellung erfaßt werden könne, und zwar nur durch eine radikale Ent-
hüllung des eigenen Innern in allen Umständen seines Lebens[78], also nicht in statischer
Analyse der Charakter- und Gemütseigenschaften, sondern nur durch Verfolg der
»chaîne des sentimens«[79] als der einzig treuen Führerin in die eigene Vergangenheit bis
zu den ersten Wurzeln hinab und von dort her durch Neuschöpfung ihres geschichtlichen
Zusammenhangs im erzählerischen Akt. »Ce bisarre et singulier assemblage [i.e. mon ca-
ractére] a besoin de toutes les circonstances de ma vie pour être bien dévoilé«[80] – diesen

---

* Von den »Leichenpredigten« bemerkt das »Patriotische Archiv«, Bd. 1 (1784), S. XX (Einlei-
tung): »Sie sind zu unsern Tagen so sehr herabgewürdiget und verachtet, daß sie sogar zur Fabel und
Sprüchwort geworden, und man sich schon Lügen und Schmeicheleien denkt, sobald nur das Wort:
Leichenpredigt, genennt wird.«
** Mit dieser These vom höheren moralischen Nutzen realer (Auto-)Biographie gegenüber Romanen steht Herder übrigens schon in einer wenngleich noch jungen Tradition. Vgl. *Zollikofer*,
Vorbericht zu Lavaters »Geheimem Tagebuch« (1771), S. V.: »eine getreue und umständliche moralische Lebensbeschreibung des gemeinsten und unromanhaftesten Menschen (ist) unendlich wichtiger, und zur Verbesserung des Herzens ungleich tauglicher ..., als der sonderbarste und interessan-
teste Roman.« – *Schubart*, Leben und Gesinnungen, T. 1 (1791), S. 120 (diktiert 1778/79): »Wirkliche Beispiele müssen doch mehr würken, als die Zeichnungen in Romanen, von welchen alle Welt
weiß, daß sie Fiktion sind.« Zugleich plädiert Schubart wie Herder für den Anekdotenstil und wehrt
sich dagegen, daß man »die Biografen, sonderlich die Autobiografen so furchtsam« mache, »daß sie
oft diejenige Umstände unterdrükken, die den Helden just am meisten heben, und ihm so zu sagen
seine Selbstheit geben würden.« (S. 121).

Satz aus dem ursprünglichen Vorwort hat dann das Buch selbst erstmals in der europäischen Autobiographik zu demonstrieren versucht.

Die Idee dazu war freilich in Deutschland, wie oben dargelegt, schon im Laufe der siebziger Jahre, deutlich vor dem späten Erscheinen der *Confessions* und also unabhängig davon, entwickelt worden. Das gilt sogar noch für das autobiographische Programm der empirischen Psychologen. Denn gleichzeitig mit dem Bekanntwerden der *Confessions* Rousseaus fordert Karl Philipp Moritz in seinem *Vorschlag zu einem Magazin einer Erfarungs Seelenkunde* (Juni 1782) dazu auf, es solle jeder »erstlich die Geschichte seines eignen Herzens von seiner frühesten Kindheit an sich so getreu wie möglich entwerfen; auf die Erinrungen aus den frühesten Jahren der Kindheit aufmerksam sein, und nichts für unwichtig halten, was jemals einen vorzüglich starken Eindruck auf ihn gemacht hat, so daß die Erinrung daran sich noch immer zwischen seine übrigen Gedanken drängt.«[81] Das *Magazin* selbst (1783 ff.) will dann zwar mit Auszügen aus jüngst erschienenen »Selbstgeständnissen« (Basedow, Jung, Semler)[82] zunächst nur an punktuellen Beispielen den Begriff der seelischen »Krisis« veranschaulichen, oder Material für die Seelendiätetik, Ratschläge zur vernünftigen Lebensführung liefern. Aber schon Moritzens eigener theoretischer, durch persönliche Beispiele illustrierter Beitrag über *Erinnerungen aus den frühesten Jahren der Kindheit* (1783)[83]* bringt erneut das kausalpsychologische Moment hinzu: »Die allerersten Eindrücke... machen doch gewissermaßen die Grundlage aller folgenden aus; sie mischen sich oft unmerklich unter unsre übrigen Ideen, und geben denselben eine Richtung, die sie sonst vielleicht nicht würden genommen haben.«[84] Diese wiederholt ausgesprochene Überzeugung von der bestimmenden Macht der »Kindheitsideen«, die erst eigentlich die Identität des Ich durch alle Lebensstufen hindurch verbürge[85], läßt erkennen, welche Bedeutung gerade für die neue Wissenschaft der Erfahrungsseelenkunde die biographisch-historische Dimension gewinnt. Und da Kindheitserinnerungen ausschließlich dem *auto*biographischen Gebiete angehören, ist damit die Selbstbiographie unter allen Textgruppen im *Magazin* zum feinsten Instrument des ΓΝΩΘΙ ΣΑΥΤΟΝ erklärt. Ausdrücklich hat dann im 5. Band (1787) der spätere Mitherausgeber C. F. Pockels den besonderen empirischen Wert der frühesten Erinnerungen auf alle im *Magazin* erschienenen selbstbiographischen Zeugnisse, namentlich auf die »Erzählungen (der) Jugend- und Männerjahre« ausgedehnt, da ja gerade sie die postulierte Entfaltung der ersten Eindrücke dokumentieren können; neben der Aufrichtigkeit wird vor allem das frühe Einsetzen der Selbstbeobachtung gefordert, um die Kausalkette der »Entwickelung« und »Ausbildung« möglichst klar und detailliert verfolgen zu können.[86] Unter diesen Voraussetzungen erscheint der neuen Psychologie, die in ihrer Ablehnung jeglicher »Speculation« nach geeigneten empirischen Wegen Ausschau hält, gerade die Gattung Autobiographie als ein vorrangiges Mittel, »zu einer richtigen

---

* Von den persönlichen Beispielen, hier noch in Ich-Form gehalten, tauchen zwei in der Kindheitsgeschichte des »Anton Reiser« wieder auf und werden in ihrer neuen Er-Form, zusammen mit ihrem Roman-Kontext, nochmals im »Magazin« (Bd. II, 1, 1784, S. 76–95) vorabgedruckt – eine versteckte Aufforderung Moritzens an die Leser, diesen Roman, zumindest in seinem psychologischen Wahrheitsanspruch, den realen Selbstbekenntnissen gleichzuachten. – Beide Vorabdrucke jetzt auch im Anhang zur Neuausgabe des »Anton Reiser«, hg. v. Wolfgang *Martens,* Stuttgart 1972, S. 508–525.

Kenntniß des Menschen«[87] zu gelangen, woran sich erneut der Glaube an einen besonderen Wahrheitswert rückblickender Selbstzeugnisse ablesen läßt.

Überraschender als der Wunsch der Psychologen, autobiographisches Material für ihre beobachtenden und deutenden Zwecke zu verwerten, ist in diesen Jahren der Aufruf des »Königl. Preuß. Hofraths und Garnisonsmedikus« Johann Gottlieb Fritze an seine Freunde in einer wissenschaftlichen Gesellschaft, ihr Leben selbst zu beschreiben. [88] Weder eine psychologische noch überhaupt eine wissenschaftliche Absicht leitet ihn dabei; er will damit ausschließlich erreichen, daß statt der üblichen Nekrologe beim Tode einzelner Mitglieder deren eigene Aufzeichnungen »der öffentlichen Prüfung« in der Versammlung »zur Nachahmung oder Warnung« dargestellt würden. [89] Die traditionelle pädagogische Zielsetzung, seit 1770 in zunehmendem Maße propagiert, wird hier bereits als Hauptzweck solcher Skizzen zur praktischen Diskussion gestellt. Wieder erwächst der Ruf nach Autobiographien aus der Skepsis gegenüber der Voreingenommenheit der Gedächtnisreden und dem »Weihrauch« der Biographien [90]; um so größer ist das Vertrauen in die Selbstdarstellung gerade von Männern, »die Liebe zu Wahrheit und Wissenschaft mit einander verbindet« und von denen man daher erwarten dürfe, »daß sie mit scharfen ungetäuschten Blicken in ihre Seele zu sehen, daß sie die Ursach und den Zweck ihrer Handlungen reif zu beurtheilen, und mit gleicher Redlichkeit ihre Beobachtungen niederzuschreiben im Stande sind.«[91] Im übrigen aber verharrt die Argumentation noch ganz in der pragmatischen Vorstellung, daß der Autobiograph vor allem den »reinen lautern unverfälschten Stoff« mitteilen solle, den er »am besten, oder vielmehr… einzig und allein liefern kann«[92]; die Frage der Gestaltung der Biographie durch ihn selbst oder einen anderen bleibt sekundär, im Vordergrund steht die Sicherstellung der Lebensfakten. Gattungstheoretisch wird hier also kein neuer Schritt getan, doch bleibt diese programmatische Schrift eines Garnisonsmedicus aufschlußreich als Zeichen einer zunehmend breiteren Aufmerksamkeit auf den praktisch-pädagogischen Wert autobiographischer Zeugnisse.

In die gleiche Richtung sind inzwischen auch Herders Überlegungen fortgeschritten. Sein allmählicher Urteilswandel über den Sinn der Autobiographie liegt in einem neuen Verständnis auch für die gefährlichen Seiten der Selbstbeobachtung begründet. Schon sein Enthusiasmus von 1778 hatte angesichts des »weichen Selbstmärterers« Adam Bernd, »bey dessen ewigem Hin- und Wegbeben vom Selbstmorde man schauert«[93], die Problematik solch unbedingter Entblößung zugeben müssen, und Herder hatte damals schon, wohl auch im Hinblick auf das aktuelle Wertherfieber als Folge eines neuesten Extrems verquälter Selbstenthüllung, die Frage wenigstens gestellt, ob es nützlich sei, »das tiefste Heiligthum in uns, das nur Gott und wir kennen sollen, jedem Thoren zu verrathen« (und Wieland hatte sofort in diesen Zweifel eingestimmt) [94]; in den Theologiebriefen (1781) empfiehlt er dann den Studenten der Kirchengeschichte von vornherein nur solche Selbstbiographien (innerhalb wie außerhalb des Faches), die entweder im annalistischen Berichtsstil die äußeren Lebensereignisse, gelegentlich vor politischem oder kulturhistorischem Hintergrund, erzählen (Junius, de Thou, Huet) oder doch ihre Selbstbeobachtung immer mit dem Blick auf die Umwelt, oft zur eigenen Rechtfertigung, verbinden (Petersen, Breithaupt, Lange) und darum nie in eine sonst schier ausweglose

Selbstverängstigung geraten; einzelnen extremen »Schwärmern« und »Selbstpeinigern« (Herder nennt Hieronymus Wolf und die Schurmannin) begegnet er jetzt mit deutlicher Zurückhaltung und kann ihre Lektüre, die »oft warm und enge« mache, nur noch für eine »heitere« und »gesetzte« Stunde empfehlen.[95]

Diese kritische Musterung konkreter Beispiele, worin erste Ansätze einer Typologie erkennbar werden, führt Herder alsbald und konsequent auf den folgenreichen Gedanken, geeignete Selbstbiographien in einer besonderen Anthologie zu sammeln. Schon die Theologiebriefe (²1786) hatten in einer Fußnote gemeint, »es wäre gut, wenn ein eignes Buch die Lebensbeschreibungen, die merkwürdige Menschen von sich selbst geschrieben haben, entweder ganz oder in Auszügen, zweckmäßig sammlete«, da sie »jetzt zu zerstreut und oft an Oerter begraben« seien, »wo man sie zu suchen nicht eben Lust hat.«[96] Wenige Jahre später (1789) wird Herder seinen Schüler Johann Georg Müller an diese »alte Idee und Liebhaberei« erinnern und den Vorschlag tun: »Wie wärs, wenn man eine Sammlung solcher ›Geständniße von sich selbst‹ machte, die die merkwürdigsten Leute der Welt von sich gethan haben? Nicht ganze Leben, sondern nur die treffendsten Züge daraus und facta zur Erläuterung dieser Bekänntniße und Confeßionen... Nur müßten es nicht blos Theologen, oder gar Schwärmer (sein), sondern Leute von allerlei Stande, Männer und Weiber, Alte und Neue ... Sie hatten schon Etwas der Art in Pfenningers Magazin geliefert; *dies* Magazin muß aber christlich, heidnisch, jüdisch und Muhammedisch werden.«[97] Dieses universale Programm fordert weit mehr als nur eine thematische Erweiterung, es will grundsätzlich jede inhaltliche (soziologische, konfessionelle usw.) Auswahlgrenze sprengen und dadurch das Verständnis für den Bekenntnischarakter dieser Schriften, d. h. für eine (im weitesten Sinne) formale Besonderheit dieser Gattung wecken und fördern. Auch die Forderung nach Auswahl zunächst nur der »treffendsten Züge« aus solchen Selbstgeständnissen nimmt dem geplanten Unternehmen nichts von seinem originellen Charakter einer ersten spezifischen Bekenntnis-Sammlung. Wenn nämlich bisher autobiographische Texte in Sammelwerke[98] aufgenommen wurden, so geschah es stets neben und zwischen biographischen, historischen, politischen Texten, die alle dem stets inhaltlich bestimmten Ziel der Sammlung dienten, so daß gerade die gattungsspezifischen Eigentümlichkeiten dieser Zeugnisse gar nicht oder nur untergeordnet ins Bewußtsein des Sammlers wie des Lesers dringen konnten. Selbst wenn Johann Henrich Reitz in seiner *Historie der Wiedergebohrnen* (1717), namentlich im 1. Band, eine Anzahl autobiographischer Bekehrungs- und Erweckungsgeschichten unmittelbar aneinanderreiht, so besteht doch keinerlei Bruch mit den nachfolgenden Bänden, in denen Selbstzeugnisse mit biographischen Nachrichten abwechseln: überall bleibt der erbauliche und zugleich apologetische, polemisch gegen die Orthodoxie gerichtete Zweck dieser Sammlung gegenwärtig und bindet den Blick für eine nähere literarische Unterscheidung der Beispiele. Der Mangel an speziellen Selbstbiographie-Sammlungen braucht indes nicht zu verwundern: erst seit dem geschilderten Erwachen eines Bewußtseins von der formalen Besonderheit dieser Gattung (um 1770) sind sie überhaupt erst denkbar*, und wenn jetzt Herders Anregung dazu nach 1790 eine Reihe

---

* Das Gegenbeispiel ist der mit der italienischen Renaissance wieder einsetzende und in Europa seitdem nicht mehr unterbrochene Strom von Biographie-Sammlungen, die häufig von einem einzi-

solcher Anthologien ins Leben ruft, ist damit für die Geschichte dieses Gattungsbewußtseins das Ende einer entscheidenden Phase öffentlich-sichtbar markiert.[99]

Herder begnügt sich aber nicht mit einer bloßen Anregung; in mehreren umfangreichen Briefen vom Mai 1790 an Johann Georg Müller[100] skizziert er kurz vor Erscheinen des 1. Bandes der *Bekenntnisse merkwürdiger Männer von sich selbst* (1791) »allgemeine Ideen über dergleichen Confessionen«[101], die Müller dann als eine Art Vorrede der ganzen Sammlung voranstellt. Darin wird eine schon mehrmals angedeutete
wertende Typologie ausgebaut und näher begründet, womit Herder abermals theoreti-
sches Neuland betritt.

Der leitende Gesichtspunkt bei dieser Gliederung ist die hier stärker denn je aufbre-
chende Frage nach dem Öffentlichkeitswert autobiographischer Schriften. Darum wird
die typologische Dreiteilung in 1. »andächtige oder religiöse Confessionen«[102] (mit
der Untergruppe »geistliche Stunden- und Tagebücher«)[103], 2. »menschliche philosophische Confessionen«[104] und 3. »Lebensbeschreibungen«[105] von einer wertenden
Zweiteilung überlagert, die vor der Folie der »Confessionen« die »Lebensbeschreibungen« als den allein publikationswürdigen Typ hervorhebt. Denn Herder kommt zu dem
strengen Ergebnis, daß weder die Zwiesprache des Menschen mit Gott noch die Protokolle seiner Krankheitsgefühle noch auch die psychisch-moralischen Selbstanklagen und
-rechtfertigungen für fremde Ohren bestimmt seien. Auch wenn den Kronzeugen der religiösen Bekenntnisse, Augustinus und Petrarca, ein Ausnahmerecht zugestanden wird,
so vermittelten solche Schriften doch grundsätzlich ein »Gefühl des Nichts, der äusser-
sten Schwachheit«[106] gegenüber dem unerreichbar Erhabenen und würden so die
Seele des andern nur »muthlos niederschlagen«[107]; ebenso schadeten die geistlichen
Stundenbücher dem »traurig sympathisirenden Leser«[108], weil sie momentane Depressionen verewigten und am allerwenigsten das ausgleichende Gewebe des Lebensgan-
zen erkennen ließen.[109] Zudem sei jedes religiöse Geständnis, das mit einem Seiten-
blick auf fremde Hörer gesprochen werde, von vornherein der Eitelkeit und Heuchelei
verfallen[110], so daß für Herder schließlich jede öffentliche Beichte zur contradictio in
adiecto wird. Gegen die »philosophischen« Konfessionen argumentiert Herder weniger
zwingend, weil er hier ausschließlich vom aktuellen Beispiel Rousseau ausgeht und dessen Befangenheit im moralischen Selbstrichteramt, geboren aus einer besonderen Verte-
digungsnot, zu rasch zum Merkmal des gesamten Typus erklärt, der damit gleichfalls der
strengen Wahrheitsforderung nicht gerecht werde.[111] Daß aber Herder überhaupt das
alte, überwunden geglaubte Axiom vom trüben Spiegel der Selbsterkenntnis hier wieder
hervorholt[112], zeigt um so klarer seine Tendenz, den öffentlichen Nutzen jeder welt-
abgewandten Selbstbeschäftigung zu bezweifeln. »Was wir sind, sind wir Gott; was wir
hervorbringen oder ausüben können, das ist für andre.«[113]

---

gen Autor verfaßt (Vasari, Schröckh), gern bekannte Vertreter eines bestimmten Standes (Künstler,
Gelehrte, Kirchenmänner) aus der Vergangenheit (seltener aus der Gegenwart) in erstmals oder neu
gefaßten Lebensbildern vorstellt. Erst im 18. Jahrhundert geht man dazu über, verschiedene noch
lebende Standesvertreter um ihre eigenen Lebensläufe als Beiträge für die Sammlung zu bitten (Götten, Mattheson). – Zum Wiederaufleben der Biographie-Sammlungen (mit berühmten Titeln vom
europäischen 14. bis 18. Jahrhundert) vgl. Jan *Romein*, Die Biographie. Einführung in ihre Geschichte und ihre Problematik. Bern 1948, S. 29–40.

Gegen Ende der Briefe an Johann Georg Müller leitet dieser Satz zur programmatischen Empfehlung der »Lebensbeschreibungen« über, in denen »ein Vater... seinen Kindern, ein Bürger seinen Mitbürgern, ein Gelehrter, ein Held, ein Staatsmann...denen, die seines Berufs sind, ein Erbtheil an seinem Leben hinterlassen (will)«[114]. Den eigentlichen Wert eines solchen Vermächtnisses erblickt Herder darin, daß sein Autor gerade in der nachträglichen Fixierung sein Leben, seine Fehler mit eingeschlossen, »fürs Vaterland oder für die Seinen nützlich« macht.[115] Darum auch erwartet Herder hier im Gegensatz zu allen egozentrischen Konfessionen eine nahezu ideale Objektivität des Blickpunkts, die den Autor sich selbst schon als einen »Hingeschiednen« betrachten und überhaupt »mehr erzählen, als über sich selbst entscheiden und richten«[116] läßt. Diese Weltoffenheit und Ruhe ermöglicht aber in den Augen Herders auch eine entscheidende thematische Horizonterweiterung gegenüber den anderen Typen: über »wahre Vermächtnisse der Sinnesart« hinaus geben die Verfasser solcher Lebensbeschreibungen »Spiegel der Zeitumstände« und »practische Rechenschaft, was sie aus solchen und aus sich selbst gemacht, oder worin sie sich und ihre Zeit versäumt haben.«[117] Erstmals wird damit theoretisch die Polarität von Ich und Welt, Ich und Zeit als erstebenswertes Gleichgewicht für eine autobiographische Darstellung genannt, und erst von hier aus wird verständlich, warum Herder die Sammlung solcher »schönen Denkwürdigkeiten« aus »mehrern Völkern« auch als einen »vortreflichen Beitrag zur Geschichte der Menschheit« begrüßen kann.[118] Mehr als von Geschichtsphilosophie und Geschichtsschreibung erwartet er sich von diesen Zeugnissen ein lebendiges, weil individuell facettiertes, von den einzelnen Stimmen selbst gezeichnetes Bild der Jahrhunderte und er hat sich gerade von dieser unmittelbaren Verbindung von Individualität und Völkergeschichte energische Impulse für die Selbstverwirklichung der eigenen Epoche erhofft.[119]

Hier scheint die Grenze zwischen Autobiographik und *Memoirenliteratur* zu verfließen, und so bleibt am Ende dieses Überblicks über die zeitgenössische theoretische Beschäftigung mit der Autobiographie zu fragen, ob und wieweit während der zweiten Hälfte des 18. Jahrhunderts auch die benachbarte Gattung der Memoiren in ihrer Eigenart erkannt und definiert worden ist.

Die pragmatischen Historiker hatten, wie oben dargelegt[120], der Tradition ihres Faches folgend, »einzelne Lebensbeschreibungen, Memoires und geheime Nachrichten ..., Briefe und einige ähnliche Schriften«[121] unter dem Gesichtspunkt der Augenzeugenschaft als eine besondere Quellengruppe zusammengefaßt und vor allem den Grad ihrer Glaubwürdigkeit erörtert. Nebenbei werden speziell die Mémoires entweder als diejenigen »Nachrichten« umschrieben, »so die Minister, oder die Personen, so Theil an den Geschäften gehabt, herausgegeben,«[122] oder sie werden einfach mit den »geheimen Nachrichten« aus dem Leben der Großen gleichgesetzt.[123] Dementsprechend unterscheidet Gatterer bei den Memorialisten »1) Schriftsteller, die selbst Urheber derjenigen Begebenheiten waren, die sie beschreiben, und 2) Augenzeugen in solchen Begebenheiten, die man nothwendig wissen mus, wann man bey denselben zugegen ist.«[124] Hier wird bereits deutlich, daß als Mittelpunkt und Hauptthema der Memoiren nicht das erlebende und berichtende Subjekt, sondern die von ihm erlebten großen Begebenheiten angesehen werden, gleichgültig, ob der Berichterstatter aktiv oder passiv daran teilgenommen hat, ob er »selbst eine wichtige Rolle auf dem Schauplatze der Welt gespielt« oder nur »bey Regierungsgeschäften gebraucht worden ist«[125]; ausschlaggebend allein bleibt, daß es sich um solche Geschichtsschreiber handelt, »die bey der Entstehung der Begebenheiten gleichsam in der Fabrike mit gegenwärtig gewesen sind.«[126] Darum kann noch Herder 1781 »Denkwürdigkeiten, Memoires, Commentarien, Relationen der Augenzeugen oder derer, die in die Handlung verflochten waren« als nicht näher unterschiedene Gruppe solider Geschichtsquellen bündeln[127] – in deutlichem Abstand nach den viel ausführlicher besprochenen Formen der (eigenen) Lebensbeschreibung.[128] Auch die kurz darauf in Hugo Blair's Vorlesungen (1783, dt. 1788) versuchte Definition der »Denkwürdigkeiten (memoires)« erklärt nicht die Person oder das Leben des Verfassers, sondern das von ihm (zufällig) erfahrene oder miterlebte Geschehen oder »was zur Erläuterung des Betragens einer gewissen Person, oder der Umstände irgend eines einzelnen Vorfalles ... dienen kann«[129], zu den Themen dieser historischen Schriften. Blair betont also erneut ihren traditionellen Charakter als »geheimer Nachrichten«, nicht zuletzt, um sie stilistisch von der allgemeinen Geschichtsschreibung abzuheben: weil er vom Memorialisten unterhaltsame Erzählung erwartet, erlaubt er ihm persönliche Perspektive und Anekdotenstil.[130] Das Sprechen von sich selbst gehört demnach für Blair noch nicht zum Wesen der Memoiren, bedeutet ihm aber ein willkommenes Stilmittel, das den intimen Reiz solcher Schriften erhöhen kann. Der Blick ist dabei ganz auf die Memoiren der Franzosen gerichtet, die als eine »aufgeweckte Nazion« in den beiden letzten Jahrhunderten eine Fülle solcher »angenehmen Kleinigkeiten« geboten hätten.[131]

Alle bisherigen Definitionsversuche werden schließlich von Schiller im *Vorbericht* zur *Allgemeinen Sammlung historischer Memoires* (1790) zusammengefaßt.[132] Es geschieht gleichzeitig mit Herders Typologie der Autobiographie, und es ist hier wie dort bedeutsam, daß die Gattungsbeschreibung aus Anlaß einer in Deutschland erstmaligen Sammlung entsprechender Beispiele unternommen wird.

Angeregt durch die *Collection universelle des Mémoires particuliers, relatifs à l'histoire de France* (London 1785 ff.) kündigt Schiller an, Memoiren vom 12. Jahrhundert bis zur Gegenwart in zwei parallel erscheinenden Abteilungen (I: Mittelalter; II: Neuzeit) zu bringen, die einzelnen Stücke durch universalhistorische Überblicke zu verbinden und damit in einen größeren Geschichtszusammenhang zu stellen. Entschlossen hatte sich Schiller zu diesem Unternehmen vor allem aus finanziellen Gründen[133], und der Wunsch, einen möglichst weiten Leserkreis anzusprechen, hatte wohl die Wahl gerade dieser Gattung bestimmt. Der Vorbericht jedenfalls betont den Wert der Memoiren sowohl für den dilettierenden Liebhaber wie für den gelehrten Kenner der Geschichte, da sie die »gefälligen Eigenschaften« der Unterhaltungsromane mit den »gründlichen Vorteilen« der historischen Schriften verbänden.[134] Diese Mittelstellung der Memoiren zwischen Roman und Geschichte begründet Schiller mit ähnlichen Argumenten, mit denen schon Blair die Denkwürdigkeiten von der allgemeinen Geschichtsschreibung abgerückt hat: mit der Konzentration auf eine Hauptbegebenheit oder Hauptperson, mit der Augenzeugenschaft des Verfassers und mit der dadurch ermöglichten Nuancierung der

Umstands- und Charakterzeichnung, die den Memoiren »eine Miene von Wahrheit, einen Ton von Überzeugung, eine Lebendigkeit der Schilderung« gebe, wie sie keinem allgemeinen Geschichtswerk eigen sein könne. [135] Aber anders als Blair, und darin eher den älteren Pragmatikern verwandt, ist Schiller nicht bereit, die Memoiren deswegen als eine selbständige literarische Gattung zu betrachten. Denn ihre soeben gepriesenen Vorzüge bedeuten für ihn noch immer nur einen erhöhten Quellenwert der Memoiren für die allgemeine Geschichte, und diese traditionelle Vorstellung führt denn auch zu der überraschenden Interpretation des Stellenwerts der ausgewählten Memoirenbeispiele innerhalb der eröffneten Sammlung. Denn die angekündigten universalhistorischen Überblicke sollen nicht so sehr zur Erläuterung der Memoiren, sondern eher umgekehrt sollen die Memoiren zur Erläuterung des »großen Ganzen« dienen: der Nutzen, den der Leser »aus einer isolierten, wenn auch noch so anziehenden, noch so wichtigen Geschichtserzählung schöpfte, würde immer sehr geringe sein, wenn er das Einzelne nicht auf das Allgemeine zurückführen und fruchtbar anwenden lernte.« [136] Der Unterschied zum Herderschen Plan einer Bekenntnis-Sammlung ist evident: Herder erblickt in den Selbstzeugnissen aus allen Zeiten und Völkern »Beiträge« zur Geschichte der Menschheit, d. h. individuelle Stimmen eines selbständigen Chores, der gerade auf Grund seiner literarischen Besonderheit schon für sich allein als ein größeres Ganzes und Spiegel der Geistesgeschichte empfunden wird[137]; Schiller dagegen stößt nicht als Literarkritiker, sondern als Historiker auf die Gattung der Memoires, und indem er sie fachgerecht behandelt, kann er in ihnen ein wenn auch noch so wertvolles, so doch nur unselbständiges Quellenmaterial sehen.

Diesen Umstand hat man zu berücksichtigen, wenn man die Akzentuierung in der anschließenden Memoiren-Definition Schillers nicht verkennen will. Einleitend wird auch hier die persönliche Perspektive betont, wenn als Übersetzung des französischen Wortes »Memoires« statt der als unzutreffend empfundenen »Denkwürdigkeiten (Memorabilia)« lieber »Erinnerungen, Erinnerungsblätter« vorgeschlagen wird, weil Memoiren »aus der Erinnerung erlebter Begebenheiten niedergeschrieben werden.« [138] Im einzelnen grenzt Schiller sodann die »Memoires« gegen andere »historische Schriften« ab[139], und zwar

1. formal gegen »Chronik« und »vollständige Geschichte«, indem er nochmals »nur *eine* Begebenheit oder nur *eine* Person« als ihren Gegenstand bestimmt;

2. thematisch gegen nicht-zeitgeschichtliche Werke, indem er vom Memorialisten verlangt, daß er »entweder selbst an der beschriebenen Begebenheit teilgenommen hat oder doch der handelnden Person nahe genug war, um aus der reinsten Quelle schöpfen zu können«;

3. stilistisch gegen historische Briefe, Lob- und Trauerreden, indem er von Memoiren fordert, daß sie im Ton einer »zusammenhängenden Erzählung« und von *einem* Verfasser geschrieben sind.

Da diese Definition zugleich der Bestimmung der Auswahlgrenze für die angekündigte Sammlung dient, wird klar, daß Schiller hier wie schon die Pragmatiker unter »historisch«, »Begebenheit« und »handelnde Person« immer politische Historie, Welt-Begebenheit und öffentliches Handeln versteht, da ja nur so die Memoires geeignet sind, die Universalhistorie zu erläutern. Diese traditionelle Beschränkung auf die politische Bühne (vor und hinter den Kulissen) führt aber auch bei Schiller dazu, den Blick des Memorialisten als vorwiegend von sich weg nach außen gerichtet zu verstehen: anders als Herder in den »Lebensbeschreibungen« erwartet Schiller in den Memoiren trotz der Forderung nach persönlicher Perspektive und Augenzeugenschaft keine Polarität von Ich und Welt, keine Spiegelung der Zeitumstände in einer Selbstrechenschaft, sondern nur das anschauliche Zeitgemälde eines authentischen Beobachters. Ferner ist für Schiller weder die Identität des Autors mit der »handelnden Person« noch die biographische Form gattungskonstitutiv, auch wenn er beides nicht ausschließt. Das aber bedeutet: die sich klärenden Vorstellungsbilder von Autobiographie und Memoiren differieren um 1790 deutlicher denn je, so daß man letztere zumindest für das 18. Jahrhundert nicht als weiteren Typ der Gattung Autobiographie subsumieren kann, sondern sie ihr als eine eigene historische Gattung gegenüberstellen muß.

Prüft man diese These an den in Schillers Sammlung aufgenommenen Beispielen (Anna Komnena, Otto von Freising, Bohadin, Joinvilles, Sully u. a.)[140] wie überhaupt an der für das ganze 18. Jahrhundert musterhaften Memoirenliteratur Frankreichs seit Commines, so ergibt sich, daß es sich in der Tat zumeist um res gestae oder Privatanekdoten regierender Personen aus der Feder ihnen nahestehender Vertrauter handelt, und daß die Memoiren eines Kardinal de Retz mit ihrem autobiographisch-apologetischen Charakter als Ausnahme die nicht-autobiographische Regel bestätigen.*

Gleiches gilt für die deutschen Memoiren des 17./18. Jahrhunderts: Sie entstehen ausnahmslos im Umkreis der Höfe (vor allem Berlin und Petersburg), haben die Herrscher, ihre Regentschaft und die Welt dieser ihrer Höfe zum Thema[141], und zumeist nicht die Regenten selbst, sondern Personen ihrer näheren und nächsten Umgebung zu Verfassern**. Die Memoiren der Hofleute sind also auch in Deutschland damals noch der Regelfall, und ihre Ich-Form meint die Augenzeugenschaft, nicht ein Selbstzeugnis. Den Charakter eines Selbstzeugnisses können Memoiren damals wegen der festen thematischen Tradition nur dann annehmen, wenn sie von Fürsten selbst geschrieben werden.[142] Als einzige deutsche Beispiele kommen hierfür in Betracht die Memoiren der Kurfürstin Sophie von Hannover[143], die verschiedenen Geschichtswerke Friedrichs II. von Preußen[144] und die *Mémoires de l'impératrice Catherine II., écrits par elle-même*[145]. Wie weit aber tragen diese Werke autobiographischen Charakter? Die durchwegs in Er-Form (»le roi«) gehaltene Folge der Kriegshistorien Friedrichs wollen mit Ausnahme der Frühfassung der *Histoire de mon temps* (1746)[146] an sich jeden Anschein eines Selbstzeugnisses vermeiden und vielmehr den Eindruck einer völlig unparteiisch, ja unpersönlich geschriebenen Zeitgeschichte erwecken.[147] Doch lassen sich, wie nicht anders zu

---

  * Schon Misch konnte als Autobiographien innerhalb der französischen Memoirenliteratur des 16./17. Jahrhunderts nur die der Margaretha von Valois (um 1597) und die des Kardinals von Retz (1652 ff.) ausfindig machen: *Misch,* Geschichte der Autobiographie, Bd. IV, 2, S. 763 ff.
  ** Es handelt sich entweder um Angehörige des Herrscherhauses selbst (Prinzessin Wilhelmine, Markgräfin von Bayreuth; Prinzessin Luise von Preußen), Vertraute des Fürsten (z. B. Friedrichs II. von Preußen: Heinrich Alexander de Catt, Landgraf Karl von Hessen-Kassel, Leibarzt Johann Georg Zimmermann; Katharinas II. von Rußland: Fürstin Daschkoff) oder sonstige Hofleute (in Berlin: Dohna, Pöllnitz, Thiébault, Prinzessin Wilhelmine von Oranien, Gräfin von Lichtenau; in Petersburg: Manstein, von Münnich, Gräfin Korowin).

erwarten, schon hier vielfach Momente und Partien einer mehr oder weniger versteckten Selbstrechtfertigung nachweisen; noch aber bietet diese Reihe der res gestae des preußischen Königs als jeweils für sich bestehender Geschichtsbilder aus der Feder des Hauptakteurs nicht die Form einer Autobiographie im Sinne einer zusammenhängenden selbstverfaßten Lebensbeschreibung. Diese Form besitzen jedoch die Aufzeichungen Sophiens und Katharinas, die ihre Erinnerungen als fortlaufende Berichte über ihre Erlebnisse an verschiedenen europäischen Höfen von der Kindheit bis in die Zeit der Ehe, im Falle Katharinas bis zu den dramatischen Ereignissen der Ermordung ihres Gatten und des eigenen Regierungsantritts gestalten. Während sich dabei die Memoiren Sophiens als einer nicht-regierenden Fürstin noch ganz auf das anekdotenreiche Privatleben beschränken[148], eröffnet Katharina II., vielleicht ermutigt durch die Schriften Friedrichs II., die Reihe der auch äußerlich autobiographisch gehaltenen politischen Memoiren, die im 19. und 20. Jahrhundert in zunehmendem Maße von Regenten und führenden Staatsmännern als mehr oder weniger apologetische Vermächtnisse geschrieben werden und weithin die heutige Vorstellung von Memoiren als der spezifischen Berufsautobiographie der Politiker und öffentlich Handelnden bestimmen.

Im 18. Jahrhundert aber werden für diese heutige Art der Memoiren erst die Keime gelegt, indem erstmals zwei gekrönte Häupter selbst das Amt des Memorialisten übernehmen. Trotz dieses gattungsrevolutionären Akts verraten aber auch ihre Erinnerungsschriften noch deutlich genug die Herkunft aus der klassischen Memorialistik, indem sie wie die sämtlichen Memoiren der Hofleute französische Sprache und Geistesart bewahren. Es ist dies zugleich Ausdruck für den damals noch exklusiven soziologischen Ort dieser Gattung, die ausschließlich innerhalb des europäischen Hochadels erscheint[149], der als eine einzige Familie noch im ganzen 18. Jahrhundert die Kultur und also auch Literatur des französischen Hofes als vorbildlich, ja normativ anerkennt. Es können darum auch die damals neuentdeckten Möglichkeiten autobiographischer Memoiren nur im Zusammenhang der übrigen Memorialistik der europäischen Aristokratie des 17./18. Jahrhunderts gesehen werden, und es erscheint daher nicht nur von der damaligen Gattungstheorie, sondern auch von der Gattungsgeschichte her gerechtfertigt, die Memoiren des 18. Jahrhunderts insgesamt als eine besondere Gruppe mit eigenen Traditionen und Zusammenhängen zu sehen und sie für diesen Zeitraum noch nicht in die Typologie der benachbarten Gattung Autobiographie aufzunehmen.

Im ganzen ergibt sich aus dem Überblick über die theoretischen und programmatischen Äußerungen zur Autobiographie seit der Jahrhundertmitte, daß erst mit dem Aufkommen des Pragmatismus und seines kausalmechanischen Darstellungsmodells für die Geschichtsschreibung auch die biographischen Gattungen in ihren formalen Möglichkeiten, Ansprüchen und Grenzen innerhalb der historischen Schreibart deutlicher erkannt werden und sich erst damit ein eigentliches Gattungsbewußtsein entfalten und differenzieren kann. Die seit 1770 zunehmenden anthropologischen und psychologischen Interessen in der ersten Blütezeit des Individualismus schärfen zudem den Blick für den Wert der Selbstzeugnisse, so daß die Autobiographie im Schnittpunkt von Biographie und Psychologie als feinstes Instrument der Selbst- und Menschenkenntnis entdeckt und hervorgehoben wird. Doch schon in den achtziger Jahren werden auch die Gefahren der Selbstenthüllung erkannt, mit der ersten (wertenden) Gattungstypologie durch Herder (1790) kehrt das Pendel in eine Mittellage zurück, die praktische Lebensbeschreibung mit ihrem Gleichgewicht von Ich- und Zeitdarstellung wird zum Muster der künftigen Autobiographik erklärt.

Diese immer rascher aufeinanderfolgenden Stufen der Erkenntnis, Unterscheidung und Bewertung der Autobiographie und ihrer Typen sollen im Hintergrunde gegenwärtig bleiben, wenn nunmehr die weitere Geschichte der Gattung in den gleichen Jahrzehnten verfolgt wird. Dabei wird sich die Theorie teils als Programm, teils als begleitende Stimme, teils als nachträgliche Bestätigung der Praxis erweisen, immer aber wird im Gegensatz zur ersten Jahrhunderthälfte eine deutliche Wechselbeziehung beider Pole festzustellen sein, die nicht zuletzt für die Beschleunigung des Entwicklungsprozesses der Gattung in diesem für ihre Geschichte entscheidenden Zeitraum verantwortlich ist.

II. DIE INDIVIDUALISIERUNG DER GATTUNGSTYPEN UND DIE AUFLÖSUNG IHRER TRADITIONEN

1. FORTSCHREITENDE SÄKULARISATION DER RELIGIÖSEN AUTOBIOGRAPHIE

a) Die Entstehung der Typenvarianz des herrnhutischen Lebenslaufs

In der ersten Hälfte des 18. Jahrhunderts war das Bild der pietistischen Autobiographie dadurch gekennzeichnet, daß die publizierten Lebensgeschichten der prominenten Vertreter dieser religiösen Strömung sehr rasch vom Typ der Gelehrtenautobiographie unterwandert wurden, daß hingegen die Lebensläufe, die zur Erbauung innerhalb der Gemeinde, zur gegenseitigen Lektüre und zur Verlesung bei der Begräbnisfeier bestimmt waren, die ursprüngliche Form des reinen Bekenntnisses wahren konnten. Im Laufe der zweiten Jahrhunderthälfte dringt nun aber jene typologische Säkularisation auch in diesen nach wie vor nur halböffentlichen Gemeinderaum ein und bewirkt, daß neben der traditionellen reinen Bekenntnisform sich neue Mischformen etablieren, die es dem einzelnen Gemeindemitglied erlauben, für seine eigene Niederschrift unter mehreren Mustern das für sein individuelles Temperament und Schicksal passendste auszuwählen.

Ein sehr anschauliches und zugleich sehr umfangreiches Material bieten hierfür das nur handschriftlich vervielfältigte, wöchentlich erschienene *Jüngerhaus-Diarium*[1] (1747–1760) bzw. die *Gemein-Nachrichten* (1760–1819) der herrnhutischen Brüdergemeine. Dieses wichtigste Vermittlungsorgan sämtlicher Brüdergemeinen mit Herrnhut und untereinander bringt neben Mitteilungen aus der Zentrale Auszüge aus den Diarien der Einzelgemeinden, darunter eine Auswahl von Ansprachen, Predigten und der bei Begräbnisfeiern verlesenen Lebensläufe. Die Autopsie eines fast vollständigen Exemplars[2] der handschriftlichen Jahrgänge ergab folgendes Entwicklungsbild des herrnhutischen Lebenslaufs und seiner Publikationsweise in der Gemeinde: Seit 1752 begegnen innerhalb der Diarien der Einzelgemeinden knappe curricula in Er-Form, die auf etwa einer Schreibseite die äußeren Daten, noch keine inneren Erlebnisse referieren und denen offenbar noch keine eigenhändigen Aufzeichnungen zugrunde liegen. Seit 1755 finden sich eigene Rubriken »Personalia«, die in numerierter Folge etwas längere Lebensläufe (bis zu 8 Seiten) bringen, worin nun auch die Erweckungsgeschichte mit Einzelheiten aus dem Gemütsleben geboten wird. Das läßt bereits auf autobiographische Quellen schließen; jedenfalls sind unter den eingesandten und nach ihrer Abschrift in Herrnhut aufbewahrten Vorlagen *selbst*verfaßte Lebensläufe seit 1752 nachweisbar.[3] Erstmals 1757 werden dann auch im *Jüngerhaus-Diarium* (bzw. den *Gemein-Nachrichten*) Lebensläufe in Ich-Form wiedergegeben.[4] Dabei fällt auf, daß zunächst nur die Erweckungsgeschichte aus den autobiographischen Aufsätzen zitiert, die weiteren Abschnitte, das Wirken in der Gemeinde oder Berufserfolge in der Mission, noch in biographischer Er-Form hinzugefügt werden*, obwohl der Stoff dazu vielleicht schon aus der gleichen autobiographischen Quelle stammt: das Erweckungserlebnis soll als der entscheidende Lebenspunkt durch authentischen Wortlaut aus dem übrigen Bericht zur Erbauung der Leser herausgehoben werden. Um 1760 halten sich diese Mischform und die bisherigen Er-Biographien bereits die Waage, am Ende der sechziger Jahre haben die Lebensläufe in Ich-Form endgültig die Oberhand gewonnen. Noch immer behandeln sie durchwegs nur das geistliche Leben, die Verlegenheit um das Heil und die Treue des Heilands, wobei psychologisch durchaus differenzierte Selbstdarstellungen begegnen können[5], und schließen bereits mit der Aufnahme in die Gemeine und der Zulassung zum Abendmahl; kürzere Nachträge in Er-Form bringen neben den Berufsdaten Mitteilungen der Hinterbliebenen über letzte Krankheit und Tod.

Mit Beginn der siebziger Jahre ändert sich jedoch dieses Bild. Die Lebensläufe in Ich-Form beschränken sich nicht mehr auf die Erweckungsgeschichte, sondern berichten unter genauer Angabe der Daten auch die weitere Tätigkeit in den Gemeinen und Missionen.[6] Diese neue additive Form (kurze Erweckungsgeschichte und Daten der späteren Wirksamkeit) bildet für die kommenden Jahrzehnte das ausbaufähige Grundmuster des herrnhutischen Lebenslaufs. Es kann auf verschiedene Weise erweitert und variiert werden:

1) Der Erweckungsprozeß kann das ganze Leben überlagern in Gestalt einer längeren Zweifelsgeschichte, die das Auf und Ab der Gemütsstimmungen, Trockenheit und Sehnsucht, Unruhe und Naturverderben, die geistige Krankheit und Schwäche betont, der Jesus als Arzt aufhelfen mußte und aufgeholfen hat, so daß sich gern das Bekenntnis der eigenen Unwürdigkeit mit dem Preis der Treue des Heilands in einer Schlußformel verbindet.[7] Die Zeit der Niederschrift dieser Lebensläufe (von den herrnhutischen Schwestern bevorzugt) deckt sich in etwa mit dem Höhepunkt der Empfindsamkeitsbewegung (siebziger und achtziger Jahre), woher ihre besondere Aufmerksamkeit auf die innere Seelengeschichte auch als zeittypisch verständlich wird.

2) Erweckungs- und äußere Lebensgeschichte können gleichermaßen gegenüber dem Grundmuster erweitert und im Detail bereichert werden, so daß das Gleichgewicht beider Teile erhalten bleibt. Dabei kann es gelegentlich sogar gelingen, beidesmal die ausführliche Mitteilung der äußeren Tatsachen mit der Darstellung der gleichzeitigen seelischen Zustände und Erlebnisse zu verbinden, ohne freilich kausalpsychologische Zusammenhänge herzustellen.[8]

3) In den achtziger und neunziger Jahren mehren sich die Beispiele, die den Erwekkungsteil zurückdrängen und das berufliche Wirken in den Vordergrund rücken. Dieser nunmehr von den herrnhutischen Brüdern bevorzugte Typ läßt auf eine bereits formelhafte Wiedergabe des inneren Weges zur Gemeine mit knapper Notiz der verschiedenen »Gnadenzüge« die detaillierte Zeichnung der äußeren Laufbahn folgen: Reisen und Arbeiten in den europäischen und überseeischen Gemeinen, Abenteuer, Erfolge und Verfolgungen (in der Mission und im Kampf gegen Magistrat und Konsistorium), unterbro-

---

* Eine analoge Bearbeitung autobiographischer Niederschriften hat Rolf Hartmann schon für die protestantische Leichenrede im 17./18. Jahrhundert festgestellt: Rolf *Hartmann*, Das Autobiographische in der Basler Leichenrede, Basel 1963, S. 53 f.

chen durch wiederum formelhaften Lobpreis der rettenden Hilfe des Heilands; dazwischen als die eigentlichen Höhepunkte des Lebens die Begegnungen mit wichtigen Personen, vor allem mit Zinzendorf, dessen charismatische Erscheinung übereinstimmend hervorgehoben wird.[9]

Daß diese verschiedenen Formen in den letzten Jahrzehnten des 18. Jahrhunderts gleichzeitig nebeneinander nicht nur verfaßt, sondern auch in die *Gemein-Nachrichten* aufgenommen und verbreitet werden, verdeutlicht, wie sehr inzwischen auch der gemeinde-öffentliche Sinn der herrnhutischen Lebensläufe nicht mehr wie zu Anfang allein in der geistlichen Erbauung, sondern auch im authentisch unterrichtenden Beitrag zur Geschichte der Brüdergemeine und ihrer Missionen liegen kann.* Besonders anschaulich demonstriert diese neue Zielsetzung der *Lebenslauf des herrnhutischen Bischofs August Gottlieb Spangenberg* (1784)[10], der deshalb zum Schluß aus den übrigen Beispielen dieser Jahrzehnte herausgegriffen sei. Spangenberg erzählt nach einem kurzen, samt seiner Vorgeschichte formelhaft stilisierten Erweckungsbericht[11] ausführlich die Geschichte seiner »vieljährigen ausgebreiteten Thätigkeit«[12] im Dienste der Brüderunität daheim und in der nordamerikanischen Mission.[13] Der Typus der Berufsautobiographie hat hier schon ganz die Oberhand gewonnen, der Durchbruch ist nicht mehr Ziel-, sondern Ausgangspunkt des Lebenslaufs, ja die einleitende Erweckungsgeschichte erscheint fast nur noch als Zugeständnis an die Tradition der pietistischen Bekenntnisübung. Wohl versucht Spangenberg, die gattungstypologische Differenz der beiden Teile seiner Lebensgeschichte durch das durchgängige Leitmotiv von des »Heilandes weiser Direction«[14] auszugleichen, indem er auch später zwischen die annalistisch gereihten und detailliert ausgeführten Reise- und Arbeitsberichte die göttlichen Hilfen, Gnadenerweise und Gebetserhörungen dankbar einflicht und auch summarische Mitteilungen über seine damaligen religiösen Gedanken und Erfahrungen einbaut[15]: es geschieht dies aber meist so abrupt und blockartig (»Ehe ich aber in der Erzählung weiter gehe, muß ich noch davon, wie es in der Zeit in meinem Herzen gestanden, etwas hinzuthun«[16]), daß die Kluft der beiden Lebensbereiche erst recht sichtbar wird. Sie wird vollends deutlich, wenn die Berufsgeschichte des Herrnhuter Bischofs zunehmend zu einer Geschichte der Brüdergemeine aus der Sicht ihres Oberen wird und Spangenberg als berufener Memorialist der Unität ihr geistliches Wachstum aus eigener Erfahrung nachzeichnet und dabei am Ende des Berichts neben die Selbstanklage gleichwertig die Mahnung an die Brüder setzt, zur »ersten Gnade, Liebe, und Einfalt«[17] zurückzukehren. Wie leicht sich von diesem Lebensbericht die Erweckungsgeschichte des Anfangs ablösen läßt, hat Spangenberg kurz darauf selbst gezeigt, als er sie 1789 separat und nur leicht gekürzt als sein geistliches Vermächtnis für die Verlesung bei der Begräbnisfeier bestimmt hat.[18] An die Stelle der Erzählung der langjährigen Amtstätigkeit, die jetzt ausdrücklich als unwesentlich verworfen wird, tritt als Abschluß das traditionelle Generalbekenntnis mit der Bitte um Absolution durch die Brüder. – Daß *beide* Lebensläufe Span-

---

  * Dies gilt in verstärktem Maße, wenn solche brüderhistorisch interessanten Lebensläufe der drei ersten herrnhutischen Generationen in den *Gemein-Nachrichten* des 19. Jahrhunderts (erneut) publiziert werden.

genbergs, die als Beichte im eng begrenzten Öffentlichkeitsraum der eigenen Glaubens-
gemeinde noch am Ende des Jahrhunderts konzipierbare reine Konfession und der ab-
wechslungsreiche, für die Brüdergeschichte bedeutsame Lebens- und Tätigkeitsbericht,
gleichzeitig nebeneinander in den *Gemein-Nachrichten* 1792 publiziert werden, bekun-
det wohl am sinnfälligsten die inzwischen erreichte Formvariabilität des herrnhutischen
Lebenslaufs, die hier sogar schon für ein und denselben Autor offiziell akzeptiert wird.

b) Die psychologische Säkularisation der religiösen Autobiographie

Zur fortschreitenden typologischen Säkularisation tritt in der zweiten Hälfte des Jahrhunderts die seit längerem bekannte psychologische Säkularisation beim Übergang vom
pietistischen Bekenntnis zur Erfahrungsseelenkunde, den Mahrholz, Minder und Stemme[19] untersucht und nachgewiesen haben. Nur ist ihnen gegenüber zu betonen, daß
diese Säkularisation als gattungs*immanente* Erscheinung nur beim pietistischen Tagebuch anzutreffen ist, von wo aus sie rückwirkend die pietistische Selbstbiographie erfaßt
hat.

Denn sowohl das Hallische Bekehrungssystem wie auch Speners Anweisungen in den
Theologischen Bedencken (1702)[20], die die Glaubensgewißheit an den Gnadenwirkungen abzulesen empfehlen und in denen Stemme mit Recht Ansätze einer Psychologisierung des Glaubens und damit den Keim der Säkularisation zur rein psychologischen
Selbstanalyse erblickt[21], denken ja primär an eine jeweils unmittelbar-aktuelle Beobachtung der eigenen Seelenregungen, die ihren schriftlichen Niederschlag naturgemäß
nicht in einem späteren Rückblick, sondern in erinnerungsfrischen Notizen findet, die,
regelmäßig als Tagebuch geführt, sogar einen etwaigen Prozeß dieser Regungen zu rekapitulieren gestatten. Nur im Tagebuch konnte die Selbstbeobachtung der Frommen jene
minutiöse Aufmerksamkeit auf jede seelische Stimmung und Schwankung erreichen, die
schließlich den Sprung ermöglichte, die Erkundung des eigenen Ich nicht mehr als religiöses Mittel, sondern als psychologischen Selbstzweck anzusehen.[22] Diese anhaltende
und sich steigernde Pflege der psychologischen Selbstanalyse in der verbreiteten Tagebuchkultur des Pietismus hat es mit sich gebracht, daß die Selbstbeobachtung und ihre
Formulierung bald auch in anderen dafür zugänglichen literarischen Gattungen, wie dem
Gespräch, dem Brief, dann aber auch in der Romanliteratur und in den verschiedenen
Typen der Autobiographie Eingang gefunden hat, wobei seit der Jahrhundertmitte die
Moralischen Wochenschriften eine noch nicht genügend untersuchte popularisierende
Vermittlerrolle spielen.[23] Nur ist die Autobiographik, die ja die Aufgabe hat, einen Lebens*zusammenhang* darzustellen und womöglich zu deuten, bis über die Mitte des Jahrhunderts hinaus noch nicht in der Lage, diesen Konnex anhand der Seelengeschichte auf-
zuweisen und das eigene psychische Leben als das strukturbestimmende Hauptthema zu
behandeln. Wir wissen, daß in den theoretischen Äußerungen erst seit Beginn der siebziger Jahre von der (Auto-)Biographie die Darstellung einer kausalpsychologischen Entwicklungsgeschichte erwartet wird.[24] Bis dahin weiß auch der praktische Autobiograph noch nichts von einer seelischen Entelechie als dem immanenten Einheitsprinzip
seines individuellen Lebens und kann also den gesuchten Zusammenhang zunächst nur

von außen durch die Hand Gottes oder die Launen des Zufalls konstituiert finden. Vor den achtziger Jahren gibt es darum in Deutschland keine durchgängig psychologische Autobiographie, allenfalls zeigen die Beispiele aus dieser Zeit punktuelle psychologische Interessen (einzelne Kindheitserinnerungen, Träume, isolierte Reflexionen über psychologische Erfahrungen u. ä.). Auch wenn bei der Schilderung religiöser Erlebnisse die psychischen Hintergründe und Wirkungen mitbeachtet werden, ja mitunter der religiöse und der seelische Bereich als Innen und Außen des gleichen geistigen Prozesses untrennbar miteinander verbunden erscheinen (Eleonora Petersen, Francke, Hamann, manche herrnhutische Lebensläufe), so bleibt doch die vertikale Polarität des Vorsehungsschemas zu dominant, als daß sie gattungsimmanent allmählich in ein rein psychologisches Grundmuster, in die horizontale Kette der Empfindungen verwandelt werden könnte.

Dem scheint die bekannte *Eigene Lebens-Beschreibung* des melancholischen Predigers Adam Bernd (1738) [25] zu widersprechen: sie gilt geradezu als Schulbeispiel [26] für den allmählichen Übergang von der religiösen zur psychologischen Autobiographie innerhalb der pietistischen Bekenntnisliteraur. Bei Bernd handelt es sich jedoch nicht um eine unvermerkte Emanzipation der psychologischen Selbstbeobachtung im Rahmen einer religiösen Lebensgeschichte. Der Weg ist umgekehrt: Bernds »Haupt-Antrieb« ist, wie Titel und Vorrede des Buches betonen, den Lesern und vor allem den Ärzten Materialien über selbsterlebte »erbärmliche Leibes- und Seelen-Zufälle«, vor allem Zwangsvorstellungen zum Selbstmord, zur weiteren Erforschung mitzuteilen [27]; um aber den Lesern die Lektüre dieser »fürchterlichen« Erlebnisse überhaupt zu ermöglichen, habe er sie nicht »gantz alleine in einem eigenen Tractate beschrieben«, sondern »mit andern erfreulichen, und geringen Dingen meines Lebens... verknüpffen müssen« [28]. Die Autobiographie fungiert als Einkleidung: in der Tat werden innerhalb der annalistisch gegliederten Lebensbeschreibung nur die wenigen Jahre starker Depressionen [29] mit der Darstellung der spezifischen Gemütsleiden gefüllt, die jedoch insgesamt die Hälfte des Buches umfassen. [30] Berufs- und Krankheitsgeschichte sind weithin getrennt, nur gelegentlich kausal verknüpft [31], im zweiten Teil wird sogar die genaue Chronologie zugunsten einer thematischen Trennung aufgegeben. [32] Um diesen Eindruck eines Tragelaphen etwas zu mildern, hat Bernd auch in die übrige Lebensgeschichte verschiedentlich psychologische Selbst- und Fremdbeobachtungen eingestreut [33] und ebenso nachträglich (im logischen Sinne) hat er sich auf die Tradition der pietistischen Autobiographie als eines religiösen Bekenntnisses besonnen. Denn beim Versuch, seine Gemütsplagen zu erklären, spricht Bernd sowohl von rein physiologischen Ursachen des Temperamentum melancholicum [34] als auch, und oft genug gleichzeitig, von Sündenstrafen und »Anfechtungen Gottes« [35]. Das erste Argument entspricht der Haupt-Intention des Buches, eine medizinische Klärung herbeizuführen; die zweite Deutung geschieht letztlich deshalb, um diese Plagen in den allein durch Gott herstellbaren Zusammenhang des Lebens einordnen zu können und nicht als isolierte Ausflüsse des bloßen Zufalls betrachten zu müssen. Mit dem Einbau der Krankheitsschilderungen in eine Autobiographie ist die religiöse Interpretation als zusätzliche Argumentation notwendig geworden, in einem separaten Traktat hätte die medizinische Diagnose genügt. Die Doppelerklärung kann also die Bruchstellen in diesem Zwitter nur scheinbar überbrücken, in Wahrheit verdeutlicht sie die Kluft.

Logische Entstehungsgeschichte und Zielsetzung des Buches sprechen also dagegen, daß die psychologischen, genauer: psychopathologischen Partien unvermittelt aus der Niederschrift eines religiösen Bekenntnisses hervorgewachsen sind; wohl aber ist ein Einfluß aus der damals schon weitverbreiteten pietistischen Tagebuchkultur mit ihrer Praxis einer minutiösen Selbsterforschung denkbar, ja wahrscheinlich.* Es wird noch ein halbes Jahrhundert dauern, bis mit Karl Philipp Moritz' *Anton Reiser* eine gleichmäßig-durchgängige Psychologisierung der ganzen Lebensgeschichte und also erstmals eine psychologische Autobiographie im eigentlichen Sinne erreicht wird, indem an die Stelle des äußeren Prinzips der »Anfechtungen« das innerseelische Prinzip der Entwicklung tritt.

Denn zwischen Bernds Lebensbeschreibung und Moritz' selbstbiographischem Roman entsteht eine Reihe geistlicher Tagebücher in Deutschland, deren Abfolge das konsequente Hervorwachsen der psychologischen Selbstanalyse aus der Aufzeichnung religiöser Bußkämpfe erkennen läßt. Da diese Tagebücher meist erst viel später ans Licht gerückt, also unabhängig von einander entstanden sind, ist ihre Kette als ein Spiegel wachsender Selbstbewußtwerdung umso zwingender. [36] Nur sollte man sich hüten, vereinzelte Neuansätze in diesen Schriften sofort zu ihrem Hauptkennzeichen zu erklären, wie dies etwa bei der historischen Einordnung von Hallers jahrzehntelang geführten Tagebüchern (1736–1777) oder von Gellerts *Tagebuch aus dem Jahre 1761* gerne der Fall ist. [37] Es wird leicht übersehen, daß beide Schriften in ihrem Gesamtbild noch deutlich im Banne des Bekehrungssystems stehen und für den Gott-Welt-Dualismus ihres Buß- und Glaubenskampfes noch immer die Form des (Bitt- und Dank-) Gebetes wählen. Weithin begegnet noch ein biblisch bestimmter Ton, gerade die Selbstanklagen schöpfen noch gern aus den Bußpsalmen als einem sofort typisierenden Sprach- und Zitatenschatz und lassen dann noch keine individuelle Psychologie aufkommen, Zustand und Stimmung der Seele erscheint mit stereotypen Attributen (»dürr«, »verwirrt«, »kalt«) [38] nur als Gegenpol zu Gott fixiert, noch nicht okkasionell gezeichnet. Erst mit der konkreten Gewissenserforschung, ihrem Bekenntnis aktueller Fehler und dem Vorsatz einer moralischen Besserung ist die Einbruchstelle einer individuellen Psychologie gegeben. Hallers vorwiegend passiver Hilferuf nach Glaube und Erlösung kann aber eine spezielle Gewissensprüfung noch nicht für sinnvoll erachten, weshalb er nur höchst selten die religiöse Befindlichkeit psychologisch begründet. Gellerts größeres Zutrauen zur Möglichkeit eigener Mitwirkung führt schon eher zu einer differenziert-konkreten Fixierung der eigenen Fehler und Schwächen, ihrer psychischen Hintergründe und der Mittel zu ihrer Bekämpfung; aber auch bei Gellert bestimmen diese Abschnitte der Selbstergründung noch nicht das Gesamtbild des Tagebuchs. Sogar seine Gespräche mit der eigenen Seele, die jetzt gleichberechtigt neben die Gebetsform treten, dienen nicht der Psychoanalyse, sondern umkreisen mit geistlichem Zuspruch und Appellen zur Bekehrung noch immer das Glaubensthema. Obwohl also Gellert eine aktive Rolle des Menschen in seinem Ver-

---

  * Bernd selbst führte nach eigener Aussage »Diaria«, die er aber 1728 wegen drohender »Haus-Inquisition« »guten theils verbrannt« habe (»Lebens-Beschreibung«, 1738, S. 612). Volker *Hoffmann* vermutet (im Nachwort zur Neuausgabe von Bernds Lebensbeschreibung, München 1973, S. 416), daß es sich dabei »neben theologisch brisantem Material um minutiöse Protokolle seiner Krankheitszustände« gehandelt habe. In diesem Falle konnten sie, soweit sie jenes Autodafé überlebten, der Lebensbeschreibung zur unmittelbaren Vorlage dienen.

hältnis zu Gott bejaht und die (schriftliche) Gewissensprüfung als ein wichtiges, wenn nicht notwendiges Heilsmittel erkennt, bleibt dennoch die geistliche Intention seines Tagebuchs unbestritten und jede Analyse der Seelenregungen diesem Ziel untergeordnet, weshalb sie über Ansätze auch hier nicht hinausgelangen kann.

Den entscheidenden Sprung wagt erst Lavater in seinem *Geheimen Tagebuch* (1771)[39], das nicht mehr eine Glaubensproblematik bewältigen, sondern die Erfüllung der zu Beginn programmatisch aufgestellten »täglichen Grundsätze«[40] kontrollieren will. Neben Gott tritt das eigene Gewissen als richterliche Instanz[41], Ziel der Niederschrift ist nicht mehr Bekehrung, sondern moralische Selbstbesserung, die jetzt ausschließlich durch Selbsterkenntnis, d. h. durch Auskultation der geheimsten Gemütsbewegungen als der Triebfedern des praktischen Handelns erreichbar erscheint. Dies kann sich in Selbstgesprächen äußern, die in lebhaften Fragesatzketten die Ursachen der eigenen Empfindungen ergrübeln wollen[42], oder im Bericht über die Vorfälle des Tages, wobei in distanzierter Beobachtung des eigenen Ich die dabei erlebten komplizierten Empfindungsabläufe nachgezeichnet werden.[43] Mitunter wollen sich solche Protokolle schon verselbständigen, oft aber bleiben sie noch in moralischen Erzählungen aus Lavaters häuslichem Alltag[44] als psychologische Illustrationen eingebunden, so daß ihre Kleinzeichnung noch immer als ein Mittel: hier der sittlichen Selbstkontrolle, verstanden wird.

Einen letzten Schritt zur völligen Säkularisation des pietistischen Tagebuchs tut dann Karl Philipp Moritz, der ausgewählte Stücke seiner Tagebuchnotizen in den anonymen *Beiträgen zur Philosophie des Lebens* (1780, ²1781) zusammenstellt und dabei in einer Vorrede die leidenschaftsfreie Selbstbeobachtung als vernunftgemäßes Mittel zur eigenen Glückseligkeit betrachtet.[45] Lavaters Orientierung an einer letztlich noch überpersönlichen moralischen Norm ist jetzt aufgegeben, die Selbstbeobachtung dient unmittelbar dem Willen zur eigenen Lebens- und Charaktergestaltung.[46] Die gleiche Intention verfolgt in den gleichen Jahren (1778–80) auch Goethe in seinem Tagebuch, wenn er dort in wiederholtem »stillen Rückblick aufs Leben« die eigene innere Kreisbewegung herausfinden will.[47] Folgerichtig hat jetzt das Selbstgespräch endgültig die Oberhand gewonnen, die Gebetsform, bei Lavater vornehmlich als Zitateinschub noch begegnend, tritt bei Moritz stark zurück und ist bei Goethe vollends verschwunden. Robert Minder hat im einzelnen nachgewiesen[48], wie Moritz' Tagebuch die ganze Entwicklung dieser Gattung im 18. Jahrhundert in Stufen selbst noch einmal durchlaufen hat, wie die zuerst darin aufgezeichneten pietistischen Gebete für die Publikation in den *Beiträgen* stark reduziert[49] und so die Tagebücher in einen mehr moralphilosophischen Traktat mit nicht mehr chronologischer, sondern systematischer Gliederung verwandelt worden sind. Moritz hat auch als erster die *historische* Bedeutung des pietistischen Tagebuchs für die Ausbildung einer empirischen Psychologie in Deutschland erkannt und ausgesprochen[50], und es ist zu vermuten, daß ihn gerade die Revision des eigenen Tagebuchs zu dieser Einsicht geführt hat. Sie bildet aber auch die Keimzelle seines praktischen Interesses für die Erfahrungsseelenkunde und seiner Idee einer Materialsammlung für diese Wissenschaft in einem eigenen *Magazin*, da Moritz ganze Abschnitte aus der Vorrede der *Beiträge* unverändert in die programmatischen Ankündigungen dieses Magazins übernehmen konnte[51]: schon 1780 ist Moritz davon überzeugt, daß die Selbstbeobachtung nicht nur von persönlichem Vorteil für den einzelnen sei, sondern daß man daraus auch einen »allgemeinen Grundriß« müsse bilden können, »worauf sich die Glückseeligkeit eines jeden, wie ein Gebäude errichten ließe«[52], was dann 1782 ohne weiteres in die Aufforderung zur Mitarbeit am *Magazin* münden konnte – erneut ein Beweis, wie sehr gerade das Tagebuch (mehr als die Autobiographie) Wegbereiter für die praktische Psychologie (oder »Psychognosis« wie es Dessoir nennt[53]) am Ende des Jahrhunderts hat werden können.

Zugleich aber wagt der Magazin-Vorschlag von 1782 einen entscheidenden neuen Schritt mit der schon erwähnten Forderung, es solle jeder Selbstbeobachter »die Geschichte seines eignen Herzens« von der frühesten Kindheit an möglichst getreu entwerfen.[54] Es ist das erste, von Rousseaus gattungstheoretischen Reflexionen noch unabhängige Programm einer durchgängig psychologischen Autobiographie, wofür Moritz in den folgenden Jahren mit *Anton Reiser* (1785–1790)[55] auch das erste (und einzige) deutsche Beispiel liefern wird.

Im Gegensatz zu Bernds Lebensbeschreibung stellt Moritz' Selbstbiographie nicht mehr isolierte psychophysische Krankheitsbefunde nachträglich in den Rahmen einer annalistischen Lebensgeschichte, sondern versucht erstmals * in der deutschen Autobiographik, das eigene Lebensschicksal aus den Anfängen seelischer Erfahrungen und Erinnerungen in kausalpsychologischer Folge zu erzählen und eben damit für sich und andere zu erklären. Vielleicht hat Moritz bei der praktischen Durchführung noch zusätzlich Anregungen von den soeben (1782) erschienenen *Confessions* Rousseaus erhalten, doch besitzen bei ihm die Psychogramme anderen Sinn und Stellenwert. Denn Rousseau spürt die Kette seiner Empfindungen letztlich nur deswegen auf, um sie als angeblich lückenloses Material dem Publikum vorzulegen, damit es ihn vollständig beurteilen, nämlich freisprechen könne.[56] Bei Moritz hingegen fehlt jede moralisch-apologetische Intention, sein Ziel ist Selbsterkenntnis und zugleich allgemeine Menschenerkenntnis durch eine wissenschaftliche Analyse der eigenen Seelengeschichte. Um dies zu erreichen, muß Moritz äußere und innere Welt des Individuums durchgängig mit einander verbinden, weshalb er auch nicht mehr von einem einsträngigen Lebenslauf, sondern vom »künstlich verflochtnen Gewebe eines Menschenlebens« spricht[57]; ja weil dieses Geflecht jetzt nicht mehr an einem außerweltlichen Bezugspunkt (Gott, Vorsehung) orientiert ist, muß es in sich selber schlüssig werden, weshalb Moritz darauf bedacht ist, auch »das anfänglich unbedeutende und unwichtig scheinende« in die Darstellung aufzunehmen, um alle diese Details als scheinbar »abgerißne Fäden« nacheinander zum »Wohlklang« eines Gesamtbildes zu verknüpfen.[58] In der praktischen Durchführung freilich wird die gewünschte Harmonie aller Einzelheiten nur im Sinne eines lückenlosen kausalpsychologischen Zusammenhangs, noch nicht im Sinne einer organischen, dem Ziel eines erfüllten Lebens sicher zustrebenden Bildung und Entwicklung erreicht.[59] Dafür ist im *Anton*

---

* Die beiden von *Mahrholz* (Deutsche Selbstbekenntnisse, S. 227–231) als Vorläufer Moritzens eingeordneten anonymen Bekenntnisse im »Magazin«, Bd. I u. V (»Geschichte meiner Irrungen« und »A. J. K. – Bekenntnisse«) sind keine kausalpsychologischen Autobiographien. Das erste Beispiel ist eine moralische Beichte, worin die eigenen Fehler entschuldigt werden, der zweite Verfasser umrahmt die Geschichte seiner religiösen und philosophischen Ideen mit statisch-psychologischen Selbstcharakteristiken, die er gelegentlich mit isolierten Vorfällen aus dem eigenen Leben illustriert.

Reiser die neue immanente Polarität von Welt und Ich noch viel zu stark von der Form der religiösen Autobiographik beeinflußt. Sobald nämlich Moritz seine eigene psychische Entfaltung historisch zurückverfolgt und dabei nach ihren Ursachen und Anstößen fragt, gelangt er zu seiner bekannten pädagogisch-sozialkritischen These, wonach die frühesten Eindrücke die ganze künftige Lebens- und Charakterrichtung entscheiden* und auch im weiteren Fortgang »die äußern Gegenstände einen immerwährenden Einfluß auf die inneren Gedankenreihen«[60] ausüben. Folgerichtig läßt er in seiner speziellen Geschichte die Welt stets als bestimmend, das Ich stets als von ihr beeindruckt, ja bedrängt erscheinen, so daß es sich nur durch die Flucht in eine Phantasie- und Rollenwelt gegenüber den realen Bedingungen behaupten kann.[61] Darin aber spiegelt sich noch keine Goethesche Organismusidee, wohl aber läßt sich darin eine säkularisierte Form des Vorsehungsschemas leicht wiedererkennen, insofern der Mensch nicht mehr von oben, nun aber von außen gelenkt erscheint. Doch fällt auf, daß nur das Vorsehungsschema (das die typologische Säkularisation sogar völlig unverändert überdauert hatte) verwandelt wiederkehrt, das Durchbruchschema dagegen ganz aufgegeben ist.

Um so genauer ist die Übung des Tagebuchs, den Wechsel der Gefühle und Stimmungen aufzuzeichnen, in diese psychologische Autobiographie übertragen worden[62]. Denn sowohl das Wandern Anton Reisers zwischen realer und selbstertäumter Welt als auch der ständige Wechsel von »Exaltation zu Depression und umgekehrt«[63] innerhalb dieser erträumten Welt ist eine analoge oder direkte Übernahme des unendlichen und ergebnislosen Auf und Ab der Gefühlskurve aus dem damals schon völlig psychologisierten pietistischen Tagebuch. Gerade diese Einwirkung der gleichzeitigen Tagebuchpraxis läßt aber die psychologische Autobiographie nur scheinbar in traditionellen Formbahnen weitergehen. Denn sie ermöglicht nun auch in diesem neuen autobiographischen Typus eine ähnlich minutiöse Zeichnung der Gedanken- und Empfindungswelt, so daß diese schon im *Anton Reiser* alsbald ihre Rolle eines bloßen Gegengewichts zur äußeren Faktenwelt verläßt: die in ihr eröffneten neuen Dimensionen der Selbsterschließung gewinnen rasch die Oberhand und bestimmen dann weithin Ton und Perspektive der Gesamterzählung. Diese sind durch eine eigentümliche Spannung gekennzeichnet, die aus dem Wechsel von zergliedernder Beschreibung der Gedanken, Stimmungen und Gemütszustände des Helden, ihrer Einordnung in seine dazwischen jeweils kurz vermerkten Berührungen mit der Welt und ihrer Deutung aus kritisch-distanziertem Rückblick resultiert. Zwischen einfühlsamer Vergegenwärtigung vergangener Empfindungswelt und ihrer wissenschaftlichen Analyse, zwischen einem noch immer grübelnden Bekenntnis eigener Leiden und dem verzweifelten Versuch, die Kette der Erlebnisse zu einer »inneren Geschichte«[64] zu gestalten und ihr so vielleicht doch noch einen positiven Sinn für sich und andere zu verleihen, bewegt sich die Intention dieses Erzählers. Aus allem wird erkennbar, wie die psychologische Autobiographie jede der versuchsweise übernommenen

---

* Vgl. den Satz zu Beginn des Romans: »Unter diesen Umständen wurde Anton gebohren, und von ihm kann man mit Wahrheit sagen, daß er von der Wiege an unterdrückt ward.« (*Moritz*, Anton Reiser, DLD 23, S. 9). – Zur weiteren Bedeutungsgeschichte der Kindheitsabschnitte in deutschen Autobiographien des 19. Jahrhunderts vgl. Günter *Niggl*, Fontanes »Meine Kinderjahre« und die Gattungstradition. In: Sprache und Bekenntnis. Sonderband des Literaturwissenschaftlichen Jahrbuchs. Hermann Kunisch zum 70. Geburtstag. Berlin 1971, S. 257–279, bes. S. 259–262.

tradierten Formen sprengen muß, wie hier stärker als die überlieferten Schemata erstmals die tatsächliche Individualität des Autors und seine Deutung des eigenen Lebens im Augenblick der Konzeption und Niederschrift über die Stoffauswahl hinaus auch Gestalt und Grundton der Lebensgeschichte bestimmen. In der psychologischen Autobiographie, bei Moritz ebenso wie bei Rousseau, wird so am Ende des 18. Jahrhunderts der Ursprung eines Individualismus sichtbar, der um die gleiche Zeit auch in den anderen Typen erscheint, um als ein allgemeines Ferment die traditionelle Typologie der Gattung immer stärker aufzulockern. [65]

Vermutlich sah sich Moritz auf Grund dieser von keiner Formtradition mehr geschützten Art der Selbstenthüllung veranlaßt, für seine Lebensgeschichte noch den Untertitel »psychologischer Roman« zu wählen und mit Er-Form und symbolischen Namenmasken den gewünschten Eindruck des Fiktiven zu verstärken. Es gelingt ihm dies um so leichter, als er damit genauen Anschluß an gleichzeitige neue Romantheorien findet, die von dieser Gattung statt abenteuerlicher Begebenheiten gleichfalls die »innere Geschichte des Menschen« in kausalpsychologischer Folge fordern (Blanckenburg, Engel, Wieland) [66]. Dennoch bedeutet dieser Titel hier nur Etikett, nicht wirklichen Gattungssprung.* Denn der »psychologische Roman« Moritzens erwächst ja aus seinen Bemühungen um die Erfahrungsseelenkunde; Glaubwürdigkeit und allgemeiner Nutzen seiner Lebensgeschichte erhöht sich für ihn im Maße ihrer Verwertung empirischen Materials.** Als daher die Rezensenten des Ersten Teils von *Anton Reiser* (1785) bemängelten, daß der Verfasser »etwas zu sehr dem Ungewöhnlichen nachgehe und das, was bey jedem ist ... zu wenig der Beobachtung würdig halte« [67], und das Buch für »interessanter und lehrreicher« erachten, wenn er darin künftig »mehr eine philosophische, als historische Anatomie und Meteorologie der Seele geben wollte« [68], da verteidigt Moritz in der Vorrede zum Zweiten Teil (1786) die Detailschilderung als Ausdruck einer unerläßlichen Realitätstreue und bekennt sich dabei ganz folgerichtig zum autobiographischen Charakter dieses »Romans« »bis auf seine kleinsten Nuancen.« [69] Denn Moritz glaubt im Gegensatz zu seinen Kritikern, daß eine eigene Biographie in der treuen Wiedergabe ihrer individuellen Einzelheiten lehrreicher sei als jede erdichtete und »philosophisch« komponierte Geschichte, und praktiziert so im *Anton Reiser* die erst vor kurzem in den gattungstheoretischen Erörterungen durchgedrungene Ansicht, daß die Au-

---

* Die verschränkte Namensymbolik allein, worin Hans Joachim *Schrimpf* (Moritz – Anton Reiser; in: Der deutsche Roman vom Barock bis zur Gegenwart. Hrsg. von Benno v. Wiese. Bd. 1. Düsseldorf 1963, S. 98 f.) bereits den fiktiven Charakter des Moritzischen »Romans« erwiesen sieht, reicht dafür nicht hin. – Fritz *Stemme* (Die Säkularisation des Pietismus zur Erfahrungsseelenkunde; in: ZfdPh 72, 1953, S. 157 f.) schließt sogar schon vom Titel »Roman« auf »literarisch-ästhetische« Absichten dieses angeblich »künstlerisch« gestalteten Buches (das als säkularisierte Erbauung »Genuß« und »Unterhaltung« bringen soll), ohne die Prämisse (Gattungsbezeichnung) auf ihre Stichhaltigkeit zu prüfen.

** Vgl. »Vorschlag zu einem Magazin einer Erfarungs Seelenkunde.« (in: Deutsches Museum, Sechstes Stück, Sommermond 1782), worin Moritz als Stoff für die Erfahrungsseelenkunde wohl auch »Karaktere und Gesinnungen aus vorzüglich guten Romanen und dramatischen Stücken« empfiehlt, »welche ein Beitrag zur innern Geschichte des Menschen sind. Vorzüglich aber Beobachtungen aus der würklichen Welt, deren eine einzige oft mehr praktischen Werth hat, als tausend aus Büchern geschöpfte.« (S. 489).

tobiographie den höchstmöglichen Grad von Erkenntniswert unter allen vergleichbaren Literaturformen (Biographie, Historie, Roman) besitze. [70] Dann aber kann Moritz die Form des Er-Romans nicht, wie man geglaubt hat[71], aus pädagogischen Gründen gewählt haben, um das eigene Ich als wissenschaftliches Beobachtungsobjekt zu verdeutlichen, da ihm ja gerade dafür das reale Selbstzeugnis besser geeignet erscheint. Diese Wahl ist vielmehr selbst Fiktion und nur aus der begreiflichen Scheu zu erklären, auf dem noch ungewohnten Terrain der psychologischen Selbstbiographie das innere Labyrinth in einem unmittelbaren Ich-Bekenntnis preiszugeben*, zumal sich hier die wenn auch junge, so doch in Deutschland schon wirksame Tradition des psychologischen Romans (Agathon, Werther) als ein naheliegendes Asyl anbot.

c) Die Rationalisierung des Vorsehungsglaubens: Jung-Stillings Lebensgeschichte

Als ein Sonderfall, der weder der typologischen noch der psychologischen Säkularisation zugeordnet werden kann, muß am Ende des Verweltlichungsprozesses der pietistischen Bekenntnisliteratur Jung-Stillings mehrteilige und während dreier Dezennien immer wieder fortgesetzte Lebensgeschichte (1777–1804)[72] betrachtet werden. Mit *Henrich Stillings Jugend* (um 1772 geschrieben) beginnt sie ganz außerhalb der autobiographischen Tradition: dieser erste Teil stellt nämlich eines der frühesten Beispiele der mit dem Sturm und Drang wieder auflebenden und in den nächsten Jahrzehnten beliebten naturkräftigen, detailrealistischen Idyllendichtung dar, worin das nachgeßnerische Jahrhundert eine Annäherung von Ideal und Wirklichkeit des harmonisch-gesunden Menschentums sucht. [73] Vielleicht hat Jung sogar die Formulierung dieses Ausgleichsprogramms beeinflußt, als er um 1770 im Straßburger Kreis seine Kindheitsgeschichte erzählte, die als Beispiel für die neue Vorstellung vom Idyllischen besonders geeignet war, da sie einerseits auf ländlichem Schauplatz aus patriarchalisch geordneter Familie hervorwuchs und in ihr spielte, andererseits mit ihrem realen Erinnerungsstoff die gesuchten »empirischen Stützen des Idyllenideals« [74] bieten konnte. Im gleichen Jahr, in dem Jung diese mündlichen Erzählungen auf Anregung Goethes schriftlich fixierte, forderte dieser in seiner Geßner-Kritik (*Frankfurter Gelehrte Anzeigen*, 25. Aug. 1772) von der Idylle überdies einen »Geist, der die Theile so verwebt, daß jeder ein wesentliches Stück vom Ganzen wird.« [75] Auch diese Forderung erfüllt Stillings *Jugend*, vielleicht unter der gerade hier nachhelfenden Hand des Bearbeiters Goethe, auf mustergültige Weise: die kunstvoll verschränkte Beziehung der Hauptpersonen und ihrer Schicksale zueinander erzeugt jene Spannung, die innerhalb eines in sich gerundeten und nach außen hin geschlossenen Tableaus** das stufenweise Hervorwachsen eines einzelnen Lebens, die Entfaltung einer individuellen Verstandes- und Empfindungswelt in und mit der Schilderung

---

  * Rousseaus damals gerade aktuelles Beispiel einer solchen direkten Preisgabe, die freilich durch das Pathos der Selbstentschuldigung sofort wieder kaschiert wird, mag Moritz darin bestärkt haben.
  ** Zum Eindruck der Geschlossenheit tragen bei: die Einheit des Ortes (Dorfbezirk); das Auffangen des Zeitflusses in einer Folge von Genreszenen; die beherrschende Gestalt des Großvaters als der Verkörperung der mythisch gesehenen Familie; das zeitaufhebende Verjüngungsmotiv am Ende; die Schlußvignette des Grabbildchens im Präsens.

zeitenthobener Szenen, Gespräche und Feste eines zuständlich-familiären Umkreises darzustellen gestattet. Diese Dialektik von Kreis und Gerade ist das paradoxe Kennzeichen dieses neuen Typs einer (auto)biographischen Idylle, die hier das schwebende Gleichgewicht einer »wahrhaften Geschichte« (so der doppelpolige Untertitel) nicht zuletzt dadurch wahrt, daß ihr autobiographischer Charakter nicht bis zur direkten Konfession und Perspektive eines erinnernden Ich vorgetrieben wird, was zu sehr den Eindruck eines bloßen Anfangs, eines Mittels zum Zweck, wenig den einer in sich ruhenden Welt hätte hervorrufen müssen. So aber war eine etwaige Fortsetzung wohl möglich, aber nicht nötig.

In der Tat wird mit Jungs Entschluß zur Fortsetzung ein prinzipieller Gattungswandel innerhalb seiner Lebensgeschichte eingeleitet: das Genre der Idylle wird zugunsten des Lebenslaufs verlassen, wenn es zu Beginn der *Jünglingsjahre* programmatisch heißt: »Vater Stilling ist hin, nun will ich seinem Enkel, dem jungen Henrich, auf dem Fuß folgen, wo er hingeht, alles andre soll mich nicht aufhalten.« [76] Auch wenn zunächst in den beiden ersten Fortsetzungen *Jünglingsjahre* und *Wanderschaft* (beide schon 1778 erschienen) die Umwelteindrücke des Helden, sein Landschaftserlebnis und die Beobachtung der umgebenden Menschen das Bild seiner nächsten Wegstrecke bestimmen und damit der Charakter der linearen Komponente des autobiographischen Idylls noch gewahrt scheint, so begegnet jetzt doch schon bald die Vorstellung einer auf ein dunkles Ziel in der Zukunft gerichteten Lebensbahn, was mit dem Begriff eines ursprünglichen »Grundtriebes« (zum gelehrten Beruf) angedeutet wird. [77] Jung geht darin sogar schon über Moritz hinaus, der nur die kausalpsychologische Folge der frühen Eindrücke, nicht die Zielgerichtetheit einer entelechischen Monade darstellen wollte. [78] Freilich wagt es Jung noch nicht, solchen Grundtrieb im Sinne eines Goetheschen »Daimon« zu deuten; vielmehr erkennt er ihn, gar mit Hilfe eines großväterlichen Orakels [79], als von Gott »eingeschaffen«, woraus für ihn sofort ein unbedingtes Vorsehungsvertrauen entspringt: die blitzartig neue Idee einer individuellen, eigenständigen Lebensgestalt wird damit, kaum geboren, schon ins alte pietistische Schema wieder eingefangen. Diese Tendenz, jede Führung des Lebens von außen und oben, nicht aus dem eigenen Innern herzuleiten, wird noch entscheidend verstärkt, wenn daraufhin zu Beginn der *Wanderschaft* mit Stillings Erweckungserlebnis [80] der Entschluß zur völligen Willensentäußerung hinzutritt, die auch noch das selbständige Deuten und Befolgen des eigenen Grundtriebs miteinschließt, so daß Stilling von nun an jeden Erfolg oder Mißerfolg im privaten, wirtschaftlichen, beruflichen Bereich als Lohn seines Gehorsams oder Ungehorsams gegen das religiöse Ergebenheitsgelübde deutet. Gottfried Stecher [81] hat in gründlicher Detailuntersuchung nachgewiesen, wie dieser neue pietistische, fast schon calvinistische Bezugsrahmen die aufmerksame Beobachtung von Umwelt und Charakteren allmählich in eine »dürre Familien- und Reisechronik« [82] verwandelt, die die Einzelereignisse nur noch deshalb aufzählt, um sie als Beweismittel für die Vorsehungsthese zu verwenden. Denn Stillings Absicht, »im zweiten und dritten Bande zwischen dem romantischen und theologischen Tone das Mittel zu halten« [83], ist wohl noch in der *Wanderschaft* verwirklicht, aber in den späteren Bänden, die in größeren Zeitabständen noch nachfolgen (*Häusliches Leben* 1789, *Lehrjahre* 1804, *Alter* 1817), wendet sich sein Interesse nicht nur von der Welt, sondern auch vom Helden der Geschichte, von seinen inneren Erlebnissen und Empfindungen immer mehr ab, was er am Ende des *Häuslichen Lebens* in dem Satz: »Doch ich schreibe ja nicht Stillings ganzes Leben und Wandel, sondern die Geschichte der Vorsehung in seiner Führung«[84] ausdrücklich mit der neuen Zielsetzung seiner Autobiographie entschuldigt. Die Darstellung der Berufskarriere des inzwischen berühmt gewordenen Arztes und Schriftstellers vermag dabei im *Häuslichen Leben* immerhin noch genug bunte und streitbare Welt einzufangen, und Stilling versteht es hier recht geschickt, feindselige Hindernisse und Verfolgungen als Prüfsteine in die Selbstdarstellung eines auserwählten Zöglings der Vorsehung (mit vielen handfesten Beweisen ihrer Sorge) einzubauen. Der Ton der Selbstverteidigung, der die Identität von Ich und Er jetzt unüberhörbar hervortreten läßt*, verbindet sich dabei gut mit dem didaktischen Vortrag einer persönlichen Prädestinationslehre, so daß Stillings Lebensdarstellung unversehens in den Typ der Schutz- und Propagandaschrift, d. h. ähnlich wie gelegentlich schon frühpietistische Bekenntnisbücher (Petersen), in die Tradition der Gelehrtenautobiographie einmündet. Aber auch dieses Selbstengagement verliert sich schließlich in den *Lehrjahren*, wo Stilling neben dem tagebuchartigen Registrieren der Einzelheiten vor allem »mit der genauesten Pünktlichkeit«[85] demonstrieren will, welche Anstalten die Vorsehung zu seiner endlichen Bestimmung als religiöser Schriftsteller getroffen hat.

Schon in den vorangegangenen Bänden hatte Stilling von jeder neuen Berufswahl geglaubt, daß mit ihr seine Grundneigung zum gelehrten Beruf ihr gottgewolltes Ziel erreiche, und die jeweils vorausliegenden Erfahrungen virtuos als exakte Vorbereitung dazu gedeutet.[86] Gleiches geschieht auch am Ende der *Lehrjahre*, nur wird jetzt der Grundtrieb analog zur letzten Berufung als »religiös« spezifiziert.[87] Zum Beweis jedoch, daß er auch in dieser Eigenschaft ihm von frühester Kindheit an von Gott eingepflanzt sei, fügt Jung den *Lehrjahren* einen »Rückblick auf Stillings bisherige Lebensgeschichte« an, der diese noch einmal rekapituliert, jedoch bei der Darstellung der ersten Jahre und der verschiedenen Berufswechsel neue »religiöse« Akzente setzt, die die Konsequenz des göttlichen Planes von den Anfängen bis zum nunmehr erkannten und erreichten Endziel aufzeigen sollen.[88] Wenn Jung dabei dem religiösen, von oben »eingegeisterten« Grundtrieb die natürlichen Anlagen (»Sinnlichkeit und Leichtsinn«) nur als bösen, ausrottenswerten Trieb entgegenstellt[89], so lehnt er mit diesem scharfen Dualismus das Bild einer immanenten Selbstentfaltung des Menschen endgültig ab. Dennoch weist sein rationalistisches Bemühen, schon in der Lebensgeschichte und erst recht im »Rückblick« die Allmacht der Vorsehung (und die ihr ergebene eigene Passivität) nicht mehr nur zu bekennen, sondern als planmäßiges Kalkül syllogistisch zu beweisen**, weit über das

---

* Z. B.: »... wenn er öffentlich redete, dann war er in seinem Element ...: seine ganze Existenz heiterte sich auf und ward zu lauter Leben und Darstellung. Ich sage das nicht aus Ruhmsucht, das weiß Gott ...« (Joh. Heinr. Jung's sämmtliche Schriften. Hrsg. v. J. V. *Grollmann*. Stuttgart 1835, Bd. 1, S. 302); vgl. ebda, S. 374. – Jung hatte bereits in seiner Zuschrift an die »Rheinischen Beiträge« 1779 (s. u. S. 190, Anm. 83) über die Entstehungsgeschichte von »Stillings Jugend« sein Pseudonym öffentlich gelüftet, und auch den autobiographischen Charakter der Lebensgeschichte bestätigt und wird letzteres, ohne damit dem Publikum etwas Neues zu sagen, im »Rückblick« 1804 wiederholen. – Vgl. auch u. S. 184, Anm. 82.

** Hauptsächlich aus diesem Grunde beteuert Jung zu Beginn des »Rückblicks«, daß seine ganze Geschichte »wirklich und in der That wahr sey« und daß darum die »allerlei Verzierungen« des An-

Ziel aller bisherigen pietistischen Autobiographik hinaus. Denn damit gibt Jung das traditionelle Bild des gnädigen und also unberechenbaren Gottes auf und übernimmt gerade den von ihm hier so heftig bekämpften maschinenmäßigen Determinismus[90] der zeitgenössischen Aufklärungsphilosophie. Dazu kommt, daß Jung im »Rückblick« seinen strikten Vorsehungsbeweis nicht mehr zur eigenen oder seiner Leser Erbauung führt, sondern ihn nur noch als Mittel zur Legitimation seines theologischen Lehrsystems betrachtet, dessen Irrtumslosigkeit er aus der Unfehlbarkeit seiner göttlichen Lebensführung folgert.[91] Damit aber wird im »Rückblick« die Lebensgeschichte nicht nur neu gedeutet, sondern ihr zuletzt auch ein völlig neuer Zweck zugesprochen, der sie vollends aus der pietistischen Tradition herauslöst.

Überblickt man am Ende das ganze autobiographische Unternehmen Jung-Stillings, so läßt sich erkennen, daß es nur äußerlich – dies muß gegen Stecher[92] betont werden – zu traditionellen Formen zurückkehrt. Denn auch nach dem Übergang von der neuen autobiographischen Idylle zur älteren pietistischen Vorsehungsstruktur versucht Jung diese mit der modernen entelechischen Idee in Verbindung zu bringen, was zwar nicht zum späteren Gedanken einer immanent-organischen Entwicklung, dafür aber zu einer deutlichen Rationalisierung des alten Vorsehungsglaubens führt. Die verspätete Wiederaufnahme hergebrachter Schemata konnte so keine Renaissance der pietistischen Konfession bringen, sondern erreichte mit ihrer forcierten Überlagerung vernunftmäßiger Ideen nur, daß die religiöse Autobiographie hier schließlich zu einem pseudotheologischen Mittel der Selbstbestätigung erstarrt. Neben diesem gattungsgeschichtlich negativen Ergebnis darf aber ein entscheidendes Positivum nicht übersehen werden: allein schon die Kühnheit, in einer Fortsetzungsreihe durch mehrere autobiographische Formen zu wandern und vom wechselnden Deutungsstandort aus die jeweils passende Erzählgestalt zu wählen, macht Jung-Stillings Lebensgeschichte zu einem gegenüber Moritz' *Anton Reiser* [93] noch beredteren Zeugnis für das am Jahrhundertende erstarkende Individualbewußtsein, das jetzt nicht mehr nur den Autor selbst, sondern auch schon seine verschiedenen Lebensepochen als Individuen erkennen läßt. Hier ist erstmals eine formal differenzierende Gliederung der Autobiographie nach Altersstufen (mit entsprechenden Überschriften der Teile) erprobt, die Epoche machen und im folgenden Jahrhundert (z. B. bei Goethe, Goltz, Heine, Fontane u. a.) die Reihung typologisch unterscheidbarer Autobiographica ein und desselben Verfassers einbürgern sollte.

2. Wege zur Individualisierung der Gelehrtenautobiographie

In der ersten Hälfte des 18. Jahrhunderts hatte sich die Berufsautobiographie (zumeist der Gelehrten) als der traditionskräftigste und daher formal einflußreichste Gattungstyp gezeigt. Dennoch bahnte sich schon damals auch bei ihr eine formale Umwandlung an. Das Standes- und Selbstbewußtsein der gelehrten Autobiographen war bis zur Mitte des Jahrhunderts soweit erstarkt, daß sie ihre Lebensdarstellungen nicht nur immer häufiger

---

fangs in den folgenden Bänden vermindert und schließlich zugunsten der »reinen ungeschminkten Wahrheit« völlig aufgegeben seien. (Jung's sämmtliche Schriften, Bd. 1, S. 584).

selbst publizierten, sondern auch deren traditionellen apologetischen Charakter zunehmend in ein (scheinbar) ruhiges, überlegenes Selbstbildnis umgestalteten. Beide Tendenzen verstärken sich in der zweiten Jahrhunderthälfte. Zwar begegnen auch jetzt noch Fälle postumer Drucke (Reiske, Spangenberg), aber der Mut der Autobiographen zu eigener Edition ihrer Lebensberichte wächst, wenn mit Johann Jacob Moser (1768; 1777–1783), Semler (1781–1782) und Büsching (1789) sich bald die Beispiele für eigenhändige und selbständige Publikation der Autobiographien mehren, die zudem an Umfang gewinnen und bei Moser und Semler bereits in mehreren Teilen über Jahre hin erscheinen. Neben dieser zunehmenden Unbekümmertheit des Publizierens dokumentieren aber auch nach 1760 weitere formale Wandlungen der Gelehrtenautobiographie das wachsende Selbstbewußtsein ihrer Autoren, was schließlich sogar bei diesem konservativen Typ zu einer Individualisierung führen kann.

Einer der möglichen Wege dahin ist die Verschmelzung von Lebenslauf und Selbstporträt zu einer einheitlichen, kausal möglichst geschlossenen Darstellung, wie sie die pragmatischen Historiker seit den sechziger Jahren für die biographischen Gattungen fordern. In der Praxis der Gelehrtenautobiographie wird freilich das alte Aufbauschema, wonach die Selbstcharakteristik als eigener Abschnitt auf den Lebenslauf zu folgen hat, noch nicht aufgegeben, wohl aber wird jetzt das Selbstporträt bereits im Zusammenhang der Lebensgeschichte unbewußt mitverdeutlicht, wenn nicht sogar ausdrücklich gezeichnet. Auch hier steht dahinter noch nicht die Idee einer organischen Entwicklung; wohl aber wird die Tendenz spürbar, eigene Wesensart und Lebensschicksal in eine zumindest lockere Verbindung zu bringen, indem am konkreten Verhalten gegenüber den äußeren Begebenheiten der eigene Charakter demonstriert wird, auch wenn eine kausale Verknüpfung vorerst nur ausnahmsweise gelingt.

Ein anschauliches Beispiel für diesen Beginn einer untergründigen Integration von Vita und Porträt ist die *Lebensgeschichte* Johann Jacob Mosers, die dieser kurz nach seiner Entlassung (1764) aus der Kerkerhaft auf dem Hohen Twiel zunächst nur für seine Familie niedergeschrieben hat. Daß er schon 1768 einen Auszug daraus veröffentlichte, hing mit falschen gedruckten Nachrichten über den Grund seines Arrests zusammen, denen er zur eigenen Ehrenrettung entgegentreten wollte.[94] Moser beschränkt sich in seinem Auszug aber nicht auf Vorgeschichte und Umstände der Haft, sondern holt aus allen Paragraphen seines Manuskripts jene Abschnitte heraus, die geeignet sind, die ganze Berufsgeschichte des Rechtsgelehrten und Politikers darzustellen. Dabei werden alle Stationen der Karriere, aber auch jeder Amtsverdruß, alle Intrige, Denunziation und Herrschaftswillkür seiner Umgebung nicht so sehr in polemischer Absicht, als vielmehr darum berichtet, um den eigenen Freimut, Redlichkeit und Tüchtigkeit im Widerstreit mit der Welt zu dokumentieren. Das Selbstporträt also hält als tertium comparationis alle Abschnitte des Auszugs von 1768 zusammen; es zwingt auch den Bericht über die Erfahrungen Mosers als württembergischer Landschaftskonsulent und über die Unrechtstat des Herzogs in diese Erlebnisreihe; denn dieser Schlußteil[95] bildet zwar den auch darstellerisch dramatischen Höhepunkt, aber doch nicht das Ziel des Buches.

Mosers autobiographische Absicht wird vollends deutlich in der stark erweiterten mehrteiligen Ausgabe von 1777[96]. Die schon ein Jahrzehnt zuvor mitgeteilte Gliederung des Gesamtmanuskripts: »Ich selbst habe 1. mein natürliches, 2. mein geistliches und 3. mein bürgerliches Leben ausführlich beschrieben«[97], wird jetzt schon eher greifbar: die ersten beiden Teile behandeln die eigentliche (»bürgerliche«) Lebensgeschichte, der dritte Teil Gemütscharakter und Lebensweise des Autors (»natürliches Leben«), und in Anhängen dazu zwei schon früher publizierte Aufsätze[98] die religiöse Erweckungsgeschichte der beiden Ehegatten (»geistliches Leben«). Solche ausdrückliche, auch terminologisch klare Trennung in drei verschiedene Bereiche kann dennoch nicht darüber hinwegtäuschen, daß die umfänglichere Fassung noch klarer als der frühere Auszug belegt, wie sehr Moser von Anfang an sowohl die Selbstcharakteristik als auch die Darstellung seiner religiösen Erkenntnisstufen bereits in der Lebensgeschichte selbst vorwegnehmen will. Denn alles, was jetzt aus dem Manuskript für den Druck freigegeben wird: Anekdoten aus den Schul- und Universitätsjahren, Unfall- und Reiseberichte und weitere Kurzcharakteristiken anderer Personen dient nicht primär, wie die *Vorrede* diese privaten Zusätze entschuldigen will[98a], zur Unterhaltung und Belehrung möglichst breiter Leserschichten, sondern unabhängig davon der abrundenden Zeichnung des schon im Auszug von 1768 erkennbar gewordenen Selbstporträts, wieder mit dem Akzent auf Rechtsempfinden und Unerschrockenheit. Dabei fällt auf, daß Moser jetzt seine »Ehrlichkeit« sogleich zu Beginn als Familiencharakter vorstellt[99], und damit seine Grundeigenschaft als ererbte Natur, oder umgekehrt: seine Herkunft als lebensbestimmend betont. Das statische Selbstporträt im dritten Teil[100] bringt dazu noch viele ergänzende und bestätigende Einzelheiten, und daß Moser auch hier wieder mit anekdotischen Beispielen arbeitet, bekräftigt die Funktion dieser zahllos eingestreuten Geschichten.* – Größere Schwierigkeiten bereitet ihm hingegen der Einbau der geistlichen Erfahrungen in das Gesamtbild. Hier vermag Moser nur die äußere, streitbare Seite dieses Bereichs innerhalb der Lebensgeschichte zu artikulieren. Denn alle unter der wiederkehrenden Rubrik »Religions-Sachen«[101] mitgeteilten konfessionspolitischen Affären und kontroverstheologischen Dispute, dazu die Berichte über Erbauungsstunden im eigenen Haus, den Ebersdorfer Aufenthalt und das endliche Zerwürfnis mit den Herrnhutern bieten wohl häufige Gelegenheit, die eigene religiöse Überzeugung zu bekennen, nicht aber die innere Geschichte der Bekehrung aufzuzeigen: Moser muß dann stets auf die Anhänge verweisen.[102] Diese Aporie verdeutlicht, wie wenig Mosers Selbstbiographie in die Reihe der typologisch säkularisierten Bekenntnisschriften (wie die der Petersen oder Lange) gehört. Er hat sein Buch a priori als historische Charakterstudie konzipiert und dabei sein Bild nur im Spiegel der Begegnungen mit der Welt zeichnen wollen. Darum konnte die früher und separat geschriebene Bekehrungsgeschichte[103] mit ihrer vertikalen Polarität nicht mehr nachträglich in den horizontalen Verlauf der »bürgerlichen« Lebensgeschichte eingespannt, es konnten höchstens ihre wahrnehmbaren Resultate und Konsequenzen registriert und dabei jenem charakterologischen Hauptzweck dienstbar gemacht werden.

Mosers pragmatische Tendenz, die traditionelle Scheidung von Lebenslauf und Selbstporträt durch eine einheitliche Intention zu überbrücken und damit in die Richtung einer

---

* Moser versucht auch hier wieder (T. 3, S. 1–3: § 36) die Aufnahme solcher privaten »Histörchen« mit ihrem allgemein unterhaltenden oder belehrenden Charakter zu rechtfertigen.

geschlossenen Selbstbiographie zu gehen, wird kurz darauf in den Aufzeichnungen des Arabisten Johann Jacob Reiske (1716–1774) weiter verfolgt. Dieser hat die *von ihm selbst aufgesetzte Lebensbeschreibung* (1769/70)[104] bis an die Gegenwart der Niederschrift herangeführt, ein kurzes Schriftenverzeichnis und daran noch eine Porträtgalerie der Partner seiner gelehrten Korrespondenz angeschlossen, kam aber nicht mehr dazu, die geplante Schilderung seines »Gemütscharakters«[105] hinzuzufügen. Seine Witwe, die bei der Edition des Manuskripts die letzten Lebensjahre ihres Mannes mitteilt und jene charakterologische Lücke zu schließen versucht, bemerkt jedoch mit Recht zu Beginn dieser Ergänzung: »Man darf nur die Lebensbeschreibung meines Freundes mit einiger Aufmerksamkeit lesen, so wird man sich von seinem Charakter schon einen ziemlich richtigen Begriff machen können.«[106] In der Tat flicht Reiske schon in die Darstellung seines Gelehrtenlebens, vor allem seines Umgangs mit Lehrern und Kollegen, immer wieder kurze Skizzen seiner Wesensart ein (Schüchternheit, Menschenscheu, gepaart mit plötzlichem Trotz und Grobheit bei fortdauerndem Willen zu unbedingter Wahrhaftigkeit)[107] und läßt auch die Darstellung selbst von einem hypochondrischen Ton bestimmt sein. Diese Verbindung von Selbstporträt und Lebenslauf liegt aber hier nicht wie bei Moser in der Wahl der Selbstcharakteristik als geheimen Hauptthemas, sondern in einer neuen Konzeption der Autobiographie insgesamt begründet. Reiskes Aufzeichnung ist nämlich mit das früheste Beispiel für den deutenden Rückblick, der den ganzen Lebenslauf von der späten Einsicht des Niederschreibenden her beurteilt. Reiske erkennt dabei verschiedene Stationen als Gabelungspunkte[108], bestimmte Entscheidungen als richtig, häufiger aber als töricht und verhängnisvoll und macht hierfür das eigene Temperament, den eigenen Gemütscharakter verantwortlich.[109] Dieser gehört also notwendig in den Kausalnexus der Lebensgeschichte, kürzere Charakteristiken *müssen* bereits in das curriculum eingebaut, könnten in einem Anhang höchstens noch in Einzelheiten ergänzt werden. Überdies dient bei Reiske die Selbstcharakteristik – anders als seine gleichfalls häufigen Klagen über eigene Armut, fremde Intrige und Unverständnis[110] – nicht nur der Rechtfertigung seines angeblich erfolglosen Lebens; gerade sie führt auch zu Reue und Selbstanklage[111] und schließt damit das Bekenntnis der Willensfreiheit ein, so daß in Reiskes Selbstbiographie erstmals in Umrissen das Zusammenspiel von Freiheit und Notwendigkeit, die eigene Person als Mitgestalterin des Lebens[112] erscheint. Sonst tritt ja in der damaligen Autobiographik stets nur *ein* lebensbestimmendes Fatum auf: die Vorsehung oder an ihrer Stelle, und dann mit gleicher Dominanz, das eigenmächtig-selbstbewußte Ich (Christian Wolff), später auch die soziale Umwelt und eine nur darin begründete Gemütsverfassung (*Anton Reiser*). Bei Reiske dagegen ist zumindest schon der Plan eines Gleichgewichts von innerem und äußerem Schicksal, von Eigentat und Fremdbestimmung entworfen, auch wenn dieser neue Grundriß im weiteren Verlauf der kleinen Schrift von traditioneller religiöser Einkleidung (Preis der Vorsehung, Bekenntnis der Gottergebenheit)[113] vorerst wieder verdeckt wird.

Einen anderen Weg zur individualisierenden Auflösung der traditionellen Form der Gelehrtenautobiographie zeigt zehn Jahre später die zweibändige *Lebensbeschreibung* (1781/82) des hallischen Theologen und Bibelkritikers Johann Salomo Semler[114]. Wenn dieser sein äußeres, privates wie berufliches, Leben (1. Teil) streng von der Geschichte seiner wissenschaftlichen Erkenntnisse (2. Teil) trennt, so kann diese Anlehnung an die Tradition der Scheidung von Lebenslauf und Schriftenverzeichnis (das sich je schon bei Gottsched zur Geschichte des eigenen Gelehrtenlebens hatte erweitern lassen) als eine versteckte Selbstrechtfertigung der Semlerschen Unterscheidung von Privatreligion und Theologie, und damit der eigenen wissenschaftsgeschichtlichen Stellung unter der Maske der formalen Gliederung der Autobiographie verstanden werden. Auf jeden Fall aber zeigt die prononcierte Trennung in zwei gleich starke Bände an, daß Semler die bereits von Moser und Reiske unternommene Kausalverbindung aller Bereiche zu einer einheitlichen Lebensdarstellung nicht beabsichtigt. Dafür erscheint hier erstmals in einer Gelehrtenautobiographie der Wille, die verschiedenen Lebensstationen in einer Reihe z. T. ausführlich gezeichneter Zustandsbilder vorzustellen (in pietistischen Kreisen, im Hallischen Waisenhaus, auf den Universitäten Halle und Altdorf)[115], wobei Semler seine menschlichen Begegnungen in diesen Räumen (mit dem Vater, den Studienkollegen, den Lehrern, der Braut)[116] durch die Skizzen seiner jeweils von dorther geweckten Gemütsverfassung illustriert: jeder bedeutsame Weltkontakt wird so in seinem Erlebniswert bestimmt, das Ich als erlebend-wertender Mittelpunkt der Autobiographie betont.[117] Etwa gleichzeitig mit Jung-Stillings und Moritz' Autobiographien wird bei Semler die Gefühlswelt nun auch in die Gelehrtenautobiographie aufgenommen, freilich noch nicht wie bei Moritz als Ursache für die weiteren Lebensschicksale in eine Kausalkette eingebaut; den autopsychologischen Partien eignet hier noch keine gattungsformale Notwendigkeit. Es fehlt ihnen daher auch sprachlich noch jeder seelenanalytische Charakter, sie verharren vielmehr bei allgemeinen, gern wiederkehrenden Formeln[118], da sie noch nicht das psychische Selbst ergründen, sondern im Rahmen der Zustandsschilderungen lediglich die Umwelt als selbsterlebt, selbstempfunden charakterisieren wollen. Das gilt gerade auch für Semlers oft genannte Geschichte der eigenen religiösen Nicht-Bekehrung[119], die nur dem Thema, nicht der Form nach an die pietistische Konfession anknüpft: die Reihe religiöser Erlebnisse und Versuche wird weder als göttliche Heilstat noch als aus eigenem psychischen Bedürfnis entsprungen geschildert; Semler bewertet sie im kritischen Rückblick lediglich als Akt der Pietät gegenüber den Wünschen von Vater und Bruder, als imitierende Antwort auf die pietistische Umwelt[120]; nicht »religiöse Gewissenskämpfe«[121], sondern das empfindende Ich in seiner augenblicklichen (diesmal: religiösen) Umgebung ist wiederum das Thema, höchstens untermalt von grundsätzlicher Pietismus-Kritik aus späterer Sicht[122].

Es leuchtet ein, daß auch für diese Reihe psychischer Augenblicksbilder der Begriff der »Entwicklung« noch nicht paßt. Das gleiche gilt für die Darstellung der wissenschaftlichen Erkenntnisfolge im zweiten Teil, der als »Jahrbücher meiner theologischen Arbeiten und Erkenntnisse«[123] bewußt »einer Chronik ähnlich« gestaltet werden soll.[124] Man darf von Semlers darin formuliertem Bild der Theologiegeschichte als einer »Succession und Abwechselung menschlicher Kenntnisse«, als einer »nach und nach entstandenen Ausbreitung« der Gelehrsamkeit[125] wohl auch Rückschlüsse ziehen auf seine Vorstellung der eigenen Bildungsgeschichte. Bestätigt wird diese Vermutung dadurch, daß Semler seine Forschungstätigkeit systematisch nach den einzelnen Disziplinen (Bibelkritik, Kirchenhistorie, Dogmatik, Polemik etc.) referiert, also schon vom groben Aufbau her den Weg zu einem geschlossenen Entwicklungsbild seines Denkens und Arbeitens nicht beschreitet, ganz abgesehen von der schon erwähnten strikten Trennung des äußeren und des wissenschaftlichen Bereichs, die die Darstellung einer einheitlichen Lebensentfaltung unmöglich macht.

Semlers Beispiel zeigt einmal mehr, daß von der traditionellen Form der Berufsautobiographie kein Wandel oder Durchstoß zur neuen Entwicklungs-Autobiographie zu erwarten war, daß diese vielmehr nur vom kausalpsychologischen Typus vorbereitet werden konnte. Dafür aber belegt es die Möglichkeit einer gemütsbestimmten Erlebnisschilderung auch ohne unmittelbare Bekenntnismotivation, und beweist, daß am Höhepunkt der Empfindsamkeitsbewegung sogar eine Gelehrtenautobiographie den Sentimentalismus der gleichzeitigen Erzählprosa, wenn auch in wesentlich verhaltenerem Tone, übernehmen konnte, angeregt wohl vor allem durch die eben erschienenen ersten Bücher von Jung-Stillings *Lebensgeschichte* (1777/78), die auch bei vereinzelten idyllischen Partien (Brautwerbung, elegischer Rückblick auf das »dreymal glückselige Altdorf«) [126] mag Pate gestanden haben. Diese neue wertende Erlebnis- und Erinnerungsperspektive ist auch hier geeignet, die herkömmliche Form des Typs von innen her zu erweitern und die Verwandtschaft des Blickwinkels und Erzähltons mit gleichzeitigen Beispielen aus anderen Typen stärker hervortreten zu lassen als die noch bestehende Abhängigkeit von der Formtradition des eigenen Typs. Sowohl die Tendenz zur Integration von Lebenslauf und Selbstporträt als auch die Wahl der Gefühlsperspektive in einer Gelehrtenautobiographie zeugen von einem Individualitätsbewußtsein der Verfasser, das nun auch die herkömmliche Form dieses Gattungstyps durch unwillkürliche Verwandlung und Erweiterung zu individualisieren beginnt.

Daß freilich derartige Neuerungen in diesem Genre von nun an zwar möglich, aber vorerst noch keineswegs die Regel sind, zeigen die bald darauf erscheinenden Beispiele aus der Feder von Semlers Kollegen Anton Friderich Büsching (1789) [127] und Johann David Michaelis (1793) [128], die die Hartnäckigkeit des traditionellen Schemas (nämlich ohne Berücksichtigung der psychischen Dimension) aufs neue belegen. Immerhin setzen sie die seit der Mitte des Jahrhunderts zu beobachtende Linie in Richtug einer von Apologetik freien Lebensdarstellung fort, so daß namentlich der Anlaß zur Niederschrift von einem sich mehr und mehr beruhigenden und befestigenden Selbstvertrauen bestimmt scheint, das oft nach überstandener schwerer Alterskrankheit [129] die eigenen Erlebnisse und denkwürdigen Begegnungen (und nur gelegentlich auch Widerwärtigkeiten) [130] aufzeichnet und veröffentlicht wünscht. Zumindest im Gelehrtenstand sind jetzt die Voraussetzungen dafür gegeben, daß Herders Vorstellung einer vorurteilsfreien Lebensbeschreibung künftig in breiterem Maße als zuvor verwirklicht werde – die kommenden Jahrzehnte können dies für den Typ der Berufsautobiographie bestätigen.

3. DIE POLARISIERENDE INDIVIDUATION
VON ICH UND ZEIT IN DER ABENTEUERLICHEN LEBENSGESCHICHTE

Analog zur psychologischen Säkularisation der religiösen Selbstzeugnisse [131] und analog zur gleichzeitigen Phase der Gelehrtenautobiographie [132] erfährt in der zweiten Hälfte des 18. Jahrhunderts auch die abenteuerliche Lebensgeschichte den Wandel vom Lebens- zum Erlebnisbericht, d. h. auch die vor 1750 in einigen Kriegserinnerungen schon beobachtbare Mischung von Welt- und Selbstdarstellung weicht jetzt einer Schilderung, die nicht mehr wie ein Augenzeugenbericht alle Ereignisse als von außen ans Ich herantretend betrachtet und registriert, sondern sie durchwegs als Spiegelbild des empfindenden und wertenden Ich wiedergibt, insgeheim also wie die anderen autobiographischen Typen der Zeit die Selbstcharakteristik in der deutenden Zeichnung der eigenen Erlebnisse zum zentralen Darstellungsobjekt erhebt.

Schon bei der Gelehrtenautobiographie wurde in diesem Zusammenhang auf einen möglichen Nachhall der Empfindsamkeitsbewegung im Raum der Autobiographik hingewiesen[133], und er kann gerade im frühesten* Beispiel der nachfolgend zu untersuchenden Gruppe, in Ulrich Bräkers *Lebensgeschichte* (1781/85) noch näher aufgewiesen werden. Aber auch wenn dieser Nachhall in den weiteren Beispielen wieder abklingt, bleibt doch das einmal gewonnene Ichbewußtsein erhalten und vermag nun, vom Stoff des bewegten, wechselreichen Lebens begünstigt, viel eher als in der thematisch ungleich engeren Gelehrtenautobiographie der Zeit, den Ort des Ich erstmals in größere Zusammenhänge zu stellen, über die Grenzen der eigenen Standeswelt hinaus. Denn wohl präsentiert sich in der Gelehrtenautobiographie das Ichbewußtsein auch als Standesbewußtsein[134], aber noch ohne die übrigen Stände als Folie dagegenzuhalten. Demgegenüber erfahren und schildern die Autoren abenteuerlicher Lebensgeschichten um und nach 1780 mit zunehmender Blickschärfe ihren Standort, Horizont und Lebenslauf als von der ständisch gegliederten Gesellschaft, ja genauer: der spätfeudalistischen Variante ihrer Ordnung bestimmt und eingegrenzt. Daraus ergibt sich eine neue, säkularisierte Vorstellung des Fatum: was bisher von Gott geschickt und hinzunehmen war, erscheint jetzt als immanente soziale Bedingung, und wenn nunmehr eine polemisch-apologetische Komponente hinzutritt, kann sie bereits die Form einer direkten Gesellschaftskritik** annehmen. Im ganzen also erreicht das neue Ichbewußtsein in diesem autobiographischen Typ sowohl durch die Deutung der Welt aus der wertend-empfindenden Erlebnisperspektive wie auch durch die Einordnung des Lebenslaufs in die historischen (politischen, sozialen) Zusammenhänge eine enge Bezugnahme von Ich und Welt und dadurch eine starke gegenseitige Konkretisierung und Individualisierung beider Pole. Noch ist damit keine Historisierung des eigenen Lebens, wohl aber eine wichtige Vorstufe dazu erreicht, wenn aus der bisher lockeren und im Grunde unverbindlichen Folge abenteuerlicher Einzelgeschichten ein vom persönlichen Charakter wie von der geschichtlichen Situation bestimmter Schicksalsweg geworden ist, und es wird von daher verständlich, daß diese Selbstbiographien entweder von vornherein im Hinblick auf ein größeres Publikum verfaßt und vom Autor selbst veröffentlicht oder aber von den Zeitgenossen als für weitere Leserkreise interessante Manuskripte entdeckt und publiziert werden.

---

* Die lange zeitliche Pause seit dem letzten Beispiel (1750–1780) ist wieder nur mit der naturgemäßen Dunkelziffer dieses Typs zu erklären (vgl. o. S. 27 f).

** In einer solchen erblickt der Freiherr Knigge 1782 sogar den eigentlichen Sinn und Nutzen »ungeschminkter« Selbstbiographien, die er im »einfachsten Styl« (er gibt selbst ein Muster an) und »mit Nennung aller Nahmen der guten und schlimmen Personen« zu schreiben empfiehlt – als einen Ersatz für »manche bürgerliche Strafe, die ohnehin nicht jeden vornehmen Bösewicht erreichen kann.« (Der Roman meines Lebens in Briefen herausgegeben, T. 3, Riga 1782, 11. Brief, S. 122–124).

Die zweite Möglichkeit, die den zeitgemäßen Charakter der betreffenden Schrift besonders deutlich dokumentiert, war schon bei *Henrich Stillings Jugend* (1777) begegnet und wiederholt sich kurz darauf bei Ulrich Bräkers *Lebensgeschichte und Natürliche Ebentheuer des Armen Mannes im Tockenburg* (geschrieben 1781/85, gedruckt 1788/89)[135]. Was beide Manuskripte ans Licht holt, ist das allgemeine Interesse am neuen Genre der realistischen Idylle und an der darstellerischen Verbindung von Außen- und Innenwelt am Höhepunkt und Ausklang der Empfindsamkeit. Während jedoch Jung den geschlossenen Kreis der Kindheitsidylle schon im nächsten Buch zugunsten des pietistischen Vorsehungsschemas verläßt, das dann immer stärker als dogmatisches Programm verstanden wird und so die ursprüngliche Ding- und Erlebnisnähe der Umweltzeichnung verzehren muß, greift Bräker noch einmal die Tradition der neutralen Familienchronik auf und übernimmt damit auch das in ihr entwickelte großzügigere Abenteuer-Schema, das ihm erlaubt, die Hirtenidyllen seiner Kindheit, die Liebesgeschichte mit Ännchen, seinen Auszug in die Welt und unfreiwilligen Soldatendienst im preußischen Heer, Rückkehr, Heirat und Eintritt in den endgültigen Beruf des Tuch- und Leinwandhändlers in einer homogenen Folge kleiner Kapitel ohne Verlust der Anschaulichkeit aneinanderzureihen.

Das gilt insbesondere für die ersten beiden Drittel des Buches (Kap. 1–64, bis zur Heirat des 25jährigen)[136], die Bräker 1781 zusammenhängend niedergeschrieben hat* und die den »poetischen« Ruhm und die gattungshistorische Sonderstellung dieser Lebensgeschichte begründet haben. Denn in diesem Hauptteil gelingt Bräker ein bisher in der deutschen Autobiographik unbekanntes freies Gleichgewicht von Außen- und Innenweltdarstellung, ermöglicht durch die durchgängige Erlebnisperspektive eines wertenden Ich und in seiner Spannung gesteigert dadurch, daß in das Raster einer Familienchronik besonders eindrucksvolle Erlebnisse als idyllische oder novellistische Bilderreihen eingelassen sind, die aber mit dem Rahmen durch vielfache Motivverklammerung verbunden bleiben. Die vorherrschenden Themen des Chronikgerüsts, z. T. schon an den Überschriften** abzulesen, sind Ahnen, Elternhaus, Familie, Beruf des Vaters, die wirt-

---

* Die Entstehungsgeschichte von Bräkers Autobiographie ist im einzelnen noch nicht geklärt. Fest steht, daß er sie 1781 begonnen, 1782 und 1785 fortgesetzt und 1788 für die Buchausgabe um einen Anhang vermehrt hat. Vgl. Tagebucheintrag Anfang 1782: »Hab ein Büchel angefangen. Betitelt die Lebensgeschichte eines Armen Manns geschrieben im Jahr 1781 U. B. Könnts wohl noch ein Jahr oder zwey gehn ehs ausgeschrieben ist, werds heur oder aufs Jahr, so geht die Geschicht bis zu End 1781.« (Leben und Schriften Ulrich Bräkers, des Armen Mannes im Tockenburg. Dargestellt und hrsg. von Samuel *Voellmy*. Bd. 1, Basel 1945, S. 26). Danach ist Bräker im ersten Jahr der Niederschrift noch nicht bis Kap. 75: »Dießmal vier Jahre (1778–1781)« vorgedrungen, vielmehr liegt zwischen diesem und Kap. 76: »Wieder vier Jahre (1782–1785)« die Schreibpause 1782/85, wie aus den Angaben der Berichtszeiträume hervorgeht. Unsicher bleibt jedoch der Ort der Schreibzäsur 1781/82. Aus inneren Gründen möchte ich sie nach Kap. 64 (»Tod und Leben«) ansetzen; mit diesem Kap. ist der abenteuerliche Teil von Bräkers Leben, der ihn überhaupt zum Schreiben angeregt hat, abgeschlossen (auch der Bilderschmuck der Erstausgabe, der fast nur ungewöhnliche Ereignisse illustriert, begleitet bis hierher den Text); mit Kap. 65 beginnt der annalistische Teil, äußerlich an den Kapitelüberschriften erkennbar, aber auch in Aufbau und Darstellungsweise (s. u.) von der bisherigen Erzählung unterschieden.

** Z. B.: »Meine Voreltern«, »Zeitumstände«, »Ökonomische Einrichtung«, »Damalige häusliche Umstände«, »Itzt Taglöhner«, »Wohnungspläne« u. ä.

schaftlichen Verhältnisse zu Hause und in der weiteren Toggenburger Heimat, später die
eigenen Berufsversuche und -wechsel und der selbstgegründete Hausstand, verkörpert in
der vor allem ökonomisch denkenden Ehefrau. Der Vater und die eigene Frau erscheinen
dabei als die Kräfte, die den äußeren Lebenslauf des Ich vor allem bestimmen (Hirtenstand, Fahrt in die Welt, Berufswahl) [137], und sich selbst schildert Bräker auf dieser
vorwiegend wirtschaftlich-beruflichen Ebene in seiner auch seelischen Bestimmbarkeit
durch die patriarchalische Atmosphäre des Elternhauses, durch die Gesellschaft der Ka-
meraden, durch Lektüre und Unterweisung, durch die ehrgeizigen Wünsche der Braut.
Daß hier bereits aus den äußeren Verhältnissen und den Begegnungen mit Menschen und
Büchern die Veränderungen der eigenen Gemütslage begründet werden [138], scheint
den *Anton Reiser* vorwegzunehmen. Während Moritz aber solche Kausalität als durchgängiges Mittel einer wissenschaftlich-psychologischen Beweisführung gebraucht, notiert sie Bräker noch ganz unbewußt und beiläufig, bestätigt damit aber nur um so mehr
die neue Macht der spezifischen Umstände über den Gang und Charakter des Individuums.
Zwischen das Chronikgerüst sind nun aber verschiedene Räume eingeschaltet, die dem
Ich wenigstens zeitweilig Freiheit von Haus und Ökonomie gestatten, bevor es wieder zur
Familie zurückkehrt. Die Idylle der Natur im Hirtenstand, die Romantik der Liebe zu
Ännchen, die Abenteuerlichkeit des Soldatendienstes sind Variationen einer Gegenwelt,
in denen allein das Ich sich selbst findet und in desto lebhafterem Austausch mit seinem
Gegenüber dargestellt wird. Die entsprechenden Kapitel [139] zeichnen sich durch einen
erhöhten Willen sowohl zur Zustandsschilderung wie zur Novellistik aus, die das längst
Durchlebte so zu vergegenwärtigen verstehen, daß es mit allen Stimmungen und Gefühlsregungen, ja mit der damaligen Zukunftsungewißheit [140] nochmals Schritt für Schritt
durchmessen wird; daher gerade hier die Vorliebe für einläßliche Szenengestaltung mit
häufigem Einbau direkter Gespräche [141], mitunter auch einsamer Monologe [142].
Bräker gestaltet durch solche einläßliche Vergegenwärtigung einige wesentliche Erlebnisse, die dem Ich existentielle Möglichkeiten und Gefahren von »Leben« überhaupt eröffnet haben, in ihrem Eigenwert und kann darum in diesen Partien des Buches Gefühls-
und Außenwelt in einer freien und gegenseitig konturierenden Polarität zueinander treten lassen, wie sie weder früher noch damals, gerade auch in den psychologischen oder
rationalistischen Demonstrationen bei Moritz oder dem späteren Jung-Stilling, erreichbar war.
   Die eigentliche gattungsgeschichtliche Bedeutung der genannten Episoden des Buches
liegt aber darin, daß sich der Erzähler hierbei der eigenen Erinnerungsfreude *bewußt*
wird und in gelegentlichen Interjektionen ausdrücklich dazu bekennt. [143] Sie bestätigen, daß der schon in der Vorrede neben der »Schreibsucht« und den aus der Chronik-
tradition stammenden Zwecken (»Lob meines guten Gottes« und Nutzen für »meine
Kinder«) an letzter Stelle genannte Grund: »so macht's doch mir eine unschuldige Freude, und ausserordentliche Lust, so wieder einmal mein Leben zu durchgehen« [144], das
heimliche Hauptmotiv für die Niederschrift der Lebensgeschichte gewesen ist. »Mit welcher Wonne kehr' ich besonders in die Tage meiner Jugend zurück, und betrachte jeden
Schritt, den ich damals und seither in der Welt gethan.« [145] Solche Sätze sind das deut-
lichste Symptom für den Einfluß der Empfindsamkeitsbewegung auch auf die autobio-

graphische Gattung, und man kann als weiteren Gewährsmann dafür Rousseau zitieren, der schon ein gutes Jahrzehnt zuvor im Ersten Teil der *Confessions* (1766/68) [146] wiederholt die Erinnerungsfreude als wesentlichen Antrieb zur Wiedererzählung gerade der frühen Tage nennt.* In beiden Fällen wird solche Lust an der Vergegenwärtigung des verlorenen Jugendparadieses als Flucht vor einer düsteren Gegenwart (Verfolgung bei Rousseau, Berufs- und Ehekreuz bei Bräker), als Versuch einer wenigstens literarischen Selbstwiederfindung erkannt und bejaht. [147] Bräker hat dabei seine Erinnerungswünsche sicher unabhängig von Rousseau erlebt und formuliert, zumal der Erste Teil der *Confessions* gerade 1781/82 erst erschien; und auch der andere Kronzeuge für die sentimentalisch-elegische Rückkehr zu den eigenen Ursprüngen, Goethes Werther (Brief vom 9. Mai 1772), der Bräker durch die Lichtensteiger Lesecommun seit 1777 bekannt war [148], hat ihn in seiner verwandten Auffassung wohl nur bestärkt und nicht erst dazu anregen müssen. Dabei erklärt der neue Beweggrund einer Selbstwiederfindung nicht nur, daß im Unterschied zu früheren Beispielen des Typs Kindheit und Jugend in Bräkers Lebensgeschichte den Hauptanteil erhalten, sondern auch, daß mit erhöhter Aufmerksamkeit »jeder Schritt« darin beachtet und noch einmal gegangen wird. Bisher waren in den Lebensläufen nur objektiv, d. h. für die allgemeine Leserschaft fraglos interessante Vorfälle, in der Regel also die ungewöhnlichen Erlebnisse und Abenteuer für erzählenswert gehalten worden; bei Bräker sind dagegen alle Vorkommnisse berücksichtigt, die dem Erzähler als Ausschnitte seiner Erlebniswelt bedeutsam geblieben sind, womit sich auch der Begriff des Abenteuers wandelt: für den Blick des gemütvoll sich Erinnernden kann jetzt gleichermaßen das kleine wie das große, das alltägliche wie das ungewöhnliche Ereignis in Haus, Natur und Fremde Bedeutung gewinnen und als neues, erstaunliches, unerhörtes Ding geschildert werden. Darum müssen bei Bräker Hirtenidylle und Soldatenabenteuer trotz ihres thematischen Gegensatzes auf der gleichen Ebene des »natürlichen Ebentheuers« gesehen werden. Wie im Chronikgerüst, so werden auch in der preußischen Episode bestimmte gesellschaftliche und politische Kräfte als Ursache des persönlichen Schicksals schon ganz konkret sichtbar, die fatalistische Lebensvorstellung des Autobiographen erkennt sie aber noch nicht als solche und vermag sie darum auch noch nicht kritisch zu prüfen** : weder die Rolle seines Vaters noch die seiner Frau, weder die

---

* In eben diesem Zusammenhang fällt Rousseaus Wort von der »chaîne des sentiments« als seinem einzigen »guide fidelle« durch die Vergangenheit (Oeuvres Complètes, T. 1, S. 278), und die Folgerung, die *Misch* (Geschichte der Autobiographie, Bd. IV, 1, S. 850) daraus für die »Confessions« zieht, gilt auch für Bräkers Buch: »Der Zauber des Werks ruht hierin. Denn nun wird jeder nacherlebte Gefühlszustand als eine unmittelbare Gegenwart wiedergebracht, die Freuden und Erschütterungen des Gemüts leben sich im Vollgenuß der Erinnerung neu aus.«

** Es ist daher problematisch, wenn Hans Mayer und Hans-Günther Thalheim die Beobachtungsschärfe Bräkers als »unerbittlich« und »unbestechlich« qualifizieren, da diese Prädikate erst für ein kritisch-engagiertes Bewußtsein zutreffen können. (Hans *Mayer*, Aufklärer und Plebejer: Ulrich Bräker, der arme Mann im Tockenburg. In: H. M., Von Lessing bis Thomas Mann. Wandlungen der bürgerlichen Literatur in Deutschland. Pfullingen 1959, S. 115. – Hans-Günther *Thalheim*, Einleitung zu: Bräkers Werke in einem Band. Bibliothek deutscher Klassiker. Berlin und Weimar 1964, S. [27]). Aus dem gleichen Grunde kann noch nicht von einem »oppositionellen Standpunkt« Bräkers gesprochen werden (*Thalheim*, Einleitung, S. [28]).

seines »Herrn« Markoni (den er konstant als einen zweiten Vater empfindet)[149] noch
die des »gerechten Friedrich«[150] stellt er ernstlich in Frage. Wenn Bräker hier wertet,
dann nur moralisch und fast immer ad hominem; und selbst diese Kritik (etwa an der
»Verrätherey« Markonis oder am brutalen preußischen Drill)[151] erscheint nicht als
ein aus dem Kontext herauslösbares Urteil, sondern bleibt als drastisch-dramatisches
Moment unentbehrlicher Teil des Erlebnisberichts.* Alles steht gerade in diesen Partien
unter dem strengen Gesetz einer autobiographischen Novellistik, weshalb auch Bräker
eben hier seine Selbstbiographie ausdrücklich gegen die Memoirenliteratur abgrenzt und
es z. B. ablehnt, Hintergründe und allgemeine Umstände des Feldzugs zu beschreiben, da
sie außerhalb seiner individuellen Erlebnisperspektive liegen.[152]

Dennoch verliert sich Bräker nicht derart in jene »Rückerinnerungen«[153], daß sie
den Rahmen seiner Lebensgeschichte, die immer etwas vom Charakter einer Familienge-
schichte behält, sprengen müßte: die Hirtenidyllen und die Liebesgeschichte bleiben
durch das Motiv der patriarchalischen Rolle des Vaters (Kritik an Ännchen)[154], das
preußische Abenteuer durch das variable Heimatmotiv (Brief nach Hause, Besuch der Eltern in Schaffhausen, elegisches Heimweh-Selbstgespräch, Leitmotiv des gemeinsamen
Desertierplans der drei Schweizer, empfindsames Wiedersehen des Heimatdorfs)[155]
mit dem Chronikgerüst verklammert. Das erklärt auch, warum Bräker noch nicht daran
denkt, mit den angenehmen oder aufregenden Erinnerungen die Lebensgeschichte zu
schließen, obwohl er sich bereits bewußt ist, daß ihm die spätere Zeit (nach der Rückkehr
vom Söldnerdienst) »unendlich weniger Vergnügen als meine jüngern Jahre« bereitet.[156] Erst im 19. Jahrhundert wird es möglich sein, die Erinnerungsfreude zum alleinigen Auswahlprinzip zu erklären und so etwa die Tradition der isolierten Kindheits- und
Jugenddarstellungen zu schaffen (Jean Paul, Goltz, Hebbel, Kügelgen, Fontane). Bräker
hat hingegen noch genau die Formtradition der Familienchronik vor Augen, die ihn nicht
nur die Episoden einbinden, sondern auch seine Erinnerungen bis zur Schreibgegenwart
fortführen heißt.

Dieses letzte Drittel des Buches gliedert sich in eine Kapitelfolge (65.–76. Kap.)[157],
die in traditionell annalistischer Bündelungstechnik[158] die Berufs- und Ehejahre von
der Heirat bis zur Erzählgegenwart (1785) behandelt, und in drei längere Schlußkapitel
(»Meine Geständnisse«, »Von meiner gegenwärtigen Gemüthslage. Item von meinen
Kindern«, »Glücksumstände und Wohnort«)[159], die die alte Stelle der Selbst- und
Familiencharakteristik im Anschluß an die Lebenshistorie einnehmen. Verstärkt wird
dieser Eindruck einer Rückkehr zur Form des Familienbuches dadurch, daß schon im annalistischen Teil die Anrede an Sohn und Nachkommen aus dem Anfang des Buches wieder aufgenommen[160] und bis zum Schluß durchgehalten wird. Es geschieht jedoch vor
allem deshalb, weil Bräker so am besten den alten Vermächtnis- mit dem modernen
Beichtcharakter verbinden kann, womit der Schlußteil, wie Bräker selbst durchblicken
läßt[161], unter dem aktuellen Einfluß von Rousseaus *Confessions* steht. Denn gemein-

---

* So gehört die oft zitierte Schilderung des barbarischen Spießrutenlaufens im friderizianischen
Heer (Leben und Schriften Ulrich Bräkers, Bd. 1, S. 194) in den genauen Zusammenhang des für die
ganze preußische Episode Bräkers zentralen Desertiermotivs und verdankt nur dieser engen autobiographischen Funktion ihre Eindringlichkeit.

sam ist allen Teilen des letzten Drittels eine Verlagerung des Akzents ganz auf die Selbstdarstellung, die das Vergangene nicht mehr nur als Vergangenes schildert, sondern als
den Beginn eines bis heute fortdauernden äußeren und inneren Zustandes deutet, was einen weitgehenden Verlust der bisher freien »poetischen« Polarität von Ich und Welt zur
Folge hat. Schon der annalistische Teil verengt den bisher lockeren Zusammenhang von
»ökonomischer« und »Gemüthslage« [162] zum strengen Kausalnexus*, der das Auf und
Ab der seelischen Stimmungen direkt vom Wechsel der Berufserfolge, diesen wiederum
vom eigenen »Verhalten« und den allgemeinen »Zeitumständen« [163] abhängig zeichnet und schließlich die wirtschaftliche Not wie den damit zusammenhängenden Ehe-
kleinkrieg für die Flucht ins »Grillenfängen«, in die Lese- und Schreibwut verantwortlich
macht. [164] Ziel dieser genauen Verknüpfungen ist eine zwischen Anklage und
Verteidigung wechselnde Selbstbewertung, der als einziges Mittel der Vergegenwärtigung damaliger Seelenzustände die Wiedergabe von Selbstgesprächen bleibt, die Bräker
von seinem Tagebuch her vertraut war.** Die eigentlichen »Geständnisse« [165] bieten
vollends eine kurzgeschlossene »chaîne des sentiments«, die in zwei nochmaligen Durch-
gängen durch die Lebensgeschichte zuerst die eigenen Fehler und Schwächen (die meist
schon zuvor geschilderten religiösen Ängste, erotischen »Leidenschaften« [166] und
Wünsche, das kritische Eheverhältnis und das Flattern in die »idealische Welt« [167] der
Bücher), sodann die guten Eigenschaften aneinanderreiht, letzteres in der erklärten Absicht der Selbstberuhigung. [168] Erst in den beiden letzten Kapiteln lockert sich wieder
etwas der enge Bezug auf das eigene Ich, wenn Bräker im Spiegel der Einzelporträts seiner
Kinder sich in der Rolle des mahnend-besorgten Hausvaters erblickt [169] oder im reli-
giös-empfindsamen Schlußakkord der Schilderung seines Wohnsitzes und des Toggenburger Landes fast wieder zur freien Polarität der Anfangsidyllen zurücklenkt. [170] Im
ganzen bleibt aber das Selbstporträt, die Zeichnung des gegenwärtigen Gemütszustandes
und Lebensgefühls das Oberthema der späteren Teile und hat die gleiche Funktion der
Selbstvergewisserung wie zuvor die Rückkehr ins Jugendland. Stilistischer Ausdruck für
dieses dem gesamten Buch gemeinsame Ziel der Selbstbestätigung ist trotz aller Differenz
der verschiedenen Teile die von Bräker durchgehaltene subjektiv-wertende Erlebnisperspektive, aus der heraus das Ich jedes Ding und Ereignis der Umwelt in seiner Bedeutsamkeit für den Erlebenden beurteilt und zugleich sich selbst in dieser Begegnung prüft und
bestimmt.

Bräker selbst freilich ist sich dieser tiefer begründeten Einheit seines Buches noch nicht
bewußt. Als er an der alten Nahtstelle zwischen Lebenshistorie und Selbstcharakteristik
(77.–78. Kap.; geschrieben 1785) [171] kurz selbst das Gattungsproblem erörtert, ist er
zwar mit dem »Gickel Gackel meiner bisher erzählten Geschichte« [172] unzufrieden,
lehnt aber doch ein vereinheitlichendes Schema à la Jung-Stilling (pietistische Vorsehungsstruktur) oder Rousseau (radikales Bekenntnisprogramm) als Alternative ab. [173]

---

* Den gleichen Kausalnexus zeigt das curriculum vitae in Bräkers Brief an Lavater (Kap. 74), der
damit nicht nur als »Denkmal meiner damaligen Lage« (ebda, S. 277), sondern zugleich als Reverbere der Annalen in diese eingebaut erscheint.

** Während es in der Jugendgeschichte nur in der Form des Monologs auftritt, erscheint es jetzt
daneben auch als Wechselrede mit sich selbst oder mit einem fingierten »Versucher«, einmal auch in
Briefform (Konzept an Lavater: Kap. 74).

Vielmehr bekennt er sich zur Vorstellung seines Lebens als einer »herrlichen Geschicht'
voll der seltsamsten Abentheuer«[174], entschuldigt seine daraus resultierende »Verliebt«heit in sie mit dem Hinweis auf die Erzählfreude so »manchen alten... Bäur-
leins«[175] und spielt auch noch metaphorisch auf die ständisch-bäuerliche und also
auch auf die typologische Herkunft seines »Büchel« an, wenn er gerade hier seine Vorliebe für »Frakturschrift, und zierlich geschweifte Buchstaben aller Art« betont[176]: im
ganzen ein verschlüsseltes Bekenntnis zur alten offenen Chronikform, gegen die strenge
Ordnung inzwischen erschienener moderner Gattungsbeispiele. Darum auch hält er die
Schlußteile für eine notwendige Ergänzung der Lebensgeschichte[177] und nennt das
Ganze bis zuletzt ungeniert einen »Wirrwarr«[178]. Daß er mit seiner durchgängigen Erlebnisperspektive nicht nur die Selbstcharakteristik bereits in die Lebensgeschichte verflochten hat, sondern darüber hinaus jetzt auch dem Typus der Familienchronik und der
aus ihr erwachsenen abenteuerlichen Lebensgeschichte ein neues Einheitsprinzip geschaffen und ihn dadurch den modernen Formen der anderen Typen der Gattung entscheidend genähert hat, bleibt ihm verborgen.*

Wie sehr indes Bräkers Errungenschaft, den herkömmlichen Chroniktyp durch die
Vergegenwärtigung der eigenen Erlebnis- und Gefühlswelt zu überformen und so auch
hier das moderne Ziel einer Selbstcharakteristik in und mit der Lebensgeschichte zu erreichen, ein erster und vorläufig einziger Vorstoß in diese Richtung bleibt, verdeutlicht
ein weiteres Beispiel dieses Typs, das gleichzeitig mit Bräkers Buch erschienen ist und dessen Verfasser ebenfalls aus bäuerlichem Stande kommt. *Leben und Ereignisse des Peter
Prosch, eines Tyrolers von Ried im Zillertal, oder das wunderbare Schicksal* (1789)[179]
zeigen sich im Gegensatz zu Bräkers Lebensgeschichte von der literarischen Empfindsamkeitsbewegung der Zeit völlig unberührt und beachten darum noch kaum die Gefühlswelt des Ich. Dafür führt Prosch den Typ in eine andere Richtung weiter. Er verwandelt die bisherige Auf-und-Ab-Kurve des alten Abenteuerschemas, das auch noch Bräker
unangetastet gelassen hatte, in eine stetige Aufwärtslinie, analog zu manchen zeitgenössischen Berufsautobiographien, und läßt dabei die Rolle der Gesellschaftsordnung der Zeit
als der für den eigenen Aufstieg unerläßlichen Partnerin wesentlich deutlicher als Bräker
hervortreten.

Schon der Untertitel deutet den neuen Aufriß an: »Wunderbar« wird das Schicksal des
Helden genannt, weil er aus der Niedrigkeit durch dauerhafte Gunst der Fürstenhand zu

---

* Aber auch von der jüngsten Bräker-Literatur ist diese gattungshistorische Errungenschaft noch
verkannt worden. So vermag Bräker für Hans-Günther *Thalheim* (Einleitung, S. [28]) wegen des
»äußerlich verknüpften Nach- und Nebeneinanders von lebendig-anschaulich, unmittelbar-reali-
stisch geschilderten Lebensereignissen einerseits und Gedanken zur ›Gemütslage‹, ›Geständnisse‹,
Betrachtungen andererseits« »die Form der Autobiographie künstlerisch nicht voll zu meistern und
bleibt noch stark vom Tagebuch abhängig«, was schon die annalistisch-bündelnden Kapitelüberschriften (der späteren Teile) erkennen ließen. Begründet wird dieser Mißerfolg mit Bräkers Unfähigkeit, »sein Leben als individuelle Illustration eines viel umfassenderen gesellschaftlichen Entwicklungsprozesses... darzustellen.« Diese Beurteilung beweist, wie vordringlich eine genaue gattungshistorische Lokalisierung bleibt, damit keine späteren Vorstellungsbilder der Gattung (hier
etwa Goethes »Dichtung und Wahrheit«) als unhistorischer Maßstab die typologische Eigenart älterer Beispiele und ihre nur von dort her begründbare ästhetische Qualität verdecken können.

Reichtum und Ansehen geführt wird. Prosch stilisiert daher die Fabel seiner Geschichte zu einem Märchen vom glücklichen Peterl: die idyllisch gestaltete Begegnungsszene [180] des neunjährigen verwaisten Bauernbuben mit seinem »Maidäl« prägt schon auf den ersten Seiten seine Rolle als Naturkind, die ihn sein häusliches und vor allem sein berufliches Glück finden läßt. Das Bild des barfüßigen Hirtenbuben hat hier keinen idyllischen Selbstzweck wie noch bei Bräker, sondern ist Bedingung für die Karriere; denn nur in dieser Rolle kann der Held die sonst für ihn unaufhebbaren Standesschranken durchbrechen und, unbekümmert um das Lachen der Welt, schon früh seinen Traum von der geld- und häuslschenkenden Kaiserin Maria Theresia verwirklichen. [181] Diese Fahrt nach Wien, die erfolgreiche Audienz und die Rückkehr ins Dorf bildet das Grundmuster des weiteren Lebenslaufes, wenn Prosch nun in einem einzigen kapitellosen Erzählkarussell seine regelmäßigen Rundreisen als vazierender Hoftiroler und Handschuhhändler an die österreichischen, süddeutschen und rheinischen Höfe und seine ebenso regelmäßigen kurzen Heimatbesuche mit ihren geschäftstüchtigen Besitzmehrungen aus den Einkünften und fürstlichen »Pensionen« unermüdlich aneinanderreiht. Die solchermaßen erkennbare Spiralbewegung bewahrt in ihrer aufsteigenden Komponente die älteste Sinnschicht des Typs, die Bilanzen der Familien- und Haushaltbücher, und in der Tat taucht in den Heimatpartien wiederholt dieses ökonomische Fundament mit Hochzeitsgeschenken, Geschäftsurkunden, genauen Zahlenangaben bei Käufen und Verkäufen, Verlust und Gewinn etc. ans Licht. [182] Doch ist der Zuwachs des Reichtums und seine Registrierung mehr Bestätigung dieses Lebenslaufs, nicht der eigentliche Sinn seiner Darstellung. Wichtiger wird für Prosch die Gestaltung der kreisenden Komponente: der Kette seiner Hofreisen und seiner Begegnungen mit den fürstlichen Gönnern als den Urhebern seines Lebenserfolgs. Solche Aufwartungen des Hoftirolers in den Privatgemächern der Herrschaft, bei Tafel oder bei der Gratulationscour sind als Höhepunkte dieser Reiseabschnitte mit Vorliebe in direkten Wechselgesprächen (lustige Diskurse und Wetten, Wiedergabe der von Prosch vorgetragenen Geburtstagscarmina, Zusagen der Gnadengeschenke und »Pensionen«) [183] und damit als persönliche Begegnungen mit den Fürsten gestaltet [184]; vor allem werden die jeweils letzten Besuche [185] zu rührenden Szenen der Anhänglichkeit, ja manchmal der Freundschaft stilisiert und so der Märchencharakter des Lebens bis zum Ende des Buches aufrechterhalten. Freilich sind es nur kurze Augenblicke, mit deren Erzählung Prosch das »Wunder« seines Schicksals bekräftigen kann; die großen Zwischenräume füllt er mit reichlichem, oft drastischem Unterhaltungsstoff, seien es Reise- und Fluchtabenteuer [186], seien es die derben Späße, die sich die Höflinge (und auch die Fürsten) mit ihm erlauben und die er in pointiertem Anekdotenstil seinen Lesern nochmals zum besten gibt. [187] Da Prosch in den Familienabschnitten durchwegs einen ernsten Ton beobachtet, wenn er von eigenen Krankheiten und melancholischen Zuständen [188], von Tod und Leben in der Familie [189], von seinen wirtschaftlichen Unternehmungen [190] berichtet, so wirkt bei der Erzählung jener Hofanekdoten die kindlich-naive Narrenperspektive, d.h. die auch noch im Erzählen bewahrte gute Miene zum bösen Spiel um so auffälliger. Prosch verzichtet bei der Schilderung dieser oft nicht mehr lustigen Possenszenen bewußt auf ein negatives Urteil, weil ihm nur diese Wertneutralität gleitende Übergänge von der peinlich-trivialen über die feierliche bis zur menschlich-vertraulichen Ebene des Hoflebens ermöglicht. Nur so bleibt das Märchen unversehrt und nur so ist das dreifache Ziel dieser Lebensbeschreibung erreichbar: öffentlicher Dank des Autors[191] an seine Gönner und Glücksbringer, Unterhaltung der Leser und in allem die Selbstdarstellung eines in der hohen Gesellschaft beliebten und erfolgreichen Mannes aus niederem Stand. Daß der Dank auch angenommen wurde, beweist nicht nur der Verlag durch die kurfürstlich-bayrische Hofbuchdruckerei, sondern auch die 30spaltige Pränumerantenliste[192], auf der alle von Prosch besuchten Höfe sich eingezeichnet haben (darunter allein die Markgräfin von Ansbach und die Kurfürstin zu Baiern auf je 50 Exemplare). Solche Antwort von oben bezeugt zugleich, wie sehr in dieser Zeit ein Leben schon bis in seine literarisch-öffentliche Präsentation hinein von der konkreten Gesellschaftsstruktur bestimmt erscheinen kann.

Dies gilt in erhöhtem Maße dann, wenn die Autobiographen mit ihrem Feudalherrn in Konflikt geraten sind, der dann als persönliches Schicksal auch formal die Lebensdarstellung bestimmt (Schubart, Friedrich von der Trenck). Rein thematisch knüpfen solche Beispiele an Johann Jacob Mosers *Leben* (1768) an[193]; während dieser aber seine ungerechte Kerkerhaft noch herunterspielt, werden analoge Schicksale in den Aufzeichnungen um und nach 1780 zum Angel- und Zielpunkt der Lebensbeschreibung. Moser konnte das Unrecht seines Fürsten noch mehr oder weniger beiläufig registrieren (als Folie für die Charakteristik der eigenen Unerschrockenheit); Schubart und Trenck müssen sich bereits voll damit auseinandersetzen. Dabei gibt es für sie in diesen vorrevolutionären Jahren nur noch zwei extreme Möglichkeiten dieser Auseinandersetzung: entweder das Unrecht der Gegenseite zu kaschieren (Schubart) oder an den Pranger zu stellen (Trenck), ein ruhiger Mittelweg ist angesichts der verschärften Lage nicht mehr möglich. Es ist ein Hinweis darauf, daß in Krisenzeiten gerade die augenblickliche Stimmung oder Situation die Gestalt literarischer Zweckformen zumindest momentan stark modifizieren kann.

Schubart gibt im Vorwort selbst die Gründe an, warum er sein *Leben und Gesinnungen. Von ihm selbst, im Kerker aufgesezt* (1778/79 einem Mitgefangenen diktiert) nach seiner Haft 1791 veröffentlicht[194]: der Wille zur Korrektur falscher Nachrichten über ihn, vor allem aber der Wunsch, »den Jünglingen meines Vaterlandes [gemeint ist Württemberg] die ernste Weisung (zu) geben«, »was sie zu vermeiden haben, wenn sie weise und glükliche Menschen – glüklich für Zeit und Ewigkeit werden wollen.«[195] Eine Klugheitslehre also für das Verhalten gegenüber der konkreten Feudalherrschaft, die den Landsleuten Schubarts seit Jahrzehnten in der Gestalt des Herzogs Karl Eugen vertraut ist.

Als abschreckendes Beispiel soll vor allem das unstete Wanderleben fungieren, das Schubart in den ersten drei Vierteln des Buches durch insgesamt 19 »Perioden« führt (so die Kapitelbezeichnung), deren Zäsuren mit den Ortswechseln des Musikers, Dichters, Journalisten zusammenfallen. Wenn er sich dabei als »armen Pilgrim« beklagt, der von verschiedenen Mächten (Fürsten, Reichsstädte, Geistlichkeit) immer wieder verstoßen und ausgewiesen worden sei[196], und die Schuld daran seinem eigenen »Ungestüm«, seiner »Unvorsichtigkeit« in Rede und Schrift gibt[197], so bedeutet dies wohl eine Warnung vor solchen »Thorheiten«, aber nur vordergründig eine Selbstkritik; in Wahrheit verteidigt er mit den genannten Termini sein »stürmisches Temperament«, ja seinen Freimut und Geradsinn[198], sieht sich jedenfalls nie veranlaßt, sein Verhalten gegenüber der Obrigkeit im Rückblick moralisch zu verwerfen. [199] Im Gegenteil: er nutzt die anekdotenreiche Schilderung seiner Lebensstationen, Begegnungen und Konflikte dazu, statt der eigenen Person die gleichgesinnten Freunde zu loben[200] und darüber hinaus auch unmittelbare Kritik an den allgemeinen gesellschaftlichen, kulturellen und politischen Zuständen seines engeren und weiteren Vaterlandes zu üben. Nicht zuletzt diesem patriotischen Zweck dienen die für eine damalige Autobiographie ungewöhnlich ausführlichen soziologischen Charakteristiken der von Schubart besuchten Städte, sowohl ihrer Bevölkerung generell wie ihrer höheren Gesellschaftskreise, ihrer kulturellen Interessen wie ihrer politischen Anschauungen. [201] Diese Abschnitte sind darum stets vom dezidierten eigenen Werturteil durchzogen, wobei Schubart mit Vorliebe eine verderbte Höflingswelt gegen das »biderbe Wesen«[202] der Reichsstädter setzt[203] und deren Republikanismus von der wachsenden Übermacht der Fürsten bedroht sieht. [204] Er läßt also auch als Autobiograph eine gesellschaftspolitische Intention erkennen und seine Lebensgeschichte in diesen Partien noch das gleiche Ziel wie seine *Deutsche Chronik* (1774 ff.) verfolgen. Im übrigen aber trägt Schubarts Wanderleben die herkömmlichen Züge einer Künstler-Autobiographie mit berufsbedingtem Horizont: der Leser erfährt von den frühen Neigungen und Proben des Talents, von der Ausbildung, den wachsenden Fähigkeiten und Erfolgen als Musiker, Deklamator, Poet[205], und nicht weniger von den Verdiensten und Fertigkeiten der Kollegen im musikalischen und literarischen Leben der verschiedenen Höfe und Städte[206]. Insoweit ließen sich die ersten drei Viertel von Schubarts *Leben* als eine Berufsautobiographie verstehen, die ihre Abenteuerlichkeit aus den sie bestimmenden konkreten Gesellschaftsschranken empfängt und diese – im Unterschied zu früheren Beispielen des Typs – bereits als solche erkennt und kritisiert.

Nun fügt aber Schubart dazwischen immer wieder Abschnitte ein, in denen er sein religiöses und sittliches Leben (»Freigeisterei«, »Ausschweifungen«) als ein verwerfliches »Welt« leben brandmarkt[207] und damit gelegentliche Schilderungen hypochondrischer Seelenzustände und ohnmächtiger Umkehrversuche als düsterer Vorahnungen künftigen Unheils verknüpft[208]. Zugleich stellt er schon hier dieser damaligen Gottferne die jetzige, im Kerker gewonnene Einsicht und die Umkehr zum »Christen« gegenüber[209] und kündigt damit als den eigentlichen Grundriß seiner Lebensdarstellung ein Bekehrungsschema an, das aber offenbar nur den religiösen und sittlichen Raum (die private Schuld gegen die Familie), nicht die berufliche oder gar die öffentlich-politische Tätigkeit erfassen soll. Jedenfalls bleiben die durchwegs wertpositiven Berichte über beruflich-gesellschaftliche Erlebnisse und Erfolge und die apokalyptischen Zeichnungen einer wilden Unruhe des Herzens[210] in einem auffällig unvermittelten Nebeneinander.*

Des Rätsels Lösung bringt das letzte Viertel des Buches, der große 20. Period, der selbst wieder in 12 Kapitel unterteilt ist: die Kerkergeschichte, die bis zur Erzählgegenwart

---

* Vgl. etwa die völlig negative Ankündigung der Ludwigsburger Epoche (Schubart's Leben und Gesinnungen, T. 1, Stuttgart 1791, S. 120 f.) mit der positiven Schilderung des dortigen beruflichen Wirkens (S. 131–148), die anschließend wieder ins Negative gewendet wird (S. 150 f.). Manche solcher Zurücknahmen wirken wie nachträgliche Parenthesen: T. 1, S. 88, 219. – Vgl. u. S. 194, Anm. 217.

(April 1779) reicht.[212] Sie ist als Geschichte der religiösen Umkehr gestaltet, und zwar nicht im pietistischen Sinne eines plötzlichen Durchbruchs*, sondern als allmähliche, stufenweise Umwandlung und Wiederbelebung der Seele zum Gnadenstand. Dabei begründet Schubart die Notwendigkeit dieser Umkehr einzig mit seinem früheren Sittenleben, obwohl zuvor die Ulmer Jahre von der familiären Aussöhnung berichten[213], und nicht mit seiner politisch-publizistischen Aktivität, die er als bloßen Anlaß zur Verhaftung wertet. Folgerichtig wird auch die Haft selbst von der Bekehrung gesondert. An sich nämlich sind auf jeder Stufe die Nachrichten über die äußeren Umstände[214] und das körperlich-seelische Befinden[215] den Berichten über die religiösen Erfahrungen so zugeordnet, daß man daraus unschwer einen Kausalnexus dieser Bereiche ablesen, ja die äußeren Veränderungen im Leben des Gefangenen (Lektüre, Besuche, Zellenwechsel etc.)[216] sogar als gezielte Lenkung seines Sinneswandels durch den Herzog und den Kommandanten erkennen kann**; um so mehr ist Schubart bestrebt, diesen immanenten Bereich seines »Naturmenschen« von der Bekehrungsgeschichte zu trennen[217] und diese als einen isolierten Vorgang zwischen Gott und der Seele erscheinen zu lassen. So gestaltet er die Einzelphasen dieses Kampfes nur zu Anfang auch als psychische Erlebnisse[218], begnügt sich im übrigen aber damit, die verschiedenen Stufen[219] einfach zu benennen*** oder sie durch Gedankenmonologe, Zitate aus seiner damaligen Bibel- und Erbauungslektüre, Zitate geistlicher Lieder, die er im Kerker gedichtet, und durch dogmatische Reflexionen im Präsens der Niederschrift zu illustrieren[220]; vom übrigen Bericht der Kerkergeschichte unterscheiden sich dabei alle diese Formen durch einen ihnen gemeinsamen vorgeprägten theologischen, meist biblisch-apokalyptischen Wort- und Bilderschatz im Rahmen einer nicht selten pathetisch-klopstockisierenden Rhetorik. Schubart hat diese Trennung von Kerkerleben und Bekehrungsvorgang auch selbst begründet. In einer »nöthigen Abschweifung«[221] betont er ausdrücklich, daß seine Gefangenschaft nicht Ursache, höchstens helfendes Mittel der Bekehrung sei; diese will er also ausschließlich als einen göttlichen Gnadenakt verstehen und seine Gegner und alle äußeren Bedingungen, letztlich auch die eigene politische »Thorheit«, lediglich als Werkzeuge einer höheren Hand gelten lassen. Solche Lösung der Kerkerhaft aus allen irdischen (psychologischen und politischen) Zusammenhängen und ihre Deutung als eines reinen Bußgerichts Gottes erklärt nun auch, warum Schubart innerhalb des vorausgegangenen »Welt«-lebens die eigene Schuld so prononciert auf den religiösen und privat-sittlichen Bereich beschränkt hatte.

Gerade weil aber hier die Bekehrung nicht mehr den ganzen Menschen erfaßt, erweist sich ihre Geschichte nicht als Darstellung einer fundamentalen Lebenswende, sondern al-

---

* Insofern ist Marianne *Beyer-Fröhlich* zu korrigieren, wenn sie in Schubarts Bekehrung ein spätes Beispiel für »das Ringen um Gott in der alten pietistischen Form« erblickt (Die Entwicklung der deutschen Selbstzeugnisse. Leipzig 1930, Nachdruck Darmstadt 1970, S. 247).

** Diese Zusammenhänge betont schon Schubarts Sohn in der Vorrede zu T. 2, S. IX–X, wo er auch (S.XI–XII) einen dahin zielenden Brief seines Vaters aus dem Jahre 1780 wiedergibt.

*** An einer Stelle (T. 2, S. 212) ordnet Schubart die eigene Buße in die Tradition der »ältesten Kirchenzucht« ein und zählt in einer Fußnote sogar die griechischen Termini ihrer Stufen auf, was fast schon Rückschlüsse auf eine bewußte Komposition der Schubartschen Bekehrungsgeschichte erlaubt.

lenfalls als ein gegenwärtiges religiöses Bekenntnis, wenn nicht gar nur als ein momentanes Mittel der Selbstberuhigung und Selbstbehauptung des Eingekerkerten. Zugleich läßt diese partielle Buße das Bekehrungs*schema* nicht mehr als notwendige, sondern als frei gewählte Form für die Gestaltung der Lebensgeschichte erkennen, worin sich Schubarts Beispiel grundsätzlich von allen Arten der religiösen Bekenntnisliteratur, auch von ihren säkularisierten Formen unterscheidet. Denn während dort die Bekehrungsgeschichte den Ursprungstyp darstellt und allmählich immer stärker von der Berufsautobiographie unterwandert wird[222], okuliert Schubart umgekehrt die Bekehrungsgeschichte nachträglich auf sein Wander- und Gefangenenleben. Mit dieser Typenverbindung erreicht er nun aber über das religiöse Bekenntnis hinaus ein doppeltes politisches Ziel:

(1) Durch die Umdeutung der Kerkergeschichte in eine Bekehrungsgeschichte schafft sich Schubart die Möglichkeit, die Unrechtstat des Herzogs in einen göttlichen Heilsplan einzuordnen, sie damit wenn nicht gutzuheißen so doch zu entschuldigen, und unter diesem Mantel durchaus die eigenen bitteren Erlebnisse, Gedanken und Gefühle im Kerker samt Einzelheiten der oft unwürdigen Zustände auf dem Hohenasperg[223] einem interessierten Publikum zu schildern, ohne in den Verdacht einer persönlichen Anklage gegen den Herzog zu geraten.

(2) Darüber hinaus kann Schubart, da er den politischen Bereich vom Bußgericht nicht erfassen läßt, durch die ganze Lebensdarstellung bis zum Schluß der Kerkergeschichte unverhüllt sein freiheitlich-republikanisches Glaubensbekenntnis ablegen, ja sogar direkte Kritik am »Despotismus«[224] in seinem Vaterland und damit zumindest allgemein am Willkürregiment des Herzogs üben.

Das partielle Bekehrungsschema erweist sich so als eine vorteilhafte Schutzvorrichtung, unter der um so eindrucksvoller die Schilderung der eigenen Lebens- und Leidensstationen einer letztlich intendierten politischen Kritik dienstbar gemacht werden können. Gattungshistorisch bemerkenswert ist daran, daß jetzt die verschiedenen Typen (Berufsautobiographie, Abenteuergeschichte, Bekehrungsgeschichte) frei verfügbar geworden sind und hier vornehmlich durch ihre vom Autor selbst bestimmbare Art der Vermischung die neue Individualität der autobiographischen Darstellungsform außerhalb einer traditionellen Typennorm bezeugen. Zugleich bekräftigt der Tarnzweck dieser Typenmischung aufs neue den (schon oben bei Prosch beobachteten) Einfluß der konkreten Gesellschaftsstruktur der Zeit auf das persönliche Schicksal bis in seine äußere Darstellungsform hinein.

Demgegenüber verzichtet Friedrich von der Trenck, ein Vetter des Pandurenoberst, in seiner vierteiligen *merkwürdigen Lebensgeschichte* (1787–1792)[225], die er freilich erst nach dem Tode Friedrichs II. bzw. Josephs II. zu veröffentlichen wagte, auf jede Maskierung seiner zwei Grundabsichten: einmal will Trenck öffentlich Klage führen gegen den preußischen wie gegen den Wiener Hof, um seine beleidigte Ehre zu verteidigen (wiederum Verurteilung ohne Verhör), und die Rückgabe seiner konfiszierten Güter für sich und seine Nachkommen zurückfordern. Von Anfang an intendiert Trenck diese offene Apologie, und vornehmlich um die Unversehrtheit seiner persönlichen Ehre zu beweisen, gelangt er zur extensiven Aufzählung seiner Günstlingskarriere und seines Sturzes mit Gefangennahme, abenteuerlicher Flucht, Wiederverhaftung und zehnjährigem

Kerker. [226] Mehr als einmal will sich dabei die Lust am Geschichtenerzählen verselbständigen, namentlich was die detailliert geschilderten Fluchtvorbereitungen betrifft; aber schon die darin verflochtene Mitteilung der dabei erlebten seelischen Empfindungen, der Freiheitssehnsucht und -gefühle [227] erinnern den Leser daran, daß er hier nicht nur unterhalten, sondern auch gerührt werden soll, und daß Trenck auch in diesen Partien primär das Unrecht, den Verrat, ja die Inhumanität der Könige und ihrer verantwortlichen Umgebung an den Pranger stellen will. [228]

Soweit bliebe Friedrich von der Trenck noch auf der autobiographischen Stufe seines Vetters oder auch Mosers, noch durchaus systemimmanent auf der Stufe einer unterhaltsamen persönlichen Apologie und Satisfaktionsforderung. Doch finden sich bei ihm dazwischen von Anfang an Sätze, die die grundsätzliche Systemkritik als zweite Intention des Buches verraten und damit in die gleiche Schicht vorstoßen, zu der schon Schubart gelangt war, nur daß sie Trenck ohne Ablenkungsmanöver auf direktem Wege über mehrere Stufen erreicht: Trenck grübelt gern über die Gründe seines Scheiterns, seines Mißgeschicks. Dabei wird mehrmals zunächst die fatalistische Lösung erwogen [229], dann aber doch gegen jede Prädestinationslehre entschieden und ein gerechter Gott postuliert. [230] Die Folge ist der Versuch einer Selbstanklage ob der eigenen Schroffheit und Unbeugsamkeit, die nur immer ihr Recht fordert und es verabscheut, um die Gnade des Fürsten zu bitten. [231] Dann aber wird auch diese Lösung eines Schuldbekenntnisses verworfen [232] und im Gegenteil konstatiert, daß »alle Männer meiner Gattung« in der gegenwärtigen Herrschaftsform des »despotischen Staates« notwendig unterliegen müßten [233] und er darum seine Erfahrungen zur warnenden Lehre für die Gleichgesinnten niederschreibe. [234] Der Gegenspieler seines Lebensabenteuers ist damit weder ein ungreifbares Fatum noch ein konkreter Fürst (der bei Schubart noch im Vordergrund steht), sondern das System des Absolutismus. Diese von jeder Person unabhängig gewordene Systemkritik bleibt bis zum Schluß deutlich, wenn etwa Trenck im letzten Band auf die haßerfüllte Biographie Josephs II. eine um so freundlichere Charakterstudie Leopolds II. folgen läßt [235], in beiden Fällen aber den fortdauernden ministeriellen und klerikalen »Despotismus« brandmarkt. Dazu kommen unzweideutige Urteile über die jüngsten französischen Ereignisse, die er ganz im Sinne der Bourgeoisie als den Anbruch »goldener Zeiten« preist. [236] Auch wenn Trenck solche radikalen Ansichten nur gelegentlich zum Ausdruck bringt, so verwendet er damit doch erstmals in Deutschland die Gattung Autobiographie als eine direkte, aktuell-politische Kampfschrift, benutzt er literarisch das eigene Leben als ein Paradigma für die Notwendigkeit einer politischen Veränderung in Gegenwart und Zukunft. Bestimmte Wendungen (»ich schätze mich glücklich, weil ich diese Epoche ausbrechen sahe«; »wir leben jetzt in einem kritischen Zeitpunkte«) [237] lassen dabei ansatzweise sogar ein zeitgeschichtliches Epochenbewußtsein erkennen, das bisher gleichfalls nicht in Selbstzeugnissen begegnet war. Trenck sieht sich darin noch nicht selbst geschichtlich – dazu leben diese Äußerungen noch zu sehr aus ihrer eigenen zukunftsgerichteten Aktualität – , wohl aber bilden sie die Vorstufe zum historischen Bewußtsein, das wenige Jahrzehnte später die Gestalt der Geschichtsschreibung und damit auch der Autobiographik grundlegend verwandeln wird.

ZWISCHENBILANZ:
TYPEN UND EPOCHEN DER DEUTSCHEN AUTOBIOGRAPHIE
1680–1790

In einer Zwischenbilanz läßt sich das bisher untersuchte Bild der deutschen Autobiographik im 18. Jahrhundert (bis 1790) zunächst durch eine Zusammenfassung der *Geschichte ihrer verschiedenen Typen* in diesem Zeitraum veranschaulichen:

Innerhalb der Bewegung des deutschen Pietismus wird am Ende des 17. Jahrhunderts die Tradition der *religiösen Bekehrungsgeschichte* wieder aufgegriffen und durch Francke in eine gedrängte dramatische Form (Sündenerkenntnis, Glaubenszweifel, Bußkampf, Durchbruch, Glaubensgewißheit) gebracht. Diese bleibt jedoch auf den begrenzten Öffenlichkeitsraum der pietistischen Gemeinden beschränkt und begegnet auch dort nur selten als *reine* Bekehrungsgeschichte. In der Regel öffnet sie sich von Anfang an einer typologischen Säkularisation, d. h. einer Überlagerung und Vermischung mit dem seit dem 17. Jahrhundert vorherrschenden Typ der pragmatischen (Berufs-)Autobiographie, wobei ihr Beichtcharakter zurückgedrängt wird, dafür ihre Verwandlung aus einem Schuld- in ein Unschuldbekenntnis die Grundtendenz der Autobiograhie des 18. Jahrhunderts zur Selbstdarstellung und Selbstbestätigung widerspiegelt.

Dagegen erwächst die nach 1780 auftretende durchgängig *psychologische Autobiographie* (K. Ph. Moritz' *Anton Reiser*) nicht, wie bisher angenommen, in allmählicher Säkularisation direkt aus der religiösen Konfession, sondern nur auf dem Umweg über das pietistische Tagebuch, das als einzige literarische Form im 18. Jahrhundert sich gattungsimmanent psychologisiert, und zwar führt dieser Umweg zurück zur Autobiographie nur mit Hilfe der neuen Theorie einer kausalpsychologischen Entwicklung, die es erlaubt, die Errungenschaften des Tagebuchs zu seiner autonomen und in sich schlüssigen Geschichte der seelischen Erlebnisse aneinanderzureihen.

Doch bleibt Moritz' psychologische Autobiographie und ihr Ziel einer empirischen Selbsterkenntnis in der Geschichte ihrer Gattung ein Einzelfall. Für die Zeitgenossen verschwindet er gegenüber dem Haupttyp des Jahrhunderts, der in der Tradition der Haus- und Familienchronik stehenden *praktischen Lebensgeschichte*, die schon seit dem 16. Jahrhundert in den beiden Zweigen der Berufs-(meist Gelehrten-)Autobiographie und der abenteuerlichen Lebensgeschichte (Kriegs- oder Reise-Autobiographie) auftritt. Standes- und Bildungsvoraussetzungen bedingen eine numerische Dominanz der *Gelehrtenautobiographie*, die in großer Kontinuität das ganze Jahrhundert durchzieht und dabei das alte biographische Aufbauschema (curriculum vitae, portrait, catalogus scriptorum) lange ungebrochen bewahrt. Im ersten Drittel des Jahrhunderts zeigt der Typ noch stark chronikalische Züge, der Übergang zur öffentlichkeitsbestimmten Lebensdarstellung wird ermöglicht durch ein wachsendes Standes- und Selbstbewußtsein der Gelehrten und Künstler, das nicht nur von Beiträgen in (auto)biographischen Sammelwerken zu selbständigen Publikationen führt, sondern auch den traditionellen Anlaß der Selbstrechtfertigung seit der Jahrhundertmitte mehr und mehr durch den Wunsch nach einer unpolemischen, vorurteilsfreien Selbst- und Lebensdarstellung ersetzt.

Im Gegensatz zur kontinuierlichen Folge der Gelehrtenautobiographien zeigt die Überlieferung der *abenteuerlichen Lebensgeschichte* ein noch sehr lückenhaftes Bild. Da die Beispiele dieses anderen Zweigs der Hauschronik am längsten an deren Tradition festhalten, die eigenen Erlebnisse nur für Familie und Freunde, nicht für die Öffentlichkeit aufzuzeichnen, sind sie bis zur Mitte des 18. Jahrhunderts fast nie direkt publiziert, sondern erst in den letzten hundert Jahren als kulturhistorische Dokumente entdeckt und zugänglich gemacht worden. Die Verfasser können dem Adel oder dem bürgerlichen Stande angehören. Im einen Fall handelt es sich um führende Militärs, die ihre Kriegserinnerungen mit der Geschichte ihrer Karriere verbinden und so die neue Mischform von Abenteuer- und Berufsautobiographie bieten; im andern Fall wird die alte, seit dem Spätmittelalter lebendige Tradition der Pilger- und Reiseaufzeichnungen fortgeführt, wo weder die eigene Person noch die Berufs- und Alltagswelt, sondern die Kette der ungewöhnlichen Erlebnisse in Kriegen und fernen Ländern Anlaß und Schwerpunkt der Erzählung bilden. Die Art dieses Erzählens verdeutlicht im Laufe des Jahrhunderts immer mehr den Unterschied dieses Typs von den übrigen der Gattung. Denn während der anfangs dramatisch bewegte Stil der Bekehrungsgeschichten zusehends vom einförmigen Berichtsstil der Berufsautobiographie eingefangen und gedämpft wird, und später auch die psychologische Autobiographie ihre Seelengeschichte im ruhigen Ton der wissenschaftlichen Analyse vorträgt, unternimmt der Typ der abenteuerlichen Lebensgeschichte nach der zu Anfang des Jahrhunderts noch geübten chronikalischen Technik des linearen Reihens um 1730 eine Literarisierung der mündlichen Erzählgewohnheiten und erreicht damit die Ebene der sowohl detailrealistischen als auch anekdotisch auswählenden und spannenden Geschichtserzählung, die überdies manche Schablonen aus dem gleichzeitigen niederen Abenteuerroman entlehnt. In der zweiten Jahrhunderthälfte erlebt auch dieser Typ eine Ich-Zentrierung, aus dem Lebens- wird ein Erlebnisbericht, erzählt aus einer empfindend-wertenden Erinnerungsperspektive, die nicht nur die Erzählfreude zur bewußten Erinnerungsfreude vertiefen kann (Bräker), sondern auch den abenteuerlichen Lebenslauf als persönliches Schicksal deutet und dabei seit etwa 1780 das bisher allgemeine Fatum in der konkreten Gesellschaftsordnung der Zeit – und zunehmend kritisch – verkörpert sieht.

Diese die Geschichte der einzelnen Typen charakterisierenden und sie von einander abhebenden Längsschnitte können durch eine Reihe sie verbindender *Epochen-Querschnitte* ergänzt werden. Aufschlußreich ist dabei das jeweilige Zusammenspiel von autobiographischer Praxis und gattungstheoretischer Vorstellung, welch letztere in der Regel als auslösender oder doch als begleitend-verstärkender Faktor erscheint.

In der ersten Jahrhunderthälfte sind freilich solche Analogien noch nicht festzustellen. Die wenigen Äußerungen zur Gattung in Editions-Vorreden und historischen Lehrbüchern berühren nur das traditionelle Wahrheitsproblem, das hier noch zwischen den gegensätzlichen Thesen von der »besondern Urkundlichkeit« und der prinzipiellen Fragwürdigkeit der noch nicht näher differenzierten Selbstdokumente und Augenzeugenberichte ungelöst verharrt. Eine vermittelnde Entfaltung dieses Problems geschieht erst nach der Jahrhundertmitte, vorher sind darum Analogien und Wechselwirkungen zwischen Theorie und Praxis der Autobiographie noch nicht möglich.

Für die letztere lassen sich demungeachtet in diesem Zeitraum bereits zwei Epochen unterscheiden:

Bis etwa 1720 leben die Traditionen der Gattung aus dem 16. und 17. Jahrhundert noch ungebrochen fort. Die nur für den Privatkreis bestimmten Berufs- und Reiseautobiographien (Lucä, Hammerschmid) zeigen noch den alten Chronikstil (annalistische Reihung, »unökonomischer Distanzwechsel«), überall ist das Tagebuch als Quelle noch deutlich sichtbar, und wie dieses verrät auch die Autobiographie noch ganz die Absicht und den Charakter der Dokumentation vor allem der erlebten Umwelt, noch kaum der eigenen Person. Ihnen steht die gleichfalls traditionsreiche öffentlich-apologetische Lebensbeschreibung gegenüber (Petersen), die noch immer als einziger Gattungstyp eigene Person und Schicksal ins Zentrum der Darstellung rückt, um die persönliche Lehre und Geisteswelt (noch nicht den eigenen Charakter) darzustellen und gegen die Widersacher zu verteidigen.

In den folgenden Jahrzehnten (1720–1760) bahnt sich zwischen der privaten und der öffentlichen Lebensdarstellung ein Ausgleich an. Das Selbstbewußtsein *aller* Autobiographen wächst. Es führt schon in den zwanziger Jahren auch die privaten Aufzeichnungen zu einer Ich-Zentrierung, die nicht nur eine Selbstcharakteristik, sondern auch erste Zeichnungen der eigenen Empfindungswelt aus subjektiver Perspektive erlaubt (Natzmer, Brockes, Reimmann). Ein weiterer Ausdruck für dieses erwachende Selbstbewußtsein der privaten Chronisten ist ihr Wunsch, über die Familie hinaus einen weiteren Kreis (Freunde, Kollegen) als Publikum zu gewinnen: um 1735 zeigen gleichzeitige Beispiele (Reimmann, Dietz) den Übergang vom Chronikstil zur öffentlichkeitsbestimmten Darstellungsweise, erkennbar an einer neuen Erzählfreude, die einem größeren Auditorium die eigenen Erlebnisse durch Anekdotenform und angeschlossene Lebensmaximen interessant und lehrreich machen will. In den gleichen Jahren wagt es bereits Bernd, seine psychophysischen Krankheitsbefunde, in die Berufsgeschichte eingeschoben, zu eigener und fremder Hilfe der Öffentlichkeit vorzulegen.

Auf der anderen Seite bewirkt das wachsende Selbstbewußtsein bei der nach wie vor öffentlichen Gelehrtenautobiographie mehr und mehr den Verzicht auf direkte Apologie. Die hier seit den vierziger Jahren beobachtbare Tendenz zum ruhigen Aufweis der eigenen Gedankenwelt und Berufserfolge (Lange, Wolff, Gottsched, Oetinger) ermöglicht es ihr gemeinsam mit der übrigen Berufsautobiographik (Matthesons *Ehrenpforte*), das Ziel einer unprätentiösen Lebensgeschichte zu verfolgen, wie sie später Herder zum Ideal der Gattung erheben wird.

Die nachhaltigste Wirkung dieses neuen Selbstbewußtseins aller Autobiographen ist eine deutliche ständische Gliederung der autobiographischen Typen: Abenteuer- und Reiseautobiographien der Bürger und Handwerker, Kriegserinnerungen hoher Militärs, Künstler-, Gelehrtenautobiographien. Solche vorindividualistische Sonderung ist sowohl Ausdruck als auch Impuls für ein sich ausprägendes Standesbewußtsein, in dessen Schutz das Selbstgefühl des Autobiographen weiter erstarken und den Individualismus des späten 18. Jahrhunderts vorbereiten kann.

In den Jahren 1760–1780 gewinnt dieser Individualitätsgedanke in der deutschen Autobiographik rasch Kontur, nicht zuletzt dank der nun einsetzenden theoretischen Beschäftigung mit dieser Sondergattung. Am Ende der sechziger Jahre verlangen die Historiker (Nettelbladt, Schröckh) erstmals auch für die Biographie die pragmatische Methode und erwarten die Mitteilung der dazu nötigen geheimen Lebensumstände von den Darzustellenden selbst, fordern also zu autobiographischen Entwürfen im pragmatischen Sinne auf, und dies führt schon kurz darauf zu ersten Versuchen, Vita und Porträt in Autobiographien kausal zu verschmelzen (Moser, Reiske; später: Schubart, Bräker). Damit rückt aber nun in allen autobiographischen Typen die Selbstcharakteristik immer mehr zum Hauptthema auf, weshalb auch schon gelegentlich die Polarität von Freiheit und Notwendigkeit sichtbar wird (Reiske, Bräker).

Solche Verwertung des eigenen Charakterbildes als Rückgrat und Erklärungsgrund des Lebenslaufs deutet schon auf den Glauben an die »Individualität jeder Menschenseele«, wie sie in diesen Jahren Herder (1768, 1774) und Rousseau (1766/70) zum (auto)biographischen Prinzip erheben. Dabei konzentriert sich das theoretische Interesse jetzt am Höhepunkt und Ausklang der Empfindsamkeitsbewegung (um 1780) ganz auf die »Geschichte des inneren Lebens« und erblickt in ihr schließlich die Geschichte dessen, was das Ich »wirklich in seinem eigenen Bewußtsein war« (Wieland 1780 über Rousseaus *Confessions*). Um die gleiche Zeit erscheint die damit umschriebene subjektiv-wertende, detailrealistische Erlebnisperspektive auch schon in deutschen Gattungsbeispielen (Jung-Stilling, Bräker, Semler, Moritz); die Autobiographie steht dabei unter mittelbarem Einfluß der gleichzeitigen Brief- und Tagebuchkultur (Lavater, Moritz, Goethe), die diese Gattungen inzwischen zu feinsten Instrumenten einer minutiösen Selbst- und Fremdbeobachtung entwickelt hat. Sowohl diese Tagebuchpraxis als auch die schon in den siebziger Jahren erhobene Forderung an die Autobiographie, im Sinne eines verfeinerten Pragmatismus analog zum Roman eine kausalpsychologische Entwicklungsgeschichte zu bieten (Wieland, Herder), haben zudem die kurz nach 1780 aufkommende Erfahrungsseelenkunde (*Magazin,* hrsg. von Moritz, Pockels u. a.) dazu vermocht, in autobiographischen Aufzeichnungen das beste historisch-empirische Mittel der Selbsterkenntnis zu entdecken und zu empfehlen, und so den Einzelfall einer kausalpsychologischen Autobiographie (Moritz' *Anton Reiser*) ermöglicht.

Im darauffolgenden Jahrzehnt (1780–1790), nach dem Abklingen der Empfindsamkeitsbewegung und mit der Zuspitzung der gesellschaftspolitischen Krise in Europa, betont Herder in seiner theoretischen Beschäftigung mit der Autobiographie nicht mehr so sehr ihre psychologische Erkenntnishilfe als vielmehr den praktisch-pädagogischen Zweck ihrer Selbst- und namentlich ihrer Umweltdarstellung: gegenüber den (religiösen, psychologischen) Bekenntnisschriften erklärt er darum die Lebens- und Berufsgeschichte in ihrer Eigenschaft als »Spiegel der Zeitumstände« und »practische Rechenschaft« des einzelnen über seine Nutzanwendung der eigenen Zeit zum idealen und einzig publizierenswerten Gattungstyp der Zukunft.

Insofern Herder damit ruhige Lebensbilanzen erwartet, wird seine Forderung bereits von den gleichzeitigen Autobiographien der Gelehrten und Künstler weithin erfüllt. Aber auch die von Herder noch wie nebenbei ausgesprochene Polarität von Ich und Zeit findet in der autobiographischen Praxis dieses Jahrzehnts schon ihre Entsprechung. Denn jetzt

wird auch die Umwelt in ihrer Zeitgebundenheit individualisiert, nämlich als die konkreten sozialen Umstände (Bräker, Moritz) oder als die spezifisch spätfeudalistische Gesellschaftsordnung (Bräker, Prosch; Schubart, Trenck), immer aber – wie früher die Vorsehung oder das Fatum – als eine lebensbestimmende Macht dem Ich gegenübergestellt.
Das Ich behauptet sich, indem es entweder eine innere Erlebniswelt (Träume, Phantasien,
idyllische Erinnerungsbilder) als Gegengewichte schafft und mitunter durch die Art der
formalen Zuordnung von Innen- und Außenwelt (kausalpsychologische Verbindung bei
Moritz, forcierte Scheintrennung bei Schubart) schon versteckte Gesellschaftskritik übt,
oder indem es die eigene, exemplarisch verstandene Leidensgeschichte vollends dazu benutzt, die bestehenden Herrschaftsformen offen und unmittelbar anzuklagen (Trenck).
Noch wird damit die konkretisierte eigene Zeit nicht geschichtlich gesehen, die neue
scharfe Polarität bildet aber eine wichtige Vorstufe für das historische Bewußtsein der
nachfolgenden Biographik.

    Das gattungsgeschichtliche Hauptergebnis dieser seit den sechziger Jahren rasch fort-
schreitenden Individualisierung zuerst des autobiographischen Ich (Charakter-, Seelen-
bild), dann seiner Erzählhaltung (Erlebnis-, Erinnerungsperspektive), endlich seiner ihm
polar entgegengesetzten Zeit und Umwelt und also auch der Geschichte seiner Konfron-
tationen mit ihr (persönliches, zeitgebundenes Schicksal) ist die Individualisierung der
überlieferten autobiographischen Formen: um 1780 setzt die Auflösung der Typentradi-
tionen ein (Schubart, Bräker; Moritz, Jung-Stilling), die einzelnen Typen werden frei
verwendbar, der Grad ihrer Vermischung und Verwandlung wird zum Ausdruck dafür,
daß nunmehr auch dem Autor die Individualität seiner Selbst- und Lebensdarstellung
voll bewußt ist, weshalb diese Autobiographien nur mehr auf Grund ihrer typologischen
Herkunft einem bestimmten Gattungstyp zugeordnet werden können. Es wird zu untersuchen sein, wieweit aus diesem (momentanen?) Mischkessel individueller Formen neue
Tendenzen, Richtungen oder gar Traditionen für die Gattung hervorgehen konnten.

DRITTER TEIL

Die deutsche Autobiographie
von Herders Programm
bis zu Goethes *Dichtung und Wahrheit*
(1790–1815)

I. DIE ERWEITERUNG DES GATTUNGSBILDES DURCH FRÜHHISTORISMUS UND FRÜHROMANTIK

Die von Herder 1790 angeregten Sammlungen autobiographischer Zeugnisse aus den früheren Jahrhunderten, von Johann Georg Müller mit den *Bekenntnissen merkwürdiger Männer von sich selbst* (6 Bde., 1791–1810)[1] und von David Christoph Seybold mit den *Selbstbiographien berühmter Männer* (2 Bde., 1796 und 1799)[2] verwirklicht, machen in der Gattungsgeschichte deshalb Epoche, weil hier mit Hilfe ausgewählter und erläuterter Beispiele die Eigentümlichkeit dieser biographischen Sonderform erstmals einer breiten Öffentlichkeit über Jahre hin sinnfällig dargestellt und damit sowohl das Gattungsbewußtsein als auch das Interesse* am Lesen und Schreiben von Autobiographien entscheidend gefördert wird.[3] Dabei läßt sich am Unterschied der ursprünglichen Intentionen beider Sammlungen in nuce die Richtung dieses fortschreitenden Gattungsbewußtseins und damit auch der künftigen praktischen Autobiographik ablesen.

Herder selbst hatte Müller im Brief vom 25. Okt. 1789 empfohlen, »von den merkwürdigsten Leuten der Welt« »›Geständniße von sich selbst‹«, aber »nicht ganze Leben, sondern nur die treffendsten Züge daraus und facta zur Erläuterung dieser Bekänntniße und Confeßionen« zu sammeln.[4] Obwohl dann Herder ein halbes Jahr später, in den Briefen vom Mai 1790, die Müller sogar seiner Sammlung als Einleitung voranstellt, solche (»religiösen« oder »menschlich-philosophischen«) Geständnisse nicht mehr für publizierenswert hält und nur noch die Sammlung von »Lebensbeschreibungen«, von »schönen Denkwürdigkeiten« aus »mehrern Völkern« anregt[5], hält sich Müller bei der praktischen Auswahl und Darbietung des Stoffes an jene ursprüngliche Empfehlung seines Mentors und konzentriert sein Augenmerk auf solche Zeugnisse, worin die Autoren Geständnisse und Selbstporträts psychologischer oder moralischer Natur bieten.

Solche thematische Auswahl führt Müller von selbst dazu, den Rat Herders[6] zu befolgen, nur einschlägige Partien, nun aber aus allen Formen von Selbstzeugnissen, aus Autobiographien ebenso wie aus Briefen und Diarien, zu bringen und mit historischen Erläuterungen zu begleiten.** Wohl stehen damit die Selbstzeugnisse wegen ihres au-

---

* Das anhaltende öffentliche Interesse an den Sammlungen selbst wird durch die Zahl der Bände, durch die 2. Auflage der Müllerschen Reihe und durch zustimmende Rezensionen während des ganzen Erscheinungszeitraums (1792–1811) bezeugt. Vgl. Johann Georg Müller an Johannes von Müller, 10. 6. 1792: »Ich ... werde von Steiner ... sehr geplagt, auf Ostern einen neuen Band der Confeßionen zu liefern, weil der erste ein mir unerwartetes Glück gefunden, und auch in der Litt(eratur) Zeit(ung) gepriesen worden.« (Der Briefwechsel der Brüder Johann Georg Müller und Johann von Müller 1789–1809, hg. v. Eduard *Haug*, Frauenfeld 1893, S. 34).

** Z. B. Bd. 1 (Petrarca): »Brief an die Nachwelt«, darauf »Zusätze«, nämlich eine Kurzbiographie mit Zitaten aus Petrarcas Schriften und Briefen, ferner aus der Petrarca-Biographie von de Sade

thentischen Charakters bereits im Mittelpunkt dieser Porträtgalerie (das unterscheidet sie von den bisherigen Biographie-Sammlungen der Götten, Schröckh, Büsching u. a.) [7], noch aber kommt es auch Herder und Müller nicht darauf an, die gesammelten Selbstaussagen in ihrer gattungs*formalen* Eigenart und Eigenbedeutung sehen zu lehren.

Zumindest einen Schritt in diese Richtung gehen kurz darauf die von dem klassischen Philologen David Christoph Seybold herausgegebenen beiden Bände *Selbstbiographien berühmter Männer* (1796: Jakob August von Thou; 1799: Johann Valentin Andreä; beide aus dem Lateinischen übersetzt), die im gleichen Winterthurer Verlag wie die Müllersche Sammlung erscheinen und deren Pause füllen. Seybold betont selbst[8] den thematischen und formalen Unterschied der beiden Reihen: bei Müller eine Charakteristik »in psychologischer und moralischer Hinsicht«, dem auch »das Historische« »nur zur Erläuterung« diene, bei Seybold dagegen eine textgetreue, ungekürzte Übersetzung; bei Müller ein Wechsel von »Nachrichten« und »eingeschalteten ... Betrachtungen«, bei Seybold »nur kurze Anmerkungen, wo sie nöthig sind.« Beides hängt miteinander zusammen: indem Seybold mit Berufung auf Herders Urteil nur »eigentliche Lebensbeschreibungen« ediert und die »Konfessionen« ausdrücklich Müller überläßt, tritt bei ihm von vornherein an die Stelle einer kommentarbedürftigen Auswahl charakterologischer Kostproben das Prinzip der vollständigen Textwiedergabe. Freilich ist auch Seybolds Intention noch nicht literar- oder gattungshistorisch; auch er betont mit Herder vor allem den pädagogischen Nutzen dieser Schriften[9], wobei seine naturrechtliche Geschichtsauffassung versucht, diesen Nutzen durch politische Aktualisierung der historischen Beispiele noch zu steigern.* Zumindest aber glaubt Seybold, wieder in der Nachfolge Herders, mit der aufrichtigen Selbstschilderung der Autobiographen zugleich einen treuen Spiegel für die »Geschichte der Sitten- und Denkart jener Zeit«[10], also ein kulturhistorisches Dokument mitzuteilen.

Wie sehr sich diese Herdersche Auffassung von der Autobiographik als einem »Beitrag zur Geschichte der Menschheit«[11] durchzusetzen beginnt, beweisen am besten die spä-

---

(1764). Hauptthema ist der psychologisch-moralische Charakter des Helden. – Bd. 2 (Augustinus, Holberg, Leibniz u. a.): Die »Bekenntnisse des Augustinus« reichen für Müller nur bis Buch 10, Buch 11–13 bringen »weder historische Umstände noch fortgesetzte Prüfungen seines Herzens« (S. 143) und fallen darum weg; aus den »Retractationes» (Revision der Schriften) gehört nur die Angabe des Zweckes aus der Vorrede »zur Geschichte seines Herzens« und »verdient hier ... angeführt zu werden.« (ebda). Aus Holbergs »munterer Lebensbeschreibung« exzerpiert Müller »bei weitem nicht alles merkwürdige, sondern bloß das ..., was sich unmittelbar auf seine Person bezieht« (S. VII f.), wobei er drei Briefe des Schlußteils mit Selbstchakteristiken aus »verschiedenen Zeiten« »in Eins zusammen(zieht)« (S. VIII). Bei Leibniz und ähnlich bei Zinzendorf (Bd. 3) begnügt sich Müller mit einem statischen Mosaik von Selbstzeugnissen, aus den Werken und Briefen dieser Männer und aus Biographien über sie gesammelt. (Bd. 2, S. 342; Bd. 3, S. 3).

* So weist er in der Vorrede zu von Thou eigens auf die Analogie »zwischen den Auftritten von dem J. 1590 [Hugenottenkriege] und 1790«, da ja »die Menschen in einer Revolutionszeit immer mit den nämlichen Leidenschaften und nach den nämlichen Grundsäzen handeln.« (Selbstbiographien berühmter Männer, Bd. 1, S. XIV); oder er ruft in der Vorrede zu Andreä nach ähnlichen »wahren Wirtembergern in einem Staate, wo kein Gemeingeist, ... nur Egoismus, Nepotismus, Parteigeist etc. herrschen« und schließt »mit dem herzlichsten Wunsche, Andreä möchte unter den Lesern seiner Biographie recht viele erwecken, die Religion und ihr Vaterland so rein, so thätig lieben, wie er!« (ebda, Bd. 2, S. XIV, XVII).

teren Bände der Müllerschen *Bekenntnisse*, vor allem Bd. 4 (1801) und 6 (1810), die trotz
Bewahrung des alten Titels nun auch auf die Seyboldsche Linie einschwenken. Noch will
der neue Herausgeber Martin Hurter in Bd. 4 (Christine von Schweden) nicht die »politische«, sondern die »moralische Geschichte« der Königin erzählen[12] und umrahmt
darum ihre kurze Selbstbiographie mit einem Kranz eigener und fremder Aussprüche »zur
nähern Kenntniß ihres Geistes und Herzens«[13], weil die Selbstbiographie bloß
»Handlungen« berichte, die nur unsichere Schlüsse auf den Charakter erlaubten[14];
dennoch bringt er sie schon voll zum Abdruck, worauf Müller noch verzichtet hätte.
Vollends deutlich wird die neue Richtung in Bd. 6 mit zwei Berufsautobiographien (Conrad Pellikan, Josua Maaler), die vor allem die äußeren Lebensereignisse detailliert, zuletzt
in annalistischer Form bringen, also keine »Bekenntnisse« mehr, eher schon Dokumente
zur schweizerischen Reformationsgeschichte darstellen. Trotzdem werden auch sie fast
ungekürzt wiedergegeben, ja die »Erzählung so mancher kleinen häuslichen Vorfälle«
wird beibehalten, sobald sie »einiges Licht auf die Denkungsart und den Charakter des
Mannes oder seiner Zeit zu werfen (scheint).«[15] Wenn sich hier der Herausgeber der
Bekenntnisse bereits mit einer indirekten, nur in der Ereignisschilderung sich spiegelnden
Selbstcharakteristik begnügt und überdies unmerklich vom Selbst- zum Zeitbild hin-
überspielt, nimmt er faktisch Abschied vom Titel der Sammlung und kommt – wie zuvor
schon Seybold – dem neuen Interesse für kultur-, ja nationalhistorische Zeugnisse entgegen.

   Der gleichgerichtete Wandel der Textbehandlung in diesen beiden Sammlungen be-
deutet somit eine praktische Nachfolge der Herderschen Akzentverschiebung von der
»Konfession« zur »eigentlichen Lebensbeschreibung«, von der Innen- zur Außenwelt-
darstellung, und drückt sich am kürzesten im Unterschied ihrer Titel aus. Wenn aber
Seybold dabei statt der Wendung »Bekenntnisse ... von sich selbst« den Ausdruck
»Selbstbiographien« wählt, so wird über den Typenwandel hinaus eine bisher übliche um-
ständliche Umschreibung durch ein prägnantes Kompositum ersetzt. Damit erhält die
Gattung insgesamt einen neuen und endgültigen Namen, der als Kompositum den Ort
der Gattung innerhalb des literarischen Systems genau fixiert und damit das volle Erwa-
chen der theoretischen Vorstellung von dieser biographischen Sonderform bestätigt.
Zwar hat Seybold den neuen Gattungsnamen weder geprägt noch als erster verwendet* –
Belege finden sich schon seit 1790 mehrfach und unabhängig voneinander in theoretischen Erörterungen** – aber er hat ihn erstmals aufs Titelblatt gesetzt und damit seine

---

   * Dies vermutete noch *Misch*, Geschichte der Autobiographie, Bd. I, 1 (³1949), S. 7, Anm. 1; Bd.
IV, 2 (1969), S. 785, Anm. 22. – Auch Jacques *Voisine's* Untersuchung der »Naissance et évolution
du terme littéraire ›autobiographie‹« (in: La Littérature comparée en Europe orientale, Budapest
1963, S. 278–286), die sich freilich auf die Entstehung der voll gräzisierten Form konzentriert,
kommt in diesem Punkt nicht über Misch hinaus.
   ** Belege vor Seybolds Titel (1796): »die Biografen, sonderlich die Autobiografen« (Schubart,
Leben und Gesinnungen, Bd. 1, S. 121: wohl schon 1779 diktiert, gedruckt 1791); »Hr. Bahrdt ...,
um seine Selbstbiographie auszumeubliren« (Hippel, Vorrede der »Tagesdenkzeddel«: geschrieben
1789, gedruckt in: Biografie ... Th. G. von Hippel, Gotha 1801, S. 343); »Ueber Selbstbiographien.
Aus dem Nachlaß des verstorbenen Herrn Hofraths Fritze.« (Deutsche Monatsschrift, Februar
1795, S. 156); »Selbstbiographien, oder will man lieber das Zwitterwort vermeiden, Autobiographien ...« (ebda, S. 157: aus der Vorbemerkung des Herausgebers, von dem wohl auch der Titel des

Verbreitung erheblich beschleunigt. Wohl hat sich das künstlich gebildete Wort als Buchtitel in der autobiographischen Praxis nicht einbürgern können; umso mehr wurde durch Seybold seine Aufnahme in die Fachsprache der Rhetorik und Literaturkritik gefördert, auch wenn hier noch längere Zeit die traditionellen Ausdrücke und Umschreibungen (»Bekenntnisse«, »Konfessionen«, »eigene Lebensbeschreibung«, je nach dem gerade vorschwebenden Typ) daneben einhergehen und erst seit etwa 1815 allmählich dem neuen generellen Terminus weichen, der selbst immer häufiger (und seit dem Ende des 19. Jahrhunderts fast ausschließlich) in seiner voll gräzisierten Form erscheint* und sich dadurch zunehmend als reinen Fachausdruck zu erkennen gibt.

Das Jahr 1790 erweist sich so in dreifacher Hinsicht als ein wichtiges Datum für die Geschichte des Gattungsbewußtseins. Dessen volles Erwachen dokumentiert sich zu dieser Zeit

1. im erstmaligen Anregen und Verwirklichen einer historischen Sammlung autobiographischer Zeugnisse aus allen Jahrhunderten,
2. im erstmaligen Versuch einer Typologie der Gattung,
3. in der Formulierung eines neuen und endgültigen Namens für die ganze Gattung in Form eines knappen Kompositums, das ihren genauen Ort im literarischen System bezeichnet.

Im engen Zusammenhang dieser theoretischen Klärung über die Gattung insgesamt verlagert sich sowohl in der Typologie als auch in den Sammlungen der positive Wertakzent von den Konfessionen auf die pragmatisch-historische Lebensbeschreibung und deutet damit die künftige Hauptrichtung der deutschen Autobiographik an.

In den beiden Jahrzehnten nach 1790 läßt sich die in Herders Typologie wie auch in den genannten Autobiographie-Sammlungen beobachtete Tendenz zur Aufwertung der praktisch-historischen Lebensbeschreibung gegenüber Selbstbekenntnissen und Seelengeschichten auch in der übrigen theoretischen Gattungsdiskussion nachweisen. Direkt oder indirekt ist dabei zumeist eine Auseinandersetzung mit Rousseaus *Confessions* als dem aktuellen Extrem der Selbstenthüllung und gleichzeitigen Selbstbespiegelung verbunden, das als abschreckendes Beispiel die in der Diskussion zutage tretende Skepsis gegenüber der Selbstdarstellung überhaupt verstärkt hat.

Schon während der achtziger Jahre, also noch in der kurzen Blütezeit der psychologischen Autobiographie, macht sich eine erste Zurückhaltung gegenüber Rousseaus *Bekenntnissen* bemerkbar. Bräker z. B. begründet schon 1785 ihre Ablehnung als eines Mu-

---

Aufsatzes stammt). – Aber noch nach der Jahrhundertwende verrät ein gelegentlicher Trennungsstrich das Ungewohnte des neuen Kompositums: »Selbst-Biographie(n)« (Vorbericht des Herausgebers von Bogatzkys Lebenslauf, 1801, S. V; Laukhards Leben und Schicksale, 5. Theil, 1802, S. 5; *Jenisch*, Theorie der Lebens-Beschreibung, 1802, S. 39), »AutoBiografien« (Schlözer's öffentliches und privat-Leben, 1802, Fußnote zum Motto). – Diese Beispiele widerlegen zugleich Voisines These (im Anschluß an Misch), der Terminus »Autobiographie« sei 1809 von dem englischen Dichter und Geschichtsschreiber Robert Southey (in der »Quarterly Review«) geprägt worden (*Voisine*, Naissance, S. 281).

* Die parallele Entwicklung in Frankreich und England skizziert *Voisine*, Naissance, S. 281f., 285f.

sters für die eigene Lebensbeschreibung mit dem Zweifel am Nutzen der schriftlich-öffentlichen Beichte, weil sie das grundsätzliche Mißtrauen des Publikums gegen die Glaubwürdigkeit jedes Selbstbekenntnisses nicht aufheben könne[16]; doch ist um diese Zeit der modische Einfluß Rousseaus noch so stark, daß Bräker sich anschließend doch gedrängt fühlt, »einigermaßen ein solches Geständniß abzulegen«, um seinen Nachkommen »einen Blick wenigstens auf die Oberfläche meines Herzens zu öffnen.«[17]

Für einen solchen »Mittelweg« plädiert auch noch Theodor Gottlieb von Hippel in einer schon 1789 geschriebenen, aber erst 1801 bekanntgewordenen Vorrede zu seinen *Tagesdenkzeddeln*[18]: es sei zwar »nicht unrecht, wenn sich Menschen selbst auf die Anatomie bringen und sich zerlegen«; doch solle man dabei das unwillkürliche Bedecken mancher Blößen zugestehen. Denn »ganz Mode wird und kann es nie werden, sich in puris naturalibus ... darzustellen«, da selbst Rousseau »einen ganz großen Feigenbaum zum Behuf dieser Schürzen entblättert« habe.[19] Hippel beruft sich dabei auf Kant, der oft zu sagen pflege, »daß, wenn der Mensch alles, was er dächte, sagen und schreiben wollte, nichts Schrecklicheres auf Gottes Erdboden wäre, als der Mensch.«[20] Zu diesem Zweifel an der Möglichkeit eines radikalen Selbstbekenntnisses tritt nun aber bei Hippel – wie schon einige Jahre zuvor bei Herder – der Zweifel an der Möglichkeit einer gründlichen Selbst*erkenntnis*. In seiner 1791 verfaßten Selbstbiographie spricht er von der schier unüberwindlichen Schwierigkeit des Nosce te ipsum, angesichts des »Knauel unauflöslicher Räthsel«, die der über sich nachdenkende Mensch in seinem Innern vorfinde.[21] Daraus aber folgt für ihn die wichtige Empfehlung, »es auf sein ganzes Ich nie anzulegen«, vielmehr »nur gewisse Seiten von sich (zu) beherzigen« und »Preiß (zu) geben«, und sich dabei »im Handeln, d. h. in wirklicher Beschäftigung mit andern (zu) zeichnen, also in einer Reisebeschreibung, in einem cursu academico, in einigen seiner Helden-, Liebes- und Staatsactionen«, weil »die Contemplation und Beschaulichkeit der geradeste Weg sey, sich zu verfehlen.«[22] – ein Satz, der als Zwischenglied auf dem Weg von Herder zu Goethe nicht nur deren Γνωϑι-σαυτον-Kritik, sondern zugleich ihre positive Alternative (Darstellung des tätigen Ich) formuliert.[23]

In den folgenden Jahren nimmt die Skepsis gegenüber der moralisch-psychologischen Selbstdarstellung noch zu. Ein illustratives Beispiel dafür ist die postume Edition des von dem Arzte Johann Gottlieb Fritze um 1790 vorgetragenen Aufrufs zu Selbstbiographien in der *Deutschen Monatsschrift* 1795[24]. Obwohl nämlich Fritze nur im Sinne der pragmatischen Historiker seine Freunde aufgefordert hatte, den »reinen lautern unverfälschten Stoff« für einen künftigen Biographen zu liefern und dabei nur insoweit »in ihre Seele zu sehen, daß sie die Ursach und den Zweck ihrer Handlungen reif zu beurtheilen ... im Stande sind«[25], wittert der Herausgeber bereits hinter dieser oberflächlichen Kausalpsychologie Rousseau als Vorbild[26] und verrät in diesem Zusammenhang seinen prinzipiellen Zweifel am Sinn solcher öffentlichen Bekenntnisse, indem er nicht nur die Schwierigkeit der dabei erforderlichen »Selbsterkenntniß und Selbstbeherrschung«, sondern auch die Gefahr des allseitigen Anstoßes bei den Lesern »durch völlige Offenherzigkeit« wie »durch vermuthete Zurückhaltung« ins Feld führt und darum auch die Seltenheit derartiger Schriften prophezeit.[27]

Den vorläufigen Höhepunkt dieser Kritik an der psychologisch-charakterologischen Selbstbeobachtung und -beschreibung (gleichgültig, ob im Selbstporträt, Tagebuch oder in der Autobiographie) bezeichnen gleichzeitige Äußerungen Kants, Friedrich Schlegels und Schleiermachers zu dieser Frage. Gerade der Umstand, daß es sich hier um Vertreter zweier verschiedener Generationen und Geistesrichtungen handelt, läßt ihr gleichgerichtetes Urteil als zeittypisch erkennen. Schlegels ironischer Aphorismus zu diesem Thema sei vorweggenommen. Im *Athenäums*-Fragment 196 (1798)[28] zählt er zu den möglichen Verfassern von »reinen Autobiographien« – er meint die »Bekenntnisse« und »Selbstgeschichten«, die ihn bald darauf im *Gespräch über die Poesie* (1800) nochmals beschäftigen werden – »Nervenkranke« (»wohin Rousseau mit gehört«), »künstlerische oder abenteuerliche Eigenliebe« (Cellini), »geborne Geschichtsschreiber, die sich selbst nur ein Stoff historischer Kunst sind« (Gibbon), kokettierende Frauen und Selbstverteidiger. Schlegel bietet damit keine gliedernde oder gar bewertende Typologie der ganzen Gattung wie Herder, sondern betrachtet jede Art von Autobiographie allein unter dem Gesichtspunkt des psychischen Charakters und der daraus entspringenden subjektiven Intention ihrer Verfasser, so daß jede Selbstdarstellung zur Selbstbespiegelung wird und Rousseau, Cellini und Gibbon plötzlich auf einer Stufe stehen. Der Schlußsatz des Fragments: »eine große Klasse unter den Autobiographen machen die Autopseusten aus«, bekräftigt nur nochmals diese grundsätzliche Skepsis gegenüber dem Wahrheitsgehalt des besonderen Typs der Selbstbekenntnisse, ohne sie freilich näher zu begründen. – Deutlicher sprechen Kant und Schleiermacher geradezu von der Unmöglichkeit einer empirischen Selbsterforschung und -erklärung und begründen dies mit erkenntniskritischen bzw. organologischen Argumenten. Kant in seiner *Anthropologie* (1798) betont die Unsicherheitsrelation der Selbsterforschung, da, »wenn die Triebfedern in Action sind, er sich nicht beobachtet; beobachtet er sich aber, so ruhen die Triebfedern.«[29] An diesen Nachweis ihrer Aporie und also ihres mangelhaften Erkenntniswertes schließt aber Kant sofort die »Warnung sich mit der Ausspähung und gleichsam studirter Abfassung einer inneren Geschichte des unwillkührlichen Laufs seiner Gedanken und Gefühle durchaus nicht zu befassen«, da es »der gerade Weg« sei, »in Kopfverwirrung vermeynter höherer Eingebungen ... zu gerathen« und so nur zu entdecken, »was wir selbst in uns hineingetragen haben«[30], wobei er die Bourignon und Pascal, Hallers und Lavaters Tagebücher als bedenkliche Beispiele anführt.* – Schleiermacher wiederum argumentiert im *Athenäums*-Fragment 336[31] vom frühromantischen Ganzheitsdenken her, daß es »von einem Charakter« »keine andre Erkenntnis als Anschauung« gebe; darum seien die Selbstbeschreibungen nicht nur für Außenstehende überflüssig, da diese ihren individuellen »Standpunkt« für die Übersicht des »Ganzen« selbst finden müßten, sondern auch für den Selbstbeobachter sinnlos, der sich nicht »selbst zerlegen« und »das einzelne aus der Verbindung, in der es allein schön und verständlich ist, herausreißen« dürfe: »Das innere Leben verschwindet unter dieser Behandlung; sie ist der jämmerlichste Selbstmord.«[32] Freilich bleibt Schleiermacher nicht wie Kant bei der negativen Kritik

---

* An anderer Stelle seiner »Anthropologie« (Vorrede, S. XI) akzeptiert Kant »Weltgeschichte« und »Biographien« wenn auch nicht als »Quellen«, so doch als »Hülfsmittel zur Anthropologie«, weil ihnen »Erfahrung und Wahrheit ... untergelegt« würden; nach dem obigen kritischen Urteil Kants über Selbstbeobachtung und Gefühlsgeschichte ist es klar, daß er hier unter »Biographie« nicht ohne weiteres die Autobiographie mitversteht.

stehen. So sehr er die psychologische Selbstanatomie und nicht minder die »langweilige Offenheit ... der Enthusiasten« ablehnt, die wie Jung-Stilling »aus reinem Eifer für das Reich Gottes sich selbst vortragen«[33], so sehr wünscht er – analog zu Herder, Hippel u. a. –, daß Nachrichten, die vom eigenen Ich absehen und über praktische (wohl auch politisch-gesellschaftliche) Erlebnisse berichten, der Allgemeinheit zugänglich gemacht würden. »Erfahrungen und Erkenntnisse deren Erwerbung von lokalen und temporellen Verhältnissen abhängt, darf keiner nur für sich haben wollen; sie müssen für jeden rechtlichen Mann immer bereit liegen.«[34]

Es darf nicht überraschen, daß dieser pädagogische Charakter der praktischen Lebensgeschichte (Mitteilung eigener Erfahrungen für andere) damals auch von Herder selbst als Hauptargument in seinen wiederholten Empfehlungen dieses autobiographischen Typs benutzt worden ist, mit und ohne Rousseaus *Confessions* als Folie. Sowohl in den Humanitätsbriefen (1793–1795) als auch in der *Adrastea* (1801) wird er nicht müde, den moralischen und politischen Nutzen autobiographischer Schriften zu begründen. Schon 1793 kann er auch für den von ihm so sehr propagierten Typ ein konkretes Muster nennen: Benjamin Franklins im gleichen Jahr erschienene *Lebensbeschreibung von ihm selbst*, die er als ausgesprochenes »Gegenbild zu Rosseaus Confeßionen«, als eine »Schule des Fleißes, der Klugheit und Sittsamkeit« rühmt.[35] In die gleiche Richtung geht sein Rat, in Schlichtegrolls soeben (1791) begonnene Nekrolog-Reihe nur die Leben solcher Männer aufzunehmen, »die zum Besten der Menschheit wirklich beigetragen haben«, und die Erzählung ihrer Leistungen, Kämpfe und Versäumnisse »wo möglich aus dem Munde, oder den Schriften der Entschlafnen« »wie ein Testament des Verstorbnen über sein eigenstes Eigenthum« zu bieten.[36] Bisher hatte Herder lediglich *alte* Selbstbiographien als kulturhistorische Quellen, als »Beiträge zur Geschichte der Menschheit« zu sammeln empfohlen. Wenn er jetzt darüber hinaus auch autobiographisch dokumentierte Nekrologe eben verstorbener Zeitgenossen wünscht, erhält sein Programm einen Gegenwartsbezug, dessen aktueller politischer Akzent wenige Seiten später offen zutage tritt: solche Stimmen aus dem Grabe sollen auch den willkürlichen Mißbrauch und Unterdrückung dieses und jenes Untertanen durch die Fürsten »unpartheiisch und strenge« aller Welt entdecken[37], wobei Herder in einer Fußnote eigens auf den eben (1793) postum erschienenen zweiten Teil von Schubarts Lebensgeschichte verweist. »Wahre Begegnisse dieser Art müßten von Munde zu Munde, von Tagebuch zu Tagebuch fortgepflanzt werden: denn wenn Lebendige schweigen, so mögen aus ihren Gräbern die Todten aufstehn und zeugen.«[38]

Einige Jahre später hat Herder schließlich in der *Adrastea* II, 3 (1801) alle seine bisherigen Gedanken zur Autobiographie im Rahmen eines Überblicks über verschiedene literarische Zweckformen des 18. Jahrhunderts* im Kapitel »Denkwürdigkeiten (Memoi-

---

* In der »Adrastea«, 2. Bd., 3. Stück (Leipzig 1801) hat Herder unter dem Titel »Früchte aus den sogenannt-goldnen Zeiten des achtzehnten Jahrhunderts« folgende literarische Gattungen nacheinander behandelt: 1. Geschichte; 2. Denkwürdigkeiten (Memoires); 3. Gedanken (pensées), Maximen; 4. Lehrgedichte; 5. Fabel; 6. Mährchen und Romane; 7. Idyll. (Werke, Bd. 23, S. 210–306).

res)«[39] zu einem ausgewogenen Gesamtbild zusammengefaßt. Auch dies wiederum ein Programm, das aber nicht mehr zur Sammlung früherer Selbstzeugnisse oder Nekrologe aufruft, sondern sich an die lebenden Zeitgenossen wendet und sie zur Niederschrift eigener Lebensberichte auffordert. Herder denkt dabei nicht mehr wie Götten, Mattheson oder Hiller an einen bestimmten Berufsstand, dafür aber an eine bestimmte Nation: die Deutschen. Ausgehend vom Lob des beweglichen Freimuts französischer Memorialisten »auch unter Monarchieen«, wünscht Herder einen ähnlich freien Blick und »Muth zum Urtheile« dem eigenen Volk[40], dessen jahrhundertelangen Rückstand in autobiographischer Übung er in einem kurzen historischen Abriß belegt und beklagt[41]. Während er jedoch bei den Memoiren europäischer Tradition den Erzähler selbst als den »kleinsten Theil der Geschichte« und den Charakter der Mithandelnden wie die politischen Begebenheiten als »das Intereßanteste solcher Legenden« erkennt[42], plädiert er bei der künftigen deutschen Autobiographik, entsprechend der Eigenart seiner Landsleute, für einen Ausgleich dieser Pole in der Form »rein menschlicher«, d. i. gemüthafter Denkwürdigkeiten[43]. Er präzisiert damit den Ort der praktischen Lebensbeschreibung zwischen der bloßen Geschichtserzählung äußerer Begebenheiten und dem phantastisch-krankhaften Selbstbekenntnis und erläutert daraufhin auch genauer den Zusammenhang ihrer 1790 erst angedeuteten Hauptkennzeichen (»Vermächtnisse der Sinnesart« und »Spiegel der Zeitumstände« in Form der »practischen Rechenschaft« über sich und über die Nutzung der eigenen Zeit)[44]. Denn als übergeordneten Organisationsbegriff der »Denkwürdigkeiten seiner selbst« führt Herder jetzt das »Maas der Adrastea«[45] ein, indem er den »stillen Gang« dieser Göttin der aufs ganze Leben hin ausgleichenden Gerechtigkeit zum »Augenmerk jedes moralischen Selbstbeobachters und Geschichtschreibers« wünscht[46]. Solche Richtschnur garantiert Herder am ehesten das von ihm nach wie vor erstrebte ruhige Gleichgewicht in der Rechenschaft über die eigenen Anlagen, Fehler und Tugenden (samt ihren Folgeerscheinungen) und über die sie fördernden oder hemmenden Umstände in Erziehung und Begegnung. Denn dadurch behält der Autobiograph stets das Zusammenspiel von Innen und Außen im Auge und kann wie vom Standpunkt eines Dritten aus im kausalen Entwicklungsbild und der endlichen Gestalt eines Lebens den Grad von gegenseitigem Verdienst und Schuld des Ich und der Welt erkennen.

In solcher mehrschichtigen moralischen Bilanz bedingen und rechtfertigen sich Selbsterforschung und Darstellung der eigenen Charakterentwicklung, Dank an Gönner und Beschützer, Kritik und Anklage öffentlicher Mißstände gegenseitig und verhindern zugleich die Verabsolutierung einer einzelnen Komponente. Erst die in sich schlüssige Gesamtheit aller Themen einer Lebensrechenschaft dient – gemäß Herders unverändertem pädagogischen Ziel – sowohl der Selbsterkenntnis und Selbstrettung als vor allem der Belehrung und Hilfe anderer in »menschlich-wohlthätiger Absicht«[47]. Zwar hatte schon Moritz in der Erfahrungsseelenkunde und im *Anton Reiser* das Spannungsfeld von Ich und Umwelt als neues Hauptgebiet der Autobiographie betont und gezeichnet, doch hatte bei ihm das Extrem der introvertierten Seelenanalyse die Umwelt gleich einer säkularisierten Vorsehung zur allein lebensbestimmenden Macht erklärt und so das selbstkritische gegenüber dem sozialkritischen Moment zurücktreten lassen.[48] Herder fordert dagegen mit dem »Maas der Adrastea« erstmals in der Theorie ein ruhiges und unparteiisches Gleichgewicht in der kritischen Beurteilung der Kräfte und schlägt damit die

Brücke zu den gattungstheoretischen Vorstellungen Goethes, die eine ausgewogene Darstellung der Wechselwirkung von Innen- und Außenwelt auf *allen* Ebenen (nicht nur unter moralischem Gesichtspunkt) zur Pflicht des Autobiographen erklären.

Als Goethe sich bei der Übersetzung der *Vita* des Cellini (1796/97) zum ersten Mal mit Problemen der Autobiographie konfrontiert sieht, wird ihm vor allem das historische Moment wichtig. Es ist zugleich der Beginn seiner geschichtlichen Studien überhaupt, und er kann dabei von vornherein an den frühen Historismus Mösers und Herders anknüpfen, die schon seit den siebziger Jahren die Vorstellung des Individuellen vom Einzelmenschen auf Volk und Staat, Generation und Epoche ausgedehnt hatten.[49] Es ist daher verständlich, wenn Goethe sogleich bei der *Vita* des Cellini das Verhältnis der Einzelgestalt zu ihrem Jahrhundert untersucht, diese als zwei gleichzeitige Individuen aufeinander wirken sieht und so die Herdersche Vorstellung von der Autobiographie als einem »Spiegel der Zeitumstände« weiter entfaltet.

Goethe hatte die Lebensbeschreibung des Cellini im Rahmen seines Studiums der Kunstgeschichte von Florenz kennengelernt und entschließt sich zu ihrer Übersetzung, um sich in jene Zustände »recht einzubürgern«[50]. Dabei begrüßt er gerade die gattungsbedingte Subjektivität der Autobiographie, da er, der »ohne unmittelbares Anschauen gar nichts begreift«, »das ganze Jahrhundert viel deutlicher durch die Augen dieses confusen Individui als im Vortrage des klärsten Geschichtschreibers« sehe[51] und das Leben eines einzelnen uns »zu einem zwar beschränkten aber desto lebhaftern Mitgenossen vergangener Zeiten« mache[52]. Solche »lebhaft geschriebenen Memoiren« sind aber für Goethe nicht nur ein Zugang zur Veranschaulichung des angestrebten Epochenbildes, er ist auch überzeugt, daß sie jene notwendige Beschränktheit des von ihnen überlieferten Zeithintergrundes selbst überwinden helfen, indem sie gerade »durch ihre zudringliche Einseitigkeit in das Studium der allgemeinen Geschichte hineinlocken«[53]; umgekehrt läßt das solchermaßen von einer Selbstbiographie angeregte breitere Epochenbild nun auch den Charakter jenes autobiographischen Helden »in einem weit helleren Lichte sehen«[54]. So wenigstens hat Goethe den in der Buchausgabe (1803)[55] hinzugefügten *Anhang zur Lebensbeschreibung des Benvenuto Cellini, bezüglich auf Sitten, Kunst und Technik*[56] begründet. Denn diese Noten wollen nicht mehr Einzelerläuterungen zum Text bringen (wie noch die Kommentare in den Sammlungen von Müller und Seybold), sondern ausschließlich den raum-zeitlichen Ort des Autobiographen als eines bestimmten Individuums aufzeigen und damit dessen Eigenart erst verständlich machen: »Denn indem man einen merkwürdigen Menschen als einen Theil eines Ganzen seiner Zeit oder seines Geburts- und Wohnorts betrachtet, so lassen sich gar manche Sonderbarkeiten entziffern, welche sonst ewig ein Räthsel bleiben würden.«[57] Individuum und Zeit veranschaulichen und erklären sich wechselweise, und gerade der praktische Doppelweg vom individuellen Zeugnis zum allgemeinen Zeitbild und wieder zurück zum autobiographischen Dokument konnte Goethe solche Wechselwirkung lebendig vor Augen führen. Es mag ihm schon damals klar geworden sein, daß eine moderne Autobiographie um 1800 sich nicht mehr damit begnügen könne, wie ihre Vorläufer im 16. Jahrhundert nur unbewußter »Spiegel der Zeitumstände« zu sein (und in diesem Sinne

hatte es auch Herder noch verstanden), sondern daß sie den eigenen Zeithintergrund bewußt in die Darstellung einbeziehen, das Ich ausdrücklich in seine Umgebung und Epoche stellen und daraus hervorgehen lassen müsse.*

Man darf diesen Schluß ziehen, weil Goethe schon bald nach der Buchausgabe des *Cellini* in seiner bekannten Rezension der Selbstbiographie Johannes von Müllers
(1806)[58] ein erstes autobiographisches Programm im eben angedeuteten Sinne formuliert hat. Müllers kurzgedrängte Lebensbeschreibung steht in der Tradition der ruhigen
selbstbewußten Gelehrtenautobiographie, zeichnet den Bildungs- und Berufsgang des
Historikers, charakterisiert Erzieher, Dienstherren, Gönner und Freunde in oft ausführlichen Porträts, und vergißt auch nicht die wichtigen Zeitumstände und die damit zusammenhängenden eigenen Gesinnungen. Dennoch ist Goethe noch nicht voll zufrieden,
ihm schwebt als Muster der künftigen Gelehrten- und Künstlerautobiographie ein noch
reicheres Bild vor. Vor allem habe Müller sich selbst noch »viel zu isoliert« dargestellt,
weder die »Wirkung großer Weltbegebenheiten« auf sein »empfängliches Gemüth« und
auf die Entwicklung seines Innern noch auch umgekehrt seine Wirkung als Gelehrter auf
das »Publicum« mitgeteilt[59], so daß seine verschiedenen Berufungen und Anstellun-
gen, Erfolge und Mißerfolge »in der Wirklichkeit weit motivirter, als ... in der Schrift«
erscheinen[60]. Daraus folgert Goethe allgemein für die Autobiographen die »doppelte
Pflicht«, »nicht zu verschweigen was von außen, es sei nun als Person oder Begebenheit,
auf sie gewirkt, aber auch nicht in Schatten zu stellen, was sie selbst geleistet.«[61]

Bei Moritz und noch bei Herder hatte das autobiographische Ich nur die passive Rolle
des von der Welt bald geförderten, bald gehemmten Individuums gespielt, Goethe erklärt
den empfangend-antwortenden Doppelaustausch von Ich und Welt zum eigentlichen
Thema der Autobiographie. Um diesen sehr engen und konkreten Zusammenhang adäquat darstellen zu können, bedarf es nicht nur einer »künftig mehr ausgeführten«[62]
Lebensbeschreibung, die beiden aufeinander wirkenden Pole müssen auch als zwei vergleichbare Größen verstanden, d. h. ebenso wie das Ich muß auch seine Welt als Individualität, als räumliche und historische Besonderheit gesehen werden. Darum versteht
Goethe hier unter »Welt« nicht mehr wie noch Moritz und Herder die soziale Umwelt

---

* Sehr gut läßt sich beobachten, wieweit schon die drei biographischen Aufsätze in dem von Goethe herausgegebenen Sammelwerk »Winckelmann und sein Jahrhundert« (1805) die Konsequenz
aus den Erkenntnissen des Cellini-Anhangs ziehen. Die Beiträge von Heinrich Meyer und Friedrich
August Wolf über den Kunsthistoriker und den Philologen Winckelmann ordnen das Individuum
historisch in die Forschungsgeschichte der Altertumskunde seiner Epoche ein; Goethes Aufsatz stellt
dagegen das Individuum (Charakter, Genie) entschieden in den Mittelpunkt und läßt sein Jahrhundert von der je unmittelbaren Umgebung und Gesellschaft lebendig repräsentieren. Indem er aber
darüber hinaus Winckelmanns »antike Natur« feiert und die Altertümer Roms als »antwortende
Gegenbilder« deutet, schafft er oberhalb der Relation »Winckelmann und sein Jahrhundert« eine
zeitenthobene Einheit von klassischem Menschen und klassischer Welt. Insofern übersteigt Goethes
Winckelmann-Essay das Programm des Cellini-Anhangs. Der Grund für das Hinausrücken Winckelmanns über seine reale Epoche liegt in der besonderen Absicht Goethes, in diesem geistigen Vor-
fahren einen überzeitlichen »Zeugen der eigenen klassischen Kunstrichtung aufzurufen« (Herbert v.
Einem, in: Goethes Werke, Bd. 12, Hamburg 1953, S. 596) und so am Beispiel einer früheren Gestalt
über die Epochen hinweg ein Selbstbekenntnis abzulegen. Vgl. auch Reinhard *Schuler,* Das Exemplarische bei Goethe. Die biographische Skizze zwischen 1803 und 1809. München 1973, S.
107–110.

oder den engeren Berufs- und Freundeskreis, sondern die »großen Weltbegebenheiten« (im Falle Müllers vor allem die Vorboten der Französischen Revolution) und das »Publicum«. Nur diese, will Goethe sagen, sind Repräsentanten der Epoche, und nur im Austausch mit ihnen kann sich auch das Individuum zum Repräsentanten des Jahrhunderts qualifizieren.

Damit wird nach *Cellini* und *Winckelmann* nun auch für die gegenwärtige und künftige (Auto-)Biographik die neue historische Sehweise in Form einer genauen Korrespondenz von Selbst- und Epochenbild gefordert. Ermöglicht wird diese Übertragung der historischen Betrachtungsweise auf die Darstellung der eigenen Gegenwart durch ein um 1800 allgemein erwachtes Epochen- und Generationsbewußtsein. Die Ereignisse der Französischen Revolution und der daraus folgenden Napoleonischen Kriege haben innerhalb weniger Jahre breitesten Volksschichten in ganz Europa eine bis dahin unbekannte Erfahrung von Zeitgeschichte vermittelt, d. h. den Begriff der Einzigartigkeit sowohl des eigenen Lebens wie der miterlebten Epoche um die historische Dimension erweitert. Erstmals wird jetzt schon im erinnernden Bewußtsein der noch Lebenden der Unterschied der aufeinanderfolgenden Zeitabschnitte, zugleich das Gefühl ihrer Kurzlebigkeit und raschen Hinabsinkens in den Horizont der Geschichte erfahren, und so kann um 1800 eine erst vor einem Menschenalter geschriebene Autobiographie bereits wie ein Geschichtsbuch gelesen werden. Als Beispiel sei Carl Heinrich von Bogatzkys *Lebenslauf* genannt, dessen postume Edition 1801 der Herausgeber damit rechtfertigt, daß den älteren Lesern »schon das bloße Gedenken der alten Zeit, der vorigen ihnen so werthen Jahre, die ihrem Geiste darin lebhaft vergegenwärtigt werden, … ihnen diese Schrift … sehr schätzbar machen« werde; dem übrigen Publikum aber werde das Erinnerungsbuch dieses einflußreichen Erbauungsschriftstellers »wenigstens in historischer und psychologischer Hinsicht«, nämlich als »Beytrag« zur »religiösen Geschichte« »des abgewichenen Jahrhunderts« lehrreich sein. [63] – Analog rät Goethe in der Müller-Rezension allen künftigen Autobiographen, »das Einzelne« vor allem deshalb »unnachläßlich zu überliefern« [64], weil wegen des Tatenreichtums der Gegenwart »die Jugend und das mittlere Alter, für die man denn doch eigentlich schreibt, kaum einen Begriff hat von dem, was vor dreißig oder vierzig Jahren eigentlich da gewesen ist.« [65] Auch Goethe also steckt der Autobiographie noch ein pädagogisches Ziel; doch an die Stelle von Herders moralischer Belehrung tritt die historische Erziehung. Das Herkommen der Gattung aus der Geschichtsschreibung wird wieder betont und zugleich ihre neue Aufgabe hervorgehoben, als wichtiger, ja unersetzlicher Traditionsträger innerhalb des größeren Bereichs der Historie »einigermaßen im Einzelnen zu erhalten, was im Ganzen verloren geht.« [66] Daß jedoch Goethe damit nicht nur eine Unterrichtspflicht gegen Mit- und Nachwelt, sondern auch eine Pietät gegen das zu Überliefernde erfüllt sehen will, erhellt aus einem etwa gleichzeitigen Brief an Philipp Hackert, worin er bekennt, er sei durch Schillers Tod »lebhafter auf das Andenken der Vergangenheit hingewiesen, und empfinde gewissermaßen leidenschaftlich, welche Pflicht es ist, das was für ewig verschwunden scheint, in der Erinnerung aufzubewahren.« [67] Der Hinweis auf Schillers Tod läßt überdies erkennen, wie sich bei Goethe das allgemeine Zeitgefühl an einem persönlichen Erlebnis wie an einem Kristallisationspunkt verdichtet und konkretisiert, der denn auch den Keim für seinen wenig später gefaßten Entschluß zum eigenen Lebensrückblick bildet.

Eben diese zeitliche Nähe zur eigenen Lebensdarstellung läßt Goethe aber in seinem Programm von 1806 nicht nur hinsichtlich des historischen Moments über Herder hinausgehen. Er formuliert einen neuen Sinn der Autobiographie nicht nur für ihr Publikum, sondern auch für ihren Verfasser selbst und erneuert damit auf überraschende Weise ihren inzwischen suspekt gewordenen Bekenntnischarakter. Denn seine Aufforderung an Künstler und Gelehrte, in ihren Lebensberichten die eigene Leistung nicht zu verschweigen, erläutert er sogleich positiv mit der Bitte, »von ihren Arbeiten, von deren Gelingen und Einfluß mit Behaglichkeit zu sprechen, die dadurch gewonnenen schönsten Stunden ihres Lebens zu bezeichnen, und ihre Leser gleichfalls in eine fröhliche Stimmung zu versetzen« [68]. Wieland hatte 1775 den Sinn einer Dichterautobiographie noch darin erblickt, durch kausalpsychologische Verbindung von Gemüts- und Werkgeschichte die einzelnen Arbeiten verständlich zu machen (und in die gleiche Richtung wird noch die fingierte Freundesbitte im Vorwort von *Dichtung und Wahrheit* zielen). Goethe ist hingegen schon 1806 geneigt, Leben und Bedeutung des Künstlers und Gelehrten mit dem Leben und Wert seiner Werke in eins zu sehen, und empfiehlt darum, in einer Autobiographie die Entstehungs- und Wirkungsgeschichte der einzelnen Arbeiten als zentrales Mittel der Selbstdarstellung zu wählen. Denn das daraus entspringende »Behagen« [69] des Autors scheint ihm am ehesten die Gewähr dafür zu bieten, daß die extremen Bekenntnisformen der grübelnd-quälerischen Selbstanklage wie der polemisch-verzerrenden Selbstverteidigung vermieden werden.* Aber auch noch die von Herder geforderte mildere Spielart der moralischen Rechenschaft ist damit überwunden, weil Goethe im Grunde jede herkömmliche Beichthaltung vom Mut des Autobiographen zum »fröhlichen« Bekenntnis des eigenen Wertes abgelöst wünscht. Die Erinnerungsfreude, die sich bisher auf die Kindheits- und Jugenderlebnisse beschränkt hatte (Rousseau, Bräker) [70], soll nun auch das übrige Leben, und insbesondere das öffentliche Wirken darin, umfassen, womit ihr zugleich jeder Verdacht einer introvertierten Weltflucht genommen wird. Goethe hat diese seine programmatische Abkehr von der Beichte zum behaglichen, erinnerungsfreudigen Selbstbekenntnis kurz darauf (*Geschichte der Farbenlehre*, 1809) schon in der Gattungspraxis des 16. Jahrhunderts vorgezeichnet und vorwegbestätigt gefunden, indem er bei Cardano und Cellini eine ständige Mischung von »Reue« und »Selbstgefälligkeit über das Vollbrachte«, bei Montaigne »eine unschätzbar heitere Wendung« im Vortrag »persönlicher Einzelheiten« entdeckt [71] und daran die gattungshistorische These knüpft, »daß dasjenige, was bisher nur im Beichtstuhl als Ge-

---

* Neben die bekannten kritischen Äußerungen Goethes zur Selbsterkenntnis (»Bedeutende Fördernis durch ein einziges geistreiches Wort« 1823; Maximen und Reflexionen: Hecker Nr. 442, 657; zu Kanzler v. Müller, 8. März 1824) sei hier ein weniger bekanntes Zahmes Xenion aus dem Nachlaß (Erstdruck 1833) gestellt, das mit der Symmetrie seiner Schlußverse nochmals Wesen und Tat des Menschen identifiziert:

> »Niemand wird sich selber kennen,
> Sich von seinem Selbst-Ich trennen;
> Doch probir' er jeden Tag,
> Was nach außen endlich, klar,
> Was er ist und was er war,
> Was er kann und was er mag.«
>
> (W. A. I, 5, 1, S. 84).

heimniß dem Priester ängstlich vertraut wurde, nun mit einer Art von kühnem Zutrauen der ganzen Welt vorgelegt ward.«[72] Wenn Goethe in diesem Sinne sogar eine»Vergleichung der sogenannten Confessionen aller Zeiten«[73] anregt, also in jener Wandlung des Bekenntnischarakters die Achse der Gattungsgeschichte erblickt, ordnet er zugleich indirekt sein eigenes autobiographisches Programm als die Wiederkehr einer alten Auffassung in eine historische Kreisbewegung ein und kündigt es damit kurz vor der eigenen autobiographischen Praxis als gleichfalls epochemachend an.[74]

Den tieferen Sinn dieser wiederentdeckten gesunden Freude am Lebensrückblick formuliert erneut ein Satz aus dem schon genannten Brief an Philipp Hackert, womit Goethe den Maler wie auch schon sich selbst zur Autobiographie ermuntern will:»Indem wir auf unser Leben zurücksehen und es in Gedanken rekapitulieren; so genießen wir es zum zweiten Male, und indem wir es aufzeichnen bereiten wir uns ein neues Leben in und mit andern.«[75] Nur scheinbar wiederholt er damit ein Wort Herders aus dem *Adrastea*-Aufsatz, wo solche»Recapitulation«ein»zweites, geistiges und schöneres Leben des Lebens«genannt wird.[76] Denn Herder bezieht auch diese Umschreibung noch auf das Ziel der moralischen Selbsterkenntnis und Selbstbelehrung, Goethe hingegen versteht darunter eine schon im Erinnern und Erzählen selbst sich vollziehende geistige Neuschöpfung und Wiedergeburt.

Mit dieser Erneuerung des Bekenntnischarakters der Autobiographie durch Goethe wandelt sich auch die Antwort auf das Wahrheitsproblem dieser Gattung. Seit 1790 hatte es dafür zwei verschiedene Lösungsversuche gegeben: Entweder rät die allgemeine Resignation gegenüber der Möglichkeit einer vollen adäquaten Selbsterkenntnis, die Konfessionen ganz aufzugeben und sich mit praktischen Lebensbeschreibungen zu begnügen[77]; oder sie versucht, vorhandene Bekenntnisse durch historische Ergänzungen oder psychologische Kommentare zu erklären, um dem wahren Bild und Wert eines individuellen Lebens mit wissenschaftlicher Nachhilfe näherzukommen. Darum hatte Herder für Müllers Sammlung von Anfang an erläuternde Zusätze des Herausgebers gefordert[78] und sie auch noch 1795 in einer Anzeige der ersten Bände als»nothwendig und recht« erachtet, weil sich kein Sterblicher von selbst über den wahren Stellenwert seines Lebens»zum großen Nenner der Welt« klar werden könne[79]; analog betonte noch der Psychologe Friedrich August Carus (1808), jede Autobiographie müsse durch eine Heterobiographie ergänzt werden, weil erstere den Vorzug der vollständigen Einzelbeobachtung hinsichtlich Fähigkeit und Absicht, nicht aber den des scharfblickenden Urteils über Ursprung und Wert der eigenen Handlungen besitze.[80] Im Grunde reduzierte damit Carus – wie vor ihm schon der Arzt Johann Gottlieb Fritze[81] – die Autobiographie noch immer im Sinne des Pragmatismus auf eine notwendige, aber ungeformte Materialsammlung, die erst unter der Hand des ergänzenden und wertenden Fremdbiographen gültige Gestalt annehmen könne.

Nun hat bekanntlich auch Goethe dem einzelnen die Fähigkeit der wahrheitsfindenden Selbsterkenntnis abgesprochen und gleichfalls die Notwendigkeit der Fremdbeurteilung betont.* Nur führt das bei ihm nicht zu einer Zerstörung der Autobiographie als literari-

---

* Z.B. im Winckelmann-Aufsatz (1805), Kap. Charakter:»...so kann man überhaupt jeden Menschen als eine vielsylbige Charade ansehen, wovon er selbst nur wenige Sylben zusammenbuch-

scher *Gestalt,* weil er die (auto)biographische Wahrheit nicht am Wahrheitsbegriff der psychologischen oder historischen Wissenschaften mißt, und sie darum nicht auf disparate stoffliche Richtigkeiten beschränkt; vielmehr erblickt er in der naturgegebenen Subjektivität der Autobiographie die spezifische und also auch formgebende Wahrheit dieser Gattung. Es ist der alte Gegensatz von Pragmatismus und Individualismus (Herder, Wieland), wie er erstmals um 1780 zutage getreten war[82]; nur war Herder inzwischen selbst immer pragmatischer geworden und Goethe an seine frühere Stelle getreten. Während jedoch Herder damals unter autobiographischer Wahrheit noch eine unwillkürliche, oft gegen den Willen des Autors verräterische Wahrheit der Selbstdarstellung verstand und auch noch Wieland sie als die Wahrheit eines selber nicht mehr reflektierten Selbstverständnisses definierte, deutet sie Goethe jetzt als die Wahrheit einer bipolaren Ich- und Weltdarstellung, die ganz von dem neuen ausgewogenen Selbstbewußtsein, ja Selbstgefühl des Autors garantiert wird: »In alle freien schriftlichen Darstellungen gehört Wahrheit, entweder in Bezug auf den Gegenstand oder in Bezug auf das Gefühl des Darstellenden, und, so Gott will, auf beides. Wer einen Schriftsteller, der sich und die Sache fühlt, nicht lesen mag, der darf überhaupt das Beste ungelesen lassen.«[83] Das Selbstgefühl des Autobiographen setzt mit der literarischen Schöpfung eines zweiten Lebens zugleich die diesem allein eigene Wahrheit, die darum nicht mehr von einem wissenschaftlichen Draußen her gemessen, kontrolliert oder korrigiert werden kann, womit der Autobiographie unausgesprochen die Möglichkeit der geschlossenen, eigengesetzlichen Kunstform zuerkannt wird. Wieland und sein Publikum hatten bei der Erörterung der Dichterautobiographie (1775) solche Verwandlung noch ausdrücklich als gattungsfremd abgelehnt[84], Goethe greift die Frage erneut auf und seine positive Antwort weist nicht nur kurzfristig auf die Konzeption von *Dichtung und Wahrheit,* sondern eröffnet eine Diskussion, die sich durch das ganze 19. Jahrhundert hindurch mit der Möglichkeit des Kunstcharakters der Autobiographie, aber auch mit ihrer Abgrenzbarkeit gegen die fiktiven Erzählgattungen, namentlich den autobiographischen Roman, beschäftigen wird.[85] Zur Klärung der Ausgangssituation bleibt daher abschließend zu fragen, inwiefern Goethes Neuansatz durch einen etwaigen Ortswechsel der biographischen Gattungen innerhalb des literarästhetischen Gesamtsystems (vor allem zwischen Historie und Roman) während der vorausgehenden Jahrzehnte vorbereitet worden war.

Die Biographie wird in den Lehrbüchern der Ästhetik erst seit etwa 1770, und auch dann noch selten genug, berücksichtigt. Sie erscheint stets als Untergattung innerhalb der pragmatisch verstandenen Geschichtsschreibung und erhält wie diese die Aufgabe, durch Entdeckung und Deutung der »Triebfedern, Endursachen und Spiels der Leidenschaften in den Begebenheiten«[86] zur Kenntnis des Menschen beizutragen. Von den pragmatischen Historikern[87] übernimmt man dabei die spezifische Sinngebung der Biographie, durch die Darstellung des öffentlichen und vor allem häuslichen Lebens einer handelnden Person von dieser »ein genaues und vollständiges Bild zu geben.«[88] Die Forderung der

---

stabirt, indessen andre leicht das ganze Wort entziffern.« (W. A. I, 46, S. 61). Vgl. ferner »Bedeutende Fördernis durch ein einziges geistreiches Wort« (1823); zu Kanzler v. Müller, 8. 3. 1824.

Vollständigkeit, aus den für alle historischen Gattungen gültigen Prinzipien der Treue und Wahrheitsliebe abgeleitet, wird jedoch um jenes pädagogischen Ziels willen leicht aufgegeben; Eschenburg (1783) empfiehlt dem Biographen ausdrücklich eine Auswahl solcher Lebensumstände, die die »Kenntnisse der Seelenlehre und der menschlichen Natur...befördern« und »für andre in ähnlichen Fällen ein nachzuahmendes oder warnendes Beyspiel abgeben können.«[89] Ein Auswahlprinzip existiert also bereits für die pragmatische Biographie; doch ist es noch rein didaktischer, nicht ästhetischer Natur; sie soll eine lehrreiche, im besten Fall eine kausalpsychologisch begründete Beispielsammlung, noch kein gerundetes oder gar in sich ruhendes Lebensbild sein.

Das wird noch deutlicher, wenn man diese pragmatische Vorstellung der Biographie mit der gleichzeitigen Romantheorie vergleicht. Obwohl nämlich seit der Jahrhundertmitte die pragmatische Geschichtsschreibung sehr stark die Roman- und Erzähltheorie bestimmt[90], wird doch die Biographie sogar für den seit Wielands *Agathon* (1766/67) mehrfach proklamierten Charakterroman weder in der Theorie noch in der Praxis als genaues Strukturmodell akzeptiert. Blanckenburg (*Versuch über den Roman*, 1774) lehnt die Biographie als Romanvorbild ab, weil er ihr die Fähigkeit abspricht, den dafür erforderlichen psychologischen Pragmatismus wirklich zu erfüllen. Der Biograph kenne nicht die Beziehungen zwischen den Einzelvorfällen und dem Lebensziel. »Er kann den Punkt nicht sehen, in dem alle einzelne Strahlen zusammen kommen und vereint werden sollen«[91], wohingegen »vor den Augen« des Dichters als des »Schöpfers und Geschichtschreibers seiner Personen zugleich« »alles mit allem, Körper und Geisterwelt mit einander verbunden«[92] sei*. Auf andere Weise muß Johann Carl Wezel (Vorrede zu *Hermann und Ulrike*, 1780) den zweifelhaften Modellwert der Biographie eingestehen, obwohl er zunächst als Mittel zur Aufwertung des weithin noch verachteten Romans vorschlägt, seinen erzählenden Teil der Biographie und die eingestreuten Briefe und Gespräche dem Lustspiel zu nähern, um ihn durch stoffliche und stilistische Angleichung an diese beiden Zweckformen zur »wahren bürgerlichen Epopee« zu erheben.[93] Aber trotz seines Versuchs, durch die Wahl einer Handlung, »die den größten Theil von dem Leben seiner beiden Helden einnahm«, »sich die Rechte eines Biographen zu erwerben«, sieht er sich gezwungen, von allen lebensdurchziehenden Begebenheiten diejenigen auszuwählen, die »auf die Haupthandlung Beziehung oder Einfluß hatten«, weil er nur durch solche Ökonomie das intendierte »poetische Ganze« erreichen kann.[94] Die gleiche Skepsis gegenüber der Biographie als Strukturvorbild spricht noch 1804 aus Jean Pauls Verdikt über die Abenteuerromane als eine »gemeine unpoetische Klasse«, weil sie »bloße Lebensbeschreibungen (liefert)«, die »ohne die Einheit und Notwendigkeit der Natur und ohne die romantische epische Freiheit...einen gemeinen Welt- und Lebenslauf mit allem Wechsel von Zeiten und Orten so lange vor sich hertreiben, als Papier da liegt.«[95]

---

* Noch Daniel *Jenisch* (Theorie der Lebens-Beschreibung, Berlin 1802) wird den Hiatus zwischen »dichterisch-idealer« und »historisch-wirklicher« Biographik betonen, da »der Dichter alle Situazionen auf seinen darzustellenden Charakter berechnen kann, der pragmatische Biograph aber seinen Charakter oft aus den widerwärtigsten Situazionen herausfinden und abstrahiren muß.« (S. 48).

Allen genannten Äußerungen liegt der Glaube an eine notwendige Formlosigkeit der pragmatischen Biographie zugrunde. Zum einen nimmt der Wunsch nach pädagogisch-nützlicher Auswahl des biographischen Rohstoffs die Unvollständigkeit der Darstellung bewußt in Kauf, zum andern leugnet die These von der Ohnmacht des Biographen hinsichtlich einer vollen kausal-psychologischen Ergründung seines Gegenstandes die grundsätzliche Möglichkeit einer geschlossenen biographischen Form. Namentlich vor dem Hintergrund der neuen Theorie eines streng gebauten Charakterromans mit ihrer mechanistischen Ganzheitsvorstellung muß alles Material eines Biographen zugleich lückenhaft und überschüssig erscheinen und damit ein rundes und vollständig motiviertes Charakter- und Lebensbild von vornherein unmöglich machen. Gerade diejenigen Pragmatiker, die den Roman zur poetischen Gattung aufwerten wollen (Blanckenburg, Wezel), sehen darin einen wesentlichen Unterschied zwischen Roman und Biographie, der sie damit indirekt noch jeden Kunstcharakter absprechen.

Dieser pragmatischen Auffassung tritt jedoch am Ende des Jahrhunderts eine neue Vorstellung entgegen, die auch in den nichtfiktiven Prosagattungen eine kunstvolle, d.h. den Stoff zu einem Ganzen rundende Darstellung für möglich, ja notwendig hält. In diesem rhetorischen Sinne proklamiert 1797 Karl Ludwig Woltmann eine »Poesie der Historie«[96] und verficht die These, »ächtes historisches Leben« entstehe in einer Geschichtsdarstellung nur durch »Komposizion des Ganzen« zum »historischen Kunstwerk«[97], wobei er speziell an die Biographie eine erhöhte Forderung kunstvollen Aufbaus stellt; gerade bei dieser historischen Gattung geringeren Umfangs gehöre »gründliche Forschung und feine poetische Kunst« dazu, um »auffallende Lücken« zu verbergen[98] und ihre »zarte Harmonie« nicht zu zerstören[99]. Vor allem die Begriffe »Harmonie« und »Komposizion des Ganzen« lassen erkennen, daß diesem Programm im Gegensatz zur pragmatischen Theorie der Kunstcharakter der Biographie bereits als Axiom zugrunde liegt; dieses bestimmt denn auch die einzelnen Postulate zur konkreten Gestaltung des Werkes, vor allem das Aufheben jeder vorangegangenen Forschung in ein Gesamtbild, das nicht mehr durch logische Schlüsse, sondern durch den »magischen Schein der Anschauung« seine eigentümliche »Klarheit« erhalten[100], nämlich den »Zauber vom Eindruck der Erscheinungen«[101] unvermindert wiedergeben soll*. Diese neue Auffassung findet einige Jahre später sogar schon Eingang in manche Lehrbücher der Ästhetik: Schreiber (1809) nennt den biographischen Redner »wahrhaft Künstler«, wenn er durch Auswahl »charakteristischer Züge« den Nekrolog zu einem »herrlichen Bild« »in lebendiger Klarheit« gestaltet, so daß es eigenbedeutsam und »abgeschlossen für sich« nicht mehr der »Belehrung« dient, sondern den Hörer »zum reinen Gefühl...menschlicher Würde (erhebt)«[102]; ähnlich versteht Heinsius (1810), auch

---

*   Einen spielerischen Vorklang dieser Anschauung findet man in einer frühen brieflich-privaten Äußerung *Goethes* an Merck (7. April 1780) über den Plan einer Biographie Herzog Bernhards von Weimar (1604–1639): »... wenn ich erstlich, den Scheiterhaufen gedruckter und ungedruckter Nachrichten, Urkunden und Anekdoten recht zierlich zusammengelegt, ausgeschmückt und eine Menge schönes Rauchwerks und Wohlgeruchs drauf herumgestreut habe, (will ich) ihn einmal bei schöner, trockner Nachtzeit anzünden und auch dieses Kunst- und Lustfeuer zum Vergnügen des Publici brennen lassen.« (W. A. IV, 4, S. 202).

wenn er noch »jede Verschönerung des Stoffs« verbietet, die Biographie als »Kunstwerk« im Sinne eines »zusammenhangenden, in sich genau verbundenen Ganzen«[103], ja Bouterwek hat (²1815) in der »anschaulichen« Erzählung und »harmonischen« Ordnung der Teile des »historischen Ganzen« bereits eine Verwandtschaft der Historiographie »oder historischen Kunst« mit der »epischen Poesie« erblickt[104], sie sogar gattungsgenetisch begründet und die Unterarten der Geschichtsschreibung nach dem Grad ihres Ganzheitscharakters und d. h. für ihn: nach dem Grad ihrer formalen Nähe zur Epopöe aufgereiht, wobei nach der Staats- und Weltgeschichte sogleich die Biographie an zweiter Stelle erscheint.[105]

Didaktische und ästhetische Vorstellung der Biographie stehen sich also um 1800 in Lehrbüchern und theoretischen Schriften unvermittelt gegenüber. Wie weit deckt sich damit ihr Bild von der *Auto*biographie? Zunächst ist festzustellen, daß diese Sonderform von ihnen noch seltener als schon die Biographie berücksichtigt wird: nur Eschenburg (ab 1783) und Fülleborn (ab 1802) erwähnen sie, und auch nur in lakonischen Nachträgen zur Biographie*. Erst seit 1812, also mit dem Erscheinungsbeginn von Goethes *Dichtung und Wahrheit*, wird die Autobiographie auch in den Lehrbüchern häufiger und ausführlicher behandelt und dabei namentlich ihr spezifisches Wahrheitsproblem erörtert.[106] Vor 1810 erkennen die Rhetoriken noch nicht die Eigenart dieser Untergattung, fragen noch nicht, wie weit sie etwa mit ihren pragmatischen oder ästhetischen Möglichkeiten von der Biographie abweichen und so einen besonderen Ort im literarischen System beanspruchen könnte. Solche Fragen, insbesondere nach der möglichen Sonderstellung der Autobiographie zum Roman, werden jedoch außerhalb der eigentlichen Lehrbücher im Zusammenhang der Diskussion über den biographischen Roman gestellt und beantwortet, wobei sich wiederum ein freilich anders gearteter Bruch zwischen pragmatischer und ästhetischer Auffassung ergibt.

Jene schon genannte Aporie der Biographie, die geheimen Triebfedern ihres Helden wirklich aufzudecken, hatte schon früher die pragmatischen Historiker, ähnlich wie später die Experimentalpsychologen, dazu geführt, autobiographie Materialien als die wichtigsten, ja unentbehrlichen Dokumente zur Darstellung der inneren Geschichte einer Person anzusehen und zu fordern.[107] Diese allgemeine Überzeugung von der besonderen Authentizität der Selbstzeugnisse machen sich bald auch die Autoren von biographischen oder Charakterromanen zunutze, indem sie ihre Helden gerne in Gesprächen, Briefen, hinterlassenen Papieren das Räderwerk ihrer Gesinnungen und Leidenschaften selbst aufdecken lassen; am besten geeignet dafür erscheint auch hier die *historisch* geordnete

---

*   Johann Joachim *Eschenburg*, Entwurf einer Theorie und Literatur der schönen Wissenschaften, Berlin u. Stettin 1783, S. 263: »Es giebt eigne Lebensbeschreibungen, die, wenn sie mit unpartheyischem Beobachtungsgeiste abgefaßt sind, einen vorzüglichen Grad des Lehrreichen und Interessanten haben.« Diese kurze Anmerkung wird noch in der von M. Pinder völlig umgearbeiteten 5. Auflage (1836) unverändert wiederholt, nur die anschließende Auswahlbibliographie wird in jeder neuen Auflage ergänzt. – Georg Gustav *Fülleborn*, Rhetorik, Breslau 1802, ²1805, S. 80 erwähnt lediglich drei Gelehrtenautobiographien (Semler, Büsching, Silberschlag) als Anti-Muster der Gattung.

Selbstdarstellung, die Autobiographie. Es bedeutet darum nur die Übertragung jenes Urteils der Historiker und Psychologen auf die fiktive Ebene des Romans, wenn Wieland die von Agathon »selbst aufgesetzte geheime Geschichte seines Geistes und Herzens« als die »aller Wahrscheinlichkeit nach... erste und reinste Quelle« bezeichnet, »woraus die in diesem Roman-Werk enthaltenen Nachrichten geschöpft sind«[108], oder wenn der Biograph in Westenrieders *Leben des guten Jünglings Engelhof* (1781) den Entschluß seines Helden zu einer »eignen geheimen Lebensgeschichte« rühmt, da nur eine solche die Empfindungen und psychischen Anlässe seiner Taten enthüllen könne. [109] Der Erzähler behauptet nicht, Engelhof sei der bestmögliche Interpret seiner selbst, er hält ihn nur für den vorzüglichsten Motiv-Lieferanten, Ordnung und Deutung des geheimen Materials bleibt Sache des distanzierten, souveränen Biographen. Auch sonst sind die Romanautoren des späten 18. Jahrhunderts über die Praxis, fiktive Autobiographica als Dokumente im biographischen Roman zu verwerten, nicht hinausgegangen. [110] Die Idee, den durchgängig autobiographischen Roman als die bestmögliche Form des psychologischen Charakter- und Entwicklungsromans zu betrachten, ist dem Pragmatismus fremd geblieben. Die Möglichkeit, den auktorialen Erzählmantel völlig abzulegen, hätte das uneingeschränkte Zutrauen der Zeit in die Selbsterkenntnis als die höchste Form der Menschenerkenntnis vorausgesetzt, was aber, wie früher schon dargestellt[111], gerade in der Spätaufklärung umstritten war.

Die Möglichkeit einer durchgängig autobiographischen Form also wird für den Roman damals noch nicht gesehen, wohl aber die eines autobiographischen Gehalts. Seit *Anton Reiser* (1785 ff.) und *Wilhelm Meister* (1794 ff.) lebt allmählich die Frage auf, wieweit es einem Romanschriftsteller möglich sei, eigene Erlebnisse, Gedanken, Bekenntnisse in die Erlebniswelt seines Helden zu transponieren, ohne mit diesem sperrigen Wirklichkeitsmaterial die gewünschte Geschlossenheit der Romanform zu sprengen. Bei Moritz bleibt diese Frage noch im Vorfeld der späteren Problematik. Zum einen verwertet *Anton Reiser* nicht einzelne Erinnerungen und Erfahrungen für eine im übrigen fiktive Romanwelt, sondern bildet durchwegs die nur oberflächlich kaschierte reale Selbstbiographie seines Autors; zum andern hält Moritz ihren kausalpsychologischen Aufbau für die wissenschaftlich genaueste und also adäquate Form jeder Seelengeschichte, so daß sie in seinen Augen zugleich den strengen Forderungen genügt, die an einen pragmatischen Charakterroman gestellt werden. Formkonflikte wegen aufgenommener Erinnerungsstoffe können also hier aus doppeltem Grund noch nicht auftreten. Darum ist Moritz auch nicht genötigt, den autobiographischen Charakter des Buches zu entschuldigen, er betont ihn vielmehr nachdrücklich und kann ohne weiteres die Titel »psychologischer Roman« und »Biographie« für austauschbar erklären. [112]

Demgegenüber bezeichnet Goethe während der Umarbeitung des *Wilhelm Meister* (1794) das 1. Buch des Romans, das in besonderem Maße eigene Erinnerungen verwertet, als eine »Pseudo confession«, deren Formprobleme nie recht befriedigend zu lösen seien[113], und noch Jahre später (1801) spricht er im Rückblick auf den ganzen Roman von einer trotz aller künstlerischen Gegenbemühung unausweichlichen »Art von Confession«, deren »Form... immer etwas unreines (behält)«[114], so daß man froh sein müsse, wenn der dareingelegte Gehalt von verständigen Lesern wieder daraus entwickelt würde. Diese Formkritik erklärt sich z. T. als Nachhall des Schillerschen Vorbehalts gegenüber der »unreinen«, »unpoetischen« Romanform überhaupt[115], aber sie verrät in unserem Zusammenhang auch Goethes Überzeugung, daß der in einem breit angelegten Erziehungs- und Entwicklungsroman unwillkürlich sich ergebende Bekenntnischarakter und die ebenso gattungsimmanente Unreinheit der Form sich gegenseitig bedingten und verstärkten und so die Pseudo-Konfession als eine potenzierte Halbkunst und Zwittergattung erzeugten, die sich weiter als jeder völlig fiktive Roman vom poetischen Ziel entferne.

Inzwischen aber hatte es Friedrich Schlegel bereits unternommen, diese Formzweifel wie einen gordischen Knoten zu zerhauen und dabei auch zu einer neuen ästhetischen Bewertung der Autobiographie zu gelangen. Erstmals im *Athenäums*-Fragment 116 (1798) wird die »Romantische Poesie« als gerade die Form gepriesen, die wie keine dazu geschaffen sei, »den Geist des Autors vollständig auszudrücken: so daß manche Künstler, die nur auch einen Roman schreiben wollten, von ungefähr sich selbst dargestellt haben.«[116] Schlegel teilt also noch mit Goethe die Ansicht, daß der Roman unwillkürlich zu einer Konfession des Verfassers führe; doch statt dies als weitere Ursache der Formunreinheit zu beklagen, erblickt das universalpoetische Programm der Frühromantik den Wert des Romans gerade in seiner Doppelfähigkeit, Dargestelltes und Darstellenden in »poetischer Reflexion« endlos ineinander spiegeln zu lassen.[117] Diese Hochschätzung des autobiographisch-bekenntnishaften Elements in jedem Roman führt Schlegel kurz darauf im *Gespräch über die Poesie* (1800) dazu, neben den »Arabesken«, d.h. den witzig-geistreichen Romanformen à la Sterne, Jean Paul, Diderot, nunmehr auch die realen »Bekenntnisse« selbst zu den »einzigen romantischen Naturprodukten unsers Zeitalters« zu rechnen.[118] Die hohe Bedeutung gerade der Bekenntnisse für die Universalpoesie begründet er dabei nicht nur mit der grundsätzlichen These, daß »wahre Geschichte das Fundament aller romantischen Dichtung« sei, sondern auch speziell nochmals damit, daß »das Beste in den besten Romanen nichts anders ist als ein mehr oder minder verhülltes Selbstbekenntnis des Verfassers, der Ertrag seiner Erfahrung, die Quintessenz seiner Eigentümlichkeit.«[119] Folgerichtig erhebt er die in den Unterhaltungsromanen enthaltene »Masse von eigner Anschauung und dargestelltem Leben«[120] zum Wertmaßstab für diese Gattung und zieht daraus den endlichen Schluß, daß gegenüber diesen Romanen, in denen doch nur sehr »sparsam und tropfenweise« »das wenige Reelle zugezählt« werde, jede Reisebeschreibung, Briefsammlung oder »Selbstgeschichte« »ein besserer Roman« im romantischen Sinne sei »als der beste von jenen«[121]; noch 1812, in der *Geschichte der alten und neuen Literatur* (14. Vorlesung), greift er diesen Gedanken wieder auf, wenn er im Zusammenhang der französischen Romanliteratur des 18. Jahrhunderts »historische Denkwürdigkeiten, Bekenntnisse, anziehende Anekdoten- oder Brief-Sammlungen« der »Natur des Romans« sich nähern sieht und für interessanter und wirkungsvoller hält als jeden »anderen französischen Roman«[122]. Aus allem wird deutlich, wie das neue Bild des romantischen Romans um 1800 auch die (auto)biographischen Gattungen mit einem Schlage aus ihrem bisherigen Schattendasein innerhalb des historischen Systems ins Zentrum der romantischen Theorie einer »Naturpoesie« oder »materiellen Dichtkunst« rückt[123], wo die realen Bekenntnisse die neuen Erwartungen an einen Roman weit eher erfüllen als die Romane traditioneller Art[124].

Im ganzen hat damit der hier versuchte Überblick über die Stellung der biographischen Gattungen im literarischen System des ausgehenden 18. Jahrhunderts gezeigt, daß im Zuge eines Fortschritts von pragmatischer zu ästhetischer Romantheorie auch die Möglichkeit eines doppelten Bildes der (Auto-) Biographie, als einer didaktischen Zweckform und als eines ästhetischen Gebildes, sei es in der Form eines »historischen Kunstwerks«, sei es als Zeugnis einer romantischen »Naturpoesie«, geschaffen wird.

Vor diesem allgemeinen literatursystematischen Hintergrund gewinnen nun auch alle spezifischen Äußerungen über die Gattung Autobiographie, über ihr Wahrheitsproblem, über ihre Möglichkeit einer historischen und bekenntnishaften Darstellung des Ich-Welt-Bezugs etc. und die daraus abgeleiteten Urteile über ihre didaktische oder ästhetische Natur, wie sie namentlich bei Herder und Goethe mit scheinbar nur individuell bedingten Unterschieden, Übergängen und Überlagerungen festgestellt worden waren, historischen Stellenwert und zeittypischen Charakter. Es bleibt nun zu untersuchen, wie weit auch die Praxis der Autobiographie in den Jahrzehnten nach 1790 bis hin zu Goethes *Dichtung und Wahrheit* diese mögliche Bereicherung des Autobiographie-Bildes mitzuvollziehen bereit und fähig ist, oder wieweit unterhalb des theoretischen Höhenwegs die traditionellen Vorstellungen, Typen und Schemata, vielleicht nur in neuen Mischformen und Variationen, auch jetzt weiter bestehen und erst spät, wenn überhaupt, die neuen theoretischen Vorstellungen verwirklichen lassen.

II. VOM SELBSTBEKENNTNIS ZUR PRAKTISCH-HISTORISCHEN LEBENSBESCHREIBUNG. FREIE MISCHUNG DER GATTUNGSTYPEN

1. Fortschreitende Säkularisation der religiösen Autobiographie

a) Typologische Mischung des herrnhutischen Lebenslaufs mit der Abenteuergeschichte

Im Bereich der religiösen Autobiographie bleiben auch in den beiden Jahrzehnten um 1800 die herrnhutischen Lebensläufe das einzige Überlieferungsgut. Die in den siebziger und achtziger Jahren auch hier eingedrungene typologische Säkularisation und die dabei erreichte Typenvarianz dieser Lebensläufe[1] bleibt auch in den nun folgenden Jahrzehnten erhalten, doch zeigt sich dem genaueren Blick eine aufschlußreiche Akzentverlagerung, die selbst diese relativ isolierte Tradition untergründig mit der epochalen Tendenz der übrigen autobiographischen Typen verbindet.

Die Durchsicht der Lebenslauf-Sammlungen in den herrnhutischen *Gemein-Nachrichten* dieser Jahrzehnte läßt eine allmähliche Abkehr von jenem traditionellen Typ erkennen, der die Erweckungsgeschichte mit oftmaliger Wiederkehr der Skrupel und Verlegenheiten um das Heil durch das ganze Leben hindurchzieht. Besonders an den Lebensläufen der herrnhutischen Schwestern, die diesen Typ bisher bevorzugt hatten, kann man ein zunehmendes Interesse beobachten, an die nach wie vor ausführliche Erweckungsgeschichte eine nicht minder detaillierte Darstellung der beruflichen Wirksamkeit in der Gemeinde anzuschließen, auch wenn in diesem späteren Teil oft keine neuen Zweifel und Rückfälle mehr zu bekennen sind.[2] Es zeigt sich also eine gewisse Annäherung oder doch Öffnung zu jenen Lebenslauftypen, die bisher vor allem von den herrnhutischen Brüdern gewählt worden waren. Diese gehen jetzt ihrerseits einen Schritt in gleicher Richtung weiter. Der am meisten säkularisierte Typ, der den Gang der religiösen Erweckung nur mehr als traditionelles Vorspiel versteht und dafür das berufliche Wirken in der Gemeinde und in den Missionen zum Hauptteil des Lebenslaufs ausbaut, war in den achtziger Jahren von einzelnen herrnhutischen Bischöfen (Waiblinger, Grasmann, Spangenberg) inauguriert worden. Das Vorbild dieser Oberen veranlaßt nun auch einfache Brüder, die Geschichte ihrer religiösen Zweifel und endlichen Heilsberuhigung als Einleitung mit oft formelhaften Sätzen vorauszuschicken, um anschließend mit spürbarer Detailfreude ihre Berufserlebnisse, Reisen und Abenteuer im Dienst der Gemeinde zu erzählen.[3] Beidesmal will dieser Typ nicht mehr primär der Erbauung dienen; doch während die Lebensberichte der Vorsteher dank ihres größeren Überblicks statt dessen unterrichtende Beiträge zur allgemeinen Brüdergeschichte leisten wollen und können, gelingt der engen Perspektive der einfachen Mitglieder nur eine Reihung disparater Einzelereignisse, die weder für das eigene Leben noch gar für die Gesamtgemeinde eine überschaubare Geschichte bieten kann. Den Zusammenhalt garantiert noch immer das Vorsehungsschema, das alle Berufsaufgaben als unmittelbare Aufträge des Herrn, alle Abenteuer und Gefahren, seien es Unfälle, seien es Kriegserlebnisse und Verfolgungen in den Missionen, als Zeugnisse der gnädigen »Bewahrung« in den Heilsplan einzubetten erlaubt. Aber nur scheinbar wird damit das erbauliche Ziel gewahrt; denn innerhalb dieses traditionellen Rahmens können um so unbekümmerter und einläßlicher die aufregenden Begebenheiten mit allen zu Gebote stehenden Spannungseffekten dargeboten werden – mit solchen sich mitunter schon verselbständigenden Erzählpartien setzt sich der neue Unterhaltungswunsch der autobiographischen Literatur dieser Jahre auch hier unwillkürlich durch.

b) Psychologische Erweiterung der religiösen Konfession

Für die Masse des herrnhutischen Lebenslaufs läßt sich also eine auch noch um die Jahrhundertwende fortschreitende typologische Säkularisation feststellen. Es gibt daneben aber auch einige wenige Beispiele, die das Grundmuster des religiösen Bekenntnisses gegenüber früheren Jahrzehnten erweitern und vertiefen. Wohl gab es seit 1770 gelegentliche Ansätze, bei der Darstellung des religiösen Prüfungsweges die äußeren Ereignisse mit den gleichzeitigen seelischen Zuständen und Abwechslungen zu verbinden[4]; doch handelte es sich sowohl bei den Sündengefühlen als auch beim Erweckungserlebnis selbst um mehr oder weniger formelhafte Skizzen, die kaum als individueller Ausdruck psychologischer Selbstanalyse gelten konnten. Nun aber erscheinen einige Vertreter der geistigen Oberschicht und des Adels innerhalb der Brüdergemeine, deren autobiographische Aufsätze sich vom Gros der einfachen Lebensläufe dadurch unterscheiden, daß sie ein gesteigertes Interesse an den äußeren und seelischen Begleitumständen der Erweckung bekunden und diesen Zusammenhängen des Lebens auch differenzierten Ausdruck verleihen können.[5]

Das bemerkenswerteste Beispiel dieser neuen, anspruchsvolleren Reihe stammt von der Prinzessin Henriette Caroline Luise zu Anhalt-Dessau, geb. Gräfin zur Lippe. Ihr *Lebenslauf* (verfaßt 1791)[6] ist in viele kleine Abschnitte von ähnlichem Aufbau gegliedert: jeder beginnt mit einer äußeren Veränderung (Ortswechsel, Krankheit, vor allem aber Familienereignisse: Heirat, Scheidung, Tod eines Angehörigen); gerade diese Vorkommnisse wie auch die daran beteiligten Personen werden zunächst jedesmal ausführlich geschildert und charakterisiert, wie bei jedem Adeligen spielt der familiäre Hintergrund für das Verständnis des eigenen Lebens eine wichtige Rolle. An den Bericht der äußeren Umstände schließt in der Regel die Schilderung der dadurch ausgelösten Seelen- und Gemütsregungen, die als Angstzustände[7] oder als Sündengefühle[8] umschrieben und gedeutet werden; häufig wird daneben auch das eigene Verhalten in und gegenüber der nächsten Umgebung aus dem Rückblick als moralisch verwerflich angeklagt.[9] Besonders diese psychologischen und moralkritischen Partien zeigen eine neue Freiheit gegenüber der herrnhutischen Terminologie: teils greift die Verfasserin gebräuchliche Formeln auf, teils schöpft sie aus allgemein biblischem oder auch aus eigenem Wort- und Bilderschatz eine reiche, oft dicht gedrängte Metaphorik; sie verrät darin einen starken Willen zur Veranschaulichung ihrer inneren Erlebnisse, was besonders dann spürbar wird, wenn sie die Grenzen ihrer Ausdrucksmöglichkeit erreicht und zugesteht. Auf diese

Schilderungen meist elender Seelenzustände folgt gewöhnlich das Bekenntnis einer Zuflucht zum Gebet (das manchmal auch zitiert wird) und ein relativ formelhafter Preis auf die rettende Hand des Heilands. Durch die oftmalige Wiederholung dieses Schemas im Aufreihen der Lebensabschnitte wird auch erzähltechnisch das »beständige Fallen und Aufstehen«[10] eines mühseligen Ganges veranschaulicht. Er wird zum aufsteigenden Weg, sobald er in den Bereich der Brüdergemeine tritt, und führt nun rasch zum entscheidenden Erweckungserlebnis[11] – mit der dramatisch-interjektionsreichen Wiedergabe der Selbstvernichtung und der Vision des Gekreuzigten auch stilistisch der Höhepunkt dieser Schrift, die nach einigen weiteren Prüfungen und Verlegenheiten mit der ersehnten Aufnahme in die Gemeinde endet.

Der Aufbau der Einzelabschnitte läßt noch unentschieden, ob die psychologisch-moralkritischen Partien dem Vorsehungs- und Bekehrungsschema untergeordnet bleiben oder schon gleichwertig und unabhängig neben das religiöse Bekenntnis treten. Je mehr sich aber der Bericht dem Erweckungserlebnis nähert, desto häufiger begegnen Hinweise darauf, daß die verschiedenen Stationen und Teilstrecken als Umwege, Stufen und Vorbereitungen zur endlichen Gewißheit der Versöhnung aufzufassen seien[12]. Im Verlauf der kleinen Schrift werden so alle Mitteilungen über die äußere Welt wie über die eigene Seele immer dichter vom Netz des Heilsplans eingefangen; es läßt immer deutlicher erkennen, daß sich die psychologischen und selbstkritischen Beobachtungen hier nicht verselbständigen können, daß hier primär doch die Ohnmacht und Selbsttäuschung einer eigenmächtigen Seele und umgekehrt das Erbarmen Gottes, das »Gängelband seiner Liebe«[13], sein treues Nachgehen mit »Warnen, Locken und Zurückholen«[14] erwiesen werden soll. Vor allem seit dem Erweckungsbericht wird der Heiland als der »beste Freund«[15] zum unmittelbaren Führer und Helfer sogar in den äußeren Schicksalen erklärt; auch daß diese Lebensdarstellung immer wieder in Gebete[16] mündet, ja von einem Gebetsrahmen eingefaßt wird, verstärkt ihre vertikale Struktur.

Aufs ganze gesehen, beweist der Lebenslauf der anhaltischen Prinzessin, daß auch nach K. Ph. Moritzens Errungenschaft im *Anton Reiser* an eine gattungsimmanente psychologische Säkularisation der religiösen Bekenntnisschrift nicht zu denken ist. Immerhin zeigt das Beispiel, daß am Ende des Jahrhunderts sich auch für den herrnhutischen Typ der Erweckungsgeschichte die Möglichkeit einer differenzierten Ausgestaltung des traditionellen Gerüsts eröffnet, daß einzelne Talente auch hier genug Raum finden, um das Bild ihrer konkreten Standeswelt wie ihrer wechselnden Seelenverfassung mit individuellem Ausdruck einem noch so strengen vorgeprägten Muster einzugliedern. Mit solchen Beispielen findet der herrnhutische Lebenslauf späten Anschluß an ältere Bekenntnisschriften außerhalb der Brüdergemeine, etwa der Eleonara Petersen (geb. von und zu Merlau) oder Hamanns[17], die sich beide gleichfalls durch ein hierarchisches Gleichgewicht in der Darstellung der äußeren und inneren Welt vor anderen zeitgenössischen Konfessionen ausgezeichnet haben.

Es ergibt sich so oberhalb des gewöhnlichen pietistischen Lebenslaufs eine Sondertradition, die zwar nur von wenigen Beispielen belegt wird, die aber dank ihres elastischen Grundmusters dem wachsenden Bedürfnis nach Aufnahme weltlicher Stoffe das ganze Jahrhundert hindurch entgegenkommen kann, ohne die ihr wesentliche vertikale Blickrichtung preisgeben oder auch nur einschränken zu müssen.

c) Fiktive Psychologisierung der religiösen Autobiographie:
Goethes Bekenntnisse einer schönen Seele

Diese soeben skizzierte Sonderreihe liefert den notwendigen gattungshistorischen Hintergrund zum besseren Verständnis einer Schrift, die seit ihrem Erscheinen als mehr oder weniger starke Überarbeitung einer realen herrnhutischen Konfession betrachtet, aber kaum einmal mit diesem autobiographischen Typ der Zeit verglichen worden ist*: Goethes *Bekenntnisse einer schöne Seele*, die als 6. Buch (1795) dem Roman *Wilhelm Meisters Lehrjahre* eingeschaltet sind.

Schon beim Erscheinen des Buches haben Goethes Mutter und ihre Bekannten in Frankfurt, bald auch Lavater und sein Kreis erkannt und begrüßt, daß darin ihrer verewigten Freundin Susanna Katharina von Klettenberg (1723–1774) ein Denkmal gestiftet sei[18], jenem adeligen Fräulein, das der herrnhutischen Gemeinde in Frankfurt nahegestanden und mit dem sich auch der junge Goethe viel über religiöse Fragen unterhalten hatte.[19] Charakter und Schicksal dieser früh Verstorbenen schienen Goethe nun geeignet, Wilhelm Meister als Muster eines religiös bestimmten Lebens vorgestellt zu werden; aber gerade diese neue Welt der *Bekenntnisse* empfanden die Zeitgenossen[20] weithin als einen Fremdkörper im Roman, und so wurde rasch die Vermutung laut, Goethe habe hier den Originalaufsatz einer verstorbenen Dame eingerückt und ihn nur eben soweit zugeschnitten, als es die poetische Ökonomie für das Romanganze erfordere.[21]

Goethe selbst gibt auf diese Quellenfrage nur unbestimmte Antwort; er nennt nirgends ein autobiographisches Manuskript der Klettenberg als seine Vorlage, äußert aber schon gegenüber Schiller (18. März 1795), daß ihm die Darstellung der schönen Seele nicht möglich gewesen wäre, »wenn ich nicht früher die Studien nach der Natur dazu gesammelt hätte«[22]; nimmt man dazu seinen späteren Hinweis, die *Bekenntnisse* seien aus »Unterhaltungen und Briefen« des Fräuleins als eine »in ihre Seele verfaßte Schilderung« entstanden[23], so möchte man mit Bielschowsky[24] annehmen, Goethe habe seine religiösen Gespräche mit Susanna frühzeitig notiert und diese Aufzeichnungen zusammen mit den Briefen als (heute verlorene) Materialgrundlage für ein poetisches Porträt ihrer Gestalt und Geschichte verwertet. Dabei ist keineswegs ausgeschlossen, daß die ihm verfügbaren Dokumente teilweise sogar in selbstbiographischer Form gehalten waren, zumal einige der uns überlieferten Briefe des Fräuleins (an Trescho, Neißer, Karl v. Moser) derartige Partien enthalten.[25] Es ist darum müßig, jene um 1900 heftig umstrittene Frage, ob den *Bekenntnissen* ein selbstverfaßter Lebenslauf der Klettenberg zugrunde liege oder nicht**, erneut zu stellen; wichtiger ist es, den Grad der äußeren und inneren

---

* Bisher hat nur Hermann *Dechent* (Die autobiographische Quelle der Bekenntnisse einer schönen Seele. In: Berichte des Freien Deutschen Hochstifts N. F. 13, 1897, S. 14–16) nach einer möglichen Verbindung der »Bekenntnisse« mit den herrnhutischen Lebensläufen gefragt; doch konnte seine Feststellung einiger äußerer Parallelen mit dem Lebenslauf der Maria Magdalena Loretz (der »Majorin« in den »Bekenntnissen«) noch keine stichhaltige Antwort darauf geben.

** Die Kontroverse entzündete sich vor allem an der überspitzten These Hermann *Dechents,* Goethes »Bekenntnisse« seien wegen der nur geringen Bearbeitung eines sicher anzunehmenden Originals »wesentlich das litterarische Eigentum« der Klettenberg (Goethes Schöne Seele Susanna Katharina von Klettenberg. Ein Lebensbild, Gotha 1896. S. 72). Gegen diese Deutung und bald auch

Umwandlung ihrer wie immer gearteten autobiographischen Zeugnisse durch Goethe zu ermitteln, um von dorther das 6. Buch der *Lehrjahre* in seinem gattungssystematischen wie gattungshistorischen Verhältnis zu den zeitgenössischen Typen der realen pietistischen Autobiographie bestimmen zu können.

Dies erfordert zunächst, die typologischen Grundzüge eines hypothetischen (mündlich oder schriftlich erzählten) Bekenntnisses der Klettenberg auf Grund ihres erhaltenen Nachlasses zu rekonstruieren. Ihre Lieder und Briefe bekennen in immer neuen Umschreibungen[26] eine Vision des Gekreuzigten (1757) als Angelpunkt ihres inneren Lebens und eine von diesem Zeitpunkt datierbare völlige Ergebenheit in den Willen Jesu: »Ein Herz, das in eine wahre Connexion mit dem Heilande gekommen ist, kann nichts anders als vor Ihm leben, und ist jede Viertelstunde nach dem Maaß, als es sich von ihm verliert, unglücklich — dies wenige ist Geschichte meines Herzens ——«.[27] Weltdienst und Kreuzesleben, »Gräuel der Sünden« und gnädige Erlösung sind schroff getrennt[28], und letztere wird allein dem ungeschuldeten Erbarmen Gottes zugeschrieben. Ausdruck findet diese religiöse Gedankenwelt zunächst in der herkömmlichen Terminologie der herrnhutischen Blut- und Wundentheologie; erst als die Klettenberg in den letzten Jahren unter dem Einfluß Goethes und Lavaters bei wachsender Empfindung und Erfahrung der Nähe Gottes alles gemeindliche »Formenweßen« verläßt und sich als »Christlicher Frey-Geist« zur Brüderschaft mit allen Menschen bekennt[29], gewinnt auch ihre religiöse Sprache eine neue Freiheit, ja sie lehnt jetzt die »Schuhlwörter«[30] ausdrücklich ab. Aus allem läßt sich erschließen, daß eine Konfession der Klettenberg die traditionelle Gestalt einer Erweckungsgeschichte (Weltleben als Vorgeschichte, dramatische Vision als Höhepunkt, befreiende Wirkung dieser Erfahrung als Ausklang) besäße, beherrscht von ausgeprägtem Sünden- und Gnadenbewußtsein und vom Bekenntnis zur unbedingten Direktion des Heilands. Es wäre denkbar, daß dabei auch die Abläufe seelischer Empfindungen und nicht zuletzt auch äußere Umstände und Begegnungen mitgeteilt würden, doch blieben diese stets dem religiösen Koordinatensystem ein- und untergeordnet. Je nach der Entstehungszeit wäre mit einer mehr oder weniger individuell geprägten Ausdrucksweise zu rechnen, die mit eigenen Worten die im Grunde nicht beschreibbaren religiösen Erfahrungen zu umreißen versuchte. Insgesamt ergibt sich daraus, daß eine selbsterzählte Geschichte des Fräuleins von Klettenberg in Struktur und Stilniveau dem Lebenslauf der Prinzessin Henriette von Anhalt-Dessau entspräche, nur daß sich bei ihr das Umkreisen der inneren Vorgänge und Erlebnisse weniger in einer metaphorischen als in einer abstrahierend-reflexiven Sprache äußerte. Auf jeden Fall träte auch ihr Bekenntnis in jene oben erkennbar gewordene Sonderreihe pietistischer Lebensläufe und würde sie um eine weitere individuelle Variante bereichern.

---

gegen die ihr zugrunde liegende Annahme einer selbstbiographischen Vorlage wandten sich mit zunehmender Entschiedenheit Robert *Riemann* (Goethes Romantechnik. Leipzig 1902, S. 16–22), Albert *Bielschowsky* (Goethe. München [19]1916, Bd. 2, S.697, Anm. zu S. 157), Hans *Glagau* (Die moderne Selbstbiographie als historische Quelle. Marburg 1903, S. 49–52) und Heinrich *Funck* (Einleitung zu: Die schöne Seele. Leipzig 1911, S. 4–7) und betrachteten im Gegenteil Goethes »Bekenntnisse« wie den übrigen Roman als eine Schöpfung des Dichters, wobei sie sich nicht zuletzt auf *Schillers* Überzeugung (Brief an Goethe, 19. März 1795) berufen konnten. Diese spätere Anschauung hat sich in der Goethe-Forschung allgemein durchgesetzt.

Vor diesem Traditionshintergrund ist nun um so klarer abzulesen, welch völlig neuen und andersartigen Charakter Goethes *Bekenntnisse einer schönen Seele* gegenüber den Vorlagen wie überhaupt den möglichen Vorbildern aus der pietistischen Autobiographik der Zeit gewinnen. Auf den ersten Blick freilich scheinen zumindest die beiden ersten Drittel des Buches, also die eigentlichen *Bekenntnisse* vor ihrer Verknüpfung mit der Welt des Oheims und dem übrigen Roman, weithin mit realen pietistischen Konfessionen übereinzustimmen. Der Aufbau folgt durchaus dem Schema der Erweckungsgeschichte, ein Stufenweg führt zum Höhepunkt, einer Vision des »am Kreuz Gestorbenen«[31], und sogar eine wenn auch lockere Verbindung zur Herrnhuter Brüdergemeine fehlt am Ende nicht; auch die einzelnen Abschnitte der Erzählung sind wieder so gebaut, daß aus den äußeren Ereignissen (Krankheit, Familienumstände etc.) die eigenen Empfindungen, aus ihnen häufig eine Zuflucht zum Gebet und daraus schließlich momentane Hilfe und Beruhigung entwickelt werden[32]; ja bis in den Wortschatz hinein erinnern diese *Bekenntnisse* mit bestimmten Termini, Wendungen und Bildern deutlich an herrnhutische Lebensläufe, wenn mit »Schaden«, »Greuel« und »Verderben«, mit »Zufall«, »Prüfung« und »Erfahrung«, mit »Fühlen« und »Empfindung« und mit Gott als dem »großen Arzt«, »unsichtbaren Freund« und »treuen Führer« die Grundbegriffe des religiösen Ganges auch in diese Seelengeschichte eingestreut werden.[33]

Aber alle diese Übereinstimmungen können und wollen nicht verbergen, daß hier nicht das Bekenntnis eines von oben her bestimmten Gnadenweges, sondern das einer sich in Stufen vollziehenden Selbstverwirklichung formuliert ist. Organisierendes Zentrum der Darstellung ist nicht mehr Gott, sondern die Sensibilität des »Herzens« oder der »Seele«, deren Neigung zur Selbstbetrachtung und Wunsch nach moralischer Selbsterkenntnis zudem ganz aus der kränklichen Natur der schönen Seele erklärt wird.* Durch äußere Einwirkung (Krankheit, Unterricht, Begegnungen, geistige Aufregung, Leidenschaft) wird die Seele sofort auf sich selbst zurückgeführt, und wenn dabei am Ende jedesmal der Wunsch erwacht, sich darüber mit Gott zu unterhalten und Trost oder Hilfe bei ihm zu holen, dann wirken auch diese Gebete immer wie Selbstgespräche, worin eine sittliche Natur mit sich ins reine kommen will.[34] »Ich flehte zu meinem Gott, auch hier mich zu warnen ... und da mich hierauf mein Herz nicht abmahnte ...«[35] ist ein syntaktisch nur besonders deutliches Beispiel für diese immer wiederkehrende Identifikation Gottes mit dem eigenen Inneren; schon in der Auseinandersetzung mit Narziß ist die »Frömmigkeit« der schönen Seele, »die Gott mehr schätzt als ihren Bräutigam«[36], nichts anderes als ihr Entschluß, lieber alles in der Welt zu verlassen, als »gegen meine Einsichten (zu) handeln«[37]; und selbst die Vision Christi wird nicht, wie bei den Pietisten, als Epiphanie, sondern als eine durch höchste Konzentration des Geistes erfahrene innere Anschauung gedeutet und in ihrer Wirkung der »Einbildungskraft« gleichgesetzt, die »uns die

---

* Sogleich die einleitenden Sätze bestimmen diese Blickrichtung: »Mit dem Anfange des achten Jahres bekam ich einen Blutsturz, und in dem Augenblick war meine Seele ganz Empfindung und Gedächtniß.« »Während des neunmonatlichen Krankenlagers... ward... der Grund zu meiner ganzen Denkart gelegt...« (W.A. I, 22, S. 259). – Schon 1798 hat Schleiermacher auf diesen Umstand aufmerksam gemacht: »Im Anfang hat er gewaltig viel theils gemacht, theils anders zusammengestellt, um die ganze Denkungsart, wie die Leute sagen, psychologisch einzuleiten und verständlich zu machen...« (Brief an die Schwester Charlotte, 16. Juni 1798: Briefe Schleiermachers. Ausgewählt und eingeleitet von Hermann *Mulert*. Berlin 1923, S. 75).

Züge eines abwesenden Geliebten vormahlt«[38]. Es ist jener »stille Verkehr der Person mit dem Heiligen in sich«, den schon Schiller als »äußerst übereinstimmend mit der Natur« empfunden hat[39]; Goethe selbst spricht aus der Sicht des Autors von den »edelsten Täuschungen« und der »zartesten Verwechslung des Subjektiven und Objektiven«[40] und erläutert damit, daß er die schöne Seele jenen Tausch des Zentrums zwar schon aussprechen, aber noch nicht erkennen läßt.

Unbewußtes Ziel aller ihrer Anstrengungen ist also nicht mehr die Erlösung durch einen gnädigen Gott, sondern die aus eigener Kraft erreichbare Selbstverwirklichung, d. h. die unbedingte Selbständigkeit des Individuums gegenüber den Reizen und Ansprüchen der Welt. Dieses Verharren im immanenten Bereich erklärt zugleich die kausalpsychologische Akribie, mit der hier alle wichtigen äußeren Erlebnisse und ihre Wirkung auf die innere Empfindungswelt, ja der Gang des eigenen Grübelns bis zu endlichen Entschließungen und deren Folgen nach außen hin minutiös nachgezeichnet werden.[41] Es darf daher nicht überraschen, wenn die *Bekenntnisse einer schönen Seele* eigentlich keinen Bekenntniston, sondern einen sehr ruhigen und distanzierten, einläßlich-berichtenden oder umständlich-reflexiven Erzählstil besitzen. Noch bei den weltaufgeschlossensten Pietisten bleibt die Darstellung der äußeren und seelischen Erlebnisse immer den transzendent-religiösen Erfahrungen untergeordnet und also in erzählerischen Grenzen; wird dagegen, wie hier, der Sitz Gottes von außen ins eigene Herz verlegt, so verliert das vertikale Schema auch formal seine einschränkende Kraft, es besitzt nur noch metaphorische Funktion.

Dennoch hatte Goethe Grund, das vertikale Schema hier noch beizubehalten. Die Übernahme der hierarchischen Struktur der pietistischen Konfession erlaubte es ihm nämlich, die Form der ihm so verhaßten direkten Selbstbespiegelung möglichst zu meiden und dafür die seelischen Spannungen und Kämpfe der schönen Seele und die endliche Lösung ihrer Konflikte immer wieder unter den Bildern des religiösen Stufenwegs und der oftmaligen Unterredungen mit Gott, ihren (und seinem) »geselligen Sinn«[42] gemäß, anschaubar zu machen. Unter dem gleichen Gesichtspunkt des formalen Nutzens ist auch die Verwertung des pietistischen Wortmaterials zu verstehen. Auf der einen Seite dient das nur spärlich benutzte rein religiöse Vokabular dazu, das eigene metaphorisch als höchste und letzte Instanz zu umschreiben; auf der anderen Seite werden alle Wendungen, die in pietistischen Lebensläufen eindeutig als Metaphern erkennbar sind (»Verderben«, »Krankheit«, »Prüfung«, »Erfahrung« etc.), ihres metaphorischen Charakters entkleidet und auf ihre nicht-religiöse Ursprungsbedeutung zurückgeführt, so daß sie die alten Polaritäten aus dem bisherigen religiösen Kontext noch immer ausdrücken und doch der neuen, rein psychologischen Intention ohne weiteres dienstbar werden.

Bis in die übernommenen Stil- und Aufbauformen hinein erweisen sich so die *Bekenntnisse einer schönen Seele* als Umkehrung der religiösen in eine psychologische Konfession. Aus realen und fiktiven Elementen ist vom ersten Satz an ein durch und durch künstliches Gebilde intendiert, das in seiner säkularisierten Form weder im ganzen noch im einzelnen aus einer pietistischen Feder, auch nicht aus der des Fräuleins von Klettenberg, stammen kann.* Solche durchgreifende fiktive Säkularisation war jedoch notwendig, um

---

* Wohl bezeichnet Goethe in »Dichtung und Wahrheit« (8. Buch) die »sittlichen Erfahrungen« des sich selbst beobachtenden Menschen als die »liebste … Unterhaltung« der Klettenberg, »woran

dieses Lebensbild in die Welt des Oheims und des ganzen Romans als einen weiteren Bildungsweg aufnehmen zu können. Denn nicht primär als Pietistin, sondern als Vertreterin einer einseitig innerlichen Lebensform wird die Stiftsdame hier eingeführt und verstanden, und gerade die Umdeutung ihres religiösen Erlösungswunsches in den Willen zu geistiger und moralischer Selbständigkeit macht sie dem Oheim wesensverwandt und zu einer fruchtbaren Begegnung mit diesem Repräsentanten höchster weltlicher Kultur fähig. Diese prinzipielle Verwandtschaft mit dem Oheim ermöglicht auch den bruchlosen Übergang von den eigentlichen *Bekenntnissen* zum letzten Drittel des Buches [43], wo die schöne Seele unter dem Einfluß des Oheims nun sogar selber Distanz zu ihrer introvertierten Existenz gewinnt, was aber den Grundcharakter ihrer Bekenntnisse nicht verändern kann, sondern ihnen nur eine neue Stufe der Selbstreflexion hinzufügt. Es können darum jetzt auch längere direkte Gespräche zwischen dem Oheim und der Stiftsdame aufgenommen werden, die ihre bisherige Lebensform nunmehr einer rationalen Prüfung unterziehen: der Oheim bejaht jede Art der Selbstverwirklichung, will jedoch jene einsame »sittliche Bildung« durch Pflege »feinerer Sinnlichkeit« und durch »regelmäßige Selbsttätigkeit« ergänzt und ausgeglichen sehen. [44] Solche Kritik weist zugleich auf den präludierenden Charakter der Stiftsdame für den Schluß des Romans; denn sie erweist sich am Ende als eine Art Komparativ zu ihrer Nichte Natalie, die mit der Tante die Harmonie von Pflicht und Neigung teilt, statt passiver Liebe aber einen Hang zu praktischer Wohltätigkeit zeigt [45] und darum als die einzige »rein ästhetische Natur« erst ganz die klassische Idee der »schönen Seele« erfüllt. [46] Auf solche Weise wachsen die *Bekenntnisse,* die scheinbar völlig fremdartig eingesetzt hatten, allmählich immer mehr in den Roman hinein. Es ist nur möglich, weil Goethe dafür keine reale religiöse Konfession der Zeit übernimmt oder notdürftig zurechtstutzt, sondern im 6. Buch von Anfang an eine konsequente psychologische Säkularisation dieses traditionellen Typs fingiert und dadurch ein Bild der reinen Innerlichkeit gewinnt, wie es ihm für die Welt seines Romans einzig angemessen erscheint.

Diese besondere Stellung der *Bekenntnisse* innerhalb eines Romans bestimmt zugleich ihren Ort in der Geschichte der deutschen Autobiographie. Anders als Karl Philipp Moritz, der im *Anton Reiser* die psychologische Selbstanalyse nur dadurch verselbständigen konnte, daß er das Vorsehungsschema vollständig durch eine Polarität von Ich und Welt ersetzte, erreicht Goethe in den *Bekenntnissen einer schönen Seele* die psychologische Säkularisation unter *Wahrung* des vertikalen Schemas. Daraus könnte der Schluß gezogen werden, daß hier nun doch ohne Umweg über das Tagebuch [47] das religiöse Bekenntnis unvermerkt in eine psychologische Autobiographie verwandelt worden sei. Vor dem Traditionshintergrund der pietistischen Lebensläufe wird aber sehr deutlich, daß eine derartige Umwandlung nur auf der Ebene der Fiktion gelingen konnte, daß also Goethe mit den *Bekenntnissen* keine mögliche Entwicklung der realen religiösen zur psychologischen Autobiographik eingeleitet oder vorweggenommen hat. Wohl war es ihm als

---

sich denn die religiösen Gesinnungen anschlossen« (W. A. I, 27, S. 199 f.), spricht ihr also die gleiche psychologische Perspektive und Denkrichtung wie der »schönen Seele« zu. Es ist aber zu beachten, daß diese Kurzcharakteristik der historischen Gestalt gleichfalls eine Interpretation durch Goethe darstellt, der damit gerade an jene frühere »in ihre Seele verfaßte Schilderung« erinnern will.

Dichter möglich, diesen Sonderweg zu beschreiten, die Geschichte der realen Gattung aber konnte ihm darin nicht folgen, weil das religiöse Bekenntnis am Ende des 18. Jahrhunderts und darüber hinaus nur die beiden Möglichkeiten der Traditionstreue oder der radikalen Säkularisation sieht.

2. Nachhall der psychologischen Autobiographie

Wie schon die bald nach dem Erscheinen von Rousseaus *Confessions* (1781/82) einsetzende und sich in den neunziger Jahren steigernde Kritik an seiner rückhaltlosen Selbstpreisgabe vermuten läßt[48], findet dieses radikale moralisch-psychologische Bekenntnis unter den deutschen Autobiographien am Ende des 18. Jahrhunderts und darüber hinaus keine Nachfolge. Aber auch das streng kausalpsychologische Programm des Empirikers Moritz ist in konsequenter Form nur in dessen eigenem Roman *Anton Reiser* verwirklicht worden.[49] Offenbar haben die übersteigerten Psychogramme dieser beiden Bücher die Lust und Neugier der Selbsterforschung eher abgekühlt als gesteigert, hat auch die vorherrschend düstere Atmosphäre und Tonart solch radikaler Selbstergrübelung mehr abschreckend als einladend gewirkt. Jedenfalls ist ein ausgeprägtes psychologisches Interesse bei den deutschen Autobiographen um und nach 1790 nur noch gelegentlich anzutreffen und selbst bei diesen Ausnahmen kann man höchstens noch von schwachen Anklängen an die berühmten Muster sprechen. Die beiden einzigen Beispiele dafür sind die Selbstbiographien von Johann Georg Müller und von Theodor Gottlieb von Hippel; in beiden lebt wenigstens noch ein Nachhall der früheren Aufmerksamkeit auf das Wechselverhältnis von äußeren Erlebnissen und innerer Empfindungswelt, auch wenn solche Kausalpsychologie hier nirgends mehr den Bau der Lebensdarstellung insgesamt organisiert. Immerhin wird ihre gewisse Vorliebe für das psychologische Thema daran erkennbar, daß beide, wie schon Moritz und entgegen den meisten gleichzeitigen Autobiographen, sich auf die Jugendgeschichte beschränken, auf Lebensabschnitte also, die mehr als die späteren Berufsjahre Erinnerungsstoff für die seelischen Erlebnisse bereithalten.

In mehrfacher Hinsicht können die beiden Fassungen von Johann Georg Müllers Selbstbiographie (1786, 1796) die Übergangssituation der deutschen Autobiographik um 1790 illustrieren. Die bis heute größtenteils unveröffentlichte *Kurze Uebersicht meiner Lebensgeschichte*[50], 1786 für die Freundin und Braut zu privater Lektüre in Form handschriftlicher »Wochenblättchen« aufgezeichnet, damit sie ihn aus seinem bisherigen Wege besser kennen lerne[51], will noch in engagiert-bekenntnishaftem Ton vornehmlich das eigene Charakterbild mit allen Vorzügen und Schwächen in den Zusammenhang der Lebensschicksale bringen; die Einzelereignisse der Kindheit, Schul- und Studienzeit werden nur deshalb so detailliert geschildert, um die damit verbundenen Empfindungen von damals rekapitulieren und begründen zu können. Doch anders als bei Rousseau und Moritz wird hier keine »chaîne des sentimens«, keine fortdauernde Wechselwirkung von äußeren Ereignissen und psychologischen Reaktionen durchs Leben hindurch verfolgt, sondern immer nur isolierte Einzelwirkungen registriert, deren Summe eine Folge relativ gleichförmiger statischer Selbstcharakteristiken[52], keine eigentliche *Geschichte* der

Seele bieten. Eher schon versucht Müller in dieser *Uebersicht*, die Theorie des bleibenden Einflusses äußerer Umstände auf den *moralischen* Charakter zu erhärten, indem er nicht müde wird, die Erziehung im Elternhaus, die Lehrer und ihren Unterricht, Lektüre und Träume, Freundschaften, bestimmte Begegnungen und Gespräche als für Leben und Charakter schicksalhaft und dabei oft recht kritisch zu bewerten.[53] Indem aber Müller neben diesen äußeren Einflüssen die eigentümliche Individualität des Menschen, die »in allen Umständen gleich« bleibende »Natur der Seele« (wie etwa die eigene Schüchternheit oder Neigung zur empfindsamen »Schwärmerey«) für ebenso lebensbestimmend hält[54], rückt er nun doch entscheidend von Moritzens These der totalen Abhängigkeit des Ich von seiner Umwelt ab und nähert sich der älteren, offensichtlich leichter nachvollziehbaren Auffassung Reiskes, der schon 1770 die Polarität von Eigentat und Fremdbestimmung, von Freiheit und Notwendigkeit in seinem Leben betont hatte.[55] Folgerichtig fehlt auch bei Müller das grüblerische Selbstmitleid eines Moritz, weder gelangt seine Seelenschilderung in gefährliche Tiefen noch erhalten seine Anklagen je sozialkritischen Unterton, werden vielmehr durch Passagen oft scharfer Selbstkritik[56] balanciert. Doch ähnlich wie Reiske oder Jung-Stilling[57] ist auch Müller, wenigstens in der Frühfassung seiner Lebensgeschichte, noch viel zu unsicher, im Ich schon eine volle selbständige Kraft zu erblicken; deshalb sucht er wie diese Vorgänger noch immer Schutz unter dem alten Vorsehungsschema, indem er sowohl alle Umstände wie alle eigenen und fremden Tugenden und Fehler als Mittel und Werkzeug der göttlichen Führung deutet und sich in diesem Glauben immer wieder beruhigt.[58] Dieser religiöse Rahmen erlaubt es ihm sogar, bestimmte Angelpunkte des Lebens (wichtige Lektüre und Begegnungen)[59] in traditioneller Weise als plötzliche Einbrüche, ja als »Erwekungen« dramatisch zu stilisieren; weil dabei aber nie ein endgültiger Durchbruch geschieht, sondern solche Szenen sich bei ihm beliebig wiederholen können, lenkt Müller doch auch nicht in die Bahn des religiösen Bekenntnisses zurück, benutzt vielmehr dessen herkömmliches Hauptmerkmal nur noch als ein formales Mittel* zur deutlichen Gliederung seines religiösen Ganges, der nicht mehr als Erweckungsprozeß, sondern als eine von der Vorsehung gelenkte philosophisch-theologische Bildungsgeschichte[60] verstanden wird.

  Die autopsychographische Komponente wird aber noch weiter eingeschränkt, wenn Johann Georg Müller diese erste Skizze zehn Jahre später umarbeitet (*Meine Lebens-Geschichte,* 1796)[61]. Es läßt sich daran zugleich die allgemeine Wandlung in der Gattungsauffassung um 1790 beispielhaft ablesen. Schon in der neuen Vorrede betont der Autor, er habe die früheren geheimen Mitteilungen an die Braut umgeschrieben, damit sie auch ein größerer Freundeskreis interessant und lehrreich finden könne.[62] Die wichtigste Folge dieser Publikumserweiterung ist die Bemühung um größere Distanz dem Erlebten gegenüber: hatte Müller in der Frühfassung die psychologischen Bekenntnisse

---

* Diese Absicht der bloßen Benutzung kommt klar zum Ausdruck, wenn Müller an solchen Stellen die pietistische Terminologie zwar übernimmt, sich aber zugleich von ihr ironisch distanziert: »Ich überlasse es denen, die den Kanzleystil der christl. Erfahrungslehre besser als ich verstehen, diese Rührung zu benennen, ob es Bekehrung, Erwekung, Heimsuchung, Gnadenruf oder so was gewesen. Im Grunde wars alles.« (Kurze Uebersicht meiner Lebensgeschichte, 1786, Bl. 68 v: nach der Lektüre von Lavaters Tagebuch); vgl. auch Bl. 96 r–v: »Der Geist Gottes hat gar mancherley Wege mit dem Menschen, die in keiner pietistischen *Gnadenordnung* stehen.«

nur damit rechtfertigen können, daß er sie bloß Gott und seiner Braut erzähle[63], so werden nun konsequent alle bekenntnishaften und auch alle polemischen Abschnitte (oft exkursorischer Art) gestrichen oder ihr Inhalt nur noch in knapper Zusammenfassung referiert.[64] Durch diesen Verzicht auf dramatisch-unmittelbares Erzählen fällt auch manche Schilderung seelischer Erlebnisse weg[65], dafür werden neue Abschnitte mit ausführlicher Charakteristik der Lehrer und Freunde und vor allem der eigenen (schriftstellerischen) Tätigkeit in Studium und Beruf eingefügt.[66] Folgerichtig weicht der frühere invektive Stil jetzt weithin einem ruhigen Berichtston, die Erlebnisse werden nicht mehr ausschließlich im Spiegel der Seele zurückgeworfen, sondern häufig auch als allgemein wichtige und lehrreiche Fakten referierend dargeboten. Dazu paßt, daß Müller jetzt seine geistigen Wandlungen und Irrwege nicht mehr als Mittel der Vorsehung zur eigenen stufenweisen Bildung und Vervollkommnung, sondern als Erfahrungen wertet, die er als Lehrer und Schriftsteller für andere nutzbar machen kann.[67] Überhaupt reduziert er jetzt das Vorsehungsschema auf einen formelhaften Preis der göttlichen Führung zu Beginn und Ende und auf gelegentliche Erwähnung im Innern der Lebensgeschichte[68] und verstärkt dadurch indirekt den Eindruck der Selbständigkeit des Ich; gleichzeitig betont er bei den frühen Erlebnissen nicht mehr nur ihren momentanen Einfluß auf das Gemüt, sondern auch ihre langfristige Wirkung auf das ganze Leben bis zur Schreibgegenwart[69], woran noch einmal die neue Distanz des Autors zur eigenen Vergangenheit deutlich wird. Im ganzen also gewinnt die immanente Polarität an Kraft, doch nicht durch späten Anschluß an Rousseau oder die Erfahrungsseelenkunde (denn um kausalpsychologischen Einzelnachweis bemüht sich Müller auch jetzt nicht), sondern durch einen neu gestärkten Glauben an die eigene Tat und Verantwortung, kurz: der Schwerpunkt verlagert sich vom empfindsam-engagierten Charakterbekenntnis zur distanzierten Selbstrechenschaft, ohne deshalb die ursprüngliche Konzeption ganz verleugnen zu wollen.

Man kann diese relative Wandlung als Zeichen des reiferen Alters werten; doch ist gerade bei Johann Georg Müller anzunehmen, daß hier das dezidierte Plädoyer seines Mentors Herder für die praktische Lebensbeschreibung unmittelbar eingewirkt hat, das dieser 1790 im Vorwort zu Müllers erster Bekenntnissammlung formuliert hatte[70] und das Müller offensichtlich als ein auch für ihn selbst verbindliches autobiographisches Programm betrachtet hat. Somit läßt sich nicht nur an der früher[71] beobachteten Akzentverlagerung der damaligen Bekenntnissammlungen, sondern auch am Wandel der Autobiographie ihres ersten Herausgebers erkennen, wie rasch die wertende Typologie des damals wichtigsten Theoretikers der Gattung praktische Früchte trägt.

Daß dies nicht nur für Herders unmittelbare Umgebung zutrifft, zeigt die *Biographie ... Theodor Gottlieb von Hippel* (geschrieben 1790/91, gedruckt 1800/01)[72]. An sich ist auch sie noch als ein Charakterbekenntnis konzipiert: Hippel kündigt seinen Verwandten und Freunden – nur an sie ist auch diese Biographie gerichtet – ausdrücklich »Herzergießungen«[73] an, lehnt ein ausführliches »Lebens-Compte rendu« ab und will statt dessen eine »Osterbeichte« ablegen, »wo nur angebracht ist, was das Gewissen ... verlangte.«[74] Dementsprechend behandelt seine Lebensbeschreibung nur die Zeit seiner grundlegenden Erlebnisse und Entscheidungen, nämlich die Jugendgeschichte, die in drei Büchern von der Kindheit und Schulzeit über die Studienjahre bis zur Reise nach Petersburg und zur Rückkehr nach Königsberg reicht. Vor allem das erste Buch ist reich an zumeist anekdotisch geschlossenen (religiösen, moralischen, psychologischen) Bekenntnissen und Selbstcharakteristiken[75]; dabei geht es auch Hippel weder um Apologie (wie Rousseau) noch um sozialkritische Anklage (wie Moritz), sondern um die möglichst anschauliche, unterhaltsame wie belehrende Zeichnung seines individuellen Charakters und nur gelegentlich noch um kausalpsychologische Erkenntnis.[76] Hier wie in manchen Fremdporträts, vor allem der Wesensart der Mutter in ihrer Spannung zwischen Lebensleichtsinn und pietistischer Sündenangst[77], ist die Freude des Schriftstellers am schattierenden Psychogramm nicht zu verkennen. Später werden solche Abschnitte seltener, doch gewinnt gegen Ende der Petersburger Reise die wiederholt angewandte Technik des Selbstgesprächs[78] sogar strukturelle Bedeutung für die Abrundung des Berichts: die Entscheidung für oder wider den preußischen Dienst (und d. h. für die spätere Karriere in Königsberg) wird angesichts verlockender russischer Angebote in langen, von zweifelnden Fragesatzketten beherrschten Monologen dramatisch vergegenwärtigt, bis das letzte Selbstgespräch, das Hippel gar mit einem bekräftigenden »Amen« schließt, ihn »gerechtfertigt« in seinen Wagen steigen läßt: »sah den Himmel offen und mich glücklich auf Erden.«[79] Mit den Formen eines inneren Kampfes und endgültigen Entschlusses wird so das religiöse Erweckungsschema (Franckescher Prägung) auf die rein innerweltliche und allein vom Ich vollzogene Berufsentscheidung übertragen, ohne freilich die vorangegangenen Lebensabschnitte auch nur im geringsten als verwerfliches Weltleben zu verstehen; selbst die russische Folie bleibt in ihrer reizvollen Idyllik unangetastet. Wie bei Johann Georg Müller handelt es sich auch bei Hippels »Osterbeichte« nicht um eine konsequente Säkularisation des traditionellen Schemas insgesamt, vielmehr werden wieder nur einzelne formale Vorzüge zu einem eindrucksvollen Abschluß der Jugendgeschichte benutzt.

Auch hier wird keine Seelen*geschichte* im eigentlichen Sinn, geschweige in kausalpsychologischer Folge geboten. Im Dritten Buch warnt Hippel sogar ausdrücklich vor totaler Selbstdarstellung und empfiehlt statt dessen die Zeichnung des Ich »im Handeln«, »in wirklicher Beschäftigung mit andern«[80], was er im Zweiten und Dritten Buch mit den dabei vorgeschlagenen traditionellen Formen des »cursus academicus« und der Reisebeschreibung auch zu verwirklichen sucht. Statt direkter Seelenporträts gewinnt so die Spiegelung des Ich in der Wiedergabe seiner wechselnden Eindrücke rasch die Oberhand, und die damit vorherrschende immanente Ich-Welt-Polarität läßt Hippel auch von vornherein auf den Preis der Vorsehung als Aufbaugerüst verzichten. An deren Stelle tritt als übergeordnetes Organisationsprinzip der Lebensdarstellung die eigene Perspektive des Rückblickenden, eine souveräne Erzählhaltung aus weitem Abstand, die bemüht ist, jede Einzelheit vergangener Erlebnisse mit der gegenwärtig erreichten Position und Gesinnung zu verknüpfen und so dem Leser den jetzigen Erzähler als eigentlichen Meister dieses Lebens ständig fühlbar zu machen. Dies geschieht einmal auf direktem Wege durch das Argument der »pia recordatio«[81], der Erinnerungsfreude über bestimmte Gestalten, Orte, Begegnungen, aber auch über eigene (moralische) Entscheidungen, die Hippel post festum durchwegs mit selbstgefälliger Genugtuung gutheißt und kaum einmal glaubt bereuen zu müssen[82]; zum andern indirekt durch die ja auch sonst den Schriftsteller Hippel kennzeichnende humoristische Perspektive*, womit er vor allem bei den Kindheitsanekdoten die Spannung der komischen Ernsthaftigkeit im Denken, Reden und Spielen des Kindes stilistisch nutzt[83] und so auch von dieser Seite die auktoriale Erzählposition betont. Aber nicht genug damit, sie während der Lebensgeschichte selbst zu wahren; Hippel unterbricht diese auch noch fortwährend durch digressive Reflexionen (über Erziehung, Privatunterricht und akademische Freiheit, über Pietismus, Aufklärung und Kantische Philosophie, aber auch über Gedächtnis, Theatermanie und Trinkfestigkeit)[84], die alle nur in losem Stichwortzusammenhang mit der Geschichtserzählung stehen, und er erklärt solche abschweifende »Unordnung« eigens zum positiven Darstellungsprinzip seiner Autobiographie, weil es die »Aufrichtigkeit« als ein Hauptstück jeder Lebensbeschreibung am meisten garantiere[85]. Der tiefere Grund für diese selbsterteilte Lizenz liegt aber wohl in dem Wunsch des Autors, das Bekenntnis der jugendlichen Entschlüsse durch häufiges Einschalten gegenwärtiger Lebensansichten und -erfahrungen, oft auch in kritischem Vergleich mit der früheren Gesinnung, nach oben hin zu ergänzen, und so im Ansatz doch eine Selbstrechenschaft über das *ganze* Leben zu gewinnen, die es zugleich gestattet, die pädagogische Intention der Schrift voll zur Geltung zu bringen. Die durchgehaltene und bewußt betonte Rückblicksperspektive ermöglicht überdies einen mühelosen Wechsel vom reflexiven Einschub zum distanzierten Ton der Vergangenheitserzählung und erfüllt so nicht nur thematisch sondern auch stilistisch die gleichzeitige Forderung Herders nach ruhigen Lebensbilanzen.

3. Neue Wege der Gelehrten- und Künstlerautobiographie

Die überwiegende Zahl der Berufsautobiographien deutscher Gelehrter und Künstler nach 1790 intendiert keine psychologische Selbstanalyse mehr, will aber auch das andere Extrem eines bloßen Berichts der eigenen Karriere vermeiden. Sie versucht vielmehr auf verschiedenen Wegen, aus ihrer bisherigen Traditionsbahn auszubrechen. Einmal wird von manchen Autobiographen die mit dem neuen historischen Denken gegebene Möglichkeit entdeckt, Berufs- und Zeitgeschichte miteinander zu verbinden, den eigenen Weg im größeren politischen Feld zu sehen und so beides aus einer neuen individuell-historischen Perspektive zu beurteilen. Zum andern begegnen jetzt überraschende Versuche weniger von Künstlern als gerade von Gelehrten, ihre eigene Berufslaufbahn als Abenteuergeschichte zu erzählen, also mit den Darstellungsmitteln der gleichzeitigen Unterhaltungsliteratur zu gestalten und mit dieser formalen Neuerung zugleich ihren bisher auf die Kollegen beschränkten Leserkreis zu erweitern. Eine dritte Gruppe von Autobiographen schließlich unternimmt es, durch genaue Zeichnung fremder Charaktere und des eigenen Verhältnisses zu ihnen eine indirekte Selbstdarstellung zu erreichen. Alle diese Wege haben somit die Richtung zur stärkeren Beachtung der (lokalen oder zeitge-

---

* Dies ist auch der einzige *literarische* Vergleichspunkt zwischen Hippels Selbstbiographie und seinen »Lebensläufen nach aufsteigender Linie« (4 Theile, 1778–1781), während stoffliche Parallelen und selbst die gemeinsame Ich-Form keine Verbindung zwischen der Biographie und dem durch die fiktive Erzählerrolle streng davon geschiedenen Roman zulassen.

schichtlichen) Umwelt gemeinsam, um in diesem Spiegel das eigene Porträt möglichst unauffällig erscheinen zu lassen. Zugleich führen diese neuen Wege der Berufsautobiographie am Ende der beiden Jahrzehnte zu einem Punkt, der alle ihre Ansätze des historischen Denkens, der erzählerischen Bereicherung und des Ausgleichs von Selbst- und Weltdarstellung nicht nur aufnimmt, sondern in ihrer Zusammenfassung gegenseitig steigert und zu voller Entfaltung kommen läßt: Goethes *Dichtung und Wahrheit,* das sich überdies älteren Möglichkeiten der Gattung vorsichtig öffnet und so den bisherigen Höhepunkt der deutschen wie der europäischen Autobiographik bringt.

a) Ansätze eines historischen Denkens:
Verbindung von Berufs- und Zeitgeschichte

Einen Übergang von der psychologischen Autobiographie zur praktisch-historischen Lebensbeschreibung bildet Johann Georg Heinrich Feders *Leben, Natur und Grundsätze* (geschrieben hauptsächlich 1790, postum herausgegeben von seinem Sohn 1825)[86]. Eklektischer Popularphilosoph in der Nachfolge Christian Wolffs, war Feder in seiner Göttinger Zeit wie später als Direktor eines Erziehungsinstituts in Hannover bestrebt, die Nutzanwendung philosophischer Erkenntnisse für die praktische Moral und Psychologie zu fördern, und so lag es für ihn nahe, in der Autobiographie Beispiele dafür aus dem eigenen Leben zu sammeln und als Musterbilder aufzustellen. Dabei spielt seine »sittliche Ausbildung«, obwohl in der »Vorerinnerung« als Hauptthema angekündigt[87], die geringere Rolle; denn die anfängliche Aufzählung eigener Fehler und Unarten[88] verliert sich rasch und zollt der traditionellen Vorstellung der Autobiographie als einer Konfession nur noch pflichtmäßigen Tribut. Wichtiger bleibt Feders durchgängiges Interesse für seine Empfindungswelt: wie schon Semler[89] gewinnt er dem herkömmlichen Aufbau eines Gelehrtenlebens dadurch eine weitere Dimension ab, daß er die Einzelereignisse der Schulbildung, der Berufslaufbahn und gelehrter Streitigkeiten nicht nur (apologetisch) berichtet, sondern durch die Darstellung auch der eigenen seelischen Reaktionen darauf eine Reihe anschaulicher Stimmungsbilder aus seiner Berufswelt schafft.[90] Diese sind geeignet, für das eigene Verhalten in den verschiedenen Krisensituationen, namentlich in seiner unglücklichen Auseinandersetzung mit der Kantischen Philosophie, um Verständnis zu werben und so der Selbstrechtfertigung einen milderen, oft schon melancholischen Ton zu verleihen.

Nun fällt jedoch auf, daß Feder Erfahrungen und Erlebnisse im privaten und beruflichen Bereich häufig auch deshalb schildert, um dabei »die Denk- und Lebensart jener Zeit« zu zeichnen, »von der die gegenwärtige sich schon so sehr entfernt hat«[91] – handele es sich nun um kulturhistorisch interessantes, inzwischen untergegangenes Brauchtum aus seiner Kindheit oder um zeittypische Gepflogenheiten etwa des Unterrichts oder der Predigt, wie sie in seiner Studienzeit noch üblich gewesen waren.[92] Dieser Wille zur historischen Nachricht beschränkt sich bei Feder jedoch nicht mehr auf kulturgeschichtliche Einzelheiten. Er erstreckt sich jetzt ebenso auf die großen weltpolitischen Ereignisse seiner Lebenszeit. Erstmals wird in einer Gelehrtenautobiographie das Bestreben deutlich, nicht nur die eigene Berufswelt sondern auch die Zeitgeschichte aus persönlicher

Sicht mit selbsterlebten Anekdoten für die Nachwelt aufzuzeichnen. Freilich läßt der Stellenwert, der dabei den Weltbegebenheiten innerhalb der Lebensgeschichte zuerkannt wird, rasch erkennen, daß bei Feder höchstens von einem *Ansatz* historischen Denkens gesprochen werden kann. Schon die Kapitelüberschrift »Von der Französischen Revolution in Beziehung auf mich und meine Schicksale« [93] deutet es an. Sobald nämlich Feder auf dieses wichtigste politische Ereignis in seinem Leben zu sprechen kommt, verläßt er die zuvor eingeübte historisch-berichtende Perspektive; dieser Angelpunkt der neuesten Geschichte ist als die große Scheidung der Geister dem Autobiographen noch so nahe, daß hier unwillkürlich die politische Einstellung und Entscheidung des einzelnen zum Thema wird und dieses Kapitel ebenfalls unter das apologetische Zeichen tritt: dem Bekenntnis freimütiger Äußerungen zu Beginn der Revolution (»Leichtsinn«, Mangel an »nötiger Klugheit und Mäßigung«)[94] folgt das Erstaunen über die damaligen eigenen Urteile in Wort und Schrift, wobei die Reaktion vorsichtigerer Kollegen (wie Pütter und Spittler) zur Folie dient.[95] Im ganzen werden, wie schon bei der Wirkung der Kantischen Revolution auf die eigene Berufsatmosphäre, wieder anekdotische Stimmungsbilder aus der Göttinger Gelehrtenwelt skizziert und dabei das eigene Verhalten in politisch bewegter Zeit halb gebeichtet, halb verteidigt. Analog dazu veranschaulicht auch das letzte Kapitel: »Franzosen in Hannover« (1805 nachträglich hinzugefügt)[96] nur die persönlichen Erlebnisse und Erfahrungen des Autors mit der Besatzungsmacht (Fragebogen, Freundschaft mit französischen Offizieren, Verordnungen über die ihm anvertraute Bibliothek) und läßt die Erzählung vom Einmarsch und der Besetzung immer wieder in das Bekenntnis des eigenen Versuchs münden, eine optimistische Philosophie zu praktizieren und auf solche Weise ein ruhiges Gemüt zu bewahren[97]; das Ziel der Darstellung bleibt also auch hier die Reflexion über die eigene (moralische, psychische) Haltung in extremen Situationen.

Die Übergangsstellung dieser Autobiographie ist damit deutlich. Auf der einen Seite verzichtet sie nicht mehr darauf, wichtige Vorkommnisse des politischen Zeitgeschehens als eigene Themen in die Lebensbeschreibung einzubeziehen; andererseits wird in solchen Kapiteln aber noch kein selbständiger geschichtlicher Rahmen gesteckt, in den das eigene Leben als gleichfalls historisches Individuum eingeordnet würde. Vielmehr werden die Ereignisse an ihrer jeweiligen chronologischen Stelle nur in ihrem direkten Bezug auf das Ich und seinen engeren privaten oder beruflichen Kreis gesehen und für erzählenswert befunden. Hierbei erscheint das Weltgeschehen zwar nicht mehr, wie noch bei Bräker[98], als unverstandenes Naturereignis, sondern wird durchaus als geschichtliches Faktum erkannt, behält aber dennoch in seiner Auswirkung aufs eigene Leben noch immer den Charakter eines unerwarteten Einbruchs von außen, so daß auch der gelehrte Autobiograph den politischen Umsturz wie die Kantische Revolution seiner Zeit gleichermaßen nur im Ansatz als eigene Größen, letztlich noch als Anlaß und Mittel der Selbstdarstellung gebrauchen kann.

Demgegenüber unternimmt zur gleichen Zeit Feders Göttinger Kollege, der Staatsrechtler Johann Stephan Pütter, in seiner dickleibigen zweibändigen *Selbstbiographie* (1798)[99] bereits den Versuch, das eigene Gelehrtenleben in den genauen und möglichst ununterbrochenen Zusammenhang mit der großen politischen Welt und also auch mit dem geschichtlichen Gang seines Jahrhunderts zu stellen. Zunächst allerdings scheint es sich auch hier um den typischen Aufbau und Stil einer traditionellen Gelehrtenautobiographie zu handeln, die mit dem inzwischen erreichten Selbstbewußtsein dieses Standes alle Einzelheiten der Berufswelt in behaglicher, fast schon pedantischer Breite erzählt – mit nur gelegentlichen Abschweifungen ins Private[100] und, im Gegensatz zu Feder, unter fast vollständiger Vernachlässigung der seelischen Erlebniswelt. Im Vordergrund und quantitativ dominierend steht also bei Pütter durchaus wieder die Chronik seiner Ausbildung, seiner Lehrstunden, seiner oftmaligen Tätigkeit als Dekan und Prorektor wie die genaue Folge seiner Schriften.

Nun gehört aber Pütter zum Typ des Gelehrten, der von Anfang an über die engere Fachwelt hinaus wirken will, wobei ihn zwei Umstände begünstigen, die es ihm auch in der Nachzeichnung seines Lebens erlauben, schon bald den herkömmlichen Themenkreis einer Gelehrtenautobiographie zu sprengen. Zum einen erhält Pütter als Lehrer des Staats- und Fürstenrechts wiederholt Aufträge, Gutachten in reichsadeligen Rechtsgeschäften (vor allem in Erbschaftssachen) an den Reichshofrat oder das Reichskammergericht zu stellen[101], gewinnt durch seine Erfolge die Wertschätzung reichsständischer und fürstlicher Familien und damit auch den gesellschaftlichen Zugang zu diesen Kreisen (Begegnungen im Weltbad Pyrmont, Einladungen an die Höfe etc.)[102]. Aber nicht nur sein Fach, auch seine frühe und lebenslange Zugehörigkeit zur aufstrebenden Universität Göttingen ermöglicht und fördert diese Horizonterweiterung. Pütter betrachtet denn auch die genaue, von Stolz und Dank erfüllte Darstellung seiner sich immer weiter ausdehnenden Beziehungen zugleich als Beitrag zum Ruhme der Universität, und indem er sich im Laufe seiner Lebenschronik immer eindeutiger als Repräsentanten der rasch zu hohem Ansehen gelangenden Georgia Augusta versteht[103], erleichtert er sich zusätzlich den gewünschten Brückenschlag zur Welt. Denn diese bewußt ergriffene Rolle des Göttingischen Gelehrten erlaubt ihm nicht nur, die Erzählung seines beruflich-geselligen Alltags als Beitrag zur Kulturgeschichte einer bedeutenden deutschen Universitätsstadt des 18. Jahrhunderts zu rechtfertigen[104]; sie ermöglicht ihm auch, seine Weltgeschäfte als Aufträge der Universität (oder ihres langjährigen Mäzens Gerlach von Münchhausen) hervorzuheben.[105] Dadurch bleiben auch die Höhepunkte seiner politischen Tätigkeit: die wiederholte Bestellung zum Wahlkonsulenten bei den Kaiserkrönungen 1764 und 1790 in Frankfurt[106] und die damit verbundenen hohen gesellschaftlichen Begegnungen bis hin zur Audienz bei Leopold II.[107], eng mit der eigentlichen Berufswelt verknüpft, wie Pütter auch umgekehrt nicht müde wird, zahlreiche Personen aus Regierungs- und Gesandtschaftskreisen als ehemalige Göttinger Hörer aufzuzählen[108] sowie hohe, ja fürstliche Besuche der Universität und des eigenen Hörsaals ausführlich zu schildern[109] – wiederum als Beweise der Weltoffenheit der eigenen wie der Göttingischen Schule überhaupt.

Es verwundert daher nicht, wenn Pütter schließlich auch die weltpolitischen Ereignisse und ihre Wirkungen auf den eigenen Lebenskreis gleichfalls von der Warte der Universität her betrachtet. Für ihn sind nicht so sehr die privaten Erlebnisse und Reaktionen als der (mildernde) Einfluß der berühmten Anstalt auf die Geschicke der Stadt und des Landes in den Kriegs- und Besatzungszeiten wichtig[110], wie er auch im Zusammenhang der Französischen Revolution nicht die eigene politische Gesinnung erwähnt, sondern die Universität insgesamt verteidigt, z. B. gegen den Vorwurf, es hätten einige Mainzer Clubbisten ihre umstürzlerischen Ideen von den Göttinger Lehrkanzeln empfangen.[111] Durch solche Aufwertung der Georgia Augusta zu einem politisch wirksamen Zentrum des Geistes und durch die gleichzeitige Identifikation des eigenen Ansehens und Schicksals mit dem der Universität etabliert sich das Ich dieses Autobiographen immer entschiedener im Mittelpunkt eines weiträumigen Zeitbildes, das in diesem Gelehrtenleben am Ende des 18. Jahrhunderts nicht als ein künstlich herbeigezwungener Rahmen, sondern, unterstützt vom historischen Bewußtsein des Autors, der die eigene Epoche als eine »von mir selbst erlebte Geschichte«[112] sieht, als ein sich folgerichtig mit der Berufskarriere entfaltender Lebensraum erscheint.

Vollends deutlich wird der Wille zur historischen Einordnung des eigenen Lebens in der kurzen Selbstbiographie Johannes von Müllers (1806)[113]. Gerade die Knappheit des Entwurfs läßt den Zeithintergrund jeder Lebensphase schon mit wenigen Strichen stark genug hervortreten, um als Rahmen, ja als Gegengewicht für den gleichfalls nur skizzierten Lebenslauf zu fungieren. Man spürt die bewußte Anlage: der Historiker der Eidgenossenschaft läßt zunächst sein Herkommen aus der Schweizer und Schaffhausener Geschichte[114] und daraufhin den Grundzug seines Wesens, die »ausschließliche Leidenschaft (zur) Geschichte«, aus der Atmosphäre des Hauses, besonders aus großväterlichen Anregungen erwachsen.[115] Von vornherein wird so der Weg des Gelehrten in der Familien- und Volksgeschichte verankert, und auch in seinem weiteren Verlauf erscheint das engere und größere Vaterland mit Eltern, Lehrern, Freunden als richtungsweisender Faktor. Die halb freudige, halb wehmütige Schilderung der Jugendeindrücke, die die Erlebnisse schweizerischer Landschaften und wesentliche Begegnungen und Freundschaften zu einem geschlossenen Heimatbild zusammenfaßt[116], begründet nicht nur Müllers Entschluß zur eidgenössischen Geschichtsschreibung sondern auch die Eigenart seiner politischen Gesinnung. Schon im Zusammenhang erster historischer Vorträge in der engeren Heimat betont er seine politische Übereinstimmung mit den Landsleuten und empfindet so gerade den Historiker als wichtigen Vertreter schweizerischer Staatsauffassung in den Umbrüchen der Gegenwart.[117] Prägnantester Ausdruck dafür sind die über den ganzen Abriß verstreuten kurzen Urteile zu aktuellen Ereignissen[118], die ihren Höhepunkt gegen Ende der Schweizer Lehrjahre in einem ausführlichen politischen Glaubensbekenntnis für die menschliche Freiheit und gegen jede Art von Despotie finden[119] – eine mit Bedacht an diese Stelle gesetzte Präambel für die nun folgende Ausfahrt in die Welt.

Denn bei der Schilderung der verschiedenen Stationen seiner Karriere – als Geheimer Staatsrat am kurmainzischen Hof, als Kustos der Kaiserlichen Bibliothek in Wien, als Historiograph des Hauses Hohenzollern am preußischen Hof – skizziert Müller mit den relativ ausführlichen Charakterporträts seiner Dienstherren und ihrer Umgebung mögliche Formen der Herrschaft im ausgehenden 18. Jahrhundert und beurteilt sie zugleich danach, wieweit sie ihm als einem freiheitlich gesinnten Gelehrten in der konkreten Situation um 1800 die Möglichkeit des ungehinderten Forschens und zugleich der Einflußnahme auf die politische Welt gewähren konnten. Mit Hilfe dieser Thematik vermag Müller seinen Weg als einen fast schon dialektisch zu nennenden Dreischritt darzustellen: Dem durch persönliche Freundschaft mit dem Kurfürsten ausgezeichneten Gelehrtenidyll in Mainz[120] steht die isolierte Stellung am Wiener Hof gegenüber, der als ein Ort der Intrige ihm nicht nur den erhofften Zugang zum Throne verwehrt, sondern ihn überdies seiner beruflichen Freizügigkeit beraubt[121]; im genauen Gegensatz dazu erscheint schließlich Berlin, das ihm sowohl den »Genuß jener grundsatzmäßigen Freiheit litterärischer Mittheilung« als auch die Möglichkeit schenkt, »alle seine Kraft dem Ruhm und Glück des preußischen Staats und seiner großen Zwecke« sowie »dem Emporbringen des besten Geistes in öffentlichen Geschäften« zu widmen.[122]

Mit den »großen Zwecken« ist die Rettung Europas vor Napoleon gemeint, das letzte Glied eines antifranzösischen Leitmotivs, das mit negativen Urteilen Müllers über die große Revolution, über den mangelnden Nationalgeist der deutschen Völker als mögliches Gegengewicht, über den Freiheitsrausch des belagerten Mainz, über die Siege Bonapartes in Italien als eine Gefahr für die deutschen Monarchien und über die gewaltsame Umwandlung der alten freien Schweiz in die Helvetische Republik fast die ganze Schrift durchzieht.[123] Mit dieser Folge dezidierter Stellungnahmen erreicht Müller vollends die durchgängige Verbindung seines Lebens mit dem Zeithintergrund. Anders als Feder und Pütter, die in ausführlichen Detailschilderungen ihrer Zeiterlebnisse entweder nur die eigene seelische Reaktion widerspiegeln oder dem Berufskreis neue ungewohnte Räume erschließen wollen, genügen dem höfischen Historiker einige knappe Urteile über aktuelle politische Vorgänge (deren Kenntnis beim Leser ohne weiteres vorausgesetzt werden), um rascher und sicherer das eigene Leben in den geschichtlichen Horizont zu stellen. Es gelingt dies um so leichter, als diese Urteile nur selten Reflexionen aus dem Rückblick darstellen, sondern sehr häufig bei der Charakteristik eigener politischer Schriften als deren Resumées erscheinen.[124] Wenn Müller darüber hinaus sogar die rein historischen Arbeiten mit der politischen Gegenwart verknüpft, indem er gern Analogien zwischen dem Forschungsgegenstand und aktuellen Ereignissen herstellt (»Die Nachricht von dem Tag im Grauholz überfiel ihn, als er den bei St. Jacob an der Birs beschrieb«)[125], oder wenn er die ständige Umarbeitung seiner Vorlesungen damit begründet, daß »er immer wärmer für die Beziehung wurde, worin die Erfahrung der Geschichte zu den politischen Zeitumständen ist«[126], so will er damit nur immer bewußter und nachdrücklicher das Werk und Amt des Gelehrten von seiner einmaligen historischen Situation her konkretisieren.

Johannes von Müller hat damit in seiner Selbstbiographie die neue Stufe einer historischen Sehweise, einer bipolaren Struktur von Ich und Jahrhundert, in nuce bereits erreicht. Wenn Goethe in seiner schon erwähnten Rezension[127] dieser Schrift noch nicht damit zufrieden war, so deshalb, weil ihm bei Müller dieser neue Grundriß noch nicht »ausgeführt« genug erschien.[128] Wohl hatte Müller den Einfluß der Familie, der Freunde und Gönner auf seine Laufbahn dankbar genannt und die Bedeutung der Weltereignisse für sein Leben mittelbar durch seine politischen Urteile erkennen lassen. Aber er hatte nicht, wie Goethe es wünschte, ihre Einwirkung auf sein »empfängliches Gemüth« und auf seine innere Entwicklung geschildert[129]: gerade solche psychologischen Selbstbekenntnisse blieben bewußt ausgespart und wurden von vornherein durch die Wahl der unpersönlichen Er-Form ferngehalten. Ebensowenig hat Müller die eigene Wirkung auf sein Publikum und damit die eigenen Verdienste als Ursachen der beruflichen Erfolge dargestellt, so daß seine Karriere, wie Goethe zu Recht kritisiert, inmitten der Welt merkwürdig »isolirt«[130] erscheinen muß. Der Grund für Müllers Bestreben, seine vielfachen Wechselbeziehungen zur Welt wohl zu nennen, aber kaum oder gar nicht zu motivieren, liegt wohl zum Teil auch in der neuen Scheu der Autobiographen vor einem allzu direkten Selbstporträt, die hier sogar die vom Pragmatismus geforderten Kausalbezüge vernachlässigt. Aber Bescheidenheit, wie Goethe wohlwollend annimmt[131], hat Müller wohl kaum dabei geleitet. Der Verzicht auf die Darstellung des eigenen Charakters enthebt ihn ja nicht nur des Selbstlobs sondern auch der Beichte, bewahrt ihn überhaupt vor dem Zwang, mit dem persönlichen Ich zu sehr hervorzutreten. Dafür erlaubt er ihm, die res gestae des Historikers und Politikers Johannes von Müller ohne psychologisches Beiwerk lapidar zu setzen und so jenes schon genannte Gleichgewicht von knappem Lebensbericht und historischer Hintergrundskizze zu erreichen. Der angemessene Ausdruck dafür ist die hier mit besonderer Virtuosität geübte taciteische Kürze des Stils; sie verrät den Willen zur Monumentalität, der das eigene Leben nur in seinen historisch wesentlichen Zügen und wie in Stein gehauen der Nachwelt überliefert.

Blickt man von da auf zwei kurz vor der Jahrhundertwende geschriebene Künstlerautobiographien, so zeigt sich, daß selbst dort gelegentlich schon die Verbindung von Berufs- und Zeitgeschichte intendiert wird, obwohl der Berufskreis der Künstler, anders als der manches Gelehrten, sich vorerst noch kaum mit der großen politischen Welt berührt, die ja für die Autobiographen zunächst die einzige Brücke zur Schilderung des Zeithintergrundes darstellt. Der weithin noch immer andauernden sozialen Isolation des Schriftsteller- und Schauspielerstandes entsprechend, stehen August von Kotzebues *Mein literärischer Lebenslauf* (1796)[132] und August Wilhelm Ifflands *Meine theatralische Laufbahn* (1798)[133] noch stark in der uns schon bekannten Tradition der Künstlerautobiographie seit der Mitte des 18. Jahrhunderts.[134] Die Darstellung konzentriert sich deshalb noch ganz auf die Karriere selbst, betont die frühe Neigung zu Poesie und Theater[135] und läßt beidesmal die Entscheidung für den Beruf durch eine Art säkularisierten Erweckungserlebnisses (bei Kotzebue durch einen Balladenvortrag vor der eigenen Schulklasse, bei Iffland durch die Inschrift eines Theatervorhangs) bestimmen.[136] Hier wie in der anschließenden Mitteilung der ersten Produktionen, der ersten Schriftsteller- und Bühnenerfolge werden auch seelische Empfindungen (bei Kotzebue z. B. die Künstlereitelkeit, bei Iffland die Begeisterung für die Schauspielkunst oder die Treue zum Fürstenhaus)[137] geschildert, sie bleiben aber immer im genauen Dienst der Berufsgeschichte. Dennoch mündet Kotzebues *literärischer Lebenslauf* schon sehr bald in eine kunstlose Addition seiner Arbeiten, die er durchwegs als Produkte seines Nachahmungstriebs abwertet, um sie im gleichen Atemzug unter Hinweis auf ihren Publikumserfolg gegen übelwollende Rezensenten zu verteidigen, so daß hier am Ende die Apologie als noch ältere Tradition immer beherrschender und heftiger hervortritt.[138]

Demgegenüber ist Iffland bestrebt, sobald er seine eigentliche *theatralische Laufbahn* zu erzählen beginnt, über die eigene Person hinaus auch die berufliche Umgebung, den Charakter und das Schicksal der Gothaischen und vor allem der Mannheimer Bühne und damit repräsentative Bilder des zeitgenössischen Theaterlebens zu zeichnen. Dies aber geschieht nicht zuletzt deshalb, weil Iffland in solchen Rückblicken sowohl die Schauspielkunst wie auch die kollegiale Atmosphäre jener frühen Stationen seines Wirkens als unwiederbringlich vergangen empfindet[139] und ebendarum mit der Aufzeichnung des Entschwundenen bewußt einen Beitrag zur deutschen Theater*geschichte* aus persönlicher Sicht liefern will.[140] Die individuelle Blickrichtung wird dabei vor allem vom Continuo einer wehmütigen Erinnerungsfreude aufrechterhalten, die sich also nicht nur, wie in früheren Autobiographien seit Bräker und noch bei Kotzebue[141], auf die Kindheit sondern auch noch auf die spätere Zeit bezieht. Bei Iffland gilt hierfür nicht, wie sonst üblich, eine psychologisch begründete Wende, etwa der Eintritt ins Berufsleben, als Zäsur; vielmehr wird bei ihm ein von außen kommendes, ein politisches Datum entscheidend. Denn für ihn sind im Rückblick aus Berlin die Jahre seines ungestört vertrauten Verhältnisses zum kurpfälzischen Haus und zum Mannheimer Intendanten Freiherrn von Dalberg die schönste Zeit seines Wirkens, und sie erscheinen ihm zugleich als die Blütezeit des Mannheimer Theaters insgesamt. Beides nun sieht er durch die »Stürme zu Paris«[142] und die daraus folgenden Revolutionskriege gewaltsam zerstört, und so ist es nur folgerichtig, wenn der Autobiograph mit dem Ausbruch der Französischen Revolution eingehend den Umschwung der geselligen und kulturellen Atmosphäre in einer abwechselnd von Emigranten, Belagerungen und Besatzungen heimgesuchten rheinischen Residenzstadt beschreibt.[143] Die äußeren Ereignisse werden dabei von Iffland nicht so sehr um ihrer sensationellen Dramatik willen erzählt (obwohl auch dies schon mit hereinspielt)[144]; wichtiger ist ihm ihre epochale Wirkung aufs eigene wie aufs allgemeine Schicksal und Lebensgefühl, veranschaulicht am Niedergang einer berühmten Bühne. Wohl dient die Darstellung dieser letzten Mannheimer Jahre auch der Rechtfertigung seines Weggangs nach Berlin; um so aufschlußreicher wird es, daß Iffland für die Entfremdung zwischen sich und Dalberg nicht nur persönliche Gründe nach Art herkömmlicher Apologie anführt, sondern auch Zeitereignisse und politischen Klimawechsel als tiefere Ursachen vermutet[145] und so am Ende sogar das heikle Thema eines persönlichen Zerwürfnisses in möglichst unpolemischem Tone historisch erklären will.

Ifflands *theatralische Laufbahn* ist damit ein weiteres Beispiel für die um 1800 wachsende Einsicht, daß man das eigene Leben in seinen kausalen Bezügen nicht mehr ohne den mitverursachenden Zeithintergrund adäquat darstellen könne. Freilich werden hier ebenso wie noch bei Feder, Pütter und selbst bei Johannes von Müller Berufs- und Zeitgeschichte nur insofern miteinander verbunden, als direkte Bezüge zwischen beiden Bereichen im betreffenden Lebenslauf erscheinen, wobei die jeweilige Berufswelt (Staatsrechtler, Historiker, Schauspieler) einen je anders begrenzten Zugang zu den epochemachenden Kräften eröffnen, so daß die eigene Lebenssphäre darüber entscheidet, wieviel an Zeithintergrund jeweils sichtbar wird. Erst Goethe wird es schon in der Darstellung seiner Jugend, also vor und unabhängig von direkter Berührung mit geschichtsbildenden Mächten, durch einen entschiedenen Wechsel von autobiographisch enger und historiographisch weiter Perspektive und durch den gelegentlichen Kunstgriff einer symbolischen Vermittlung beider gelingen, die politischen Ereignisse wie die geistigen Strömungen und Stimmungen seiner Epoche in umfassenden Bildern zu zeigen und so erstmals das Jahrhundert als gleichwertigen Pol dem Ich gegenüberzustellen, um die volle Darstellung ihrer Wechselwirkung zu ermöglichen.[146] Eine wichtige Vorstufe dazu aber bilden die vereinzelten Ansätze und Versuche aus verschiedenen Berufsständen um 1800, das eigene Leben im größeren zeithistorischen Zusammenhang zu sehen und von dorther unerläßliche Kriterien für sein Verständnis zu gewinnen.

b) Versuche der Mischung von Berufs- und Abenteuergeschichte

Die Verbindung des eigenen individuellen Lebens mit der Zeitgeschichte läßt sich auch in den Beispielen einer weiteren Gruppe von Berufsautobiographien immer wieder nachweisen, doch zeigen sie darüber hinaus ein gemeinsames Spezifikum, das sie enger zusammenschließt. Entschiedener als die bisher behandelten Beispiele versuchen sie, den herkömmlichen Rahmen ihres Typs zu erweitern, indem sie bestrebt sind, die eigene Berufsgeschichte mit Erzählelementen zu füllen, die dem traditionellen Abenteuerroman entlehnt sind. Solche Mischung hatten bisher nur Autobiographien von Handwerkern oder hohen Militärs unternommen, weil hier die berufliche Laufbahn stets mit einem wechselvollen Reise- und Feldzugsleben verbunden war und sich also schon vom Stoff her die Form der abenteuerlichen Geschichte anbot. Wenn nunmehr auch verschiedene Gelehrte, wie Carl Friedrich Bahrdt, Salomon Maimon oder Friedrich Christian Laukhard, ihre Autobiographien solcher unterhaltsamen Erzählweise öffnen, so läßt sich das weder mit dem auch hier sehr abwechslungsreichen Erlebnisstoff noch auch mit den traditionellen Motiven der Erzähl- und Erinnerungsfreude allein erklären. Sonst hätten sie kurzerhand den Typus der Gelehrtenautobiographie mit dem der abenteuerlichen Lebensgeschichte vertauschen können. Statt dessen sind sie bemüht, beide Traditionen, innere Bildungs- und äußere Lebensgeschichte miteinander zu verbinden, auch wenn sich daraus formale Schwierigkeiten und Brüche ergeben sollten. Man kann daran einmal erkennen, daß diese Autoren über den engeren Kollegenkreis hinaus ein breites Publikum für ihr Gelehrtenleben interessieren wollen, zum andern aber auch, daß sie damit keiner bloßen Unterhaltung dienen, sondern durch die neuartige Mischung von Bildungsgeschichte und schwankhaft-abenteuerlicher Erzählung das beiden gemeinsame didaktische Moment hervortreten lassen wollen. Gerade damit kommt diese Spielart der Autobiographie zugleich dem zeitgenössischen Roman und seinen Intentionen denkbar nahe, der seinerseits von allen fiktiven Gattungen damals den didaktischen Zweckformen am nächsten stand, ja vielfach noch als eine solche angesehen wurde. [147]

Schon die beiden ersten Beispiele dieser Gruppe, Carl Friedrich Bahrdts *Geschichte seines Lebens, seiner Meinungen und Schicksale* (4 Teile, 1790–1791) [148] und Salomon Maimons *Lebensgeschichte* (2 Teile, 1792–1793) [149] sind dafür bezeichnend. In ihren programmatischen Äußerungen kündigen beide Autoren noch eine Geschichte vornehmlich ihrer inneren (geistigen, moralischen) Entwicklung an, die, um alle Einzelphasen gehörig zu erklären, eine pragmatische Behandlung erfordere, um nämlich entweder die Entstehung des »fixirten Karakters«, die »almälige Formung seiner Sitten und Begebenheiten« verständlich zu machen (Bahrdt) [150], oder um die Einflüsse und Folgen »in Ansehung meiner Bildung« (nämlich der Fähigkeiten und des Charakters) in ihrem Zusammenhang darzustellen (Maimon) [151]. Beide sind sogar bestrebt, diesen geforderten Kausalnexus ihres geistigen Lebens als genaue und einsinnige »Fortschritte in der Aufklärung« [152] vom »Wahn-« oder »Aberglauben« [153] bis zum vollständigen Sieg der Vernunft zu beschreiben, ja Bahrdt bezeichnet – mit ausdrücklichem Hinweis auf die analoge pietistische Vorstellung – seine frühe »Bekehrung« zum Unglauben als einen »Durchbruch des Lichts«, dem weitere Erkenntnisse bis zur »vollendeten Aufklärung« (in der Auseinandersetzung mit Semler) gefolgt seien[154], und Maimon spricht von dem entscheidenden Einfluß des Maimonides auf seine Denkart und Gesinnung als von seiner »geistlichen Wiedergeburt«[155]. Das erinnert stark an eine ähnliche Kontrafaktur des pietistischen Bekehrungsschemas in der schon um 1750 geschriebenen, aber im 18. Jahrhundert unveröffentlicht gebliebenen Autobiographie des Freidenkers Johann Christian Edelmann.[156] Aber schon ein flüchtiger Vergleich mit diesem Vorgänger läßt wichtige Unterschiede erkennen.

Bei Edelmann organisiert das Bekehrungsschema noch sehr deutlich den Aufbau der ganzen Lebensdarstellung, das hallische Muster mit seinen konkreten Einzelstufen wird noch in vollem Bekenntnisernst und in strenger Folgerichtigkeit übernommen, strenger als bei manchen gleichzeitigen pietistischen Lebensläufen.[157] Bahrdt und Maimon hingegen benutzen das Schema am Ende des Jahrhunderts nur mehr als alte Formtradition, um die Folge ihrer philosophisch-theologischen Einsichten zu einer scheinbaren Entwicklungsgeschichte zu stilisieren. In Wirklichkeit wird nur der allmähliche Abbau des bisherigen Glaubensgutes geschildert, der nicht mehr durch einmalige innere Erleuchtung, sondern durch wiederholte Anstöße von außen (Lektüre, Gespräche) bewirkt wird. Dementsprechend ist der Spannungsbogen der traditionellen Erweckungsgeschichte trotz der beibehaltenen pietistischen Termini zu einer beliebig fortsetzbaren Reihe gleichartiger Situationen abgeschwächt, die auch kaum mehr die dabei erlebten seelischen Empfindungen*, dafür um so eingehender die Inhalte der jeweils neuen Erkenntnisse wiedergeben. An die Stelle dramatisch bewegter Gebete und Monologe treten bei Bahrdt fingierte Gespräche mit Freunden und Gegnern[158], und Maimon bringt statt des Erweckungsberichts (und überdies erst an späterer Stelle) einen 150 Seiten starken Kommentar der für ihn entscheidenden Schriften des Maimonides[159]. Disput und Traktat als die neuen Formen für die Darstellung des inneren Werdegangs machen zugleich deutlich, daß auch in der Sondertradition der Kontrafakturen des pietistischen Schemas der Bekenntnischarakter zugunsten einer Lehrhaftigkeit eingeschränkt wird, mit der die eigenen Ansichten auch und gerade in der Lebensgeschichte dem Publikum nahegebracht werden sollen.

Diese neue Form der Bildungsgeschichte führt nun aber auch dazu, daß sie entgegen den Ankündigungen nicht das einzige Ziel der Lebensbeschreibung darstellt. Die verschiedenen Bildungsstufen fungieren zugleich als auslösende Faktoren für ein turbulent-abenteuerliches Lebensschicksal, dessen Schilderung in beiden Büchern den meisten Raum beansprucht. Die kausale Verknüpfung von innerem und äußerem Leben erreicht Bahrdt dank des apologetischen Moments, das die Schritte der eigenen Aufklärung und die jeweils daraus hervorgehenden Schriften und Kollegs als Ursache wie als Wirkung der

---

* Auch diese beiden Lebensbeschreibungen bieten nur noch punktuelle Psychogramme (z. B. Bahrdt, T. 1, S. 145–153; Maimon, T. 2, S. 206–208), so daß man selbst bei Maimon nicht von einer Nachfolge seines Freundes K. P. Moritz sprechen kann.

Verleumdung und Verfolgung durch die orthodoxe Welt erklärt[160]; bei Maimon soll die ausführliche soziologische Ortsbestimmung seiner Familie (Juden in Polen) die Kreuz- und Querzüge des eigenen autodidaktischen Bildungswegs begründen[161], dessen Abkehr vom »Aberglauben« dann als Quelle für die Spannung zum starren Rabbinismus und zur unaufgeklärten Masse des eigenen Volkes gedeutet wird.[162] Aber so wenig die Stufenfolge des geistigen Weges eine strenge Entwicklungslinie darstellt, ebensowenig steigert sich das daraus resultierende Grundverhältnis zur feindlichen Welt: schon früh ist in beiden Autobiographien der endgültige Charakter der Beziehung zwischen Individuum und Gesellschaft erreicht und kann nun in einer abwechslungsreichen Folge beispielhafter Episoden illustriert werden.

Offenbar war jene Einebnung des alten Erweckungsschemas notwendig, um innerhalb einer zwar säkularisierten, aber doch bis zum Ende durchgeführten Bekehrungsgeschichte die Möglichkeit eines bunten Erzählens äußerer Ereignisse und Begegnungen zu gewinnen, das sich zu keiner strengen Ordnung bequemen will. Beide Autoren wurden als Außenseiter ihrer Berufswelt schon vom Erlebnisstoff zu solcher thematischen Erweiterung angeregt und konnten sich zu der daraus resultierenden Formlosigkeit durch den gleichzeitigen Roman legitimiert fühlen. Daß diese Nachbargattung in der Tat das Musterbild für ihre Lebensgeschichten geliefert hat, läßt sich vor allem an der genauen Übernahme ihres Doppelziels der Unterhaltung und Belehrung ablesen. Denn die spannend erzählten Berichte vom ruhelosen Wanderleben, die ihre Höhepunkte bei Bahrdt in der Entlassung, Gefangennahme und riskanten Flucht[163], bei Maimon im plötzlichen Umschwung vom Betteljuden zum angesehenen Gelehrten besitzen[164], und die von beiden bewußt als Komödienszenen konzipierten Liebesabenteuer, Heiratsversuche und häuslichen Zerwürfnisse[165] werden immer wieder abgelöst von genauen Schilderungen der Orte und ihrer Gesellschaften[166] und vor allem von einer Porträtsammlung fremder Charaktere[167], worin überall das belehrende Moment hinzutritt; der satirisch-ironische Bahrdt hebt dabei mehr die moralkritische, der humoristisch aufgelegte Maimon mehr die psychologische Seite hervor. Umgekehrt stehen die ausführlichen Mitteilungen sozialer, kultureller und religiöser Einrichtungen und Zustände, von beiden Autoren mitunter schon als kulturhistorische Dokumentation betrachtet[168], nicht nur unter dem Zeichen zeitkritischer Belehrung, sondern ebenso unter dem der satirischen Unterhaltung des Lesers.

Dem entspricht die Unbekümmertheit in der Formgebung: die oft novellistisch gerundeten Kapitel (häufig mit Überschriften nach Art des Schelmenromans)[169] können mit ihrem Anekdotenstil, ihrer Vorliebe zur bloßen Reihung pointierter Geschichten[170] den traditionellen Rahmen einer Autobiographie in gleicher Weise sprengen wie die traktatartigen Exkurse und Einlagen historischen oder philosophischen Inhalts.[171] Dabei sind sich beide Autoren dieser Abschweifungen und Unterbrechungen durchaus bewußt, fühlen sich aber — wohl im Hinblick auf die analoge zeitgenössische Romantechnik — höchstens noch zu formellen Entschuldigungen genötigt, ohne daraus ernsthafte Konsequenzen zu ziehen.[172] Denn die pädagogische Intention einer Unterweisung ins Leben bleibt ja der Bekehrungsgeschichte und den Schilderungen des äußeren Lebens, den »Meinungen« wie den »Schicksalen« gemeinsam. Sie allein kann vorläufig — nach dem Verlust des Vorsehungsschemas — eine wenigstens im Ziel begründete Einheit dieser

Mischform gewährleisten, solange das erlebende Ich für eine derartige Fülle eingefangener Welt noch zu wenig Integrationskraft besitzt.

Solche formalen Schwierigkeiten umgeht das dritte Beispiel dieser Gruppe, Friedrich Christian Laukhards *Leben und Schicksale,* das im Lauf eines Jahrzehnts (1792–1802) zu einem sechsbändigen Memoirenwerk anwächst.[173] Entschiedener als Bahrdt und Maimon ist Laukhard bestrebt, sein ruheloses Wanderleben (zuerst als Student an verschiedenen Universitäten, später als Soldat in preußischen, französischen und schwäbischen Diensten bis zu seinem endgültigen Lehramt in Halle) in den größeren Zusammenhang eines aktuellen Zeitbildes zu stellen, worin das eigene Ich weniger als unverwechselbares Individuum denn als typischer Zeitgenosse und Berichterstatter erscheinen will. Dieses Zurücktreten des Autobiographen in den Kreis der Mitlebenden wird einmal dadurch erleichtert, daß bei Laukhard jeder Versuch einer inneren Entwicklungs- oder gar Bekehrungsgeschichte fehlt, so daß die nunmehr dominierende Weltdarstellung im Kreislauf eines unsteten Scholaren- und Soldatenlebens durch kein konträres Aufbauprinzip mehr gestört wird; zum andern dadurch, daß Laukhard auf jede Apologie verzichtet. Auf zweifache Weise wird so die eigene Person als besonderes und durchgängiges Thema entbehrlich, die Funktion des Ich kann sich in der Rolle des zwar authentischen, aber nicht exklusiven Augenzeugen erschöpfen.

Dies gilt bereits von den ersten beiden Bänden, die die Jugend- und Studienzeit behandeln. Um ihre minutiöse Darstellung gegenüber dem Publikum zu rechtfertigen, deklariert sie Laukhard im Untertitel als einen »Beitrag zur Charakteristik der Universitäten in Deutschland«. Um dabei aber dennoch den Rahmen einer Autobiographie zu wahren, führt er sein Ich als abschreckendes Beispiel eines Studenten ein, das, wie es gleichfalls schon im Titel heißt, »zur Warnung für Eltern und studierende Jünglinge« dienen soll. Die Selbstanklage, die wie die Apologie geeignet wäre, das Ich aus seiner Umgebung herauszuheben, wird hier aber nur am Anfang und Schluß als Rahmenmotiv gebraucht[174], um dazwischen desto unbekümmerter und vergnüglicher ein derbes Bild deutschen Studentenlebens (von den Professoren über den Komment bis zum Dirnenwesen verschiedener Universitätsstädte)[175] aufzustellen. Denn Laukhard versteht das dabei geschilderte eigene ausschweifende Leben nur als Exemplum der damaligen Studentengeneration, und kann deshalb auch die konkreten Erlebnisberichte mühelos mit der Schilderung der zeitgenössischen akademischen Zustände verbinden.

Die gleiche Blickerweiterung von den individuellen Erlebnissen auf ein allgemeineres Bild versuchen auch die drei folgenden Bände, in denen Laukhard seine *Begebenheiten, Erfahrungen und Bemerkungen während des Feldzugs gegen Frankreich* [176] (vom September 1792 bis zu seiner Rückkehr Anfang 1795) mitteilt. Zu seinen »Begebenheiten« zählen die Teilnahme an der Campagne 1792 und dem ruhmlosen Rückzug der alliierten Armee, die Belagerung von Mainz und Landau, seine unglückliche Rolle als Emissär des preußischen Kronprinzen, sein eineinhalbjähriger Aufenthalt im südlichen Frankreich als »Deserteur«, Sansculotte und Krankenwärter, seine Verhaftung, Anklage wegen Hochverrats und Freispruch, schließlich die Rückkehr über die Schweiz mit kurzen Diensten bei den Emigranten und schwäbischen Truppen. Obwohl dieses bunte und gefährliche Abenteuerleben genug Stoff für eine spannende Lebensbeschreibung geboten hätte, begnügt sich Laukhard nicht mehr mit der bloßen Erzählung dieser »Begebenheiten«. Vielmehr unterbricht er seine eigene Geschichte sofort, wenn sich Gelegenheit bietet, von einem persönlichen Erlebnis oder einer Begegnung aus Exkurse über die von diesen Einzelfällen repräsentierten allgemeinen Zustände, politischen Stimmungen und Gesinnungen einzuschalten.[177] Solche »Erfahrungen« und »Bemerkungen«, größtenteils Früchte seines unmittelbaren »psychologisch-politischen Studiums« des »jetzigen Frankreich«[178], sind stets vom eigenen, dezidiert positiven Urteil über die neue Republik getragen und dadurch trotz ihrer Streuung über das ganze Buch zur Einheit eines selbstentworfenen und selbstgedeuteten Zeitbilds verbunden.

Darin, daß Laukhards Feldzugsbericht sich nicht mehr mit der Erlebnisperspektive begnügt, sondern im kritischen Gesamtbild der Zeit sein eigentliches Ziel erblickt, überschreitet er den Rahmen aller bisherigen Kriegserinnerungen, sowohl hoher Militärs wie einfacher Soldaten (bis hin zu Bräker). Er selbst hat dieses Novum seiner Darstellung in einer versteckten Selbstcharakteristik formuliert: »Sein Hauptverdienst ist, daß er den Geist des Krieges und dessen nächster Teilnehmer unter Soldaten, Bürgern und Bauern getreu schildert, und alles, was hierauf Bezug hat, und soweit sein Bemerkungskreis reichte, offenherzig vorerzählt, dann aber den Standpunkt und die Grundsätze mit edler Freymüthigkeit angibt, nach welchen man das Erzählte bald a priori, bald a posteriori, entweder einzeln oder im Zusammenhange, nach Ursache und Wirkung, oder nach Grund und Folge selbst übersehen kann. Das Historische diente ihm also zum Vehikel des Politischen; und dadurch unterhielt und belehrte er den gemeinen Leser, wie den höhern.«[179] Er hat darin zunächst auch kaum Nachfolger gefunden, denn auch die weiteren Beispiele dieses Genres (über die Revolutions- und Napoleonischen Kriege: Johann Christoph Sachse, Johann Christian Mämpel, Robert Guillemard u. a.)[180] sind wieder bloße »Memoiren von unten«[181]. Nur Goethe wird sich dreißig Jahre später in der *Campagne in Frankreich* und in der *Belagerung von Mainz* (1820/22) ein ähnliches Ziel wie Laukhard stecken, es freilich auf anderem Wege und mit anderen literarischen Mitteln erreichen. Denn schon der erhöhte Standort Goethes in der Nähe des Hauptquartiers, dazu der große zeitliche Abstand zu den Ereignissen erlauben es ihm, die politischen Überblicke mir souveränem Urteil in Form knapper Reflexionen und Gesprächsresümees ohne Perspektivenwechsel in den Handlungsbericht einzuflechten. Laukhards niedere Position hingegen zwingt ihn dazu, Erlebnisberichte und Überblicke durch relativ scharfe Zäsuren voneinander zu trennen, nämlich beide Bereiche in jeweils eigenen Kapiteln zu behandeln, um sie durch (manchmal entschuldigende) Überleitungssätze notdürftig zu verbinden.

Auf beiden Ebenen aber werden bei Laukhard die Ereignisse als eben erst geschehen geschildert, das Präsens der Aktualität herrscht vor. Sowohl diese zeitliche Nähe als vor allem Laukhards politisch-moralisches Engagement verhindern bei ihm auch jede historische Perspektive, wie sie wiederum Goethes *Campagne* ausgeprägt zeigt. Deren berühmter Aphorismus: »Von hier und heute geht eine neue Epoche der Weltgeschichte aus, und ihr könnt sagen, ihr seid dabei gewesen«[182] wäre in Laukhards Buch undenkbar. Dieser ist im Gegenteil bestrebt, durch ständige Hinweise auf Parallelen aus der antiken Geschichte und durch geeignete Zitate aus lateinischen Autoren das zeitlos Typische und Gültige auch dieser Revolution zu erweisen, bleibt also noch ganz der pragmati-

schen Geschichtsauffassung verhaftet. [183] Nur daß er überhaupt diese neue Umwälzung neben ihrer Abenteuerlichkeit auch in ihrer politischen Bedeutung sieht und beurteilt und damit auch großen Anklang beim Publikum findet, läßt uns die historische Besonderheit seines Erzählgegenstandes spüren, ohne daß dies freilich schon dem Autor
oder seinen damaligen Lesern bewußt geworden wäre.

Immerhin beginnt damit eine Sondertradition von Kriegserinnerungen, deren individuelle Erlebnisse nunmehr zugleich als »Symbol für Tausende« [184] empfunden werden, weil sie eine Zeitgeschichte schildern, die die europäischen Völker erstmals als ihr
gemeinsames Schicksal erfahren; und es ist nur folgerichtig, wenn sich die betreffenden
Lebensabschnitte dank ihrer neuen öffentlichen Bedeutung künftig aus den Autobiographien lösen und sich als eigene Bücher verselbständigen. Auch darin steht Laukhard erst
an einem Anfang: die Bände seiner Feldzugserinnerungen erhalten bereits einen zusätzlichen Titel, bleiben aber noch im Verband der ganzen Lebensgeschichte, die mit ihrer letzten Fortsetzung noch immer dem schon bei Dietz und Bräker [185] beobachteten Traditionszwang gehorcht, das eigene Leben bis zur Erzählgegenwart heraufzuführen, auch
wenn jetzt nur mehr ein eintöniges Magisterleben in Halle zu berichten ist. Die eingangs
geforderte Polarität der unterhaltsamen Belehrung wird zwar auch jetzt noch – durch
häusliche und berufliche Anekdoten – intendiert, in vollem Maße konnte jedoch Laukhard dieses Postulat nur in den früheren Bänden erfüllen, in denen das eigene Abenteuer
zum Reverbère eines bewegten Zeitbildes oder gar eines allgemeinen Schicksals geworden war.

c) Versuche der Koinzidenz von Selbst- und Weltdarstellung

Eine dritte und späteste Gruppe von Berufsautobiographien um 1800 versucht, das
herkömmliche Bild dieses Typs dadurch zu vertiefen, daß sie die seit Rousseau aufgerissene Kluft zwischen Ich- und Weltdarstellung, die fast schon zu einem Entweder-Oder
gezwungen hatte, wieder zu schließen unternimmt. Denn statt einseitig nur das eigene
Seelenleben zu erforschen oder die Welt nur aus apologetischem Blickwinkel zu sehen
oder ebenso einseitig von der eigenen Person möglichst ganz abzusehen und die Lebensereignisse nur als Augenzeuge zu berichten, wollen die folgenden drei Autoren mit der
Wiedergabe ihrer Erlebnisse zugleich ihr Ich charakterisieren. Selbst- und Weltdarstellung stehen in ihren Autobiographien nicht mehr getrennt nebeneinander, die Umwelt
wird vielmehr so gezeichnet, daß sich in ihr zugleich der eigene Charakter spiegelt. Es ist
ein Versuch, sich den nach wie vor lebendigen Wunsch nach einem Selbstporträt zu erfüllen, ohne sich der Gefahr der Selbstpreisgabe auszuliefern, die man hinter jedem direkten
Bekenntnis religiöser, psychologischer oder moralischer Art noch immer wittert und
scheut.

An drei Beispielen soll im folgenden die allmähliche Entfaltung dieser neuen Möglichkeit verfolgt werden. Erste verschwiegene Ansätze dazu verrät die im übrigen noch sehr
traditionsgebundene *Lebensbeschreibung* des Komponisten Karl Ditters von Dittersdorf, die dieser in seinen letzten Lebensmonaten (1799) auf dem Krankenlager »seinem
Sohne in die Feder diktirt« hat (postum erschienen 1801). [186] Vom Stoff und seiner
Auswahl her scheint Dittersdorf noch ganz in der Tradition der Musikerbiographien aus

Matthesons *Ehrenpforte* (1740) und der Hillerschen Sammlung (1774, ²1786) zu stehen. [187] Denn auch noch er behandelt fast nur die Berufskarriere in einem lebenslangen Fürstendienst, die Entdeckung und Förderung seines Talents, seine Erfolge als Violinvirtuos, Kapellmeister und Komponist. Überdies will auch Dittersdorf mit seinen Lebensstationen noch immer nicht die Entwicklungsgeschichte einer Künstlernatur schreiben; viel wesentlicher erscheint ihm die Stellung des Künstlers am Hofe und in der Welt gegenüber den anderen Ständen, weshalb wir auch von seinen Werken nicht Einzelheiten ihrer Entstehung, sondern nur ihres Erfolges erfahren [188], weil nur dieser Effekt nach außen sein Verhältnis zur Gesellschaft, das Hauptthema des Buches, illustrieren kann. Dem dienen zunächst auch die häufig eingestreuten, bündig erzählten Anekdoten, direkte Gespräche mit Kollegen, Fürsten, ja gekrönten Häuptern, spannend gebaute Intrigengeschichten, Reiseerlebnisse und Fluchtabenteuer, womit Dittersdorfs Autobiographie in stoffliche und erzähltechnische Nähe zur Lebensgeschichte des Hoftirolers Peter Prosch gerät.

Inzwischen freilich haben solche Gesellschaftsbilder einen tieferen Hintergrund erhalten. Während nämlich Prosch die Erlebnisse und Begegnungen an dem von ihm besuchten Höfen ohne erkennbare Erzähldistanz aneinanderreiht und der Leser erst im nachhinein bemerkt, wie Prosch sein Leben in einem stetigen Aufwärts zum Märchen eines »wunderbaren Schicksals« stilisiert [189], läßt Dittersdorf schon sehr früh (ursprünglich wohl schon in der vom Herausgeber Karl Spazier unterdrückten Einleitung, die einen »spaßhaften, etwas altfränkischen Dialog mit der Dame Langeweile« enthielt) [190] und dann zu wiederholten Malen die düstere Situation der Erzählgegenwart als Fluchtpunkt der Darstellung erkennen: an solchen Stellen entschuldigt Dittersdorf (in auktorialer Wendung an den Leser) sein einläßliches Erzählen bestimmter Erlebnisse teils damit, daß sie als entscheidende Zäsuren »den unmittelbarsten Einfluß auf meine ganze Lebenszeit gehabt« haben [191], teils damit, daß er in seinem »jetzigen traurigen Zustande« »darin eine Erheiterung finde, meine Phantasie auf diese Scenen der frohen Jugendzeit ruhen zu lassen«. [192] Sowohl diese Vorankündigungen (und weitere Vor- und Rückverweise, die allenthalben in den Bericht eingestreut sind) [193] als auch die Kontrastierung von Einst und Jetzt verdeutlichen von Anfang an eine schicksalhafte Einheit dieses Lebensganges, auch wenn die Erlebnisschilderungen selber den Erzähler als durchaus »augenblicksverhaftet«* erscheinen lassen. Die Einheit wird noch dadurch verstärkt, daß Dittersdorf, anders als die früheren Künstlerautobiographien oder noch Peter Prosch, nicht mehr nur Gunst und Ungunst Fortunas und der Fürsten für den Glanz und das Elend seines Lebens verantwortlich macht. Er läßt von Anfang an keinen Zweifel daran, daß im wesentlichen das Talent und die Leistung des Virtuosen seine Reputation und Stellung am Hofe bedingen. Darüber hinaus hat Dittersdorf – zumindest ansatzweise – auch den eigenen individuellen Charakter als schicksalsbestimmend erweisen wollen. Seine Wesensart teilt er uns freilich höchst selten in unmittelbaren Bekenntnissen oder Selbstbeobachtungen mit [194], er will sie viel eher aus der Summe seiner Urteile, seines Verhaltens,

---

* So Norbert *Miller* im Nachwort seiner Neuausgabe (München 1967, S. 286), worin er freilich die nur relative Gültigkeit dieser Erzählhaltung bei Dittersdorf übersieht, wenn er sie für die »ausschließliche« dieses Buches hält.

seiner Entscheidungen in den verschiedenen Gesprächen, Begegnungen, Lebensla-
gen[195] erschließen lassen und erteilt so dieser über das ganze Buch verstreuten interli-
nearen Selbstcharakteristik mehr als der Vorstellung eines unberechenbaren Schicksals
die Rolle des einheitsstiftenden Kontinuums. Denn in allen Szenen dieser Art werden
immer wieder die eigene Rechtlichkeit und Wahrhaftigkeit, die Unfähigkeit zu Schmei-
chelei und Intrige, die Anhänglichkeit an jeden Dienstherrn und vor allem die leichte Bestimmbarkeit durch fremden Rat und Warnung illustriert, Eigenschaften, die Dittersdorf
am Ende ausdrücklich als die eigentlichen Ursachen seiner jetzigen Krankheit und Armut
beklagt, in die er sich als ein »gutwilliger Narr« habe führen lassen.[196]
    Indirekt widerruft er damit auch seinen lebenslangen Wunsch nach bürgerlicher Si-
cherheit, um derentwillen er auf einen vielleicht weltweiten Virtuosenruhm verzichtet
und sich vorzeitig in die böhmische Provinz zurückgezogen hat. Die späte Reue darüber
wird mittelbar schon angekündigt durch die detailfreudigen Schilderungen der glanzvol-
len Feste und gesellschaftlichen Kontakte im Umkreis des Wiener und Berliner
Hofs[197], der triumphalen Italienreise mit Gluck[198] und nicht zuletzt durch ein un-
verhohlen bewunderndes Porträt des »großen Virtuosen« und »vollkommenen Welt-
manns« Antonio Lolli, den Dittersdorf in der Episode einer späten Begegnung mit ihm als
Ebenbild seines verlorenen Ich zeichnet.[199] Auf diese Weise spiegelt der Bericht seiner
Künstlerlaufbahn, der fast nur Welt und auch sie noch weithin in der Tradition anekdo-
tisch-szenischer Reihung wiedergibt, gerade in diesem Mosaik von Bruchstücken ein geheimes Selbstbildnis, das den Schicksalsweg dieses Lebens nicht nur individualisiert,
sondern als ihn mitbestimmend auch erklärt. Es ist als Leitmotiv, das alle Szenen bis zum
bitteren Schluß begleitet und zusammenhält, notwendig geworden, weil dem Autobiographen Dittersdorf weder das Vorsehungs- noch das Abenteuerschema mehr (wie noch
Bräker oder Prosch) als Aufbauprinzip der Lebensdarstellung brauchbar erschien.

    Was bei Dittersdorf erst in Ansätzen und zwischen den Zeilen zu erkennen ist, wird ein
knappes Jahrzehnt später bei Karl Friedrich Zelter in der ersten Niederschrift seiner
Selbstbiographie (1808)[200] zum vollorchestrierten Hauptthema: die Zeichnung der
eigenen Person in und mit der Schilderung ihrer Umwelt. Zwar bewahrt auch Zelter noch
den Grundriß der herkömmlichen Berufsautobiographie; das Thema der Laufbahn wird
hier sogar doppelt durchgeführt, indem Zelter die vom Vater bestimmte und überwachte
Lehrzeit bis zum Maurermeister und die selbständig unternommene Ausbildung zum
Musiker und Komponisten in ständigem Wechsel parallelsetzt und dabei von Maximen
handwerklicher Gesinnung aus dem Munde der Eltern, Meister und Lehrer begleiten
läßt. Aber gerade in dieser Doppelführung zeigt sich auch ein wesentlicher Unterschied
gegenüber den bisherigen Musiker-Autobiographien von der Mitte des 18. Jahrhunderts
bis hin zu Dittersdorf, denen es vor allem um die Aufwertung des Künstlers gegenüber
anderen Berufsständen, um den Nachweis seiner Reputation innerhalb der bürgerlich-
späthöfischen Gesellschaft ging. In ihnen war die Welt des Vaters als negative Folie für
die eigenen künstlerischen Pläne und Unternehmungen nur zu Beginn erwähnt worden;
Zelter erhebt erstmals diese Konfliktsituation zum Leitthema seiner Lebensdarstellung,
die sich darum auch als erste unter den Künstlerautobiographien auf die Jugendgeschichte beschränkt, worin dieser Kampf noch voll ausgetragen wird. Zelter deutet die-

sen Konflikt auch nicht rein negativ, vielmehr als eine zwar schmerzliche, aber auch für die eigene Entwicklung fruchtbare Spannung zwischen zwei gegensätzlichen Lebensbereichen, und daraus wird zugleich ersichtlich, daß er sich nicht eigentlich die beiden Ausbildungswege; sondern das von dieser einmaligen Doppelsituation betroffene Individuum zum Darstellungsziel gewählt hat. Die ausführliche Schilderung beider Berufswege dient im Grunde nur dazu, den Gewissenskonflikt zwischen kindlicher Treue zum väterlichen Willen und der eigenen Neigung zur Kunst zu gestalten.[201] Die Erlebnis- und Empfindungsperspektive mit ihrer genauen Beachtung aller Gemütszustände und Stimmungswechsel[202] herrscht darum vor; der Drang zur Kunst findet dabei im Motiv der ungestillten Sehnsucht nach Italien als dem »Land ... süßer Gesänge«[203], der Berufskonflikt insgesamt in der Klage über die vom Maurerhandwerk zerschundenen und für das Musizieren untauglich gewordenen Hände[204] ihre wiederkehrenden Symbole. Diese Ich-Zentrierung erklärt auch Zelters auffälligen Detailrealismus in der Schilderung der beiden von ihm erlebten Milieus, deren Atmosphäre bis ins Interieur ihrer Häuslichkeit lebendig wird[205]: solche Genremalerei geschieht hier weder aus naiver Erzählfreude noch aus ständesoziologischem oder gar kulturhistorischem Interesse, sondern allein in der Absicht, Personen und Räume in ihrer Bedeutsamkeit für die eigene Lebensgestalt zu zeichnen.

Schon in den Abschnitten über den beruflichen Werdegang also, die bisher in der deutschen Autobiographie lediglich im Berichtsstil die Reihe der Erfolge, Kontroversen und äußeren Wirkungen verzeichnet haben, wird bei Zelter die Selbstcharakteristik im Spiegel einer kontrapunktischen Weltbegegnung zum geheimen Mittelpunkt. Es kann daher nicht überraschen, wenn diese Berufsgeschichten von Episoden vorbereitet, durchflochten und ergänzt werden, die selbst nicht zur Berufssphäre gehören, aber gerade das seelische Erleben des Ich noch besonders veranschaulichen können. Frühe Schulerinnerungen etwa werden nicht mehr in erster Linie um ihrer Unterhaltsamkeit willen, sondern zur Illustration der eigenen stürmischen Art erzählt[206] und die unterschiedliche Reaktion der Lehrer und Erzieher dient nicht deren Charakteristik, sondern als Beleg für das eigene vielschichtig-widersprüchliche Wesen, insofern »jeder von ihnen für sich recht hatte, indem ich mich jedem zeigte, wie er mir selber gefiel.«[207] Später, in der Zeit der Berufskonflikte, sind es vor allem drei Liebesgeschichten, als kleine Novellen geschickt in den übrigen Lebensgang eingebaut, worin Zelter sein eigenes Charakterbild mit zarteren seelischen Zügen nuanciert, wenn er seine bald leidenschaftliche, bald zaghaft-schüchterne, bald launisch-herrische Art der Begegnung mit einer Florentinerin, einer märkischen Amtmannstochter und der geistreichen, künstlerisch begabten Jeanette Ephraim in Gesprächen, gemeinsamen Plänen und einsamen Träumen gestaltet[208] und zusätzlich aus ihren Kreisen scharf profilierte Gegenfiguren zum eigenen Ich entwirft.[209] Nicht zufällig läßt Zelter in allen drei Episoden auch das Italienmotiv wieder anklingen[210] und hebt damit Kunst und Liebe auf die gleiche Stufe des freien und eigentlichen Lebens, ein Bekenntnis, das auch thematisch die scheinbaren Nebengeschichten nachdrücklich mit dem Hauptstrang verbindet.*

---

* In die zweite Niederschrift der Selbstbiographie (um 1825) hat Zelter diese farbigen Episoden bis auf wenige Szenen mit Jeanette Ephraim nicht mehr aufgenommen, so daß er sich hier nur mehr innerhalb des jetzt dominierenden Strangs der doppelten Berufsgeschichte charakterisiert hat.

Aber nicht nur die eigenen, auch fremde Herzensangelegenheiten befreundeter Familien, die ihm als einem geeigneten Vermittler ihre Geheimnisse anvertrauen, bringt Zelter in diesen Episoden zur Sprache. [211] Er verrät auch hier die Fähigkeit, ganze Familien in ihrer geistigen und seelischen Kultur zu zeichnen und dabei wiederum sich selbst in seinem wechselnden Verhältnis zu ihnen zu charakterisieren. Gerade mit solcher kunstvollen Darstellung des eigenen Lebensraums und der verschwiegenen Spiegelung seiner selbst darin erweitert und vertieft Zelter am entschiedensten das überkommene Schema der Berufsautobiographie, und er kommt in diesem Hauptkennzeichen seiner Schrift der Autobiographie seines Altersfreundes Goethe schon sehr nahe, von allen gleichzeitigen Selbstbiographen wohl am nächsten. Dafür bleibt im Gegensatz zu *Dichtung und Wahrheit* Zelters Jugendgeschichte noch ganz privat, will Charakter und Schicksal nur in ihrer individuellen, nirgends in einer exemplarischen Bedeutung sehen. Überdies vermag, wieder im Unterschied zu Goethe, der genaue Blick auf das Interieur des eigenen Lebens dieses nicht zugleich in seinen größeren Zeitverhältnissen zu erfassen: die Aufmerksamkeit auf das Nahe und Innere muß hier noch mit einem so gut wie völligen Verzicht auf die weiteren Horizonte erkauft werden.

Der hier noch vermißte Ausgleich von Ich, Welt und Zeit gelingt jedoch fast gleichzeitig schon Johann Gottfried Seume, der in seiner Fragment gebliebenen Autobiographie *Mein Leben* (geschrieben 1809, gedruckt postum 1813) [212] diese sich bei Zelter noch ausschließenden Pole von Selbstporträt und Zeitbild auf engem Raum zusammenzwingt und sich gerade in dieser tektonischen und stilistischen Meisterschaft als der größere Schriftsteller erweist. Seume verzichtet auf intime Stimmungsskizzen und beschränkt sich bei der Selbstdarstellung auf wenige, aber markante Charakterzüge, so daß sein Blick immer nach außen gerichtet bleibt, was ihm nun auch erlaubt, die Welt nicht nur aus nächster Nähe zu erfassen, sondern in und hinter den eigenen Erlebnissen die Signatur und Stimmung des Zeitalters zu spüren und zu bezeichnen. Wie sich dabei Charakter des Individuums und Charakter der Epoche im Medium konkreter Begegnungen und Ereignisse wechselseitig spiegeln und erhellen, bleibt ein Hauptmerkmal dieser Lebensgeschichte.

Seume selbst hat die beiden Pole nur getrennt gesehen, noch nicht ihre Zusammengehörigkeit erkannt, weshalb zwei seiner Äußerungen zu diesem Punkt sich scheinbar widersprechen. Während er in der Vorrede zu seinem *Spaziergang nach Syrakus* (1803) die Meinung vertritt, daß »seine meisten Schicksale ... in den Verhältnissen meines Lebens (lagen)« [213], bekennt er in einem Brief an Wieland vom Januar 1810, daß »das Meiste meines Lebens tief in meiner Seele lag und trotz meines Herumschwärmens wenig exoterisch ist«, weshalb er glaubt, seine Lebensbeschreibung werde »mit viel Freimüthigkeit fast durchaus nur ethisch-psychologisch und nur entfernt philosophisch-kosmopolitisch sein.« [214] Vor allem das zweite Urteil, unmittelbar nach der Niederschrift des uns überlieferten autobiographischen Fragments ausgesprochen, mag überraschen, da Seumes Jugendgeschichte anfangs von Schulanekdoten, später von den Reiseabenteuern des nach Amerika verkauften Söldners beherrscht erscheint, also durchaus »exoterisch« anmutet. Bei näherem Blick wird man freilich gewahr, daß hinter dem scheinbar reinen Unterhaltungszweck die sinnbildliche Bedeutung dieser exemplarisch ausgewählten Szenen für das Selbstporträt wie für das Zeitbild und oft genug auch für ihre eigentümliche Verschränkung erkennbar wird.

Schon die Bildungsgeschichte in der ersten Hälfte des Fragments macht dies deutlich. Die Fülle der launig erzählten Anekdoten aus Elternhaus und Schule dient vor allem der genauen Porträtierung des Vaters und einiger Lehrer in ihren Begegnungen mit dem Heranwachsenden[215], der gerade dadurch auch sein eigenes Profil gewinnt, so daß in solch lebendigem Gegenüber mehr als in den bloßen Bildungsergebnissen die Entfaltung des eigenen sittlich-geistigen Charakters hervortritt. Zusätzliche Bedeutung hat dabei das Porträt des Vaters: seine Wesenszüge (strenge Wahrheits- und Gerechtigkeitsliebe, heftiges Temperament) werden nicht nur als Familienerbgut und damit auch als Spiegel der eigenen Art vorgestellt[216], Seume deutet sie zugleich als die tieferen Ursachen für die Spannung seiner Familie zu den höheren Ständen und nutzt so in einer Reihe teils sarkastischer, teils bitterer Reflexionen, Anspielungen und Szenen, vor allem im erschütternden Bericht über den frühzeitigen Tod seines Vaters[217] die Konfrontation von individuellem Charakter und politisch-gesellschaftlichen Zuständen der Zeit zu ihrer gegenseitigen Konturierung.

Den Höhepunkt solcher Spiegelungstechnik zeigt der thematische Wendepunkt des Fragments beim Übergang von der Studien- zur Soldatenzeit. Seume bringt hier die Folge seiner Erziehungs- und Erkenntnisstufen am Ende in die noch ältere zugespitzte Form der Bekehrungsgeschichte, indem er den Studenten nach der Lektüre Shaftesburys, Bolingbrokes und Bayles einen »Durchbruch« von der kirchlichen Orthodoxie zu einem religiösen Skeptizismus und Indifferentismus erleben läßt.[218] Aber anders als bei Edelmann, Bahrdt oder Maimon hat das säkularisierte Bekehrungsschema bei Seume nicht mehr den Zweck, die eigene Überzeugung zu propagieren oder daraus resultierende Streitigkeiten mit Widersachern apologetisch zu begründen. Statt dessen betont Seume vor allem die Bedeutung dieses Sinneswandels für sein äußeres Schicksal: aus der nunmehr zu erwartenden Spannung zum adeligen Patron, der bisher seinen Bildungsweg gefördert hat, ergibt sich für Seume als moralische Konsequenz die vorwegnehmende Flucht in eine riskante Selbständigkeit, der Entschluß, »auf allen Fall meine eigene Kraft zu versuchen«[219]. Wenn er daraufhin erzählt, seine Wahl sei auf Paris und die Artillerieschule in Metz gefallen und dieser Weg nach Frankreich sei von den hessischen Werbern jäh unterbrochen worden, so deutet er damit an, daß der Wunsch des Wanderers nach Abenteuer und Soldatentum zwar anders als geplant, aber im Grunde doch erfüllt worden sei.[220] Mit dieser ganzen Kausalfolge will also Seume einmal mehr die schicksalhafte Bezogenheit des individuellen Charakters zu den politisch-gesellschaftlichen Mächten der Zeit und ihre ebendarin mögliche gegenseitige Konkretisierung erweisen; zugleich aber erscheint die eigene Wesensart (Bekenntnis zur geistigen Freiheit, unbedingte Aufrichtigkeit, Drang nach Tätigkeit) als auslösende und führende Kraft, die sich gerade im Zusammenstoß mit der empörendsten Seite der zeitgenössischen Ordnung ungebrochen erhält und trotz aller äußeren Widerstände die selbstgewählte Lebensrichtung bewahrt.

Von daher wird verständlich, daß Seume seinen Verkauf als Söldner und das Abenteuer seiner Amerikafahrt, die die zweite Hälfte des Fragments füllt[221], keineswegs im Ton der Anklage über ein unverdientes Schicksal, sondern weit eher aus der positiven Sicht einer neugierigen Erlebnislust schildert, die alle Eindrücke mit offenen Sinnen aufnimmt und darüber den bitteren Anlaß der Reise völlig zu vergessen scheint. Seume zeigt hier die Haltung eines interessierten Beobachters, der die Widrigkeiten der Gefangenschaft im humoristischen, das Naturschauspiel des Meeres im gefühlvollen, die Einrichtung der Schiffe, das Lagerleben in Neuschottland, die Begegnung mit amerikanischen Ureinwohnern im beschreibenden Stile wiedergibt. [222] Die gleiche Distanz des Erzählers bewirkt auch, daß der politische Zeithintergrund, die Atmosphäre dieser letzten Jahre des ancien régime jetzt mehr zwischen den Zeilen der genauen und detailfreudigen Erlebnisberichte zum Ausdruck kommen und nur gelegentlich in einigen sarkastischen Wendungen über den hessischen Landgrafen oder ironischen Reflexionen über die alte Ständeordnung direkte Kritik erfahren. [223] Alle diese Erzählweisen sind umgekehrt auch wieder deutliche mittelbare Selbstcharakteristik, sie wollen eine den äußeren Widerfahrnissen überlegene Natur bezeugen. Um diesen Grundzug seines Wesens noch stärker hervorzuheben, verweist Seume auch ausdrücklich auf sein »Kraftgefühl« und seinen »Tätigkeitstrieb« [224] und belegt sie nicht nur mit dem Bekenntnis seines damals lebhaften Wunsches nach militärischer Karriere [225], sondern auch mit einer Art Fortsetzung seiner Bildungsgeschichte in die Amerika-Abschnitte hinein, wenn er betont, wie sehr ihm klassische Lektüre, Literaturgespräche (mit dem kurhessischen Hauptmann Freiherr von Münchhausen) und poetische Versuche geholfen haben, in drückenden Situationen die innere Selbständigkeit zu bewahren [226]; in der Figur des mitgefangenen Mönchs, der aus purer Indolenz zugrundegeht, hat er zudem ein krasses Gegenbild zum eigenen Lebensmut geschaffen. [227] Von daher wird verständlich, warum Seume vor seinen Lebensbericht trotz dessen scheinbar »exoterischer« Thematik ein Motto* gesetzt hat, das sich ausschließlich auf die eigene Wesensart bezieht und dabei gerade jene »ethisch-psychologischen« Aspekte betont, die im Fragment selbst immer deutlicher Kontur gewinnen, so daß rückwirkend auch diese Ankündigung das Selbstporträt als Ziel der Lebensdarstellung bestätigt.

Verglichen mit den zuvor betrachteten Beispielen, darf Seumes Autobiographie für den wichtigsten der kurz vor *Dichtung und Wahrheit* unternommenen Versuche einer Koinzidenz von Selbst- und Weltdarstellung gelten, weil hier der Begriff »Welt« auch noch die historische Situation mitumgreift und so die seit kurzem entdeckte Zusammengehörigkeit von Ich, Welt und Zeit auch formal am konzisesten zum Ausdruck kommt. Der Entschluß aller drei Autoren zu dieser strukturellen Neuerung ist dabei auf ihre Scheu vor unmittelbarer Ich-Analyse bei gleichzeitig erhöhtem Interesse am Selbstporträt zurückzuführen; dieses Interesse wiederum ist letztlich in einem inzwischen gesteigerten Individualitätsbewußtsein begründet, das jetzt bereits weder die Vorsehung noch die Gesellschaft als dem Einzelleben übergeordnete Instanzen mehr anerkennt, vielmehr an ihre Stelle ein autonomes Ich gesetzt hat, das nunmehr selbst bestimmt, welches Schicksal es im Rahmen einer vorgefundenen Welt und Zeit erlebt. Daraus vor allem resultiert jene strikte Ich-Perspektive, die auch beim Blick in weitere Räume den eigenen Erlebnishorizont nie überschreitet und darum die größeren Zusammenhänge und Hintergründe des

---

* »Veritatem sequi et colere, tueri justitiam, omnibus aeque bene velle ac facere, nil extimescere.« (Titelseite)

Lebens nie für sich behandelt, sondern stets nur von exemplarisch ausgewählten Figuren und Begebenheiten aus der engeren Erlebnissphäre repräsentieren läßt. Darin liegt eine deutliche Grenze auch dieses Ansatzes der Berufsautobiographie um 1800, der dennoch auf jedem ihrer neuen Wege (historisches Denken, erzählerische Bereicherung, indirekte Selbstdarstellung) bedeutsame Vorstöße in gattungsformales Neuland gelungen sind. Wie diese Wege am Ende der beiden Jahrzehnte von Goethe in *Dichtung und Wahrheit* vereinigt werden und wie er durch Verbindung dieser neuen Errungenschaften mit älteren Traditionen die Gesamtentwicklung der Autobiographie im 18. Jahrhundert zu ihrem Höhepunkt führt, soll der folgende Abschnitt noch kurz umreißen.

4. Ziel und Höhepunkt der Gattungsentwicklung im 18. Jahrhundert: Goethes »Dichtung und Wahrheit«

»Er machte mich sodann auf unscheinbare Bilder aufmerksam, und suchte mir begreiflich zu machen, daß eigentlich die Geschichte der Kunst allein uns den Begriff von dem Werth und der Würde eines Kunstwerks geben könne, daß man erst die beschwerlichen Stufen des Mechanismus und des Handwerks, an denen der fähige Mensch sich Jahrhunderte lang hinauf arbeitet, kennen müsse, um zu begreifen wie es möglich sei, daß das Genie auf dem Gipfel, bei dessen bloßem Anblick uns schwindelt, sich frei und fröhlich bewege.«[228]

Diese Worte des Oheims, im Gespräch mit der schönen Seele vor den Bildern seiner Gemäldegalerie geäußert, passen vorzüglich auf den geschichtlichen Ort von Goethes autobiographischem Hauptwerk am Ende einer langen und fruchtbaren Entwicklungsreihe der Gattung in und außerhalb Deutschlands. Sogar die Unterscheidung von handwerksmäßigen Vorstufen und dem endlich geglückten »Kunstwerk« trifft hier zu: denn wenn bisher entweder von treuer Annahme und Weitergabe traditioneller Muster oder von gewagten, dann aber mit Einbußen anderer Art erkauften Traditionsbrüchen, formalen Experimenten und Neuansätzen die Rede war, so vergessen wir die dabei noch immer spürbar gebliebene Mühe und Anstrengung, wenn uns nun am Ziel- und Gipfelpunkt das Werk einer »freien und fröhlichen« Meisterschaft entgegentritt. Es kann freilich im folgenden nicht in seiner ganzen Fülle und seinem Beziehungsreichtum erschlossen werden, das ergäbe ein eigenes Buch; im Zusammenhang unserer Darstellung muß die Skizze einiger Grundlinien genügen, die vor allem den gattungsgeschichtlichen Stellenwert von *Dichtung und Wahrheit* verdeutlichen soll.[229]

Nicht nur Goethes lebenslange Vorliebe für Selbstbiographien aller Art*, auch die mit dem Erwachen seines historischen Interesses einsetzenden biographischen und historio-

---

* Bewußt ist ihm die europäische Entwicklung von Augustinus über Cardano, Cellini und Montaigne bis zu Diderot, Rousseau und Alfieri, nicht minder sind ihm deutsche Beispiele vor allem aus dem 16. Jahrhundert (Götz von Berlichingen, Hans von Schweinichen, Hans Ulrich Krafft) und seit dem späten 18. Jahrhundert bis in die unmittelbare Gegenwart bekannt (Jung-Stilling, Moritz, Laukhard, Johannes von Müller, Zelter, Seume, Sachse u. a.). Dabei beschränkt sich seine Beschäftigung mit dieser Gattung nicht auf bloße Lektüre: Götz von Berlichingens »Lebens-Beschreibung«

graphischen Arbeiten* wie die damit verbundene, seitdem nicht mehr unterbrochene Bemühung um die theoretische Klärung des Gattungsbildes, wie wir sie schon im vorigen Kapitel kennengelernt haben[230], schaffen denkbar günstige Voraussetzungen für das seit 1809 näher ins Auge gefaßte Unternehmen, nunmehr auch das eigene Leben literarisch Gestalt werden zu lassen. Einige dieser theoretischen Erörterungen können dabei auch schon als geheime Programme und Selbstaufforderungen zur eigenen Lebensdarstellung betrachtet werden. Namentlich die Rezension der *Selbstbiographie* Johannes von Müllers (1806) weist in wichtigen Punkten schon auf *Dichtung und Wahrheit* voraus. Sie fordert nicht nur erneut die Darstellung der lebendigen Wechselbeziehung von Individuum und Jahrhundert als die seit dem *Cellini*-Anhang (1803) und dem *Winckelmann*-Essay (1805) erkannte und erprobte Hauptaufgabe jeder Biographie, sie wünscht von jedem Autobiographen darüber hinaus ein »fröhliches« Bekenntnis des eigenen Wertes im behaglichen Erzählen der Erfolge und schönsten Lebensstunden, dazu die treue Überlieferung entschwundener Zeiten zur Belehrung der Nachwelt, und erblickt endlich im Selbstgefühl des Autobiographen den Wahrheitsgehalt seines Berichts verankert, dem damit indirekt die Möglichkeit einer eigengesetzlichen Kunstgestalt zugesprochen wird.[231]

Da nun um die gleiche Zeit, seit Schillers Tod und der politischen Katastrophe von 1806[232], Goethe sich mehr und mehr selbst historisch wird* und diese seine neue nachklassische Altersstimmung mit einem allgemeinen Lebensgefühl zusammentrifft, das in der politischen Gegenwart seit dem Ausbruch der Französischen Revolution eine Zeitenwende erblickt und alle davor liegenden Epochen als unwiederbringlich vergangen empfindet, so erscheint es doppelt zeitgemäß, wenn Goethe sich gerade jetzt entschließt, es nicht bei allgemeinen Überlegungen und Empfehlungen zur Gattung Autobiographie bewenden zu lassen, sondern durch eine Vergegenwärtigung des eigenen Lebens sich selbst und die erlebte Vergangenheit für sich und andere zu bewahren. Dabei spielt die Absicht, durch Rekapitulation der früheren Jahre diese noch einmal zu genießen und sich dabei des eigenen Selbst zu versichern, wohl nur eine untergeordnete Rolle.** Wichtiger schon erscheint es Goethe, durch solche Neuschöpfung des Erlebten sich »mit entfernten

---

hat er für sein historisches Drama benutzt, »Henrich Stillings Jugend« angeregt und zum Druck befördert, Cellinis »Vita« übersetzt und kommentiert, Johannes von Müllers »Selbstbiographie« rezensiert, Sachses und Mämpels Memoiren mit empfehlenden Vorworten eingeführt.

* Auf die Rolle der biographischen Arbeiten Goethes vor »Dichtung und Wahrheit« (»Cellini«, »Winkelmann«, »Anmerkungen zu ›Rameaus Neffe‹«, »Geschichte der Farbenlehre«) als theoretischer und praktischer Vorübungen für die Autobiographie haben Hans *Mayer,* Zur deutschen Klassik und Romantik. Pfullingen 1963, S. 93–121, und Reinhard *Schuler,* Das Exemplarische bei Goethe. Die biographische Skizze zwischen 1803 und 1809. München 1973, S. 59 f., 72, 169 u. ö. aufmerksam gemacht.

** Dieser Lieblingsausdruck des alten Goethe erscheint erstmals im Zusammenhang mit »Dichtung und Wahrheit«: »Diese Zeit [nach 1806] benutzte ich, um mich in mir selbst historisch zu bespiegeln« (Goethe an Christian Heinrich Schlosser, 23. November 1814: W. A. IV, 25, S. 92). Später freilich gewinnt dieser Ausdruck eine dem historistischen Sinn fast entgegengesetzte Bedeutung. Vgl. u. S. 165.

*** Wenn Goethe in diesem Zusammenhang von Genuß und Selbstbewahrung spricht, vergißt er nie, zugleich auf den Nutzen für andere hinzuweisen: vgl. Goethe an Philipp Hackert, 4. April 1806; Aufsatz »Bedeutung des Individuellen« (W. A. I, 36, S. 276 f.).

Freunden und Geistesverwandten ... zu unterhalten«[233] und für sie »das was ich bisher allenfalls thun und leisten können, ... abermals zu beleben und interessant zu machen.«[234] Letztlich aber schwebt Goethe nicht nur der engere Freundeskreis, sondern die ganze Nation als Publikum des Buches vor, der er darin »die Umwandlungen der sittlichen, ästhetischen, philosophischen Cultur, insofern ich Zeuge davon gewesen«[235] als warnendes Geschichtsexempel darstellen will. Schon daraus wird ersichtlich, daß Goethes Selbstbiographie von vornherein nicht für die Privatschatulle der Familie und Nachkommen gedacht war, daß er diese vielmehr als ein öffentliches Dokument par excellence betrachtet hat, worin sich mit dem Individuum des Autors zugleich seine ganze Zeit aus ihren Herkünften und Entwicklungsstufen verstehen und wiedererkennen sollte.

Selten oder nie ist darum ein Autobiograph in der Vorbereitung auf die Niederschrift seines Lebens derart umsichtig und planmäßig zu Werke gegangen wie Goethe: Anlage biographischer Schemata, Durchsicht älterer Tagebücher und Briefe, Bitten an Freunde um Mitteilung ihrer Erinnerungen, bald auch Lektüre eigener und fremder Dichtungen aus den früheren Epochen sowie biographischer und historischer Werke über das deutsche und europäische 18. Jahrhundert, was alles sich in die kommenden Jahre hinein fortsetzt, wo sich Diktat des einen Teils und Vorbereitung auf den nächstfolgenden regelmäßig ablösen.[236] Ein erster Niederschlag dieser Studien findet sich in den Schemata, die entweder – wie das älteste, chronologisch geordnete vom Oktober 1809[237] – allmählich mit Stichworten aufgefüllt werden oder – wie das ausführliche Karlsbader Schema vom Mai 1810[238] – in genaueren Reflexionen bereits das komplizierte Gewebe der gesellschaftlichen Zustände und Stimmungen und die besondere Stellung des Ich darin erkennen lassen. Aber auch schon das älteste Schema, das auf seinen Jahresblättern die Weltereignisse und gesellschaftspolitischen Daten bis 1775 jeweils an erster Stelle aufführt und die Chronik schon 1742 mit der Notiz »Carl VII. gekrönt ... mein Vater zum kayserl. Rath ernannt«[239] beginnen läßt, macht deutlich, daß die europäische Politik und Gesellschaft, ja die Reichsgeschichte den Rahmen dieses Lebens bilden soll, innerhalb dessen erst die individuellen Einzelheiten (notiert werden Arbeiten, Freunde, Reisen) ihren Ort erhalten können.

Dieser Ordnung in den Schemata widerspricht nur scheinbar die Motivation im späteren Vorwort zum Ersten Teil von *Dichtung und Wahrheit* (1811), wonach zunächst nur ein Schriftstellerleben mit seinen »innern Regungen« und »äußern Einflüssen« am Leitfaden der Werkfolge geplant gewesen, sich dann aber die Darstellung von diesem Kernthema aus allmählich in die »weite Welt« ausgedehnt habe.[240] Das Vorwort will – anders als die internen Entwürfe – den Leser behutsam in das Vorhaben des Buches einführen, stellt ihm deshalb zunächst den traditionellen Typ der pragmatischen Künstlerautobiographie in Aussicht, begründet seine Niederschrift überdies mit der gleichfalls traditionellen angeblichen Freundesbitte um nähere Lebenszusammenhänge und entschuldigt sich dann gewissermaßen, daß bei der Erfüllung dieses Wunsches schließlich die ganze Literatur- und Weltgeschichte Eingang finden mußte, um das Leben und Wirken dieses einen Autors zu erklären. Solche Vorsicht war angebracht, da bisher höchstens Einzelheiten der großen Welt als zufällige Berührungspunkte des Individuums mit ihr in Autobiographien erschienen waren, und es daher als Anmaßung verstanden werden konnte, wenn plötzlich ganze Zeit- und Epochengemälde als erläuternde Hintergründe für ein

Einzelleben entworfen wurden. Aber nicht genug damit, wagt das Vorwort in einem letzten Schritt, die seit dem *Cellini*-Anhang erhobenen Forderungen an die Gattung nun auch für die eigene Lebensbeschreibung programmatisch zu wiederholen: Ich und Jahrhundert als zwei gleichwertige historische Individuen in ihren Wechselbezügen darzustellen, wird zur »Hauptaufgabe« [241] und zugleich zur Hauptschwierigkeit jeder Biographie erklärt.

Denn wenn es auf der einen Seite das Ich als unverwechselbare, ja unveränderliche Gestalt definiert, »in wiefern es unter allen Umständen dasselbe geblieben«, auf der anderen Seite das Jahrhundert versteht »als welches sowohl den Willigen als Unwilligen mit sich fortreißt, bestimmt und bildet«[242], so scheint eine unüberbrückbare Kluft zwischen den beiden Polen aufgerissen, die auch durch die Fähigkeit des einzelnen, empfangene Eindrücke als »Künstler, Dichter, Schriftsteller« »wieder nach außen abzuspiegeln«[243], nur gemildert, nicht geschlossen werden kann. Vergleicht man die hier gegebene Definition der biographischen Polarität mit der wenige Jahre später in den *Urworten. Orphisch* verkündeten, so erscheint dort der individuelle »Daimon« ungleich selbstherrlicher in seinem Kampf mit »Tyche«, aus dem er trotz aller Hindernisse und Angriffe als »die eigentliche Natur ... immer wieder unbezwinglicher zurückkehrt«.[244] Eben dies aber scheint das Vorwort von 1811 in Frage zu stellen, wenn seine Schlußsätze, die historische Sehweise Mösers und Herders weiterführend[245], die Generationsspanne bereits auf zehn Jahre verkürzen, d. h. die individuelle Gestalt jedes einzelnen, »was seine eigene Bildung und die Wirkung nach außen betrifft«[246], ganz von der individuellen Gestalt des Geburtsjahrzehnts bestimmen lassen. Nimmt man dazu die etwa gleichzeitige Äußerung Goethes, »das wahre Nativitäts-Prognostikon« liege »mehr in dem Zusammentreffen irdischer Dinge als im Aufeinanderwirken himmlischer Gestirne«[247], so gewinnt das traditionelle Bild der Planetenkonstellation in *Dichtung und Wahrheit* (und in den *Urworten*?) den Sinn einer Metapher für die Bestimmung sogar der ursprünglichen Anlage des Individuums durch die Zeit.

Aus allem wird so viel deutlich, daß Goethes Vorwort zu *Dichtung und Wahrheit* die Spannung zwischen der morphologischen Entwicklungsidee und der Sehweise des konsequenten Historismus eher betont als entschärft, so daß erst die Lebensbeschreibung selbst mögliche Konvergenzen dieser Polarität aufzeigen kann. Goethe selbst gesteht, daß mit der Verbindung dieser beiden Ideen in der Autobiographie »ein kaum Erreichbares gefordert«[248] sei. In der Geschichte der Gattung konnte er dafür keine Muster finden, da ihm beide Komponenten nur jeweils für sich allein und auch dann nur in Vorformen und Ansätzen – kausalpsychologische Erlebnisfolge noch ohne organische Zielgerichtetheit bei Karl Philipp Moritz, punktuelle Andeutung des Zeithintergrundes bei Laukhard, Seume, Johannes von Müller – begegnet waren. Schon ihre volle begriffliche Entfaltung und Anwendung auf die Theorie der (Auto-)Biographie ist ein Novum, erst recht der Versuch ihrer Vereinigung in ein und derselben Lebensbeschreibung.

Untersucht man, wie Goethe jene autobiographische Grundpolarität von Ich und Jahrhundert erzählerisch durchgeführt hat, so fällt zunächst auf, daß er beide Pole stark einander zugekehrt, vom Ich also weniger die introvertierten als die weltzugewandten

Seiten hervorgehoben, wie auch die Außenwelt weniger an und für sich als in ihren Einflüssen auf das Ich (und seine nächste Umgebung) beschrieben hat.

Schon von dieser grundsätzlichen Weltbezogenheit her wird klar, daß Goethes *Selbstdarstellung* in *Dichtung und Wahrheit* sich nur höchst selten des Mittels eines direkten Bekenntnisses der eigenen Seelen- und Gemütszustände bedienen wird. Im genauen Bewußtsein, daß »jeder, der eine Confession schreibt, ... in einem gefährlichen Falle (ist), lamentabel zu werden, weil man nur das Morbose, das Sündige bekennt und niemals seine Tugenden beichten soll«[249], rührt er nur gelegentlich und von ferne an dieses heikle Thema. Den delphischen Spruch »Erkenne dich selbst«, den noch Karl Philipp Moritz zum Haupttitel seines *Magazins zur Erfahrungsseelenkunde* gewählt hatte, hat Goethe schärfer als alle Rousseau-Kritiker der Zeit als eine Verführung zur Untätigkeit und also zur Selbstverderbnis verurteilt[250], und er hat darum dieser jungen Tradition des seelenerforschenden Selbstbekenntnisses am wenigsten gehorcht. Ganz selten erscheinen direkte Andeutungen eigener Gemütszustände, etwa einer frühen Einsamkeit und daraus entspringender Sehnsucht, eines teils würdevollen, teils ungeschickten Benehmens in Gesellschaft, eines »gewissen hypochondrischen Zugs«, der zu unsinniger Lebensweise, zu Krankheit und krisenhafter Selbstrettung führt.[251] Häufiger bekennt Goethe frühere Seelenzustände, die besonders eindrucksvolle Erlebnisse in ihm wachgerufen haben, so seine Begegnung mit Herder, so vor allem die Liebeserlebnisse, wobei weniger die ausgeglichenen als die gespannten, zwiespältigen, verzweifelten Stimmungen umschrieben werden, was im Falle Friederikes einmal sogar zu einem offenen Schuldbekenntnis führt.[252]

Damit ist aber die Reihe der psychologischen Augenblicksbilder – und um mehr handelt es sich nie – auch schon erschöpft, und es wäre müßig, daraus eine kausalpsychologische Entwicklungskette des seelischen Ich konstruieren zu wollen. Die meisten Stellen dieser Art haben auch gar nicht die Selbstcharakteristik zu ihrem eigentlichen Zweck; vielmehr werden sie oft nur deshalb eingeschaltet, um eine von daher veranlaßte »poetische Beichte«[253] aus den persönlichen Lebenssituationen zu begründen. Das aber bedeutet, daß die daraus entsprungene Dichtung den eigentlichen Beichtcharakter übernommen hat, die Mitteilung der sie bedingenden seelischen Verfassung des Autors nicht mehr für sich steht, sondern vor allem die Entstehungsgeschichte dieser Werke erläutern soll. Die Vorstellung des seelischen Erlebens als Freude oder Qual und ihrer Verwandlung in ein poetisches Bild als eines bewährten Heilmittels durchzieht denn auch alle Bücher des Werkes und läßt sich als säkularisierte Form von Beichte und Absolution erkennen.[254] Nur daß diese Selbstbefreiung des autonomen Ich hier nicht mehr, wie noch bei Rousseau, erst in der Autobiographie geschieht; diese hat bei Goethe vielmehr nur die Aufgabe, jene lebenslang geübte Praxis des Dichters als solche zu entdecken. Goethe hat denn auch in *Dichtung und Wahrheit* den Begriff der »Confession« auf das poetische Werk übertragen[255] und der Autobiographie selbst jenen neuen Bekenntnischarakter zugewiesen, statt Sünden- und Schuldgefühlen die eigenen Interessen, Tätigkeiten, Erfolge »fröhlich« mitzuteilen.

Die Enthaltsamkeit, Gemütsstimmungen unmittelbar zu zeichnen, bedeutet indes nicht, daß in *Dichtung und Wahrheit* kein deutliches Selbstporträt hervorträte. Getreu der Überzeugung, daß man »durch Betrachten niemals, wohl aber durch Handeln« sich

selbst kennenlernen könne[256], legt Goethe in *Dichtung und Wahrheit* das Hauptge-
wicht seiner Selbstdarstellung auf eine das ganze Werk durchziehende Beschreibung seiner (kritischen) Empfänglichkeit für alle nur denkbaren künstlerischen, wissenschaftlichen, philosophischen und religiösen Bestrebungen der Zeit wie seines ebenso lebendigen
und tätigen Eingreifens in diese Außenwelt. Durch diese Darstellung einer unablässigen
Aufnahme und Antwort schafft sich Goethe auch in der davon erfaßten und bewegten
Welt ein zusätzliches Spiegelbild des Ich, und da zudem die Fülle und Dichte solchen Pul-
sierens gegenüber aller bisherigen autobiographischen Literatur eine nicht mehr über-
bietbare Steigerung erfährt, erscheint hier die *Koinzidenz von Selbst- und Weltdarstellung*, von Goethes Vorgängern höchstens in Ansätzen erreicht, voll und mühelos gemei-
stert. Zugleich erreicht damit die gattungsformale Entwicklung, die seit der Mitte des 18.
Jahrhunderts curriculum und portrait als ursprünglich getrennte Teile der Biographie
immer mehr zu *einer* Darstellung zu vereinigen suchte[257], ihr endliches Ziel.

Welche Darstellungsmittel hat Goethe dafür gewählt? Einmal spiegelt er sehr gern das
eigene Charakterbild, Urteil, Weltverhalten in fremden Gestalten und der eigenen Begegnung mit ihnen[258], was in Ansätzen in der kurz zuvor entstandenen autobiographischen Literatur (Zelter, Seume) erstmals aufgetaucht war.[259] Dadurch aber, daß bei
Goethe diese Einzelfiguren häufig nicht mehr wie bisher für sich stehen, sondern zugleich
das Allgemeine (eine soziale Gruppe, eine geistige Strömung) repräsentieren*, fungieren
sie auch als Mittelglieder zwischen Ich und Zeithintergrund**, so daß über die Brücke
der Fremdporträts das Jahrhundert in seinen konkreten gesellschaftlichen, politischen,
kulturellen Zuständen, Vorgängen und Stimmungen stärker als in allen früheren Autobiographien individuell facettiert wird und dadurch viel unmittelbarer denn zuvor als
eine das Ich »bestimmende und bildende« Macht erscheinen kann. Umgekehrt ermöglichen es diese Mittelgrundsfiguren, in ihre meist kritische Zeichnung auch das Werturteil
über die von ihnen vertretene Zeiterscheinung einzuschließen, so daß Goethe mit solchen
Distanz schaffenden Porträts nicht nur den eigenen Charakter, sondern zugleich den eigenen Ort und Stellenwert in Welt und Zeit immer deutlicher definieren kann. Nicht zuletzt bringt der Mittelgrund den erzähltechnischen Gewinn müheloser Übergänge von
unmittelbarer Nähe zu fernen zeitgeschichtlichen Horizonten und wieder zurück in die
engere Lebenssphäre, so daß auch der schon von Georg Lukács[260] beobachtete Wechsel zwischen erzählerischen und historiographischen Partien um so leichter vollzogen
werden kann.

Freilich hat Goethe *Ich und Jahrhundert* nicht ständig einander konfrontiert. Das Buch
ist weiträumig genug, um in dieses Spannungsfeld auch ausgedehnte Episoden aufzunehmen, die eine Zeitlang den Hintergrund vergessen und in teils abenteuerlichen,
teils idyllischen Szenen und Szenenfolgen einen scheinbar zeitlosen Vordergrund ausfül-

---

* Z. B. der Großvater Textor als Stadtschultheiß die reichsgeschichtliche Tradition Frankfurts,
der Vater das reichsstädtische Patriziat, Gretchen und ihr Bekanntenkreis den »niederen Stand«,
Graf Thoranc die französische Kulturnation, Susanne von Klettenberg den Pietismus herrnhutischer
Prägung usw.

** Jürg *Fierz*, der in einfühlsamen Interpretationen »Goethes Porträtierungskunst in ›Dichtung
und Wahrheit‹« (Frauenfeld und Leipzig 1945) stilistisch-ästhetisch würdigt, kommt auf die kom-
positorischen Funktionen der Porträts nicht zu sprechen.

len können. Vor allem die Liebesbegegnungen mit Gretchen, Friederike und Lili, aber auch die eingelegten Reisebeschreibungen eröffnen solche Räume, in denen Goethe die erzählkünstlerischen Errungenschaften der deutschen Autobiographie seit Jung-Stilling und Bräker zur Höhe seiner Romankunst steigert, weshalb denn auch gerade diese Partien von jeher zu den populärsten des Buches gehören. (Daß sie letztlich doch keine zeitlosen Inseln innerhalb der Lebensgeschichte bilden, soll sogleich noch gezeigt werden). Umgekehrt hat sich Goethe immer wieder die Freiheit genommen, in wenn auch meist kürzeren Abschnitten bestimmte Zeiterscheinungen ohne erlebendes Ich im Ton des Historikers zu schildern [261], um erst anschließend die entsprechenden Lebensereignisse in diese Hintergrundsskizze einzubauen.

Regel aber bleibt die Verknüpfung beider Pole, und Goethe begnügt sich dabei nicht, in den verschiedenen Perioden sie jeweils statisch ineinander zu spiegeln, vielmehr ist er bestrebt, beide als sich verändernd und entwickelnd aufeinander einwirken zu lassen. Goethe läßt ja bestimmte Themen seiner Bildungsgeschichte (Beschäftigung mit Poesie, Verhältnis zum Theater, zeichnerische Bemühung, Bibelkritik u. a.) auf verschiedenen Altersstufen wiederkehren und erweckt schon durch das je vertiefte Interesse und Aufnahmevermögen des Ich den Eindruck einer Spiralbewegung, so daß die frühen Stufen als Vorankündigungen [262]*, die späteren als deren gesteigerte Wiederaufnahmen erscheinen; er hat dafür aber nicht nur die entelechische Entwicklung der Monas aus sich selbst, sondern ebenso die sich wiederholenden und steigernden Anregungen einer stürmischen Umbruchszeit verantwortlich gemacht, so daß persönliche und historische Situationen dieses Lebens gleichermaßen seine Entfaltung bedingen. So hat Goethe namentlich im 6. und 7. Buch, aber auch später noch die künstlerischen, wissenschaftlichen und religiössittlichen Zeiteinflüsse auf sein Denken, Handeln und Schaffen ausdrücklich beschrieben [263], ja im Falle des Sturm und Drang fast wörtlich das Bild vom »fortreißenden« Jahrhundert aus dem Vorwort wiederholt. [264] Wieweit freilich die historischen Umstände nicht nur fördernden, sondern auch hindernden, ja vereitelnden Einfluß auf die Entfaltung des Individuums ausüben können, ist für Goethe im Verlauf der Niederschrift von Dichtung und Wahrheit immer mehr zum eigentlichen autobiographischen Problem geworden. [265]

Das dynamische Wechselverhältnis von Ich und Zeit hat Goethe jedoch nicht nur expressis verbis ausgesprochen, er hat es auch strukturell durch eine fortschreitende Annäherung und endliche Verschmelzung von privater und öffentlicher Sphäre zum Ausdruck gebracht. Angekündigt wird dieses Verfahren bereits dadurch, daß in Dichtung und Wahrheit der Umkreis des Ich nicht, wie bisher üblich, mit der Horizonterweiterung des Heranwachsenden allmählich zunimmt und das öffentliche Leben erst mit dem Eintritt des autobiographischen Helden ins Berufsleben sichtbar wird, sondern daß von Anfang

---

* Einen Sonderfall stellt das Knabenmärchen »Der Neue Paris« dar (W. A. I, 26, S. 78–99). Als eine ins Knabenhafte stilisierte Vorform der Faust-Helena-Begegnung (vgl. Wolfgang Schadewaldt, Goethestudien. Zürich 1963, S. 280 f.) kündigt es die spätere Entfaltung eines frühen Keimes nicht nur an; es verkörpert in seinem Stil der Goetheschen Altersdichtung selber schon diese endliche Erfüllung inmitten der erzählten Anfänge und zeichnet damit auf eigene Weise einen jener weitesten Horizonte um die Kindheit, wie sie für die ersten Bücher von »Dichtung und Wahrheit« kennzeichnend sind (s. u. S. 159 f.).

an die weitesten Horizonte um den eigenen Lebenspunkt geschlagen werden, um anzu-
deuten, bis zu welchen Grenzen sich dieses Leben künftig entfalten wird. In der ersten
Hälfte des Werkes, solange also das Ich noch nicht selbst an die Öffentlichkeit getreten ist
und noch keine unmittelbare Beziehung zwischen dem persönlichen und dem allgemeinen Bereich vorhanden ist, bedient sich Goethe in besonderem Maße der stellvertreten-
den oder symbolischen Funktion jener erwähnten Mittelglieder, um die verschiedenen
Lebens- und Bildungsmächte aus Geschichte und Gegenwart dem heranwachsenden Ich
zu vermitteln. Daß dies höchst kunstvoll und bewußt geschieht, verrät schon die Entstehungsgeschichte der beiden ersten Teile des Werkes (1.–10. Buch): Goethe hat hier zunächst ausschließlich die privaten Erlebnisse von der Kindheit bis zur Begegnung mit
Herder und erst danach in einem zweiten Gang die überpersönlichen Vorgänge und Ereignisse dieser beiden Jahrzehnte diktiert und schließlich in mehreren Revisionen nachträglich beide Schichten ineinandergearbeitet.[266] Während dabei im Ersten Teil der
Zeithintergrund noch durch die denkbar allgemeinsten Weltbegebenheiten (Erdbeben
von Lissabon, Siebenjähriger Krieg, Wahl und Krönung des Römischen Kaisers) bezeichnet ist, wird er im Zweiten Teil schon deutlicher auf die eigene Bildungsgeschichte
zugeschnitten, wenn etwa im 7. Buch die Entwicklung der deutschen Literatur und
Sprachpflege seit dem Spätbarock als Vorgeschichte dem Beginn des eigenen poetischen
Schaffens vorangestellt wird. Durch solche Spezialisierung wird der gesamte Hintergrund merklich an die eigene Lebenssphäre herangerückt, die umgekehrt durch die dem
Ich hier zugeteilte Rolle des Erben (oder auch Traditionsbrechers) deutlich erweitert
wird, bis die unmittelbare Begegnung mit Herder, von Goethe im 10. Buch als das »be-
deutendste Ereigniß« mit den »wichtigsten Folgen« für sein Autorleben hervorgehoben[267], den endgültigen Eintritt des autobiographischen Helden in die gegenwärtige
Literaturbewegung und damit die Verschmelzung des persönlichen mit dem öffentlich-li-
terarischen Leben signalisiert, zu dessen beherrschender Mitte sich das Ich im Laufe der
zweiten Hälfte des Werkes immer entschiedener gestaltet. Bestes Zeichen dafür ist, daß
Goethe im Dritten Teil die geistigen Strömungen und Zeitstimmungen der siebziger Jahre
hauptsächlich deshalb skizziert, um die von ihm selbst mit ausgelöste Bewegung des
Sturm und Drang und vor allem die Entstehung und Wirkung seiner eigenen Beiträge
dazu (*Götz* und *Werther*) zu begründen, womit deren epochemachende Bedeutung ihren
bündigsten Ausdruck findet. Sobald dann das Ich seine Rolle als führender Dichter der
Zeit gefunden hat, erfolgt nochmals eine Spezifikation der Grundpolarität Ich-Jahrhun-
dert, indem Goethe zum Leitthema der zweiten Hälfte des Werkes die Spannung zwischen Genie und Gesellschaft wählt und ihre zeittypische Problematik anhand eigener Erlebnisse bis zum Schluß mehrmals steigert, so daß am Ende persönliche und öffentliche
Sphäre vollends zur Kongruenz gebracht sind.

   Veranschaulicht wird diese Spannung als Dilemma des modernen Künstlers zwischen
bürgerlichem Dasein und höfischem Leben, was in *Dichtung und Wahrheit* seinen sinn-
bildlichen Ausdruck im Widerstreit von Frankfurt- und Weimar-Motiv findet. Präludiert
war das Thema schon früh: bereits im Ersten Teil verkörpert Frankfurt einmal in der Gestalt des Vaters die reichsbürgerliche Gesinnung, die vor dem Fürstendienst warnt, zum
andern in der kunstvollen Verschränkung von »gespensterhafter«[268] Kaiserkrönung
und zwielichtiger Gretchenwelt eine doppelt fragwürdige Staats- und Gesellschaftsord-

nung, die schon hier die bürgerliche Welt als wenig geeigneten Wirkungskreis des Dichters erscheinen läßt. Aber auch Sesenheim als die freundlichere Variante dieser Welt bietet keine Lösung; schon daß das Ich diese Idylle von vornherein als Spiegelbild eines literarischen Musters zu erleben vorgibt, schafft die Distanz, und noch vor dem Höhepunkt der Episode prophezeit der Erzähler des Melusinenmärchens die Unvereinbarkeit der Lebenssphären. Erst recht gibt die Lili-Geschichte als verschärfte Wiederaufnahme des Frankfurt-Motivs eine negative Antwort, zumal inzwischen nach längerer Vorbereitung seit dem 10. Buch (Klopstock, literaturfreundliche Fürstenhöfe)[269] das Weimar-Motiv am Ende des Dritten Teils als der positive Gegenakzent eingeführt ist.[270] Gerade die in der Lili-Liebe kurz aufscheinende Möglichkeit einer dauernden Verbindung mit der bürgerlichen Welt steigert hier die Spannung zwischen dem »Ideellen« der unbedingten Neigung und der »Wirklichkeit« gesellschaftlicher Zwänge[271] bis zum tragischen Konflikt, so daß Goethe diese letzte Liebesbegegnung in *Dichtung und Wahrheit* nur mehr in einer Reihe von Fluchten (Offenbach, die im Freien verbrachte Nacht, Schweizer Reise)[272]* gestalten kann; an ihrem Ende erscheint die Idylle des Weimarer Hofes (in Gestalt der Porträt- und Landschaftsbilder des Malers Kraus)[273] als endgültiges Asyl, so daß die Entscheidung für Weimar sorgfältig vorbereitet und begründet aus der Komposition des Konflikts hervorgeht. Dadurch freilich, daß Goethe noch zu allerletzt Weimar und Italien als gleichwertige Lebensziele nebeneinanderstellt[274], deutet er diese zunächst private Krise und ihre Lösung nicht mehr nur als zeittypische Spannung zwischen Künstler und Gesellschaft, sondern darüber hinaus als Symbol einer geistesgeschichtlichen Wende, die aus dem bürgerlichen Sturm und Drang eine höfische Klassik hervorgehen ließ. Von daher wird auch verständlich, daß Goethe gegen Ende von *Dichtung und Wahrheit* immer mehr auf den allgemeinen Zeithintergrund verzichtet[275], da nunmehr der Ort der eigenen poetischen Existenz mit dem Zentrum des zeitgenössischen Geisteslebens zusammenfällt.

Nun hat bekanntlich Goethe den Schluß von *Dichtung und Wahrheit* nicht nur in zeitgeschichtliche, sondern darüber hinaus in *religiöse Zusammenhänge* gestellt, indem er zwischen die Weimar-Partien des 20. Buches den Abschnitt über das »Dämonische« eingeschaltet hat.[276] Der Sinn dieser Erörterungen erschöpft sich jedoch nicht darin, die »seltsamen Ereignisse«[277] des verspäteten Aufbruchs nach Weimar zu erklären. Der damit gesteckte Rahmen gilt rückwirkend für die ganze Lebensgeschichte, da Goethe hier zum ersten und einzigen Male in *Dichtung und Wahrheit* das eigene Schicksal religiös zu deuten versucht. Denn alle bisherigen religiösen Abschnitte des Buches hatten entweder nur die verschiedenen Altersstufen anhand ihrer jeweiligen, aus religionsgeschichtlichem Fundus geschöpften Frömmigkeitsform veranschaulicht oder die Berührungen des Heranwachsenden mit zeitgenössischen religiösen Strömungen mitgeteilt, umreißen also — analog zu den Abschnitten über Goethes Bemühungen um die bildenden Künste oder die Naturwissenschaften — nur ein weiteres Feld seiner Bildungsinteressen, sind aber keine religiösen Konfessionen, weder im herkömmlichen noch in einem säkularisierten Sinne. Einzig der Abschnitt über das »Dämonische« gehört dieser Kategorie an, und es ist bedeutsam, daß Goethe damit weder die Vorsehung noch den Zufall, weder das eigene Ich

noch die Gesellschaft und also keine der höheren Instanzen bezeichnet, die der zeitgenössischen Autobiographie zur Verfügung standen. Indem Goethe statt ihrer ein dazwi-
schenliegendes »Ungeheures, Unfaßliches«[278] zur eigentlichen Schicksalsmacht erklärt, relativiert er alle jene eindeutigen Kräfte, ohne doch eine von der Mitwirkung ganz
auszuschließen.

Das bedeutet vor allem, daß die vom Vorwort her vertraute immanente Grundkonstel-
lation von Ich und Jahrhundert nicht mehr als einzige und maßgebliche Polarität verstanden wird, vielmehr jetzt in Goethes Vorstellung einer individuellen Lebensgeschichte
eine wie immer geartete vertikale Komponente »durchkreuzend«[279] hinzutritt. Damit
aber wird zugleich der bis dahin von Goethe fast als Axiom betrachtete Entwicklungsgedanke, zumindest in seiner strengen gesetzmäßigen Form, in Frage gestellt.

In den beiden ersten Teilen von Dichtung und Wahrheit ist Goethe noch bestrebt, das
Prinzip der Vorankündigung und Entfaltung in der erwähnten Weise praktisch durchzu-
führen, so daß er nach dem Abschluß des Ersten Teils noch überzeugt sein konnte, dieser
»enthalte auch nicht das kleinste geringfügig scheinende, was nicht künftig einmal nach
seinem Geschlecht und Art in Blüthe und Frucht hervortreten soll«.[280] Eine entscheidende Veränderung erfährt der Entwicklungsbegriff jedoch im Verlauf der Niederschrift
des Dritten Teils, der damals noch das Werk zum vorläufigen Abschluß bringen sollte, im
Frühjahr und Sommer 1813. Wieweit Napoleons sinkender Stern und die sich ausbrei-
tende Unruhe der Befreiungskriege dazu beigetragen haben, daß Goethe in diesen Mona-
ten sein bislang optimistisches, vielleicht nur in der Theorie erbautes Bild der gesetzmä-
ßig-entelechischen Lebensentfaltung einer gründlichen Revision unterzog, sei dahinge-
stellt. Es ist jedenfalls auffällig, daß er damals fast gleichzeitig an mehreren wichtigen
Stellen in Dichtung und Wahrheit den Gedanken einer organischen Metamorphose
durch die Vorstellung eines von unberechenbaren, willkürlichen Kräften beeinflußten
Lebens ersetzt.

Die erste Stelle ist jene kurze Bemerkung im 11. Buch, daß »unser Leben ... auf eine
unbegreifliche Weise aus Freiheit und Nothwendigkeit zusammengesetzt« sei, so daß es
»wenige Biographien« gebe, »welche einen reinen, ruhigen, stäten Fortschritt des Individuums darstellen können.«[281] Das ist bereits eine klare Absage an jede teleologische
Lebensdeutung, da dem überschauenden eigenen Willen die in ihrer Wirkung unberechenbaren Umstände gegenüberstehen, was folgerichtig auch die Frage nach den unbe-
greiflichen Gründen dieses Lebensrätsels sinnlos erscheinen läßt: »nach dem Warum
dürfen wir nicht fragen, und deßhalb verweis't man uns mit Recht auf's Quia«[282] – in
diesen Schlußworten der Betrachtung steckt schon die ganze Resignation dessen, der die
»Nothwendigkeit« als Komponente in den Lebensgrundriß aufnehmen muß, ohne damit
schon die tröstliche Gewähr eines letztlich doch fruchtbaren Umwegs zu besitzen; die
Möglichkeit des Verkümmerns, der Zerstörung, des vorzeitigen Abbruchs bestimmter
Hoffnungen, Pläne, Unternehmungen wird jetzt durchaus einbezogen, vor allem wird
erstmals die relative Ohnmacht des strebenden Ich deutlich ausgesprochen.

Es ist daher nur folgerichtig, wenn kurz darauf (Juni/Juli 1813) an einer zweiten Stelle,
in der ungedruckt gebliebenen Vorrede zum Dritten Teil[283] (der damals noch die Zeit
bis zur Abreise nach Weimar behandeln sollte), das Bild der pflanzlichen Entwicklung
vor allem in seinen negativen Aspekten auf die menschliche Lebensgeschichte übertragen

wird. Denn hier betrachtet Goethe sein ursprüngliches Vorhaben, die eigene Biographie »nach jenen Gesetzen zu bilden, wovon uns die Metamorphose der Pflanzen belehrt«, nämlich die Stufen des Kindes, Knaben, Jünglings als Keimblatt, Stengel, Blüte und ihren Zusammenhang als »hoffnungsvolle« Entfaltung zu sehen[284], bereits als überholt, indem er jetzt nicht nur auf Boden und Jahreszeit als beschränkende Faktoren verweist, sondern auch die Unfruchtbarkeit mancher Kronen und, wenn Frucht, dann ihre Unscheinbarkeit und zaudernde Reife betont. »Ja wie viele Früchte fallen schon vor der Reife durch mancherley Zufälligkeiten, und der Genuß, den man schon in der Hand zu haben glaubt, wird vereitelt«[285], ein Resumée, das er anschließend zur allgemeinen Maxime erhebt und dabei auf sein *ganzes* Leben (und ausdrücklich auch auf die in *Dichtung und Wahrheit* geschilderte Zeit vor Weimar) bezieht: »So geht es den Werken der Natur und der Menschen und so ging es auch mir mit meinen Arbeiten, wie schon die erste Epoche Beyspiele genug darlegt.«[286] Damit behält Goethe zwar das Pflanzengleichnis noch bei, kehrt aber dessen bisherigen Sinn fast ins Gegenteil: das menschliche Leben wird nicht mehr als gesetzmäßiger Gestaltwandel, sondern als eine von willkürlichen Außenmächten beherrschte, mehr behinderte als geförderte, jedenfalls grundsätzlich ihres Erfolges ungewisse Entfaltung der individuellen Entelechie verstanden.

Diese Umdeutung wirkt weniger überraschend, wenn man berücksichtigt, daß sie im unmittelbaren Anschluß an Goethes wichtigsten Beitrag zur theoretischen Neuorientierung seiner Biographie, an Konzeption und Definition des »Dämonischen« erfolgt.[287] Denn in diesem Schlußstein des ganzen Werkes wird jenes »Unfaßliche« als ein »furchtbares Wesen« umschrieben, das »mit den nothwendigen Elementen unsres Daseins willkürlich zu schalten«, nämlich »zwischen alle übrigen hineinzutreten, sie zu sondern, sie zu verbinden« scheint, und also »eine der moralischen Weltordnung, wo nicht entgegengesetzte, doch sie durchkreuzende Macht (bildet)«, wofür Goethe nunmehr das Bild von Zettel und Einschlag wählt.[288] Das Pflanzengleichnis wird vom Webegleichnis abgelöst, und dies mag der innere Grund sein, weshalb Goethe jene Vorrede mit dem neugedeuteten Metamorphose-Bild auch für den späteren Schlußteil von *Dichtung und Wahrheit* nicht mehr verwendet hat. Denn das Webegleichnis faßt die bisher in Goethes Autobiographie dominante Beziehung von Ich und Welt, Individuum und Jahrhundert, deren Wechselwirkung als eine von menschlichem Willen und menschlicher Vernunft geleitete und rational erkennbare Geschichte konzipiert war, unter dem Begriff der »moralischen Weltordnung« zu dem *einen* Pol eines neuen Spannungsfeldes zusammen, worin das rational nicht mehr erfaßbare, »sich nur in Widersprüchen manifestirende«[289] Dämonische den gleichrangigen Gegenpol darstellt. Entschiedener als in jeder morphologischen Vorstellung werden hier die immanenten Kräfte Ich und Jahrhundert ihrer Selbstherrlichkeit entkleidet, was besonders daran erkennbar wird, daß Goethe sogar dem genialischen Menschen, in dem das Dämonische selbst »überwiegend hervortritt«, sofort ein zweites Dämonisches, und sei es das Universum, als Widerpart entgegensetzt.[290]

Wenn dabei Goethe das poetische Bild Egmonts zur Verdeutlichung hinzufügt, geschieht es nicht zuletzt deshalb, um mit dessen Attractiva ein geheimes Selbstporträt zu zeichnen[291] und um desto leichter mit Worten Egmonts die eigene dämonische Existenz umschreiben zu können. Dieses Schlußzitat[292] korrigiert sogar noch die Ausgewogenheit des Webegleichnisses, wenn jetzt »unsichtbare Geister« allein Richtung und

Ziel der Lebensbahn bestimmen, ihnen die »Sonnenpferde der Zeit« und selbst der Wagenlenker gehorchen müssen, dem nur noch die Rettung von Sturz und Untergang gegeben ist. Sowohl die Schlußstellung dieses Zitats als auch Goethes Mitteilung, er sei auf seinen religiösen Wanderungen schon früh dem Dämonischen begegnet[293], deuten an, daß diese neu eröffnete Dimension nicht nur für den letzten Teil, sondern für die ganze Lebensdarstellung gelten solle, auch wenn sie darin nur selten ausgesprochen worden ist. Das zufällige Glück der Begegnung mit Herder, die vereitelte Wiederannäherung an die französische Kultur im Elsaß, Einladung und Aufbruch nach Weimar sind die vielleicht einzigen Lebenspunkte[294], bei denen eine höhere Einwirkung spürbar werden soll. Wohl nicht von ungefähr begegnen sie erst von der Mitte des Werkes an: seit der allmählichen Verschmelzung des persönlichen mit dem öffentlichen, ja geistesgeschichtlichen Horizont beginnt der Autobiograph einen letzten, für den eigenen Lebenskreis grundsätzlich unerreichbaren Horizont zu schlagen, den er am Ende mit religiösen Attributen versieht. Gattungsgeschichtlich gesehen, bedeutet Goethes stufenweise vollzogene Verdeutlichung, ja Verschärfung des Schicksalsgedankens einen eigentümlichen, nur bei ihm anzutreffenden Versuch, die moderne weltimmanente mit einer an älteste Traditionen* anknüpfenden religiös-metaphysischen Lebensdeutung zu verbinden. Bisher hatte die europäische Autobiographie dem Lebensbild nur jeweils eine der beiden Vorstellungen zugrunde gelegt: entweder hatte sie durch ein Vorsehungs-, Fortuna- oder Zufallsschema die Abhängigkeit des Ich von einem transzendenten Schicksal betont oder aber, seit dem späten 18. Jahrhundert, einen der immanenten Pole: das autonome Ich oder die Zeit- und Umweltsituation, zuletzt auch das Zusammenwirken von Charakter und Welt als lebensbestimmende Kraft gedeutet. Wenn Goethe diese neue Errungenschaft der immanenten Polarität zunächst übernimmt, ja sie durch ein morphologisch-entelechisches Entwicklungsschema noch zu steigern sucht, ihr dann aber das »Dämonische« überordnet, so gewinnt er jene schon skizzierte hypotaktisch gegliederte Doppelpolarität von Ich, Zeit und dämonischer Gegenmacht, die vordergründig die Auseinandersetzung von Ich und Jahrhundert noch immer als selbständige Entfaltung dieser immanenten Kräfte erscheinen läßt und erst am Ende den relativierenden transzendenten Bezug andeutend herstellt. Damit verwirklicht Goethe keine der bisherigen autobiographischen Möglichkeiten einfacher Polarität, weder die der religiösen Konfession noch die der rein immanent orientierten Lebensgeschichten; er wagt vielmehr eine Synthese, die freilich nur dank der äußerst verschwiegenen, mehr verhüllenden als entdeckenden Art seines religiösen Bekenntnisses gelingen konnte.

Eine solche bisher unbekannte Komplexität der autobiographischen Struktur, die alle damals vorhandenen Möglichkeiten zu vereinen sucht, läßt aber auch erkennen, daß *Dichtung und Wahrheit* sich nicht wie alle früheren Beispiele der Gattung darin erschöp-

---

* Franz Koch hat Goethes Vorstellung des »Dämonischen« auf Plotins Dämonenlehre, Walter Muschg bis auf archaische Naturreligionen zurückgeführt (Franz *Koch,* Goethe und Plotin. Leipzig 1925, S. 192. – Walter *Muschg,* Goethes Glaube an das Dämonische. In: DVjs 32, 1958, S. 321–343, bes. S. 325, 342f.).

fen konnte, das persönliche Leben nur in seinem historisch-einmaligen Verlauf und Zusammenhang zu schildern. Von Anfang an wird vielmehr das Bestreben deutlich, die individuelle Lebensgeschichte zugleich als ein *Exemplum*** vorzustellen, das sowohl bestimmte Episoden der scheinbar einmaligen Vergangenheit als Spiegel der unmittelbaren
Gegenwart als auch eine Reihe zeitlos gültiger »Symbole des Menschenlebens«[295]
überhaupt gestalten sollte. Diese Intention widerspricht nicht Goethes Überzeugung von
der Individualität jedes Lebens und jeder Epoche, denn sein »universeller Individualismus«[296] entdeckt im Alter hinter der Spezifikation und Varietät der Einzelerscheinun-
gen immer deutlicher ihre »Genera« und »Familias«[297], die Wiederholung der Urbil-
der, die Dauer im geschichtlichen Wechsel.[298] Gerade wenn er davon spricht, daß ihm
in höheren Jahren alles, auch die eigene Person, »mehr und mehr historisch« wird, hat er
mit zunehmendem Alter immer weniger die eigene oder fremde Einzigartigkeit, immer
mehr die Wiederkehr des Gleichen, ja das Einswerden von Vergangenheit und Gegenwart im Blick.[299]

Schon einige Jahre vor *Dichtung und Wahrheit,* in der *Einleitung* zur *Geschichte der
Farbenlehre,* ist er überzeugt, daß die Menschheitsgeschichte auf ihrer Spiralbahn »immer wieder in jene Gegend (kehre), wo sie schon einmal durchgegangen«: »Auf diesem
Wege wiederholen sich alle wahren Ansichten und alle Irrthümer.«[300] Getreu diesem
Grundsatz hatte er schon hier einen zyklischen Verlauf der Wissenschaftsgeschichte
postuliert und dabei eine Reihe von Forschern auf der mehrfachen Kreisbahn so zueinan-
dergestellt, daß jeder als Erneuerer älterer und zugleich als Vorläufer späterer Bestrebungen erschienen war; die eigene Position hatte er als Erfüllung des ganzen Zyklus an das
Ende dieses letztlich nur autobiographisch motivierten Systems eingeordnet.[301] Es
kann daher nicht verwundern, wenn Goethe kurz darauf in *Dichtung und Wahrheit* analoge Brücken schlägt und gelegentlich die eigene Jugend zum Herold gegenwärtiger Gesinnungen und Tätigkeiten erklärt, weniger um die eigene Vergangenheit zu aktualisieren
als um ihre fruchtbare Verbindung zur Gegenwart darzutun oder um durch den Paralle-
lismus der Erscheinungen die Wiederkehr von Grundmustern der menschlichen Geschichte zu zeigen. Es kann positiv geschehen, wenn er in den Straßburger Büchern die eigene frühe Begeisterung für die gotische Baukunst in den Bemühungen der gegenwärtigen
romantischen Jugend um die Denkmäler des Mittelalters erneuert und erfüllt sieht[302]:
gegenüber der Gemeinsamkeit in Ziel und Handeln erscheint der geschichtliche Abstand
der Generationen vernachlässigt, der Vergleich soll einzig das »schöne Gefühl« bestätigen, »daß die Menschheit zusammen erst der wahre Mensch ist«.[303] Die Zusam-
menschau der Zeiträume kann aber auch kritische Akzente erhalten, wenn Goethe die
Bewegung des Sturm und Drang überwiegend negativ sieht[304] und mit der Kritik an
ihrem »kranken jugendlichen Wahn«, ihren »übertriebenen Forderungen«, ihren An-
maßungen und ihrem exzentrischen Genietreiben[305] zugleich vor der in seinen Augen
ähnlich form- und gesetzlosen romantischen Bewegung warnen will. Auch hier wird die
literarhistorische Originalität und Unverwechselbarkeit jeder Epoche übergangen und

---

* Wie sehr der Biograph Goethe in jedem Individuum zugleich ein Beispiel des Allgemeinen, ein
Muster der Menschheit erblickt, hat zuletzt Reinhard *Schuler,* Das Exemplarische bei Goethe
(München 1973) überzeugend dargestellt.

die gemeinsame Eigenschaft des revolutionären Aufbruchs hervorgehoben, was noch eine späteste Äußerung zum Sturm und Drang, nunmehr mit positivem Wertakzent, unternimmt. [306]

Bei solchen Epochenvergleichen bleibt Goethe freilich als Autobiograph (anders als in seinen historischen Arbeiten) auf die Spanne der eigenen Lebenszeit beschränkt, so daß es offen bleiben muß, ob er hier im Eins von Vergangenheit und Gegenwart schon eine Wiederkehr des Gleichen oder noch eine späte Nachwirkung und Ausfaltung der eigenen Anfänge über »funfzig Jahre« [307] hinweg, also noch immer *einen* Epochenzusammenhang erblickt. Solche historische Beschränkung fällt jedoch weg, wenn Goethe das Typische und Wiederkehrende an einzelnen Situationen, Vorgängen, Gestalten und vor allem an der eigenen Person und ihren Erlebnissen hervorhebt.

Schon bei der Beschreibung an sich zeitbedingter gesellschaftlicher und kultureller Zustände und Einrichtungen ist Goethe geneigt, etwa die verschiedenen Stände und ihr Verhältnis zueinander, insbesondere die bürgerliche Sozietät, als zeitlos gültige Formen menschlicher Gemeinschaft zu deuten, sofern ihr seitdem unverändert gebliebener Charakter ihm dies nur irgend erlaubt. [308] Erst recht nutzt Goethe jede Gelegenheit, im individuellen Bereich das Typische und Allgemeine aufzuspüren. Bei den Porträts der Familie, Freunde und Bekannten wehrt sich freilich der Wille zu scharf konturierten Profilen gegen eine allzu rasche Generalisierung, so daß hier noch relativ selten der individuelle Charakter einem bestimmten Typus zugeordnet wird. [309] Dafür begegnet die Verallgemeinerung um so häufiger, wenn Goethe auf eigene Stimmungen, Gefühle, Wünsche, Neigungen, Verhaltensweisen und einzelne Charakterzüge zu sprechen kommt. Er führt diese entweder auf generelle Eigenschaften bestimmter Altersstufen (Kindheit, Jugend) [310] oder gesellschaftlicher Rollen (Dichter, Freund, Liebender, Bräutigam) [311] oder, am häufigsten, auf allgemeine und nun in der Tat immergültige Wesenszüge des Menschen, der Menschheit überhaupt zurück. [312] Damit fördert Goethe einerseits nochmals seine Absicht einer möglichst unauffälligen und zurückhaltenden Selbstdarstellung, da die vielen Verallgemeinerungen des eigenen Charakters und Weltverhaltens diese mehr typisch als originell erscheinen lassen. Andererseits wird aber gerade dadurch das eigene Leben, in seinen verschiedenen Stufen wie in seinem Gesamtbild, zu paradigmatischer Bedeutung erhoben, und wie das Ich durch die historische Erzählung mit ihrer allmählichen Verschmelzung des privaten und öffentlichen Horizonts zum »Repräsentanten seines Jahrhunderts« erklärt worden ist, so wird es schließlich durch die Generalisierung seiner Wesenszüge zum »Repräsentanten sämmtlicher Menschheit« qualifiziert.*

Alle diese verallgemeinernden Kommentare konkreter Lebenseinzelheiten werden dabei in *Dichtung und Wahrheit* nicht nur gelegentlich eingestreut, Goethe hat vielmehr über seine Lebensdarstellung ein ganzes Netz solcher Reflexionen und Erfahrungsmaximen geworfen, die von knappen Nebensätzen über mittelgroße Abschnitte bis zu regelrechten Exkursen reichen und manchmal auch in stichomythischem Wechsel mit dem hi-

---

* Mit beiden Ausdrücken hat Goethe die Rolle Cellinis als eines »geistigen Flügelmanns« umschrieben (W. A. I, 44, S. 350), sie lassen sich ebenso gut auf Goethe in »Dichtung und Wahrheit« beziehen. – Zur Cellini-Deutung vgl. *Schuler,* Das Exemplarische bei Goethe, S. 11 ff.

storischen Berich verflochten sind.* Diese ungemein enge und vielfältige Verschränkung von Reflexion und Erzählung verwirklicht zugleich jene schon im Mai 1810 programmatisch formulierte Polarität von »ironischer« und »superstitioser Ansicht des Lebens«, wodurch sich die Biographie bald »über das Leben erhebt«, bald »wieder gegen das Leben zurückzieht«, so daß sowohl »dem Verstand und der Vernunft« als auch »der Sinnlichkeit und der Phantasie« Genüge getan wird und »zuletzt ... eine befriedigende Totalität hervortreten (muß).«[313] Damit gehen Goethes Reflexionen in *Dichtung und Wahrheit* weit über das pädagogische Ziel hinaus, das Herders Programm jeder Autobiographie gesteckt hatte[314]; denn kaum einmal will Goethe mit ihnen die eigenen Erfahrungen zu spezieller Belehrung oder Warnung empfehlen, wie dies seit Karl Philipp Moritz immer wieder der Fall war. Sie wollen vielmehr durch ihre ständige Korrespondenz mit der historischen Erzählung das Urbildliche am eigenen Leben hervorkehren, damit »der Mensch erfahre ... was auch er vom Leben zu erwarten habe, und daß er ... bedenke, dieses widerfahre ihm als Menschen und nicht als einem besonders Glücklichen oder Unglücklichen«.[315]

»Symbole des Menschenlebens« darzustellen, erscheint so als das letzte Ziel dieser Autobiographie, denn die darin »erzählten einzelnen Fakta dienen bloß, um eine allgemeine Beobachtung, eine höhere Wahrheit zu bestätigen.«[316] Dieses Ziel wird schließlich auch vom »einigermaßen paradoxen Titel« des Werkes bestätigt. Denn den Doppelbegriff »Wahrheit und Dichtung« hat Goethe nicht als Gegensatz, sondern als Hendiadyoin, als höhere Einheit verstanden, nämlich als deutende Darstellung des »eigentlichen Grundwahren« seines Lebens aus der »Rückerinnerung«, deren »dichterisches Vermögen« darin besteht, in bewußter Auswahl und Ordnung des Bedeutungsvollen das Vergangene in ein gültiges und geschlossenes Bild zu fassen.[317] »Dichtung« meint also jene überschauend-deutende Erzählhaltung, die hier am Beispiel eines Autorlebens überzeitliche Polaritäten und Symbole als das »Grundwahre« dieses wie jedes Menschenlebens sichtbar werden läßt. Solche Erläuterung des Titels definiert zugleich das Werk, das ihn trägt, gegen alle übrigen Beispiele der Gattung, ja selbst gegen alle anderen autobiographischen Schriften Goethes. Denn wie keine Autobiographie zuvor und danach die Möglichkeiten menschlicher Lebensbezüge so umfassend in sich versammelt hat, so hat auch allein *Dichtung und Wahrheit* jene Souveränität einer ordnenden Deutung der Lebensfakten bewiesen, die hier zum einzigen Male ermöglicht hat, das konkrete Bild der eigenen Geschichte zu einem symbolischen Spiegel des menschlichen Lebens überhaupt zu gestalten.

---

* Auch in den späteren autobiographischen Schriften Goethes begegnet diese Mischung von Bericht und Sentenz, doch nicht nur weniger häufig, sondern auch mit einem geringeren Grad der Verallgemeinerung. Vgl. die Beispiele bei Georg *Wackerl*, Goethes Tag- und Jahreshefte. Berlin 1970, S. 93–95.

SCHLUSSBILANZ:
DIE HAUPTTENDENZEN DER DEUTSCHEN AUTOBIOGRAPHIE
1790–1815

Versucht man, die hauptsächlichen Entwicklungstendenzen der deutschen Autobio-graphie von Herders Programm bis zu Goethes *Dichtung und Wahrheit* (1790–1815) zu-sammenzufassen, so ergibt sich folgendes Bild:

In der *Theorie* lassen sich eine deutliche Abkehr vom radikalen Selbstbekenntnis nach Art der erst kurz zuvor inaugurierten psychologischen Autobiographie und eine damit verbundene Aufwertung der praktisch-historischen Lebensbeschreibung unter Herders Ägide beobachten. Dies wird schon an den Auswahlprinzipien der in diesen Jahrzehnten erstmals veranstalteten Sammlungen autobiographischer Zeugnisse (Müller, Seybold) und vor allem an einer vielstimmigen Auseinandersetzung mit Rousseaus *Confessions* ablesbar, wobei sich die Kritik an der unbedingten Selbstenthüllung zur Skepsis gegen-über der Selbstdarstellung überhaupt bis zum grundsätzlichen Zweifel an der Möglich-keit der Selbsterkenntnis steigert (Hippel, Kant, Friedrich Schlegel, Schleiermacher). Gleichzeitig ist Herder weiterhin bestrebt, den pädagogischen Nutzen der historisch-praktischen Lebensbeschreibung in moralischer und politischer Hinsicht zu betonen und ihren Ort zwischen Geschichtserzählung und Selbstrechenschaft zu bestimmen (Huma-nitätsbriefe, Adrastea). Goethe greift diese Herdersche Vorstellung auf und entfaltet vor allem ihr historisches Moment, wenn er den empfangend-antwortenden Doppelaus-tausch von Individuum und Jahrhundert zum eigentlichen Thema jeder Autobiographie erklärt. Darüber hinaus erneuert er ihren suspekt gewordenen Bekenntnischarakter, in-dem er den Autobiographen ermuntert, an die Stelle selbstquälerischer Konfessionen den »fröhlichen« Rückblick auf eigene Erfolge zu setzen. Die damit gegebene Subjektivität jeder Autobiographie erachtet Goethe als die spezifische Wahrheit der Gattung, womit er dieser zugleich die Möglichkeit einer eigengesetzlichen Kunstform zuspricht.

Vorbereitet war dieses Goethesche Programm durch eine prinzipielle Neubewertung der biographischen Gattungen in den Literatursystemen des ausgehenden 18. Jahrhun-derts. Im Zuge der Aufwertung der Prosagattungen wird jetzt, im Unterschied zum bishe-rigen Glauben der Pragmatiker an die grundsätzliche Formlosigkeit der Biographie (Blanckenburg, Wezel, Eschenburg), mit der Geschichtsschreibung auch diese Untergat-tung zur »historischen Kunst« gerechnet und ihr die Möglichkeit, ja die Pflicht zur ge-schlossenen Form zugesprochen (Woltmann, Bouterwek). Letzten Zweifeln, den auto-biographischen Erinnerungsstoff in eine reine (Roman-)Form zu bringen (Goethe), be-gegnet das neue universalpoetische Programm der Frühromantik, das, unabhängig von bisherigen Kunst- und Formbegriffen, Biographie, Selbstbekenntnis und Roman auf die gleiche Stufe, nämlich ins Zentrum der romantischen Theorie einer »Naturpoesie« stellt.

Diesen Programmen und Vorstellungen entspricht im ganzen auch die autobiographische *Praxis* dieser Jahrzehnte, auch wenn die verschiedenen didaktischen und ästhetischen Einzelforderungen nur jeweils von einer Gruppe, und auch dann oft nur in Ansätzen, erfüllt werden. Aber gerade das Problem der Gruppierung kann dadurch eine neue Lösung finden. Mehr denn je besitzt jetzt die alte Typologie nur noch heuristischen Wert, da nunmehr die freie Mischung der Gattungstypen zur Regel geworden ist.

So nehmen die religiösen Konfessionen, im wesentlichen auf den herrnhutischen Bereich beschränkt, zunehmend Elemente der abenteuerlichen Lebensgeschichte auf und bringen in einer höherrangigen Sonderreihe von Lebensläufen meist adeliger Schwestern eine psychologische Vertiefung der religiösen Erlebnisse, wodurch die völlige Psychologisierung eines solchen Lebenslaufs, allerdings nur auf fiktiver Ebene, in Goethes *Bekenntnissen einer schönen Seele* möglich geworden ist.

Auch in den übrigen Typen der Gattung, den Autobiographien der Gelehrten, Schriftsteller, Künstler, begegnen durchweg nur noch Mischformen in individuellen Variationen. Dabei finden sich, analog zum Herderschen Programm, psychologische Interessen nur noch gelegentlich (J. G. Müller, Hippel, Feder), und auch dann handelt es sich nur um punktuelle Selbstcharakteristiken, nicht mehr um eine Geschichte der Seele, geschweige um eine kausalpsychologische Erlebniskette. Die überwiegende Zahl der Gelehrten- und Künstlerautobiographien nach 1790 intendiert überhaupt keine Selbstanalyse mehr, will aber auch die trockene Karrierechronik vermeiden. Sie versucht daher auf neuen Wegen die herkömmlichen Bahnen zu durchbrechen und dabei noch entschiedener als bisher die traditionellen Typen aufzulösen.

Zum einen führt das neue historische Denken manchen Autobiographen dazu, Berufs- und Zeitgeschichte miteinander zu verbinden (Feder, Pütter, Joh. v. Müller, Iffland), das eigene Leben in den größeren politischen oder kulturhistorischen Zusammenhängen zu sehen und so beide Pole in gegenseitiger Spiegelung zu konturieren. Zum andern ist vor allem manche Gelehrtenautobiographie bestrebt, ihre Bildungsgeschichte, die sie gern in die Form einer säkularisierten Erweckung zum Licht der Aufklärung kleidet, mit Erzählelementen des Abenteuerromans aufzufüllen (Bahrdt, Maimon) und so über den engeren Kollegenkreis hinaus ein größeres Publikum zu gewinnen. Wenn bei Laukhard noch das zeitgeschichtliche Moment hinzutritt, wird eine neue Art von Memoiren begründet, in denen das eigene Abenteuer zum Reverbere eines allgemeinen Schicksals, zum »Symbol für Tausende« wird. In jedem Fall verfolgen diese abenteuerlichen Gelehrtenleben das gleiche Doppelziel der Belehrung und Unterhaltung wie der zeitgenössische Roman, so daß manche gedanklichen und formalen Parallelen mit dieser Nachbargattung auftreten.

Während jedoch dieser Mischtyp in seiner Vorliebe für Anekdoten und Exkurse noch eine gewisse Formlosigkeit in Kauf nimmt, bemüht sich eine dritte und späteste Gruppe von Berufsautobiographien um 1800, ein organisierendes Zentrum der Lebensbeschreibung durch Versuche einer Koinzidenz von Selbst- und Weltdarstellung zurückzugewinnen. Ziel und Mittelpunkt dieser Schriften ist entweder die indirekte Selbstcharakteristik (Dittersdorf, Zelter) oder die wechselseitige Erhellung von Individuum und Epoche (Seume) im Spiegel konkreter Weltbegegnung, so daß die seit Rousseau aufgerissene Kluft zwischen introvertierter Selbstbeobachtung und der Abkehr vom Ich zu Abenteuer und Zeitgeschichte durch kunstvolle Verschränkung der Pole sich wieder zu schließen beginnt, wodurch zugleich jene Ansprüche an die Biographie als »historische Kunst« am ehesten erfüllt werden. Begünstigt wird dieser Entschluß zur strukturellen Neuerung durch die vorherrschende Scheu vor unmittelbarer Ich-Analyse bei gleichzeitigem erhöhten Interesse am Selbstporträt; dieses wiederum liegt in einem gesteigerten Individualitätsbewußtsein begründet, das inzwischen an die Stelle der bisherigen übergeordneten Instanzen (Vorsehung, Gesellschaft) ein autonomes Ich gesetzt hat.

Alle diese Ansätze des historischen Denkens, der erzählerischen Bereicherung, der indirekten Selbstdarstellung bedeuten jedoch nur erste und oft noch isolierte Schritte, die nun am Ende der beiden Jahrzehnte in Goethes *Dichtung und Wahrheit* eine von der Gattungsentwicklung zwar vorbereitete, in ihrem Ergebnis dennoch überraschende Zusammenfassung und Steigerung erfahren. Denn wie Goethe schon in seinen theoretischen Überlegungen zur Gattung alle Vorgänger und Zeitgenossen überragt, so auch in der praktischen Durchführung seines Programms. Im ganzen folgt auch er der generellen Tendenz der deutschen Autobiographie um 1800, statt psychologischer Bekenntnisse den Welt- und Zeitbezug des Ich in den Mittelpunkt zu rücken. Im Unterschied zu allen Vorgängern gelingt es Goethe aber nicht nur, die Koinzidenz von Selbst- und Weltdarstellung voll zu erreichen, sondern auch die Polarität von Ich und Jahrhundert in einmaliger Weise als dynamisches Wechselverhältnis zu gestalten, das den persönlichen Lebenskreis immer mehr mit der öffentlichen Sphäre, ja schließlich mit dem geistesgeschichtlichen Horizont der Epoche verschmelzen läßt. Der dabei verwirklichte Entwicklungsgedanke, der das bisherige Bild eines kausalpsychologischen Zusammenhangs zur Vorstellung einer gesetzmäßig-organischen Entfaltung der individuellen Monas erweitert und vertieft, wird von Goethe selbst noch relativiert, wenn er die neue Errungenschaft der immanenten Korrespondenz von Ich und Welt am Ende von der Instanz des »Dämonischen« durchkreuzen läßt; damit wagt Goethe den gattungsgeschichtlich wiederum einmaligen Versuch, die moderne weltimmanente mit einer an älteste Traditionen anknüpfenden metaphysischen Lebensdeutung in einer gestuften Doppelpolarität zu verbinden. Eine solche ausgleichende Synthese aller bisherigen autobiographischen Strukturen ermöglicht es schließlich Goethe, in *Dichtung und Wahrheit* die individuelle Lebensgeschichte zugleich als Exemplum und Symbol des Menschenlebens überhaupt zu deuten, was die Einzigartigkeit dieses Werkes gegenüber allen anderen Beispielen der Gattung, ja selbst den übrigen autobiographischen Schriften seines Autors, vollends bestätigt.

Überblickt man am Ende die Aufeinanderfolge aller Epochen der deutschen Autobiographie im 18. Jahrhundert (1680–1815), wie sie in den drei Teilen dieser Gattungsgeschichte untersucht und S. 94–98, 168–170 zusammenfassend charakterisiert worden sind, so läßt das dabei beobachtete Gewebe von Formen und Formvorstellungen einen sich beschleunigenden Prozeß der Individuation zuerst im Selbstbewußtsein der Autobiographen und seit der Jahrhundertmitte auch in der Form ihrer Selbst- und Lebensbeschreibung erkennen. Am Anfang steht noch die Ungebrochenheit der Traditionen, am Ende eine freie Mischung, Kreuzung und Säkularisation der Typen, bis Goethes *Dichtung und Wahrheit* alle bisherigen Ansätze und Versuche versammelt und zu einem ausgleichenden Höhepunkt der deutschen und europäischen Autobiographik führt. Nicht zuletzt diese Frucht bestätigt das 18. Jahrhundert als ein für die Geschichte auch dieser Gattung entscheidendes Zeitalter, das mit seinen bahnbrechenden Errungenschaften in Theorie und Praxis und besonders mit Goethes summeziehendem und ebendarin eine neue Tradition schaffendem Muster auf alle spätere Selbst- und Lebensdarstellung bestimmenden Einfluß ausgeübt hat. Mit dem Beginn dieser Tradition und der bis heute fortdauernden Auseinandersetzung mit ihr wird ein neues Kapitel in der Geschichte der deutschen Autobiographie eröffnet.

ABKÜRZUNGEN

AA	=	Goethe. Aus meinem Leben. Dichtung und Wahrheit. Historisch-kritische Ausgabe, bearb. von Siegfried Scheibe. 2 Bde. Berlin 1970–1974
DLD	=	Deutsche Litteraturdenkmale des 18. und 19. Jahrhunderts
DVjs	=	Deutsche Vierteljahrsschrift für Literaturwissenschaft und Geistesgeschichte
GJb	=	Goethe-Jahrbuch
Hayn-Gotendorf	=	Hayn, Hugo und Alfred N. Gotendorf: Bibliotheca Germanorum erotica et curiosa. 8 Bde. München ³1912–1914
W. A.	=	Goethes Werke. Hrsg. im Auftrag der Großherzogin Sophie von Sachsen. 4 Abteilungen mit 133 Bdn. Weimar 1887–1919 (Abteilung in römischer, Band in arabischer Ziffer).
ZfdPh	=	Zeitschrift für deutsche Philologie

ANMERKUNGEN

Erster Teil
Die deutsche Autobiographie
von den Anfängen des Pietismus bis zur Mitte des 18. Jahrhunderts (1680–1760)

I. Ansätze eines Gattungsbewußtseins

1 Aus der »Vorrede des Italiänischen Herausgebers« (A. *Cocchi*) der Erstausgabe der »Vita di Benvenuto Cellini« (Neapel 1728), übersetzt von *Goethe* (1803): W. A. I, 43, S. 3, 7.
2 Vorrede des Herausgebers zu: D. Phil. Jacob Speners eigenhändig aufgesetzter Lebens-Lauff. In: Heinrich Anshelms von Ziegler und Kliphausen ... Continuirter Historischer Schau-Platz und Labÿrinth der Zeit ... Erste Fortsetzung. Leipzig 1718, S. 856a.
3 Vorbericht von Friedrich Heinrich *Theunen* zu: Jacob Friedrich Reimmanns ... Eigene Lebens-Beschreibung. Braunschweig 1745, S. [1], [8].
4 *Wagner*, Scriptores (1716), Prooemium.
5 Gabriel Wilhelm *Götten*, Jetzt lebendes Gelehrtes Europa, T. 1, Hildesheim ²1735, Vorrede, S. [21], [23], [25 f.].
6 Beyträge zur Critischen Historie der deutschen Sprache, Poesie und Beredsamkeit, 15. St. (1736), S. 489.
7 Des Lords Bolingbroke Briefe über das Studium und den Nutzen der Geschichte. (1735). Aus dem Englischen übersetzt ... von C. F. R. *Vetterlein*, T. 1, Leipzig 1794, S. 122 f.
8 Des Herrn Abts Lenglet dü Fresnoy Anweisung zur Erlernung der Historie ... (1713). Aus dem Französischen übersetzt von P. E. *Bertram*, T. 3, Gotha 1753, S. 907.
9 *Bolingbroke*, Briefe, T. 1, Leipzig 1794, S. 123.
10 Grosses vollständiges Universal-Lexicon aller Wissenschaften und Künste. Bd. 13, Halle und Leipzig: Joh. Heinrich Zedler 1735 (Nachdruck Graz 1961), Sp. 284 f.
11 Johann August *Ernesti*, De fide historica recte aestimanda disputatio. Leipzig 1746, § XXXII.
12 Ebda, § XXX, XXXII.
13 *Wagner*, Scriptores (1716), Prooemium.

II. Der Weg zur Selbstdarstellung im Wechselspiel der Gattungstypen

1 Vgl. Hans R. G. *Günther*, Psychologie des deutschen Pietismus. In: DVjs 4 (1926), S. 144–176, bes. 165 ff.
2 Vgl. Emanuel *Hirsch*, Geschichte der neuern evangelischen Theologie, Bd. 2, Gütersloh 1951, S. 156 f., 161 ff.
3 D. Phil. Jacob Speners eigenhändig aufgesetzter Lebens-Lauff, in: Heinrich Anshelms von Ziegler und Kliphausen ... Continuirter Historischer Schau-Platz und Labÿrinth der Zeit; ... Erste Fortsetzung, Leipzig 1718, S. 856–862.
4 H. M. August Hermann Franckens ... Lebenslauff (1690/91). In: August Hermann *Francke*. Werke in Auswahl. Hrsg. von Erhard *Peschke*, Berlin 1969, S. 5–29.
5 Zu Vorgeschichte und Eigenart des Franckeschen Bekehrungssystems vgl. Albrecht *Ritschl*, Geschichte des Pietismus, Bd. 2, Bonn 1884, S. 111–114 u. 257 f. – *Hirsch*, Geschichte der neuern evangelischen Theologie, Bd. 2, S. 157–160. – *Günther*, Psychologie des deutschen Pietismus, S. 167 f.
6 Francke an Spener, 15. März 1692, in: G. *Kramer* (Hg.): Beiträge zur Geschichte August Hermann Francke's enthaltend den Briefwechsel Francke's und Spener's. Halle 1861, S. 219.

7 Vorrede. An Den Christlichen Leser. S. [2].
8 Werner *Mahrholz,* Deutsche Selbstbekenntnisse. Ein Beitrag zur Geschichte der Selbstbiographie von der Mystik bis zum Pietismus. Berlin 1919.
9 Ingo *Bertolini,* Studien zur Autobiographie des deutschen Pietismus. Diss. (masch.) Wien 1968. – Diese umfangreiche Arbeit zeichnet sich durch eingehende, mit ausführlichen Zitaten belegte Untersuchung von ca. 15 Autobiographien deutscher Pietisten des 18. Jahrhunderts aus. Jedes Kapitel des Hauptteils bietet das geschlossene Portrait einer pietistischen Selbstbiographie, jeweils eingeleitet durch eine Kurzcharakteristik ihres Autors. Wohl ermöglichen sowohl diese Methode der Portraitgalerie als auch die theologiegeschichtliche, nicht gattungstypologische Großgliederung zahlreiche Vergleiche zwischen den einzelnen Schriften, lassen aber die Grundlinien einer Formgeschichte der Gattung nicht erkennen.
10 Z. B. *Mahrholz,* Deutsche Selbstbekenntnisse, S. 154 f. (Francke), 166 (Spangenberg); *Bertolini,* Studien, S. 106, 108 (Francke), 135 f. (Bogatzky), 165 f. (Petersen), 312.
11 *Francke,* Lebenslauff, S. 14.
12 Ebda, S. 7 f., 9, 9–12, 13 f., 15 f.
13 Ebda, S. 17–23.
14 S. u. S. 16 ff.
15 Johann Georg *Hamann,* Sämtliche Werke. Historisch-kritische Ausgabe von Josef *Nadler,* Wien 1950, Bd. 2, S. 9–54. (Niedergeschrieben in London, 21.–24. April 1758, mit Nachträgen 25. April 1758 bis Neujahr 1759).
16 Ebda, Bd. 2, S. 12–32.
17 Ebda, Bd. 2, S. 32–45.
18 Ebda, Bd. 2, S. 19 f., 21 f., 23, 27 f., 31 f.
19 Ebda, Bd. 2, S. 27, 32.
20 Ebda, Bd. 2, S. 27, 31 f., 36 f.
21 Vgl. Philipp Jacob *Spener,* Theologische Bedencken, Bd. 1, Halle 1700, S. 197; Bd. 3, 1701, S. 476, 588. – *Ritschl,* Geschichte des Pietismus, Bd. 2, S. 113 f.
22 Erstdruck als Anhang zu: Gespräche des Hertzens mit GOTT, Ander Theil. Auffgesetzet Von Johanna Eleonora Petersen, Gebohrne von und zu Merlau. Ploen: Siegfried Ripenau 1689, S. 235–295. – Neudruck: Leben Frauen Johannä Eleonorä Petersen ... von Ihr selbst mit eigner Hand aufgesetzt ... als ein zweyter Theil zu Ihres Ehe-Herrn Lebens-Beschreibung beygefüget ... Andere Auflage ... 1719. (Erweitert um die §§ 31–38: Aufzählung ihrer religiösen Erkenntnisse).
23 Joh. E. *Petersen,* Leben (1719), S. 2, 27, 35, 45.
24 Lebens-Beschreibung Johannis Wilhelmi Petersen, Der Heiligen Schrifft Doctoris, vormahls Professoris zu Rostock, nachgehends Predigers in Hanover an St. Egidii Kirche, darnach des Bischoffs in Lübeck Superintendentis und Hoff-Predigers endlich Superintendentis in Lüneburg. Die zweyte Edition ... Auff Kosten eines wohlbekannten Freundes. 1719.
25 Ebda, S. 17–21 (§ 5).
26 Ebda, S. 343–367 (§ 68–74).
27 Vor allem ebda, S. 92–110 (§ 26–28); S. 171–205 (§ 41–47).
28 D. Joachim Langens ... Lebenslauf, Zur Erweckung seiner in der Evangelischen Kirche stehenden, und ehemal gehabten vielen und wehrtesten Zuhörer, Von ihm selbst verfaßet ... Halle und Leipzig, bey Christ. Peter Francken, 1744.
29 Ebda, S. 20–23; 24–26.
30 Ebda, S. 3, 13, 33 u. ö.
31 Z. B. ebda, S. 30–32 (Benutzen der Hebräischen Bibel); S. 63–65 (Methode des Lateinunterrichts); S. 69–70 (Schuldisziplin); S. 73–75 (Methode der Predigt); S. 85–89, 99–100 (Methode der akademischen Lektionen).
32 Ebda, S. 13–20.
33 Ebda, S. 124–176 (fünfter Abschnitt).
34 Ebda, Vorrede an den Leser, letzte Seite (unpaginiert).
35 Vollständige Erstdrucke: Des Württembergischen Prälaten Friedrich Christoph Oetinger

Selbstbiographie. Hg. v. Dr. Julius *Hamberger*. Mit einem Vorwort von Dr. Gotthilf Heinrich von *Schubert*, Stuttgart 1845. – M. Friedrich Christoph Oetinger's Lebens-Abriß, von ihm selbst entworfen. Nebst einem Anhang ... Zum Druck befördert von Freunden der Oetinger-schen Schriften. Stuttgart 1849, S. 1–56. – Neuausgabe: Friedrich Christoph Oetinger, Selbst-biographie. Genealogie der reellen Gedanken eines Gottesgelehrten. Hg. v. Julius *Roessle*, Metzingen 1961 (Zeugnisse der Schwabenväter. 1).

36 *Oetinger,* Selbstbiographie (1845), S. 13.
37 Vgl. ebda, S. 4, 9, 11, 20 f., 23, 25, 32.
38 Ebda, S. 66.
39 Der volle Titel lautet: »Genealogie der reellen Gedanken eines Gottesgelehrten: 1) durch die Stimme der Weisheit auf der Gasse, d. i. durch die Philosophie, 2) durch den Sinn und Geist der heiligen Schrift, 3) durch die äußern Schickungen Gottes«. Ebda, S. 66 Anm., wo auch der Text der beiden ersten §§ des Aufsatzes wiedergegeben wird.
40 Johann Christian Edelmanns von ihm selbst aufgesetzter Lebenslauf, angefangen den 9. No-vemb. 1749; Zweiter Theil angefangen den 3. Januar 1752; Dritter Theil [angefangen Früh-jahr 1753; Fragment]. In: Joh. Chr. Edelmann's Selbstbiographie. Geschrieben 1752. Hg. v. Dr. Carl Rudolph Wilhelm *Klose*. Berlin 1849. 439 S. – Edelmann schrieb seinen Lebenslauf im Berlin Friedrichs II., wo er unter der Bedingung, nichts mehr zu publizieren, Asyl erhalten hatte.
41 Des berichtigten Johann Christian Edelmanns, Leben und Schriften, Dessen Geburt und Fami-liae, welcher zu Weissenfels gebohren und in Jena Theologiam studiret, solche aber verlassen; Dargegen die Spötterey der Christlichen Religion, der heiligen Schrift und der Geistlichkeit er-griffen. Franckfurt, 1750. – 46 Abschnitte auf 44 S.
42 Edelmann's Selbstbiographie (1849), S. 276.
43 Ebda, S. 158, 187, 189, 274 (innere Stimme); S. 334 (Lektüre eines Spinoza-Satzes).
44 Z. B. ebda, S. 269, 275 f., 292, 294 u. ö.
45 Z. B. ebda, S. 125, 151, 184, 260, 272, 294 u. ö.
46 So aber Marianne *Beyer-Fröhlich,* in: Pietismus und Rationalismus, Leipzig 1933 (Deutsche Literatur. Reihe XXV: Deutsche Selbstzeugnisse, Bd. 7), S. 108. – Ähnlich noch *Bertolini*, Stu-dien, S. 195.
47 Edelmann's Selbstbiographie (1849), S. 113 f., 120 (wobei die Lektüre von Brockes' »Irdi-schem Vergnügen in Gott« als auslösendes Moment genannt wird; vgl. Edelmanns Dankge-dicht an Brockes, ebda, S. 114), 300, 431, 433.
48 Ebda, S. 223 f.
49 Z. B. ebda, S. 153, 157, 275 f. u. ö.
50 *Bertolini,* Studien, S. 208, 211 f.
51 Vgl. u. S. 16 ff.
52 Vgl. *Misch,* Geschichte der Autobiographie, Bd. I, 1, S. 165 (über das Enkomion des Isokrates und seine Bedeutung für die Autobiographie).
53 Vgl. Jan *Romein,* Die Biographie. Einführung in ihre Geschichte und ihre Problematik. Bern 1948, S. 29–32.
54 Clemens *Lugowski,* Die Form der Individualität im Roman. Studien zur inneren Struktur der frühen deutschen Prosaerzählung. Berlin 1932 (Neue Forschung. 14), S. 166–176.
55 Auszugsweise abgedruckt in: Aus dem Zeitalter der Reformation und der Gegenreformation, hg. v. Marianne *Beyer-Fröhlich*, Leipzig 1932, Nachdruck Darmstadt 1964 (Dt. Literatur. Reihe XXV: Deutsche Selbstzeugnisse, Bd. 5).
56 Aus der »Anrede« der »Lebens-Beschreibung Herrn Gözens von Berlichingen«. Nach der Aus-gabe von 1731 hg. v. Albert *Leitzmann,* Halle 1916 (Quellenschriften zur neueren deutschen Literatur. 2), S. 11.
57 Bartholomäi Sastrowen Herkommen, Geburt und Lauff seines gantzen Lebens ... Hg. v. G. Ch. F. *Mohnike.* Greifswald 1823, Bd. 1, S. 10.
58 Wahre und einfältige Historia Stephani Isaaci Allen frommen Christen und Liebhabern der Warheyt zu nutz in Druck verfertiget im Jar M. D. XXCVI. Hg. v. W. *Rotscheid,* in: Quellen

und Darstellungen aus der Geschichte des Reformationsjahrhunderts, Bd. 14 (1910), S. 1–58. – Teildruck in: Aus dem Zeitalter der Reformation und der Gegenreformation, hg. v. Marianne *Beyer-Fröhlich,* Leipzig 1932, Nachdruck Darmstadt 1964 (Dt. Literatur. Reihe XXV: Deutsche Selbstzeugnisse, Bd. 5), S. 75–92.

59 Friderici Lucae eigentliche Lebens- und Todesgeschichte (geschrieben zwischen 1696 und 1708); Erstdruck u. d. T.: Der Chronist Friedrich Lucä. Ein Zeit- und Sittenbild aus der zweiten Hälfte des siebenzehnten Jahrhunderts. Nach einer von ihm selbst hinterlassenen Handschrift bearbeitet und mit Anmerkungen nebst einem Anhange versehen von Dr. Friedrich *Lucä.* Frankfurt a. M. 1854.

60 Ebda, S. 277 (Anhang. Vorbemerkungen).

61 S. o. S. 176, Anm. 59. – Vgl. Vorrede »An die Leser«, S. VII: »Das einzig Wichtige, Wunderbare und Geheimnißvolle dieser Blätter ist in dem veränderten Standpunkte der Zeit, da sie geschrieben wurden, und da sie veröffentlicht werden, zu suchen.«

62 Vgl. *Lugowski,* Individualität im Roman, S. 168–176 (über Sastrow, Schertlin, Schweinichen, Herman von Weinsberg).

63 Der Chronist Friedrich Lucä, S. V. (Zitat in der Zueignung des Herausgebers).

64 Ebda, S. 190 (und Anm. Lucäs); S. 257.

65 Selbstbiographie des Senator Barthold Heinrich Brockes. Mitgetheilt von Dr. J. M. *Lappenberg,* in: Zeitschrift des Vereins für hamburgische Geschichte, Bd. 2, Hamburg 1847, S. 167–229; davon Text der Selbstbiographie: S. 169–227.

66 Ebda, S. 169–208.

67 Ebda, S. 208–227.

68 Vgl. ebda, S. 182–185, 187–194.

69 Ebda, S. 185 f.

70 Ebda, S. 172.

71 Ebda, S. 202.

72 Ebda, S. 202.

73 Besonders auffällig ebda, S. 213, 215 f.

74 Der Chronist Friedrich Lucä, S. V (Zitat in der Zueignung des Herausgebers).

75 Gabriel Wilhelm *Götten,* Das Jetzt lebende Gelehrte Europa, I. Theil, Braunschweig ²1735, S. 8–42.

76 Wiederabgedruckt ebda, Vorrede S. [III] – [XXII].

77 Jacob Friedrich Reimmanns ... Eigene Lebens-Beschreibung Oder Historische Nachricht von Sich Selbst, Nahmentlich von Seiner Person und Schriften, Aus Dessen eigenhändigen Aufsaz mitgetheilet, ... von Friederich Heinrich *Theunen,* ... Braunschweig 1745.

78 S. o. S. 16 f.

79 Reimmanns Eigene Lebens-Beschreibung, S. 199–201.

80 Ebda, S. 200 f.

81 Ebda, S. 63–71.

82 Ebda, S. 109–187.

83 Ebda, S. 72.

84 Z. B. das Leben im Elternhaus (ebda, S. 9), auf der Studentenbude (S. 13, 19).

85 Ebda, S. 24 f., S. 49–53.

86 Vgl. Walter *Müller-Seidel,* Probleme der literarischen Wertung, Stuttgart 1965, S. 52.

87 Reimmanns Eigene Lebens-Beschreibung, S. 72–109.

88 Ebda, S. 72.

89 S. u. S. 56.

90 S. u. S. 80.

91 S. o. S. 10 f.

92 Ludwigs von Zinzendorf *ΠΕΡΙ ΕΑΥΤΟΥ.* Das ist: Naturelle Reflexiones über allerhand Materien, Nach der Art, wie Er bey sich selbst zu denken gewohnt ist... 1746; Nachdruck in: Nikolaus Ludwig von Zinzendorf. Ergänzungsbände zu den Hauptschriften. Hg. v. Erich *Bayreuther* und Gerhard *Meyer,* Bd. 4, Hildesheim 1964.

93 Zinzendorf, *ΠΕΡΙ ΕΑΥΤΟΥ*, II. Blatt: S. 9–20
94 Compendiöses Gelehrten-Lexicon. Nebst einer Vorrede von Joh. Burchard *Mencken*. 2 Bde.,
   1715–1722; ²1726 und ³1733 hg. v. Christian Gottlieb *Jöcher,* der das Werk 1750 zum vier-
   bändigen »Allgemeinen Gelehrten-Lexicon« erweiterte.
95 Wiederabgedruckt in Göttens »Gelehrtem Europa«, T. 1, Vorrede, S. [III] – [XXII].
96 Vgl. ebda, S. [XXVI].
97 Vollständiger, originalgetreuer Neudruck hg. v. Max *Schneider,* Berlin 1910.
98 Matthesons »Vorbericht« § 10 (ebda, S. XI).
99 In: Die große Generalbaßschule, oder die Organistenprobe, Hamburg 1719 und ²1731. – Über
   das geringe Echo dieser und anderer Einladungen berichtet Mattheson im »Vorbericht« der
   »Ehrenpforte«, § 31, S. XXIV–XXV.
100 Matthesons Angabe der Quellenart bei eigenhändigen Beiträgen (im Unterschied zu: »ex
   libr.«, »ex Ms.«, »ex oper.«, »ex Diar. & Familiar.«, »ex liter. & familiar.«).
101 Vorbericht § 13, 14, 35 (Ehrenpforte, S. XIV, XV, XXVII).
102· Vorbericht § 16 (Ehrenpforte, S. XVf.).
103 Z. B. Ehrenpforte, S. 53 (Johann Conrad Dreyer), S. 111 (Johann Georg Hoffmann), S. 139
   (Michael Kirsten), S. 355 (Georg Philipp Telemann).
104 Ebda, S. 355 (Telemann).
105 Z. B. ebda, S. 138 f. (Kirsten), S. 356 f. (Telemann).
106 Z. B. in den Beiträgen von Johann Francisci (geb. 1691), Johann Georg Hoffmann (geb. 1700),
   Wolffgang Caspar Printz (1641–1717).
107 Vorbericht § 14 (ebda, S. XV).
108 Z. B. ebda, S. 117 (Johann Georg Hoffmann).
109 Vorbericht § 6 (ebda, S. IX).
110 Ebda, § 43, S. XXX.
111 S. u. S. 89 ff. u. 146 ff.
112 Erstdruck: Christian Wolffs eigene Lebensbeschreibung. Hg. mit einer Abhandlung über
   Wolff von Heinrich *Wuttke,* Leipzig 1841, S. 1–106: Ueber Christian Wolff den Philosophen;
   S. 107–201: Christian Wolffs eigene Lebensbeschreibung. – Über Wolffs Biographen Baumeister ebda, S. 101–104.
113 Vgl. ebda, S. 104 f.
114 Ebda, S. 102.
115 Ebda, S. 109–143.
116 Ebda, S. 109 f.
117 Ebda, S. 164 ff.
118 Ebda, S. 189–201.
119 Ebda, S. 109–120 (Lernzeit), S. 120–143 (selbständiges Philosophieren), S. 144–159 (Vokationen und Ehrungen).
120 Ebda, S. 151 ff.
121 Ebda, S. 159–163.
122 Ebda, S. 164–173 (Rückkehr nach Halle), S. 175–181 (Wirkung der Schriften), S. 182–189
   (königliche Gnadenbeweise).
123 Zugänglich war: »Fortgesetzte Nachricht von des Verfassers eignen Schriften, bis zum
   1745sten Jahre.« (mit der Anrede: »Geneigter Leser!«), in: Erste Gründe der gesammten
   Weltweisheit, Praktischer Theil ... Von Johann Christoph Gottscheden, Siebente verbesserte
   Auflage. Leipzig: Bernhard Christoph Breitkopf, 1762 [unpaginierte »Vorrede«, 62 S., datiert:
   »Leipzig, den 10ten des Hornungs 1762.«].
124 Zit. nach: Johann Christoph *Gottsched,* Erste Gründe der gesammten Weltweisheit, Theoretischer Theil, Leipzig ⁶1755, Vorbericht (Schlußabschnitt). Der Titel lautet genau: Gottlieb Stolles Anleitung zur Historie der Gelahrtheit, Jena 1718, ²1724.
125 *Gottsched,* Fortgesetzte Nachricht, S. [2 f.], [43 f.], [49–52].
126 Ebda, S. [47], [54 f.].
127 S. o. S. 23 ff.

128 *Götten,* Gelehrtes Europa, T. 1, S. 9.
129 *Mattheson,* Ehrenpforte, S. 187.
130 Vgl. Wolff an Johann Wilhelm Gehler, 6. Jan. 1744 (Wolffs eigene Lebensbeschreibung, S. 102).
131 Reimmanns Eigene Lebens-Beschreibung, Braunschweig 1745, Vorbericht, S. [V].
132 Langens Lebenslauf, Halle und Leipzig 1744, Vorrede, S. [3], [18].
133 S. o. S. 15.
134 Vgl. Martin *Sommerfeld,* Die Reisebeschreibungen der deutschen Jerusalempilger im ausgehenden Mittelalter, in: DVjs 2 (1924), S. 816–851.
135 Hans Tucher, Reisebeschreibung, Augsburg: Schönsperger 1482 (wieder in Feyerabends »Reyßbuch« 1584). – Bernhard von Breidenbach, Reise in das Heilige Land, 1486 (mit Illustrationen von Erhard Renwich). – Georg Tetzel, Ritter-, Hof- und Pilgerreise des böhmischen Herrn Leos von Rozmital durch die Abendlande [geschrieben 1465/67]. Lat. Übersetzung 1577. – Leonhart Rauwolf, Aigentliche beschreibung der Raiß nach Syrien, Lauingen 1582. – Hans Breuning, Orientalische Reyß, 1612. – Der Reisende Gerbergeselle Oder Reisebeschreibung eines auf der Wanderschaft begriffenen Weisgerbergesellens, Liegnitz: David Siegert 1751. – Vgl. den Titel eines gleichzeitigen Romans: Der Reisende Buchbinder-Geselle, 1753, 170 S. (nach Max *Götz,* Der frühe bürgerliche Roman in Deutschland 1720–1750, Diss. München 1958, S. 73).
136 Chronica eines fahrenden Schülers oder Wanderbüchlein des Johannes Butzbach. Aus der lateinischen Handschrift übersetzt und mit Beilagen vermehrt von D. J. *Becker.* Regensburg: Manz 1869. 300 S.
137 Eine Selbstbiographie aus dem Anfange des 16. Jahrhunderts, hg. v. Joseph *Wolf,* in: Mittheilungen für Geschichte der Deutschen in Böhmen 2 (1863), S. 67–73. – Die Selbstbiographie Christophs von Thein 1453–1516, hg. v. Adam *Wolf,* in: Archiv für österreichische Geschichte 53 (1875), S. 103–123.
138 Reisen und Gefangenschaft Hans Ulrich Kraffts. Aus der Originalhandschrift hg. v. K. D. *Haßler,* Stuttgart 1861 (Bibliothek des literarischen Vereins in Stuttgart. 61), 440 S.
139 S. u. S. 55 f.
140 *Misch,* Geschichte der Autobiographie, Bd. IV, 2, S. 656.
141 S. o. S. 17 ff.
142 Reyß- und Lebens-Beschreibung. Mein Johann Caspar Antony Hammerschmids. Gebohren zu Lichtenstadt im König-Reich Böhaimb, von Vatter Johann Hammerschmid und Mutter Elisabetha. Erstdruck u. d. T.: Memoiren eines Vergessenen. (1691–1716). Hg. v. V. O. *Ludwig,* in: Jahrbuch des Stiftes Klosterneuburg VII/1 (1915), S. 7–66.
143 Ebda, S. 26–31; vgl. ebda, S. 55.
144 Ebda, S. 11–16.
145 Ebda, S. 26–37.
146 Resümees: ebda, S. 10 (»In dieser Campagne, muste ich auch Lehrgeld geben«); Maximen: S. 10 (»also pflegts in Krieg herzugehn«), S. 21 (Zitat eines »Soldaten Sprichwortt«), S. 57; Werturteile: S. 19 (über das Spießrutenlaufen, »welches ... mein Tag nit mehr zu sehen verlange«), S. 25 f. (beim Versuch einer Neuanstellung).
147 Ebda, S. 25: »Nun ware sehr frohe, und vermeinte, alles gut zu seyn, ... Da ware mein Hoffnung zu Wasser, ... befahle es Gott, gab mich zufrieden.«
148 *Lugowski,* Individualität im Roman, S. 181 (Schweinichen), S. 184–193 (Schweinichen, Thomas Platter, Schertlin von Burtenbach).
149 *Hammerschmid,* Reyß- und Lebens-Beschreibung, S. 23.
150 Ausgaben: Thomas und Felix Platter, Zur Sittengeschichte des XVI. Jahrhunderts, bearbeitet von Heinrich *Boos,* Leipzig, Basel 1878. – Zu Hans Ulrich Krafft s. o. S. 178, Anm. 138. – Darstellungen: *Misch,* Gesch. d. Autobiographie, Bd. IV, 2, 621 f; *Mahrholz,* Dt. Selbstbekenntnisse, S. 34 ff., 49 ff.; *Klaiber,* D. dt. Selbstbiographie, S. 17 ff., 22 f.; *Beyer-Fröhlich,* D. Entwicklung d. dt. Selbstzeugnisse, S. 55 ff., 95 ff., 250; *Lugowski,* Individualität im Roman, S. 193 ff.

151 *Mahrholz*, Dt. Selbstbekenntnisse, S. 87.

152 Meister Johann Dietz, des Großen Kurfürsten Feldscher und Königlicher Hofbarbier, »Mein Lebenslauf«. Nach der alten Handschrift in der Königlichen Bibliothek zu Berlin zum ersten Male in Druck gegeben von Dr. Ernst *Consentius*. Ebenhausen bei München 1915 (Schicksal und Abenteuer. Lebensdokumente vergangener Jahrhunderte. 11); 2. (mit der Handschrift nochmals verglichene und verbesserte) Auflage, Halle 1935. (Die barockisierenden, zudem von einander abweichenden Titel auf Umschlag und Titelblatt der Erstausgabe stammen offensichtlich vom Herausgeber). – Neudruck der Erstausgabe: Meister Johann Dietz des Großen Kurfürsten Feldscher Mein Lebenslauf, hg. v. Friedhelm *Kemp*, München 1966 (Lebensläufe, Bd. 6).

153 *Dietz*, Mein Lebenslauf (1915), S. 13.

154 S.o. S. 16 f., 19 f.

155 *Dietz*, Lebenslauf, S. 13.

156 S. o. S. 19 ff.

157 *Dietz*, Lebenslauf, S. 13.

158 »Von meiner Erziehung und Eltern« (ebda, S. 13–24), »Von meiner Lehre« (S. 24–32), »Von meiner Reise« (S. 32–196), »Von meiner Heimreise« (S. 198–200), »Meine Wiederfortreise aus Halle« (S. 200–230), »Von meiner Verheiratung« (S. 230–306), »Von meiner andern Verheiratung« (S. 306–312).

159 Z. B. ebda, S. 17 f., 29, 107, 118 f. (Maximen, oft sprichwortartig), S. 16, 64, 93, 110 u. ö. (»NB!«).

160 Ebda, S. 86 (Festung Komorn), 208 (Breslau); S. 52 (Zigeuner in Ungarn), 78–80 (Frömmigkeit der Türken), 135–137 (Matrosensitten auf See), 148–150, 167 f. (Leben der Grön- und Lappländer); S. 126–132 (Walfang), 142 f., 156 f. (Fische und Seetiere), 151 f. (Heringsfang, Salzgewinnung auf Jütland) u. a.

161 Ebda, S. 132 f. (verbunden mit der Korrektur falscher »Legenden« darüber).

162 Z. B. ebda, S. 53, 107, 115 (Vorankündigungen); S. 25, 55 f., 76 (Interjektionen); S. 37 f., 119 (Gebete); S. 22 f., 32, 40, 45, 64, 94 ff. u. ö. (Gespräche).

163 Die beiden einleitenden Kapitel (S. 13–32) bringen vier Jahreszahlen, die Reisekapitel (S. 32–230) sind völlig frei davon; erst die endgültige Heimkehr nach Halle (1694) wird wieder datiert, worauf in den beiden abschließenden Kapiteln nochmals 14 Daten begegnen, davon die Hälfte auf den beiden letzten Seiten, die chronikartig (die beiden Schlußabsätze sogar von fremder Hand) vor allem die Geburten der Kinder verzeichnen.

164 Ebda, S. 112, 119 u. ö.

165 Ebda, S. 40, 42 f., 49, 106, 111 (Liebesabenteuer); S. 115 ff., 143 f., 211 f. (Jagd- und Räubergeschichten); S. 44 f., 92, 182 f. (Gespenster).

166 Ebda, S. 161 f.

167 Hier und im folgenden fasse ich Ergebnisse der Arbeiten von Arnold *Hirsch*, Max *Götz* und Herbert *Singer* über den deutschen Roman in der ersten Hälfte des 18. Jahrhunderts zusammen: A. *Hirsch*, Bürgertum und Barock im deutchen Roman (1934), Köln-Graz ²1957 (Literatur und Leben, N. F. 1); M. *Götz*, Der frühe bürgerliche Roman in Deutschland, 1720–1750, Diss. (masch.) München 1958 (mit einer Primär-Bibliographie S. 143–165); H. *Singer*, Der deutsche Roman zwischen Barock und Rokoko, Köln-Graz 1963 (Literatur und Leben, N. F. 6); Ders., Der galante Roman, Stuttgart ²1966 (Slg. Metzler 10).

168 Vgl. Richard *Alewyn*, Der Roman des Barock, in: Formkräfte der deutschen Dichtung vom Barock bis zur Gegenwart, Göttingen 1963, S. 28–30 (über den Wahrheits- und Wirklichkeitsbegriff im Barockroman).

169 Vgl. Wolfgang *Hecht*, Christian Reuter, Stuttgart 1966 (Slg. Metzler 46), S. 33–35.

170 So im Titel des Romans »Das verwöhnte Mutter-Söhngen« (1728): *Hayn-Gotendorf* VII, 499 f. – M. *Götz*, S. 148.

171 So in den Titeln der Romane »Gustav Landcron« (1724), »Die Teutsche Avanturiere« (1725) und »Schicksahl Antonii« (1746): *Hayn-Gotendorf* IV, 18; III, 133; I, 97. – M. *Götz*, S. 146, 147, 158.

172 Z.B. in den Titeln der Romane »Begebenheiten des Herrn von Lydio« (1730), »Der lustige
     Avanturier« (1738), »Der Americanische Freybeuter« (1742), »Die schöne Tyrolerin« (1744),
     »Der Brandenburgische Robinson« (1744), »Der Schweitzerische Avanturier« (1750):
     Hayn-Gotendorf VII, 280; I, 153; Hermann *Ullrich,* Robinson und Robinsonaden. Tl. 1 (Bi-
     bliographie). Weimar 1898, S. 140 f.; *Hayn-Gotendorf* IV, 60 f.; VI, 489; I, 154. – M. *Götz,* S.
     149, 152, 153 f., 155 f., 156, 160.
173 So im Titel des Romans »Der Bremische Avanturier« (1751), ähnlich in »Gustav Landcron«
     (1724) und »Der Siebenbürgische Avanturier« (1750): *Hayn-Gotendorf* I, 151; IV, 18; I, 155.
     – M. *Götz,* S. 162, 146, 161.
174 *Götz,* Der frühe bürgerliche Roman, S. 96–98. – Vgl. Romantitel wie: »Die Wunderbahre und
     abenteuerliche Begebenheiten Dreyer reisenden Kurtzweiligen Handwercks-Pursche« (1731)
     oder »Der Reisende Buchbinder-Geselle« (1753): zit. nach M. *Götz,* S. 150, 73.
175 *Singer,* Der deutsche Roman, S. 96 f.; *Ders.,* Der galante Roman, S. 30.
176 *Hirsch,* Bürgertum und Barock im deutschen Roman, S. 16, 77. – *Götz,* Der frühe bürgerliche
     Roman, S. 124. – *Singer,* Der galante Roman, S. 23 f.
177 *Singer,* Der galante Roman, S. 55 f.
178 Nachwort zu Dietzens »Mein Lebenslauf« (1915), S. 316.
179 Vgl. Hans Heinrich *Borcherdt,* Geschichte des Romans und der Novelle in Deutschland, I.
     Teil, Leipzig 1926, S. 245. – *Hecht,* Christian Reuter, S. 22.
180 *Hecht,* Christian Reuter, S. 37–39.
181 Dieser Begriff wird übernommen von Harald *Weinrich,* Linguistik der Lüge, Heidelberg 1966,
     S. 60 ff.
182 Lebenslauf des Königlich Preußischen General-Feldmarschalls Dubislav Gneomar von Natz-
     mer. Von ihm selbst aufgesetzt 1730 [vielmehr 1722, mit einem Schlußwort 1730]. In: Memoi-
     ren des Freiherrn D. G. v. Natzmer, hg. v. Eufemia Gräfin *Ballestrem,* Berlin 1881, S. 1–178.
183 Selbstbiographie des Fürsten Leopold von Anhalt-Dessau von 1676 bis 1703. [geschrieben
     zwischen 1720 und 1735], hg. v. Ferdinand *Siebigk,* Dessau 1860, S. 5–33. – Zur Entstehungs-
     zeit: S. 6 wird von dem »itzt noch lebenden Printzen Eugene von Savoyen« gesprochen († 1736
     im 63. Jahr), was auf eine Niederschrift um 1730 schließen läßt. Terminus post quem ist 1719
     (S. 14).
184 Vgl. *Misch,* Geschichte der Autobiographie, Bd. IV, 2, S. 762 f., und u. S. 59.
185 Vgl. u. S. 58 f.
186 *Natzmer,* S. 1, 177 f. (Schlußwort an die Söhne).
187 Ebda, S. 177 f.
188 *Natzmer,* S. 47, 83 f.; *Leopold,* S. 6 f., 26.
189 *Natzmer,* S. 4–7; *Leopold,* S. 6 f.
190 *Natzmer,* S. 37 f., 149, 154.
191 *Natzmer,* S. 9, 23 f., 48 f., 84, 94, 113 u.ö.; *Leopold,* S. 7 f., 10, 13 f., 26.
192 *Leopold,* S. 5 f.
193 Ebda, S. 7–33.
194 Ebda, S. 12 f., 16.
195 Ebda, S. 15.
196 Z.B. ebda, S. 18–22, 24, 28–30.
197 Ebda, S. 11, 18 f.
198 Vgl. bes. ebda, S. 30 f. (»marschirte ... von den Feind ab, welcher mir dann stets canonirte«;
     »zog sich die feindliche Cavallerie fast gantz um mich herum, um mich von der armée abzu-
     schneiden«; »ließ ich die Infanterie wieder halten Fronte machen«; »ließ das erste Bataillon ...
     lincks schwencken« usw.).
199 Ebda, S. 12, 31 f.
200 Ebda, S. 7 f., 13 f.; vgl. bes. S. 7 (bei Dienstantritt): »Es kann es wohl kein Mensch begreiffen,
     als der von Jugend auf so viel Lust zu dienen in sein wellendes Hertze hat, wie ich beständig in
     das meinige befand, daß ich mir so vergnügt sahe, Als ich es mir Tausend und Tausend mahl
     gewünscht hatte, daß Glück zu erleben, was ich anjetzo völlig besaß.«

201 *Natzmer,* S. 2–6 (Jugendzeit), 29, 46 f., 147 (privater Bereich).
202 Ebda, S. 23, 39, 77 f., 127 f., 168 f.
203 Ebda, S. 39, 42 (»Der Succeß und die endliche Eroberung ist anderweit genug beschrieben und brauche ich also weiter nichts zu berichten, als was eigentlich mich betrifft«), 127, 144, 160, 161 (»Den ferneren Verlauf dieser Belagerung zu beschreiben überlasse ich den Geschichts-schreibern«), 163, 175.
204 Ebda, S. 169 (»Es wäre zu wünschen, daß es von einer geschickten Feder getreulich nebst den benöthigten Plänen aufgezeichnet worden wäre. So viel ich mich ohne Plan zur Satisfaction der Meinigen deutlich machen kann, soll es geschehen.«).
205 Ebda, S. 13, 26 f., 40 f., 46, 58–61, 64–71 (Flucht), 80, 114–116 (Verfolgung, als »Aventure« bezeichnet), 131, 145 f., 158 f.
206 Ebda, S. 52 ff., 74 (Betrübnis über den Tod seiner Frau); 131 f., 134 u.ö.
207 Ebda, S. 71 f., 82, 86 f., 97–99, 136 f., 149 f., 153, 166 f.
208 Ebda, S. 166.
209 Z.B. ebda, S. 74, 87 (Friedrich I.); 144 (Marlborough); 156, 160 f., 166 (Prinz Eugen).
210 Merckwürdiges Leben und Thaten Des Weltberühmten Herrn Francisci Frey-Herrns von der Trenck, ... Von Ihm selbst bis zu Ende des Jahrs 1747 fortgesetzt. Franckfurth und Leipzig, 1748. 366 S. (= 2. Ausgabe).
211 Vgl. Friedrich v. d. Trenck merkwürdige Lebensgeschichte, III. Theil, Berlin 1787, S. 120: »Seine Lebensgeschichte, die er im Jahr 1747 im Wiener Arrest herausgab.« Franz v. d. Trenck war am 28. 4. 1746 verhaftet, im gleichen Jahr zum Tode, dann zu lebenslänglicher Haft verur-teilt worden und starb schon am 4. 10. 1749 auf dem Spielberg bei Brünn, angeblich durch Selbstmord (vgl. die Biographie in seines Vetters Friedrich v. d. Trenck Lebensgeschichte, III. Theil, S. 119–194).
212 Franz v. d. *Trenck,* Leben und Thaten (1748), S. 151; 127, 187, 201 ff., 260.
213 Ebda, S. 280, 307 ff., 325.
214 Ebda, S. 202, 311 f.
215 Demgegenüber fällt der Bericht über Arrest und Prozeß in der kurzen Fortsetzung der 2. Aus-gabe (ebda, S. 331–351) in den herkömmlichen Ton der direkten Apologie mit bitterer An-klage seiner Gegner und dem Abdruck für ihn günstiger Dokumente (S. 352–366).
216 So nennt Trenck selbst seine Lebensgeschichte, ebda, S. 303.
217 Ebda, S. 1–28.
218 *Aristoteles,* Poetik, Kap. 9: »der Geschichtsschreiber und der Dichter unterscheiden sich ... darin, daß der eine erzählt, was geschehen ist, der andere, was geschehen könnte.« (Übers. v. O. *Gigon,* Stuttgart 1961, S. 36). – Tradition der aristotelischen Unterscheidung: Martin *Opitz,* Buch von der Deutschen Poeterey, Breslau 1624; neu hg. v. R. *Alewyn,* Tübingen 1963 (Neudrucke dt. Literaturwerke. N. F. 8), S. 11. – Augustus *Buchners* Poet, Wittenberg 1665, S. 4, 28–29, 32. – Georg Philipp *Harsdörffer,* Frauenzimmergesprechspiele, 5. Theil, Nürnberg 1645, S. 28. – Sigmund von *Birken,* Teutsche Red- bind und Dichtkunst, Nürnberg 1679, S. 306. – Albrecht Christian *Rotth,* Vollständige Deutsche Poesie, Leipzig 1688, III. Theil, »An den Leser« (unpag.). – Johann Christoph *Gottsched,* Versuch einer Critischen Dichtkunst, Leipzig 1730, I. Theil, II. Hauptstück, § 4; § *§ IV. Hauptstück, § 28. (⁴1751, S. 97, 98, 167).
219 *Opitz,* Poeterey; Neudrucke, S. 20.
220 *Buchner,* Poet, S. 28, 33.
221 *Gottsched,* Critische Dichtkunst, ⁴1751, S. 493.
222 *Harsdörffer,* Frauenzimmergesprechspiele, Bd. 5, S. 28. – Ähnlich *Buchner,* Poet, S. 9, und *Birken,* Dichtkunst, S. 186.
223 *Gottsched,* Critische Dichtkunst, ⁴1751, S. 493.
224 *Rotth,* Deutsche Poesie, T. 2, S. 94. – *Gottsched,* Critische Dichtkunst, ⁴1751, S. 493.
225 *Rotth,* Deutsche Poesie, T. 2, S. 94.
226 *Gottsched,* Critische Dichtkunst, ⁴1751, S. 354.
227 *Buchner,* Poet, S. 32.
228 Johann Jacob *Breitinger,* Critische Dichtkunst, Zürich 1740, Bd. 1, S. 32 f.

229 Charles *Batteux*/Karl Wilhelm *Ramler*, Einleitung in die Schönen Wissenschaften, Leipzig 1756–58, ²1762, Bd. 2, S. 120. – Batteux' Schrift »Cours de belles-lettres« erschien Paris 1747–50.
230 *Gottsched*, Critische Dichtkunst, 1730, S. 99 f., 354 (unverändert ⁴1751).
231 *Batteux / Ramler*, Einleitung, Bd. 2, S. 120.
232 Näheres hierzu bei Werner *Hahl*, Reflexion und Erzählung, Stuttgart 1971 (Studien zur Poetik und Geschichte der Literatur. 18), S. 44–46.
233 Bereits bei *Gottsched*, Critische Dichtkunst, ⁴1751, S. 528: »Je näher also die Schreibart in Romanen der historischen kömmt, desto schöner ist sie.«
234 Charles *Batteux* / Johann Adolf *Schlegel*, Einschränkung der schönen Künste auf einen einzigen Grundsatz, Leipzig 1751, S. 272 ff. Vgl. *Scherpe*, Gattungspoetik im 18. Jh., S. 195 f.
235 Zit. nach: C. F. *Gellerts* sämmtliche Schriften, 4. Theil, Leipzig 1775, S. 78.
236 Daß diese Öffnung keine nur momentane Konzilianz bedeutet, beweisen die einschlägigen Lehrbücher der folgenden Jahrzehnte. Vgl. Johann Gotthelf *Lindner*, Lehrbuch der schönen Wissenschaften, insonderheit der Prose und Poesie, T. 2, Königsberg und Leipzig 1768, S. 258; wiederholt in: J. G. L., Kurzer Inbegrif der Aesthetik, Redekunst und Dichtkunst, T. 2, Königsberg und Leipzig 1772, S. 151. – Johann Friedrich August *Kinderling*, Grundsäzze der Beredsamkeit, T. 1, Magdeburg 1771, S. 42. – Johann Jacob *Engel*, Anfangsgründe einer Theorie der Dichtungsarten, Leipzig 1783, S. 15. – Johann Joachim *Eschenburg*, Entwurf einer Theorie und Literatur der schönen Wissenschaften, Berlin und Stettin 1783, S. 258. – Hugo *Blair*, Vorlesungen über Rhetorik und schöne Wissenschaften (1783). Aus dem Englischen übersetzt … von K. G. *Schreiter*, T. 3, Liegnitz und Leipzig 1788, S. 204, 225.

Zweiter Teil
Die deutsche Autobiographie in der Epoche des Pragmatismus
und der Empfindsamkeit (1760–1790)

I. Die Entfaltung des Gattungsbewußtseins

1 Briefe, die Neueste Litteratur betreffend 10 (1761), S. 211–213.
2 Ebda, S. 211 f.
3 Ebda, S. 211.
4 Briefe, die Neueste Litteratur betreffend 10 (1761), 211 f.
5 Bd. 3 (1752), S. 60.
6 Briefe, die Neueste Litteratur betreffend 13 (1762), S. 51–60.
7 Ebda, S. 52.
8 Ebda, S. 55.
9 Ebda, S. 57.
10 *Rousseau*, Emile, T. 4 (1762); dt. von Carl Friedrich *Cramer*, Berlin 1789, T. 2, S. 365 f.
11 Ebda, S. 367. – Rousseau beruft sich dabei auf Montaigne, der gleichfalls die Biographen umso höher schätzt, »je mehr sie sich bei dem Rathe daheim, als bei den Begebenheiten; mehr bei dem, was innerhalb des Staats, als bei dem, was ausserhalb desselben sich ereignet, aufhalten.«
12 Ebda, S. 368.
13 Allg. hist. Bibliothek 1 (1767), S. 31–34: »Von dem Plan der Biographien oder Lebensbeschreibungen«. Ähnlich Rez. von Nicolais Ehrengedächtnis Abbts, in: Allg. hist. Bibliothek 6 (1768), S. 133 f. – Vgl. Andreas *Kraus*, Vernunft und Geschichte, Freiburg 1963, S. 170.
14 J. M. *Schröckh*, Allgemeine Biographie, 8 Bde., Berlin 1767–1791. – Die genannten Vorreden eröffnen die ersten drei Bände (Bd. 1: 1767; Bd. 2 und 3: 1769).
15 Ebda, Bd. 2 (1769), Vorrede, S. XV.
16 Ebda, Bd. 1 (1767), Vorrede, S. IX. – Ähnlich Allg. hist. Bibliothek 2 (1767), S. 211; Joh. Chr. *Gatterer*, Von der Evidenz in der Geschichtkunde; Vorrede zu: Die Allgemeine Welthistorie, hg. v. Fr. E. *Boysen*, Bd. 1, Halle 1767, S. 18.

17 *Schröckh*, Allg. Biographie, Bd. 2 (1769), Vorrede, S. XV–XVII. – Vgl. *Gatterer*, Evidenz (1767), S. 18, der nur die individuelle Zeichnung der sittlichen Eigenschaften verlangt, um die »ideale Gegenwart« zu erhöhen und deren Endzweck, die Erweckung der moralischen Empfindungen im Leser, möglichst zu fördern.

18 *Schröckh*, Allg. Biographie, Bd. 2 (1769), Vorrede, S. XVII.

19 Ebda, S. XVIII.

20 *Schröckh*, Allg. Biographie, Bd. 3 (1769), Vorrede, S. XIII.

21 Ebda, S. XIII–XIV.

22 *Wieland*, Werke, ed. *Düntzer*, Bd. 32, S. 260.

23 Ebda, S. 260.

24 *Schröckh*, Allg. Biographie, Bd. 4 (1772), Vorrede, S. VII. – Ähnlich *Gatterer*, Evidenz (1767), S. 37 f.

25 *Wieland*, Werke, Bd. 32, S. 260. – Wieland schließt sich damit der Auffassung *Homes* an, der schon 1762 in seinen »Grundsätzen der Kritik« betont hatte: »Bey näherer Untersuchung wird man finden, daß sogar eine wahre Geschichte bloß durch das Mittel der idealen Gegenwart unsere Leidenschaften erregt; und daß folglich, in Absicht auf diese Wirkung, eine Fabel und eine wahre Geschichte in gleichem Range stehen.« (deutsch von J. N. *Meinhard*, Leipzig ³1790, Bd. 1, S. 146).

26 C. M. *Wieland*, Geschichte des Agathon. Unveränderter Abdruck der editio princeps (1767). Bearb. von Klaus *Schaefer*. Berlin 1961: S. 2–5 (Vorbericht), 88 (Schluß von IV, 3), 113 ff. (V, 8), 272 (Schluß von IX, 2), 318 (gegen Ende von IX, 5). – »Über das Historische im Agathon«. Einleitung zur 2. Auflage der »Geschichte des Agathon«. Leipzig 1773, S. 16 f. – Zur Übernahme der pragmatischen Methode aus der Geschichtsschreibung in die Romankunst durch Wieland vgl. *Jäger*, Roman und Empfindsamkeit, S. 119.

27 *Wieland*, Werke, Bd. 32, S. 261.

28 Ebda, S. 261.

29 *Wieland*, Über das Historische im Agathon, in: Geschichte des Agathon (²1773), S. 17.

30 Thomas *Abbt*, Anmerkungen über den wahren Begrif einer pragmatischen Geschichte, in: Briefe, die Neueste Literatur betreffend 9 (1761), S. 120. – Johann Peter *Miller*, Vorrede zu: Th. Abbts Fragment der ältesten Begebenheiten des menschlichen Geschlechts, Halle 1767, S. 28 (zit. in: Allg. hist. Bibliothek 4, 1767, S. 241). – Vgl. *Gatterer*, Vom historischen Plan, in: Allg. hist. Bibliothek 1 (1767), S. 83 f.

31 *Gatterer*, Vom historischen Plan, in: Allg. hist. Bibliothek 1 (1767), S. 84.

32 Allg. dt. Bibliothek 8 (1769), S. 290 (zit. bei *Kraus*, Vernunft und Geschichte, S. 36).

33 *Lessing*, 52. Literaturbrief (23. Aug. 1759): Werke, ed. *Lachmann-Muncker*, Bd. 8, S. 146 f.

34 Johann Martin *Chladenius*, Allgemeine Geschichtswissenschaft, Leipzig 1752, S. 266 f. (§ 46. Bey Geschichten wird viel verschwiegen).

35 *Gatterer*, Evidenz (1767), S. 24; ähnlich ebda, S. 28 f.

36 Ebda, S. 32. – Vgl. *Gatterer*, Handbuch der Universal-Historie, T. 1, Göttingen 1761, Einleitung § 16, S. 67.

37 *Gatterer*, Rez. über Th. Abbts Fragment (1767), in: Allg. hist. Bibliothek 4 (1767), S. 241 (Gatterers Autorschaft erhellt aus einer Bemerkung ebda, S. 268).

38 *Schröckh*, Allg. Biographie, Bd. 5 (1778), S. 396.

39 Vgl. u. S. 101 ff.

40 *Gatterers* Abhandlung vom Standort und Gesichtspunkt des Geschichtschreibers oder der teutsche Livius, in: Allg. hist. Bibliothek 5 (1768), S. 4.

41 *Plinius* d. J., Epistolae VI, 16.

42 *Wieland*, Brief an Johann Georg Zimmermann, 4. Mai 1759: Wielands Briefwechsel, Bd. 1, Berlin 1963, S. 433.

43 Ebda, Bd. 1, S. 434.

44 *Wieland*, Werke, Bd. 32, S. 223.

45 *Wieland*, Werke, Bd. 32, S. 224.

46 Vgl. u. S. 114.

47 *Herder,* Werke, ed. *Suphan,* Bd. 2, S. 257 (Untertitel der »Einleitung«).
48 Ebda, Bd. 2, S. 257.
49 Ebda, Bd. 2, S. 257.
50 Ebda, Bd. 2, S. 258.
51 Ebda, Bd. 2, S. 258.
52 Ebda, Bd. 2, S. 258.
53 Ebda, Bd. 2, S. 258.
54 Ebda, Bd. 2, S. 259.
55 Ebda, Bd. 2, S. 259.
56 Ebda, Bd. 4, S. 366.
57 Ebda, Bd. 8, S. 180.
58 Ebda, Bd. 8, S. 181.
59 Johann Caspar *Lavater*, Physiognomische Fragmente, zur Beförderung der Menschenkenntniß und Menschenliebe, 4 Bde., Leipzig und Winterthur 1775–1778. – Zitat: Bd. 1, S. 13.
60 *Herder,* Werke, Bd. 8, S. 181.
61 Ebda, Bd. 8, S. 181.
62 Ebda, Bd. 8, S. 182.
63 S. u. S. 53 f.
64 *Wielands* Einleitung zum Wiederabdruck der Gedächtnisrede Bernhard Tscharners auf »Albrecht von Haller« (»Kurzgefaßte Nachrichten von dessen Leben, Charakter und Werken«), in: Teutscher Merkur 1778, II (Juni), S. 255 f. – Wieder in: *Wieland,* Werke, Bd. 38, S. 535 f.
65 Ebda, Bd. 38, S. 535 f.
66 Ebda, Bd. 38, S. 536. – Vgl. *Herder,* Vom Erkennen und Empfinden der menschlichen Seele (1778): Werke, Bd. 8, S. 181. – S. o. S. 49.
67 *Wieland*, Briefe an einen Freund über eine Anekdote aus J. J. Rousseau's geheimer Geschichte seines Lebens. Zuerst in: Teutscher Merkur, 1780, II (April), S. 75–77; wieder in: Werke, Bd. 32, S. 67 f.
68 Johann Joachim *Eschenburg*, Entwurf einer Theorie und Literatur der schönen Wissenschaften, Berlin und Stettin 1783, S. 261–264.
69 Ebda, S. 263.
70 Ebda, S. 261.
71 *Herder,* Briefe, das Studium der Theologie betreffend, IV. Theil, Weimar 1781; Zweyte verbesserte Auflage 1786: Werke, Bd. 11.
72 Ebda, S. 85 f. (48. Brief).
73 Ebda, S. 86.
74 Ebda, S. 88.
75 Ebda, S. 88.
76 Jean Jacques *Rousseau,* Confessions. In: J. J. R., Oeuvres Complètes, T. I, Paris 1959 (Bibliothèque de la Pléiade). – Darstellungen: *Misch*, Geschichte der Autobiographie, Bd. IV, 2, S. 831–874. – *Pascal*, Die Autobiographie, S. 54–58.
77 *Rousseau,* Confessions: Oeuvres Complètes, T. I, S. 5.
78 Ebda, T. I, S. 278.
79 Ebda, T. I, S. 278.
80 Ebda, T. I, S. 1153.
81 In: Deutsches Museum. Sechstes Stück. Sommermond 1782, S. 492.
82 Magazin zur Erfahrungsseelenkunde, Bd. I, 2 (1783), S. 34–37: »Selbstgeständnisse des Herrn Basedow von seinem Charakter«; Bd. II, 1 (1784), S. 96–114: »Selbstgeständnisse des Herrn Doktor Semler von seinem Charakter und Erziehung«; S. 115–118: »Selbstgeständnisse des Herrn Professor Jung aus Stillings Jugendjahren« mit der bezeichnenden Fußnote (S. 115): »Da der Herr Professor Jung sich öffentlich erklärt hat, daß Stillings Geschichte seine eigne Geschichte sey, so ist sie auch in psychologischer Rücksicht merkwürdig.«
83 Ebda, Bd. I, 1 (1783), S. 65–70 (unterzeichnet: »M.«).
84 Ebda, Bd. I, 1 (1783), S. 65. – Damit begründet Moritz später in Bd. IV, 3 (1786), S. 4 f. auch

die Aufnahme von Fragmenten aus dem »Anton Reiser« ins Magazin: »die Erinnerungen aus Anton Reisers frühesten Kinderjahren waren es vorzüglich, die seinen Charakter und zum Theil auch seine nachherigen Schicksale bestimmt haben.«

85 Ebda, Bd. I, 1 (1783), S. 66.

86 Ebda, Bd. V, 3 (1787), S. 111f.

87 Ebda, Bd. V, 3 (1787), S. 111.

88 Als Vortrag um 1790 gehalten, postum gedruckt in: Deutsche Monatsschrift, 1795, Bd. 1 (Februar), S. 159–168.

89 Ebda, S. 160.

90 Ebda, S. 165f., 167.

91 Ebda, S. 166.

92 Ebda, S. 166.

93 *Herder*, Werke, Bd. 8, S. 182. – Über Bernd s. u. S. 66f.

94 Ebda, Bd. 8, S. 182. – *Wieland*, Albrecht von Haller, in: Teutscher Merkur, 1778, II, S. 256 (Werke, Bd. 38, S. 536).

95 *Herder*, Werke, Bd. 11, S. 86–88.

96 Ebda, Bd. 11, S. 87.

97 *Herder* an Georg Müller, 25. 10. 1789: Werke, Bd. 18, S. 587.

98 Z. B. in: Gottfried *Arnold*, Unpartheyische Kirchen- und Ketzer-Historie, 4 Bde., Frankfurt ²1700. – Johann Henrich *Reitz,* Historie der Wiedergebohrnen, Itzstein ²1701, ⁴1717. – Gottfried *Wagner*, Diss. »Scriptores, qui de sua ipsi vita exposuerunt«, Wittenberg 1716. – Gabriel Wilhelm *Götten*, Das Jetzt lebende Gelehrte Europa, 3 Teile, Braunschweig ²1735–1740 u. ö. –Johann *Mattheson*, Grundlage einer Ehren-Pforte, Hamburg 1740. – Christoph *Weidlich,* Zuverläßige Nachrichten von denen jetzt-lebenden Rechtsgelehrten, 6 Theile 1755–1766. – Johann Adam *Hiller,* Lebensbeschreibungen berühmter Musikgelehrter, Leipzig 1774, ²1786. – Johann Konrad *Pfenninger,* Christliches Magazin, 1779–1780. –Wirtembergisches Repertorium der Litteratur, 3 Stücke, Stuttgart 1782–1783. – ΓΝΩΘΙ ΣΑΥΤΟΝ oder Magazin zur Erfahrungsseelenkunde. Hg. v. Carl Philipp *Moritz* u. a., 10 Bde., Berlin 1783–1793. –Friedrich Carl Freiherr von *Moser,* Patriotisches Archiv, 12 Bde., Frankfurt und Leipzig 1784–1790.

99 Vgl. u. S. 101ff.

100 »Briefe von Herrn Herder« (datiert: »Weimar, im Mai 1790.«), in: Bekenntnisse merkwürdiger Männer von sich selbst. Hg. v. Johann Georg *Müller*. 1. Band, Winterthur 1791, ²1806, S. I–XXXV. – Wieder in: *Herder*, Werke, Bd. 18, S. 359–376.

101 *Herder,* Werke, Bd. 18, S. 359.

102 Ebda, Bd. 18, S. 366f.

103 Ebda, Bd. 18, S. 367–371.

104 Ebda, Bd. 18, S. 371–375.

105 Ebda, Bd. 18, S. 375f.

106 Ebda, Bd. 18, S. 366.

107 Ebda, Bd. 18, S. 366.

108 Ebda, Bd. 18, S. 367.

109 Ebda, Bd. 18, S. 367f.

110 Ebda, Bd. 18, S. 363f., 369.

111 Ebda, Bd. 18, S. 373f.

112 Ebda, Bd. 18, S. 368f.

113 Ebda, Bd. 18, S. 375.

114 Ebda, Bd. 18, S. 375.

115 Ebda, Bd. 18, S. 375.

116 Ebda, Bd. 18, S. 375.

117 Ebda, Bd. 18, S. 375.

118 Ebda, Bd. 18, S. 375f.

119 Vgl. ebda, Bd. 18, S. 376.   120 S. o. S. 44–46.

121 J. P. *Miller*, Vorrede zu Th. Abbts Fragment, 1767, S. 28.
122 Lenglet du *Fresnoy*, Anweisung zur Erlernung der Historie (1713), übs. von P. E. *Bertram*, III. Theil, Gotha 1753, S. 906.
123 Th. *Abbt*, Anmerkungen über den wahren Begrif einer pragmatischen Geschichte, in: Briefe, die Neueste Litteratur betreffend 9 (1761), S. 120.
124 *Gatterer*, Handbuch der Universal-Historie, T. 1 (1761), Einleitung § 16, S. 67.
125 *Gatterer*, Vom historischen Plan, in: Allg. hist. Bibliothek 1 (1767), S. 83.
126 Ebda, S. 83.
127 *Herder*, Theologie-Briefe IV, 48 (1781): Werke, Bd. 11, S. 92 f.
128 Ebda, Bd. 11, S. 85–88: vgl. o. S. 50 f.
129 Hugo *Blair's* Vorlesungen über Rhetorik und schöne Wissenschaften (1783), übs. von K. G. *Schreiter*, T. 3, Liegnitz und Leipzig 1788, S. 241.
130 Ebda, T. 3, S. 241.
131 Ebda, T. 3, S. 241 f.
132 Allgemeine Sammlung Historischer Memoires vom zwölften Jahrhundert bis auf die neuesten Zeiten, durch mehrere Verfasser übersetzt, mit den nötigen Anmerkungen versehen, und jedesmal mit einer universalhistorischen Übersicht begleitet, 2 Abtheilungen, Jena 1790–1795 (–1806); *Schillers* »Vorbericht« in 1. Abt., 1. Bd. (1790), datiert 25. Okt. 1789. – Im folgenden zitiert nach: *Schiller*, Sämtliche Werke, Säkular-Ausgabe, Bd. 13, Stuttgart und Berlin (1905).
133 Vgl. *Schiller*, Werke, Bd. 13, S. 306 f.
134 Ebda, Bd. 13, S. 106.
135 Ebda, Bd. 13, S. 107.
136 Ebda, Bd. 13, S. 107 f.
137 Vgl. o. S. 56.
138 *Schiller*, Werke, Bd. 13, S. 108.
139 Ebda, Bd. 13, S. 108 f.
140 Vgl. *Schiller*, Sämtliche Werke, hg. von Gerhard *Fricke* und Herbert *Göpfert*, Bd. 4, München 1958, S. 1056.
141 Dies geht häufig bereits aus dem Titel hervor, z. B.: Christoph von Dohna, Mémoires originaux sur le règne et la cour de Frédéric I. Roi de Prusse, Berlin 1833. – Karl Ludwig Frhr. von Pöllnitz, Histoire secrète de la duchesse d'Hanovre, épouse de George I, roi de Bretagne, London 1732; Ders., Etat abrégé de la cour de Saxe sous le règne d'Auguste III, Frankfurt 1734; Ders., Mémoires pour servir à l'histoire des quatres derniers souverains de la maison de Brandebourg, 2 Bde., Berlin 1791. – Dieudonné Thiébault, Mes souvenirs de vingt ans de séjour à Berlin ou Frédéric le Grand, sa famille, sa cour, son gouvernement, son académie, ses écoles et ses amis littérateurs et philosophes, 5 Bde., Paris 1804.
142 Vgl. *Misch*, Geschichte der Autobiographie, Bd. IV, 2, S. 763 (über die französischen Memoiren des 17. Jahrhunderts): »Autobiographien im strengen Sinne können sie doch nur werden, wenn der Autor zugleich als die Hauptperson handelnd auftritt.«.
143 Memoiren der Herzogin Sophie nachmals Kurfürstin von Hannover, hg. v. Dr. Adolf *Köcher*, Leipzig 1879 (Publicationen aus den K. Preussischen Staatsarchiven. 4. Bd.), S. 1–142. (geschrieben um 1680/81).
144 Histoire de mon temps. 1746 (über die beiden ersten Schlesischen Kriege 1740–42, 1744–45); Histoire de la guerre de sept ans. 1763; Mémoires, depuis la paix de Hubertsbourg 1763 jusqu'à la fin du partage de la Pologne. 1772; Mémoires de la guerre de 1778; – Friedrichs II. »Mémoires pour servir à l'histoire de la maison de Brandebourg« (1751) hat schon *Schiller* nicht zu den eigentlichen Memoiren gerechnet, weil sie nicht von einem Zeitgenossen geschrieben seien (Werke, Bd. 13, S. 108).
145 Hg. v. *Herzen*, London 1859. – Neuere Ausgabe: Memoiren der Kaiserin Katharina II. Nach den von der Kaiserlichen Russischen Akademie der Wissenschaften veröffentlichten Manuskripten übs. und hg. v. Erich *Boehme*, 2 Bde., Leipzig 1913.
146 Vgl. Frédéric II., Histoire de mon temps (Redaction von 1746), hg. v. Max *Posner*, Leipzig

1879 (Publicationen aus den K. Preussischen Staatsarchiven. 4. Bd), S. 143–499; Charakteristik der Frühfassung: ebda, S. 147–149.
147 Vgl. *Klaiber*, Deutsche Selbstbiographie, S. 47.
148 Vgl. ebda, S. 34 f.
149 Vgl. Axel von *Harnack*, Gedanken über Memoiren und Tagebücher, in: Die Welt als Geschichte 10 (1950), S. 37.

II. Die Individualisierung der Gattungstypen
und die Auflösung ihrer Traditionen

1 »Jünger« (scil. »des Herrn«) = Name Zinzendorfs in seiner letzten Lebenszeit; »Jüngerhaus« = Zinzendorfs jeweilige Wohnstätte auf seinen Reisen.
2 Ich konnte das Exemplar im Archiv der Gemeinde Königsfeld/Schwarzwald einsehen, wofür ich dem Gemeindevorsteher, Herrn Heinz Burkhardt, auch an dieser Stelle herzlichen Dank sage.
3 Nach freundlicher Auskunft durch Herrn Archivar Richard Träger, Unitäts-Archiv Herrnhut.
4 Vielleicht das früheste Beispiel: Lebenslauf des Tycho Brand (1721–1757): VI. Beilage (zur 24. Woche) 1757, S. 962–968.
5 Z. B. Georg Jacob Engelbach: XIII. Beilage (zur 52. Woche) 1768.
6 Z. B. Nathanael Seidel: V. Beilage (zur 20. Woche) 1784. – Wieder in: Herrnhuter Hefte 6 (Hamburg 1953), S. 2–12. – In dieser Tradition stehen auch noch die Lebensläufe im 19. Jahrhundert, z. B. der Basler Herrnhuter, die *Hartmann* (Basler Leichenrede, S. 122 ff.) beschrieben hat.
7 Beispiele dafür sind die Lebensläufe der Ernestine Catharina Diezin (1734–1779), verfaßt zw. 1760 u. 1778: IX. Beilage (zur 36. Woche) 1780; des Bruders Marolan (1737–1780), verfaßt 1777: XII. Beilage (zur 48. Woche) 1780; der Dorothea Sophia Schulz (1731–1791), diktiert 1791: XII. Beilage (zur 52. Woche) 1791; der Johanna Soe (1745–1795), verfaßt nach 1783: VIII. Beilage (zur 32. Woche) 1795.
8 Beispiele dafür sind die Lebensläufe des A. D. Bügel (1714–1775): III. Beilage (zur 12. Woche) 1776; der Christiane Elisabeth v. Seidlitz (1736–1791), verfaßt nach 1784: XII. Beilage (zur 52. Woche) 1791; des Jacob Früs (1708–1793), verfaßt zw. 1777 u. 1786: III. Beilage (zur 12. Woche) 1795; des Börge Pihl (1716–1794), verfaßt zw. 1787 u. 1791: IV. Beilage (zur 16. Woche) 1795; des Sigmund Langer (1730–1800), verfaßt zw. 1775 u. 1790: X. u. XI. Beilage (zur 40. und 44. Woche) 1800.
9 Beispiele dafür sind die Lebensläufe des Bischofs Johann Georg Waiblinger (1704–1775): IV. Beilage (zur 16. Woche) 1776; des Bischofs Andreas Grasmann (1704–1783): V. Beilage (zur 20. Woche) 1783, wieder in: Herrnhuter Hefte 7 (Hamburg 1953), S. 2–15; des Carl Rudolph Reichel (1718–1794): I. Beilage (zur 4. Woche) 1795, wieder in: Gem.-Nachrichten 1854, 1 bis 3, S. 354–408; des Ernst Sigmund Fockel (1715–1795), verfaßt 1791: IX. Beilage (zur 40. Woche) 1795, wieder in: Gem.-Nachrichten 1848 I, 3, S. 465–480. – Vgl. auch den Lebenslauf der Anna Johanna Seidel, geb. Priesch (1726–1788): Hs. Unitäts-Archiv Herrnhut, R. 22, Nr. 142,37 u. (kürzere Fassung) Nr. 142,38; Erstdruck in: Herrnhuter Hefte 6 (Hamburg 1953), S. 13–24.
10 Lebenslauf unsers seligen Bruders August Gottlieb Spangenbergs, genannt Joseph, von ihm selbst aufgesetzt. (datiert: »Barby im Jahr 1784.«): Gem.-Nachrichten X. B. Beylage zur 39. Woche 1792. – Erstdruck in: Archiv für die neueste Kirchengeschichte, hg. v. D. Heinrich Philipp Conrad *Henke*, Zweyten Bandes drittes Stück, Weimar 1795, S. 429–482 (danach zitiert).
11 Ebda, S. 432 f.
12 Ebda, S. 429 f. (Fußnote des Herausgebers).
13 Ebda, S. 437–482.
14 Z. B. ebda, S. 441, 454, 460 u. ö.
15 Z. B. ebda, S. 442, 444 f., 451 f. u. ö.

16 Ebda, S. 460 f.

17 Ebda, S. 481 f.

18 Als Einlage (mit dem Datum: »Gnadenfrey am 8ten April 1789«) in: Heimgang und Begräbniß unsers lieben Bruders, August Gottlieb Spangenberg, genannt Joseph.: Gem.-Nachrichten X. A. Beylage zur 39. Woche 1792. – Erstdruck in: Archiv für die neueste Kirchengeschichte, hg. v. D. Heinrich Philipp Conrad Henke, Drittes Quartal, Weimar 1794, S. 40–47.

19 Mahrholz, Dt. Selbstbekenntnisse (1919), S. 204–235 (III,3: Die psychologische Autobiographie). – Minder, Die religiöse Entwicklung von K. Ph. Moritz (1936), S. 147–171. – Fritz Stemme, Karl Philipp Moritz und die Entwicklung von der pietistischen Autobiographie zur Romanliteratur der Erfahrungsseelenkunde, Diss. (masch.) Marburg 1950; Ders., Die Säkularisation des Pietismus zur Erfahrungsseelenkunde, in: ZfdPh 72 (1953), S. 144–158. – Ähnlich schon Misch, Geschichte der Autobiographie, Bd. IV, 2, S. 809 ff. – Vgl. zuletzt Bertolini, Studien (1968), S. 86–89.

20 Philipp Jacob Spener, Theologische Bedencken Und andere Brieffliche Antworten, Halle 1702, Bd. 1, S. 36 f. (zit. bei Stemme, Säkularisation, S. 148).

21 Stemme, Säkularisation, S. 149 f.

22 S. u. S. 67 f. – Vgl. auch Stemme, Säkularisation, S. 152.

23 Erste Hinweise geben Max Dessoir, Geschichte der neueren deutschen Psychologie, Bd. 1, Berlin 1894, S. 64–67, (²1902, S. 147–150): Zitate aus der Wochenschrift »Der Mensch« 1751–1757. – Misch, Geschichte der Autobiographie, Bd. IV, 2, S. 781 f. – Peter Boerner, Tagebuch, Stuttgart 1969 (Slg. Metzler 85), S. 43. – Wolfgang Martens, Die Botschaft der Tugend. Die Aufklärung im Spiegel der deutschen Moralischen Wochenschriften. Stuttgart 1968 (leider ohne Sachregister), kommt, soweit ich sehe, auf diese Thematik der Wochenschriften nicht zu sprechen.

24 S. o. S. 43 ff., 46 f., 49.

25 M. Adam Bernds, Evangel. Pred. Eigene Lebens-Beschreibung, Samt einer Aufrichtigen Entdeckung, und deutlichen Beschreibung einer der grösten, obwol großen Theils noch unbekannten Leibes- und Gemüths-Plage, Welche GOtt zuweilen über die Welt-Kinder, und auch wohl über seine eigene Kinder verhänget; Den Unwissenden zum Unterricht, Den Gelehrten zu weiterm Nachdencken, Den Sündern zum Schrecken, und den Betrübten, und Angefochtenen zum Troste. Leipzig: Johann Samuel Heinsius 1738. – Neudruck: Adam Bernd, Eigene Lebens-Beschreibung. Vollständige Ausgabe. Mit einem Nachwort, Anmerkungen, Namen- und Sachregister hrsg. von Volker Hoffmann. München 1973 (Die Fundgrube. 55).

26 Vgl. die o. S. 188 Anm. 19 genannten Arbeiten.

27 Bernd, Eigene Lebens-Beschreibung (1738), Vorrede, S. [I], [IV].

28 Ebda, Vorrede, S. [V].

29 Vor allem die von Bernd selbst in der Vorrede und S. 459 aufgezählten Jahre 1695, 1704, 1709, 1717, 1728, 1736.

30 Ebda, S. 109–122, 207–256, 455–485, 612–650, 655–691, 713–751, ferner die Krankheitsberichte S. 567–586, 703–711; dazu kommen summarische Abrisse des eigenen Gemütszustands am Anfang und Schluß (S. 1–6, 751–756), ferner S. 257–374 (§ 61–76) ein umfangreicher »Discours von der Autochirie«, der als selbständiger Traktat in die Lebensgeschichte eingeschaltet ist.

31 Ebda, S. 685 ff. (1728).

32 Ebda, S. 550 ein unmittelbarer Anschluß der Jahre 1714 und 1722 (Beruf), darauf 567–586 Krankheitsgeschichte (1715–1719), S. 587 ff. Fortsetzung von 1714. – Vgl. auch den zeitlichen Sprung »Anno 1717–1728« (S. 650 ff.), um die beiden letzten Depressionsjahre direkt zu verbinden.

33 Z. B. ebda, S. 20, 47 f., 87, 144, 427 ff., 529.

34 Ebda, S. 3 f., 48, 208, 230, 240 u. ö.

35 Ebda, S. 3 f., 46–48, 208, 241 u. ö.

36 Vgl. Peter *Boerner*, Einführung in Goethes Tagebücher, in: 2. Ergänzungsband der Goethe-Gedenkausgabe, Zürich u. Stuttgart 1964, S. 604.

37 *Mahrholz*, Deutsche Selbstzeugnisse, S. 170–174. – *Beyer-Fröhlich*, Entwicklung, S. 76. – *Boerner*, Einführung, S. 605 f. – *Ders.,* Tagebuch, S. 43 f.

38 Albrecht von Haller, Fragmente Religioser Empfindungen; in: Albrecht von Hallers Tagebuch seiner Beobachtungen über Schriftsteller und über sich selbst, Zweyter Theil, Bern 1787, S. 235 (17. 8. 1738), 249 (24. u. 30. 3. 1741), 269 (12. u. 19. 4. 1772) u. ö.

39 Geheimes Tagebuch. Von einem Beobachter Seiner Selbst. Frankfurt und Leipzig 1771, ²1773. – Fortgesetzt durch: Unveränderte Fragmente aus dem Tagebuche eines Beobachters seiner Selbst; oder des Tagebuches Zweyter Theil, nebst einem Schreiben an den Herausgeber desselben, Frankfurt und Leipzig 1774.

40 ²1773, S. 5–8.

41 Vgl. ebda, S. 13, 30, 48.

42 Z. B. ebda, S. 14 f., 47, 110 u. ö.

43 Z. B. ebda, S. 16, 21, 43 f., 48, 50.

44 Z. B. 1.–3., 7. Januar 1769 (ebda, S. 9–31, 46–50).

45 Beiträge zur Philosophie des Lebens, hg. v. Karl Philipp Moritz, Berlin ²1781, S. 3 f.

46 Vgl. ebda, S. 7.

47 Goethe, Tagebücher: W. A. III, 1, S. 74 f. (Ende Dezember 1778), S. 89 (14. Juli 1779), S. 93 f. (7. August 1779), S. 109 (26. Februar 1780), S. 112 (26. März 1780), S. 115 f. (Ende April 1780), S. 117–119 (13. Mai 1780).

48 *Minder*, Die religiöse Entwicklung von K. Ph. Moritz, S. 150 f., 163.

49 Reste solcher Gebete finden sich in den »Beiträgen« (²1781) z. B. noch S. 95 f., 100 f.

50 Magazin IV, 1 (1786), S. 35 (aus der »Revision der drei ersten Bände dieses Magazins«): »Ueberhaupt hat sich jene frömmelnde Phantasie ... doch noch weit mehr mit dem innern Seelenzustande beschäftiget, als die gewöhnliche Moral und Pädagogik.« – Vgl. *Mahrholz*, Deutsche Selbstbekenntnisse, S. 226; Hans Joachim *Schrimpf*, Moritz. Anton Reiser; in: Der deutsche Roman vom Barock bis zur Gegenwart. Struktur und Geschichte. Hg. v. Benno v. *Wiese*. Bd. 1, Düsseldorf 1963, S. 104.

51 Beiträge (²1781), Vorrede, S. 3–8 = Vorschlag zu einem Magazin einer Erfarungs Seelenkunde. In: Deutsches Museum, Sechstes Stück, Sommermond (= Juni) 1782, S. 492–494.

52 Beiträge (²1781), Vorrede, S. 5.

53 *Dessoir*, Geschichte der neueren deutschen Psychologie, Bd. 1, (²1902), S. 297 f., 301 ff., 471 ff; *Ders.,* Abriß einer Geschichte der Psychologie, Heidelberg 1911, S. 3; 4–16.

54 *Moritz*, Vorschlag zu einem Magazin, S. 492.

55 Anton Reiser. Ein psychologischer Roman. Hg. von Karl Philipp Moritz. 4 Theile. Berlin 1785–1790. – Neudrucke: K. Ph. Moritz, Anton Reiser. Ein psychologischer Roman. Hg. v. Ludwig *Geiger*. Heilbronn 1886 (Deutsche Litteraturdenkmale des 18. u. 19. Jahrhunderts. Bd. 23). (im folgenden darnach zitiert). – Anton Reiser. Ein psychologischer Roman. Herausgegeben von Karl Philipp Moritz. Vollständiger Text nach der Erstausgabe (1785–1790). Hrsg. und mit einem Nachwort versehen von Klaus-Detlef *Müller*. München 1971 (Die Fundgrube. 52). – K. Ph. Moritz, Anton Reiser. Ein psychologischer Roman. Mit Textvarianten, Erläuterungen und einem Nachwort hg. v. Wolfgang *Martens*. Stuttgart 1972 (Reclams UB Nr. 4813–18).

56 *Rousseau*, Confessions; Oeuvres Complètes, T. I, S. 175.

57 Vorrede zum Zweiten Theil (1786): *Moritz*, Anton Reiser, DLD 23, S. 105.

58 Ebda, S. 105.

59 Vgl. *Schrimpfs* Interpretation des »Anton Reiser«, in: Der deutsche Roman, Bd. 1, S. 95–131, bes. S. 120 (»Antibildungsroman«); ferner Wolfgang *Martens* im Nachwort seiner Neuausgabe des Romans, Stuttgart 1972, S. 564 f.

60 *Moritz*, Anton Reiser, DLD 23, S. 347.

61 Vorrede zum Vierten Theil (1790): ebda, S. 339 f.

62 Darauf hat zuerst *Minder*, Die religiöse Entwicklung, S. 157 aufmerksam gemacht.

63 Ebda, S. 157.
64 Vorrede zum Ersten Theil (1785): *Moritz*, Anton Reiser, DLD 23, S. 3.
65 S. u. S. 75, 80, 81, 92.
66 Auf diese Parallele hat zuerst *Schrimpf* in seiner Interpretation des »Anton Reiser« (S. 99–101)
    aufmerksam gemacht. – Vgl. Friedrich von *Blanckenburg*, Versuch über den Roman, Leipzig
    und Liegnitz 1774: »Es kömmt überhaupt ... nicht auf die Begebenheiten der handelnden Per-
    son, sondern auf ihre Empfindungen an.« (S. 60); der Romanautor müsse uns »die innre Ge-
    schichte« eines Menschen geben (S. 384). – Johann Jacob *Engel*, Ueber Handlung, Gespräch
    und Erzehlung, in: Neue Bibliothek der schönen Wissenschaften und der freyen Künste 16, 2
    (1774), S. 201: »Der eigentliche Schauplatz aller Handlung ist die denkende und empfindende
    Seele: und die körperlichen Veränderungen gehören nur in so ferne mit in die Reihe, als sie
    durch die Seele bewirkt werden, die Seele ausdrücken ...« (Vgl. auch ebda, S. 190). – *Wieland*,
    Vorbericht zur »Geschichte des Agathon« (1767) und »Unterredungen mit dem Pfarrer von
    ***« (1775):s. o. S. 44. – Vgl. *Jäger*, Empfindsamkeit und Roman, S. 114ff.
67 Ephemeriden der Literatur und des Theaters. Bd. 2, St. 40, S. 224; zit. nach: DLD 23, S. XVII.
68 Gothaische gelehrte Zeitungen 1785, 24. Aug., St. 68, S. 558; zit. nach: DLD 23, S. XXI.
69 Vorrede zum Zweiten Theil (1786): DLD 23, S. 105. – Vgl. dazu Klaus-Detlef *Müller* im
    Nachwort seiner Neuausgabe des Romans, München 1971, S. 363.
70 S. o. S. 48ff., 52f.
71 *Pascal*, Die Autobiographie, S. 193.
72 Johann Heinrich Jung's, genannt Stilling, Lebensgeschichte, oder dessen Jugend, Jünglingsjah-
    re, Wanderschaft, häusliches Leben, Lehrjahre und Alter. In: Joh. Heinr. Jung's sämmtliche
    Schriften. Hg. v. I. V. *Grollmann*, Bd. 1, Stuttgart 1835.
73 Zu dieser neuen Phase in der Geschichte der deutschen Idylle vgl. Friedrich *Sengle*, Formen des
    idyllischen Menschenbildes. Ein Vortrag. (1964). In: F. S., Arbeiten zur deutschen Literatur
    1750–1850. Stuttgart 1965, S. 212–231. – Renate *Böschenstein-Schäfer*, Idylle. Stuttgart
    1967 (Slg. Metzler. 63), S. 62–64 (»Idyllentheorie und Geßnerkritik«).
74 *Sengle*, Arbeiten, S. 218.
75 *Goethe*, W. A. I, 37, S. 287.
76 Jung's sämmtliche Schriften, Bd. 1, S. 102.
77 Ebda, Bd. 1, S. 105.
78 S. o. S. 69f.
79 Jung's sämmtliche Schriften, Bd. 1, S. 178f.
80 Ebda, Bd. 1, S. 211f.
81 Gottfried *Stecher*, Jung Stilling als Schriftsteller, Berlin 1913, bes. Kap. I: Jung Stillings Auto-
    biographie. Ihre Entstehung und ihr litterarischer Charakter (S. 19–121).
82 Ebda, S. 36.
83 *Jung-Stilling*, Antwort auf einen Leserbrief, in: Rheinische Beiträge zur Gelehrsamkeit, 1779,
    I, S. 291ff. (Nachdruck in: Berliner »Litteratur- und Theater-Zeitung« 1779, II, S. 372ff.), zit.
    nach: *Stecher*, Jung Stilling, S. 32.
84 Jung's sämmtliche Schriften, Bd. 1, S. 431.
85 Ebda, Bd. 1, S. 557.
86 Ebda, Bd. 1, S. 247 (Medizinstudium); S. 353–356 (Professur der Kameralwissenschaft).
87 Ebda, Bd. 1, S. 486, 579, 581.
88 Ebda, Bd. 1, S. 593–595 (Medizinstudium); S. 597f. (Professur der Kameralwissenschaft).
89 Ebda, Bd. 1, S. 586–589. – Näheres über dieses »dualistische Grundtriebwesen« Jung-Stillings
    bringt Hans R. G. *Günther*, Jung-Stilling. Ein Beitrag zur Psychologie des Pietismus. München
    ²1948, S. 70–74.
90 Jung's sämmtliche Schriften, Bd. 1, S. 605f. – Vgl. ebda, Bd. 1, S. 444f.
91 Ebda, Bd. 1, S. 600.
92 *Stecher*, Jung Stilling, S. 34f., 120f.
93 Vgl. o. S. 71.
94 Lebens-Geschichte Joh. Jacob Mosers, von ihme selbst beschrieben, o.O. 1768, Vorrede S. [Vf.].

95 Ebda, S. 107–154 (§ 27–31).
96 Lebens-Geschichte Johann Jacob Mosers Königlich-Dänischen Etats-Raths von ihm selbst be-
    schrieben. Dritte, stark vermehrte und fortgesetzte Auflage. 4 Theile. Frankfurt und Leipzig
    1777–1783.
97 Lebens-Geschichte, 1768, Vorrede S. [V].
98 Etwas von dem inneren Leben der seeligen Frauen Frideriken Rosinen Moserin; aus einem
    Aufsaz ihres hinterlassenen Ehegattens, Johann Jacob Mosers etc. 1775.8. (mit der Anmer-
    kung: »Weil diser Aufsaz viles enthält, so meine eigene Lebens-Geschichte betrifft; so will ich
    ihn hier auch mit-beyfügen.«): Lebens-Geschichte, T. 3 (1778), S. 200–246. – Nachricht von
    meiner erhaltenen Versicherung der Vergebung meiner Sünden (aus: Monathliche Beyträge zu
    Förderung des wahren Christenthums, 1753, S. 815 ff.): ebda, S. 247–256.
98a Lebens-Geschichte, T. 1 (1777), Vorrede S. [XII].
99 Ebda, T. 1, S. 3.
100 Ebda, T. 3, S. 3–109 (§ 37–46).
101 Z. B. ebda, T. 1, S. 62 f., 82–85, 105–109, 112, 193–199; T. 2, S. 3 f., 34–38, 48–62, 93 f.
102 Z. B. ebda, T. 1, S. 106; 112, 198; T. 2, S. 3.
103 S. o. S. 191, Anm. 98 (»Nachricht«).
104 D. Johann Jacob Reiskens von ihm selbst aufgesetzte Lebensbeschreibung, Leipzig 1783, S.
    1–136. – Dazu: S. 137–151: Ergänzungen durch die Witwe; S. 152–182: Bibliographie der
    Reiskischen Schriften; S. 183–816: »Reiskens Correspondenz mit einigen, nunmehr auch ver-
    storbenen, Gelehrten« (in alphabetischer Ordnung der Briefpartner).
105 Ebda, S. 102.
106 Ebda, S. 146.
107 Z. B. ebda, S. 5 f., 10, 15, 18 f., 42.
108 Z. B. ebda, S. 9, 11, 24, 28, 74 ff.
109 Z. B. ebda, S. 11, 15, 24 f., 28, 30, 39, 49.
110 Z. B. ebda, S. 58, 67, 79, 83–85, 94 f., 99 f.
111 Z. B. ebda, S. 16, 21, 31, 33, 48.
112 Vgl. bes. ebda, S. 78.
113 Z. B. ebda., S. 28, 68, 72, 76 f., 81, 95 f.
114 D. Joh. Salomo Semlers Lebensbeschreibung von ihm selbst abgefaßt. Zwei Theile. Halle
    1781–1782. (352 u. 384 S.).
115 Ebda, T. 1, S. 32–34 (pietistische Kreise), S. 73–79 (Hallisches Waisenhaus), S. 84–99 (Studen-
    tenzeit in Halle), S. 156–167 (Altdorf).
116 Ebda, T. 1, S. 59 f. (Vater), S. 78–81 (Studienkollegen), S. 95 f., 120 f. (Prof. Baumgarten), S.
    147–151 (Braut).
117 Ebda, T. 1, S. 168, 173, 179 ff. (Schwanken, den Ruf nach Halle anzunehmen), S. 216 f. (Stim-
    mung bei beruflichem Verdruß).
118 Z. B. »innerliche Unruhe« (ebda, T. 1, S. 62, 79), »Empfindung« (S. 71, 113, 121), »Gemüts-
    bewegung«, »stille Gemütsfassung« (S. 121, 179), »zärtliche Wehmut« (S. 124), »schaamvol-
    ler Dank« (S. 149).
119 Ebda, T. 1, S. 54–80.
120 Ebda, T. 1, S. 57–62.
121 Beyer-Fröhlich, Entwicklung, S. 199.
122 Semlers Lebensbeschreibung, T. 1, S. 48–50, 56 f.
123 Ebda, T. 1, Vorrede, S. [24].
124 Ebda, T. 2, Vorrede, S. [16].
125 Ebda, T. 2, S. 23 f.
126 Semlers Lebensbeschreibung, T. 1, S. 145–151 (vgl. das Stimmungsbild S. 150: »Da sassen wir
    zuweilen unter einem Baume, und übersahen die vor uns liegende Stadt.«); S. 156–167.
127 D. Anton Friderich Büsching ... eigene Lebensgeschichte, in vier Stücken, Halle 1789.
128 Johann David Michaelis ... Lebensbeschreibung von ihm selbst abgefaßt. Rinteln und Leipzig
    1793.

129 Vgl. *Büschings* Vorrede, und *Michaelis,* S. 136.
130 Vgl. *Büsching*, S. 292–307, 408–446. – *Michaelis*, S. 60–64, 126–130.
131 S. o. S. 65 ff.
132 S. o. S. 78 ff.
133 S. o. S. 80.
134 Vgl. o. S. 22.
135 Erstdruck u. d. T.: Auszüge aus der Lebensgeschichte eines armen Mannes. (Geschrieben i. J.
    1781–85). In: Schweitzerisches Museum, 4. Jg. (1788), H. 2–3, 5–6, 8–12; 5. Jg. (1789), H.
    1–4. – Erste Buchausgabe: Lebensgeschichte und Natürliche Ebentheuer des Armen Mannes
    im Tockenburg. Hg. v. H. H. *Füßli.* (Sämtliche Schriften des Armen Mannes im Tockenburg ...
    Erster Theil.) Zürich, bey Orell, Geßner, Füßli und Compagnie 1789. (Die Anonymität der
    Schrift hat Bräker sogleich zu Beginn von Kap. 1 durch die Ortsbezeichnung »Näbis« zumin-
    dest für die engeren Landsleute aufgedeckt). – Neudruck in: Leben und Schriften Ulrich Brä-
    kers, des Armen Mannes im Tockenburg. Dargestellt und herausgegeben von Samuel *Voellmy.*
    Bd. 1, Basel 1945, S. 67–358 (im folgenden darnach zitiert).
136 Bräker, Leben und Schriften, Bd. 1, S. 73–247.
137 Kap. 14 (ebda, S. 92 f.), 28 (S. 126 f.), 33 (S. 145–147), 59 (S. 228 f.), 61 (S. 234).
138 Z. B. ebda, S. 106–108, 112 f., 115, 236 f.
139 Vor allem Kap. 16–17 (Hirtenidylle); 29–32, 35 (Ännchen-Geschichte); 36–58 (Soldaten-
    dienst, Kriegsabenteuer).
140 Ebda, S. 79 f., 101 f. (Lebensgefahren in der Kindheit); S. 109–111 (Grundstückshandel mit
    dem Vater); S. 147, 154 ff., 163 (als Diener eines Offiziers); S. 181 ff. (böses Erwachen als Re-
    krut, stufenweise in dramatischen Gesprächsszenen dargestellt); S. 205 ff. (Erwartung eines
    Treffens und einer Fluchtmöglichkeit); S. 213 ff. (Verlauf der Schlacht und der Flucht; das Ter-
    rain in der Topographie des Fluchtbereiten).
141 Ebda, S. 92 f., 110 f., 130 f., 134–136, 141–149, 150–153, 156–158, 182–185, 199 f., 226 f.
142 Ebda, S. 129, 132, 164, 171 f., 188 f., 197 f.
143 Z. B. ebda, S. 96 (Erinnerung an die Hirtenidylle); S. 136, 143, 151, 154, 296 (an Ännchen); S.
    171, 176 f. (an Rottweil). Vgl. auch *Bräker*, Leben und Schriften, Bd. 3, S. 37, 112 f.; S. 164 f.,
    167 f. (Wiedersehen mit Schaffhausen).
144 Ebda, Bd. 1, S. 71 f.
145 Ebda, Bd. 1, S. 72.
146 Jean Jacques *Rousseau,* Confessions; in: Oeuvres Complètes, T. I, S. 21 (1. Buch, Mitte), 225 f.
    (6. Buch, Anfang), 277, 279 (7. Buch, Anfang).
147 *Rousseau,* Confessions; Oeuvres Complètes, T. I., S. 226, 278; *Bräker,* Leben und Schriften,
    Bd. 1, S. 321, 343. – Eine frühe, freilich nur biographisch-psychologische, keine gattungshisto-
    rische Parallele Rousseau – Bräker zieht E. *Götzinger* im Neujahrsblatt der Historischen Ge-
    sellschaft St. Gallen (1889), zit. bei Samuel *Voellmy,* Ulrich Bräker, der Arme Mann im Tok-
    kenburg. Ein Kultur- und Charakterbild aus dem 18. Jahrhundert, Zürich 1923, S. 212 f.
148 Bezeugt durch eine Tagebuchnotiz Bräkers, März 1777 (zit. bei Samuel *Voellmy,* Daniel Gir-
    tanner von St. Gallen, Ulrich Bräker aus dem Toggenburg und ihr Freundeskreis, St. Gallen
    1928, S. 111).
149 *Bräker,* Leben und Schriften, Bd. 1, S. 163, 190 f., 207 f.
150 Ebda, S. 198.
151 Ebda, S. 190, 197; 187, 189, 194 f.
152 Ebda, S. 209: »Die kann man in der Helden- Staats- und Lebensgeschichte des Grossen Fried-
    richs suchen. Ich schreibe nur, was ich gesehen, was allernächst um mich her vor- und beson-
    ders was mich selbst angieng.« Vgl. auch ebda, S. 201 f., 207, 212.
153 Ebda, S. 196.
154 Ebda, S. 137–139.
155 Ebda, S. 160 ff., 197, 194 ff., 225 f.
156 Ebda, S. 305.
157 Ebda, S. 248–290.

158 S. o. S. 15.

159 *Bräker*, Leben und Schriften, Bd. 1, S. 293–338.

160 Ebda, S. 270 ff.

161 Ebda, S. 293: »Freylich Geständnisse, Wie Roußeau's seine, enthält meine Geschichte auch nicht, und sollte auch keine solchen enthalten... Um indessen doch einigermaaßen ein solches Geständniß abzulegen...«

162 Ebda, S. 254.

163 Ebda, S. 286.

164 Ebda, S. 267, 287 f.; wiederholt auf S. 305 ff.

165 Kap. 79: ebda, S. 293–318.

166 Ebda, S. 293.

167 Ebda, S. 307.

168 Ebda, S. 313, 317.

169 Ebda, S. 323–330.

170 Ebda, S. 333–337.

171 Ebda, S. 290–293.

172 Ebda, S. 290.

173 Ebda, S. 292 f.

174 Ebda, S. 292.

175 Ebda, S. 292.

176 Ebda, S. 291.

177 Ebda, S. 291.

178 Ebda, S. 291, 337.

179 Leben und Ereignisse des Peter Prosch, eines Tyrolers von Ried im Zillerthal, oder das wunderbare Schicksal. Geschrieben in den Zeiten der Aufklärung. München 1789. Bey Anton Franz, kurfürstl. Hof- Akademie- und Landschaftsbuchdrucker. 348 S. – Ungekürzter Neudruck (ohne Pränumerantenliste und Illustrationen der Originalausgabe, dafür aber mit Kapitelgliederung), hg. v. Karl *Pörnbacher,* München 1964 (Lebensläufe, Bd. 2), wo S. 315 frühere, jedoch kürzende Neudrucke verzeichnet sind.

180 *Prosch*, Leben und Ereignisse (1789), S. 7–13.

181 Ebda, S. 32–60.

182 Z.B. ebda, S. 62–69 (Heirat), 97 f., 216 ff., 268 f., 278 ff. (Überschwemmung), 308–312.

183 Z.B. ebda, S. 53 f., 110 f., 164 f., 171, 231, 249 f.; Carmina: 228–230, 241–243, 252–254, 296–298, 333 f., 341 f.; Geschenke: 183, 213–215, 244, 246, 272–275, 283 f., 334.

184 Vgl. ferner ebda, S. 105 f., 112 f., 118, 258 f., 283 f.

185 Z.B. ebda, S. 110–112, 118 (Kaiser Franz I.); 245–248, 257–259 (Kurfürst Karl Theodor in Baiern); 254 f. (Fürstbischof Adam Friedrich von Würzburg).

186 Z.B. ebda, S. 120–125 (Rheinreise), 318–337 (Paris); 137–158 (Selbstmordversuch; darauf gerichtliche Untersuchung, Gefängnis und Flucht); 299–302 (Papst in Wien).

187 Z.B. ebda, S. 70 ff., 90 f., 100 f., 125 ff., 160 f., 176, 182 f., 197–200, 210–212, 235–240, 265 f. – Die meisten Kupfer der Original-Ausgabe illustrieren gerade diese passiven, *un*freiwillig lächerlichen Situationen des Helden – in rein unterhaltender Absicht wie der Text selbst.

188 Ebda, S. 132 ff.

189 Ebda, S. 130, 215 f. u. ö.

190 Ebda, S. 216–218, 225–227, 268 f., 276 f.

191 Diesen Zweck des Buches illustriert bereits das Widmungsgedicht, ebda, Bl.)(2–4.

192 Zwischen Widmungsgedicht und Haupttext eingebunden: ebda, Bl.)( )(1–8.

193 S. o. S. 76 f.

194 (Christian Friedrich Daniel) Schubart's Leben und Gesinnungen. Von ihm selbst, im Kerker aufgesezt. Erster Theil. Stuttgart 1791. – Zweiter Theil. Hrsg. von seinem Sohne Ludwig *Schubart*. Stuttgart 1793. – Daß Schubart schon während des Diktats die Absicht einer späteren Publikation des Manuskripts hatte, geht aus einer beiläufigen Äußerung T. 1, S. 216 hervor.

Der Sohn hat, nach eigener Versicherung (T. 2, S. 318 Anm.), am Manuskript des 2. Teils nichts geändert, nur einige Textstellen in Fußnoten erläutert oder kritisiert.

195 Ebda, T. 1, S. VI–VII, X–XI; vgl. T. 1, S. 120 f. u. ö.

196 Ebda, T. 2, S. 50, 53, 57 f.; weitere Hinweise auf den Charakter seines Lebens als einer Wanderschaft geben T. 1, S. 101, 292; T. 2, S. 1, 3.

197 Ebda, T. 2, S. 12 f., 47, 61; vgl. ferner T. 1, S. 144 (»sträflichste Unklugheit«), 152 (»Leichtsinn und Gedankenlosigkeit«); T. 2, S. 10 (»Kühne, oft wilde Schreibart«).

198 Ebda, T. 2, S. 79; ähnlich T. 1, S. 140 (»feuriges Naturel«). – T. 1, S. 227 f.; vgl. T. 1, S. 153: »Meine Urtheile waren äuserst kühn, stark, meist wahr, aber verwegen; schadeten mir daher mehr, als meine sonstige Ausschweifungen.«

199 Vgl. ebda, T. 1, S. 227 f., 237; T. 2, S. 49 ff.

200 Ebda, T. 1, S. 232 f., 272 f.; T. 2, S. 80–82.

201 Z. B. ebda, T. 1, S. 28 f. (Nürnberg), 85 f. (Geislingen), 170–172 (Heilbronn), 192 f. (Heidelberg), 202, 206 f. (Mannheim), 256–259, 267, 276 f. (München); T. 2, S. 5, 13–23 (Augsburg), 73–79 (Ulm).

202 Ebda, T. 2, S. 78.

203 Z. B. ebda, T. 2, S. 11–14, 109.

204 Z. B. ebda, T. 2, S. 22 Anm., 32–35, 78 f.

205 Z. B. ebda, T. 1, S. 12–17, 31 f., 59–63, 89 f. u. ö.

206 Z. B. ebda, T. 1, S. 122–130, 178–180, 186–188 u. ö.

207 Z. B. ebda, T. 1, S. 51 f., 107 f., 121 f., 157.

208 Ebda, T. 1, S. 53, 68–70, 118, 222–224 u. ö.

209 Ebda, T. 1, S. 25, 117, 224, 292.

210 Ebda, T. 1, S. 106, 108; vgl. ferner T. 1, S. 184, 252, 255, 283.

212 Ebda, T. 2, S. 137–320.

213 Ebda, T. 2, S. 70 ff., 122 f.

214 S. u. Anm. 216.

215 Schubarts Leben, T. 2, S. 187– 194, 201–204, 212 f., 283 f.

216 Ebda, T. 2, S. 156, 232, 239, 297 f. (Leitung durch den Kommandanten); S. 147, 192 f., 250 (Schreibverbot); S. 156 f., 251, 288 (Lektüre); S. 203 f., 236 f., 285 (Zimmerwechsel); S. 269, 286 f. (Besuch des Theosophen Hahn); S. 211, 283 f. (Abendmahl, Gottesdienst).

217 Vgl. ebda, T. 2, S. 187 (Beginn von Kap. V): »Ich habe eben meine Seele in ihrem Kampfe geschildert, … nun muß ich auch sagen, wie es meinem Naturmenschen zu Muthe war.«

218 Z. B. ebda, T. 2, S. 161, 164–166, 171.

219 Ebda, T. 2, S. 159, 182–184, 209 f., 212.

220 Ebda, T. 2, S. 148 ff., 158 f., 168 f., 226 ff., 247 ff., 271 ff. (Gedankenmonologe); S. 163 f., 172 ff., 215 ff., 306 ff. (Reflexionen); S. 166 f., 256 ff., 276 ff., 290 ff. (Lesefrüchte); S. 195–200, 301–304 (Zitate eigener Lieder).

221 Ebda, T. 2, S. 184–187.

222 S. o. S. 8 ff.

223 Schubarts Leben, T. 2, S. 144 ff., 155, 188 ff., 193, 205 f., 249 f., 314.

224 Ebda, T. 2, S. 319.

225 Des Friedrichs Freyherrn von der Trenck merkwürdige Lebensgeschichte, Erster Theil, Leipzig 1787; Zweiter Theil, Leipzig 1787; Dritter und letzter Theil, Berlin 1787; Nachtrag zur Lebensgeschichte Friedrichs Freyherrn von der Trenck, Vierter und merkwürdigster Band, Altona 1792, im August.

226 Damit füllt Trenck die ersten beiden Bände seiner Lebensgeschichte.

227 Z. B. ebda, T. 1, S. 158; T. 2, S. 81, 225 ff.

228 Z. B. ebda, T. 1, Bl. *4b (Widmung »an den Geist Friedrichs des Einzigen«); T. 2, S. 10–13, 37, 70; T. 4, S. 13–16 u. ö. – Vgl. auch das Titelkupfer zu T. 2: Trenck im Gefängnis, mit einer beigefügten »Erklärung der Fesseln und des Kerkers«.

229 Z. B. ebda, T. 1, Bl. *7b (Widmung), S. 182; T. 2, S. 317 – Vgl. auch T. 2, S. 137 ff. über Trencks bekannte emblematische Gravuren auf Zinngefäßen während der Haft, in Bild und

Vers sein verhängnisvolles Geschick umschreibend. Die Entdeckung und Beschreibung eines dieser Trenckschen Becher spielt noch in Immermanns »Memorabilien« (»Erster Teil: Die Jugend vor fünfundzwanzig Jahren«, 1839/40) die Rolle eines nachdenklichen Lebenssymbols.

230 Ebda, T. 2. S. 317f.; T. 3, S. 309f.
231 Z.B. ebda, T. 1, S. 18, 140ff.; T. 2, S. 237f.; T. 3, S. 91.
232 Vgl. ebda, T. 1, Bl. *6b, **4a– **6b (Widmung).
233 Ebda, T. 1, S. 20, 69, 76, 206f.; T. 2, S. 195f.
234 Ebda, T. 1, S. 298; T. 2, S. 69ff.
235 Ebda, T. 4, S. 66–127; 207–223.
236 Ebda, T. 4, S. XII–XIII. – Vgl. auch das Motto zu T. 1 u. 4: »Flectere si nequeo Superos Acheronta movebo.«
237 Ebda, T. 4, S. XIII, 62.

Dritter Teil
Die deutsche Autobiographie von Herders Programm
bis zu Goethes »Dichtung und Wahrheit« (1790–1815)

I. Die Erweiterung des Gattungsbildes durch Frühhistorismus und Frühromantik

1 Bekenntnisse merkwürdiger Männer von sich selbst. Herausgegeben von Johann Georg *Müller*. 6 Bde. Winterthur, in der Steinerischen Buchhandlung 1791–1810; 2., verbesserte Auflage 1806. (als Einleitung in Bd. 1: »Briefe von Herrn Herder«, S. I–XXXV). – Bd. 4–6 (1801–1810): »Fortgesetzt von ** «, d. i. Martin *Hurter*.
2 Selbstbiographien berühmter Männer. Ein Pendant zu J. G. Müllers Selbstbekenntnissen, gesammelt von Prof. *Seybold*. 2 Bde. Winterthur, in der Steinerischen Buchhandlung, 1796. 1799.
3 Zur gattungsgeschichtlichen Bedeutung der beiden Autobiographie-Sammlungen von Müller und Seybold vgl. *Misch*, Geschichte der Autobiographie, Bd. IV, 2, S. 784f. – Von *Mahrholz*, *Klaiber* und *Beyer-Fröhlich* nicht beachtet.
4 *Herder*, Werke, Bd. 18, S. 587. – Vgl. o. S. 54.
5 *Herder*, Werke, Bd. 18, S. 375.
6 Vgl. *Herder* an Georg Müller, 25. 10. 1789: Werke, Bd. 18, S. 587; »Briefe von Herrn Herder«, Mai 1790: Werke, Bd. 18, S. 376.
7 S. o. S. 4, 22, 43f., 45f., 54.
8 Selbstbiographien berühmter Männer, Bd. 1 (1976), Vorrede, S. VIII.
9 Ebda, Bd. 1, Vorrede, S. XIIf.
10 Ebda, Bd. 1, S. 32, Anm. (Zu von Thou's Selbstbiographie).
11 »Briefe von Herrn Herder«, Mai 1790: Werke, Bd. 18, S. 376.
12 Bekenntnisse merkwürdiger Männer von sich selbst, Bd. 4 (1801), S. IVf.
13 Ebda, Bd. 4, S. V.
14 Ebda, Bd. 4, S. 264.
15 Ebda, Bd. 6 (1810), S. V.
16 Ulrich *Bräker*, Lebensgeschichte, Kap. 78: Leben und Schriften, Bd. 1, S. 293; vgl. auch »Vorrede des Verfassers«, ebda, Bd. 1, S. 72.
17 *Bräker*, Lebensgeschichte, Kap. 79 (»Meine Geständnisse«): ebda, Bd. 1, S. 293.
18 Zit. nach: Biographie... Theodor Gottlieb von Hippel, zum Theil von ihm selbst verfaßt. Aus Schlichtegrolls Nekrolog [auf die Jahre 1796/97, Gotha 1800/01] besonders abgedruckt. Gotha 1801, S. 342–347.
19 Ebda, S. 342f.
20 Ebda, S. 345.
21 Ebda, S. 232.

22 Ebda, S. 234 f.
23 Zu Herder s. o. S. 53 f., zu Goethe s. u. S. 112 f.
24 Ueber Selbstbiographien. Aus dem Nachlaß des verstorbenen Herrn Hofraths Fritze. In: Deutsche Monatsschrift, Februar 1795, S. 156–168 (davon S. 156–158: »Vorbemerkung« des anonymen Herausgebers). – Vgl. o. S. 53.
25 Ebda, S. 166.
26 Ebda, S. 156.
27 Ebda, S. 157.
28 Athenäum. Eine Zeitschrift von August Wilhelm Schlegel und Friedrich Schlegel. Ersten Bandes Zweites Stück. Berlin 1798. Nr. I. – Zitiert nach: Friedrich *Schlegel,* Charakteristiken und Kritiken I (1796–1801), Hg. v. Hans *Eichner* (Krit. Friedrich-Schlegel-Ausgabe, Bd. 2), München 1967, S. 196.
29 Immanuel *Kant,* Anthropologie in pragmatischer Hinsicht, Königsberg 1798, Vorrede, S. X.
30 Ebda, S. 13 (»Von dem Beobachten seiner selbst«: §4). Über Lavaters Tagebuch ebda, S. 11.
31 Dieses Fragment wird von Schleiermacher und seinen Freunden kurz »die Offenheit« genannt und sowohl von F. Schlegel wie von Hardenberg anerkannt; vgl. F. Schlegel an Schleiermacher, undatiert (Juli 1798): »...die Offenheit liebt er [Novalis] auch, und glaubt mich und Dich unterscheiden zu können.« (Aus Schleiermacher's Leben. In Briefen, Bd. 3. Hg. von Ludwig *Jonas* und Wilhelm *Dilthey.* Berlin 1861, S. 80).
32 Athenäum. I, 2. Berlin 1798. Nr. I. – Zitiert nach: Krit. Friedrich-Schlegel-Ausgabe, Bd. 2, S. 223 f. – Dort auch Angabe der Quellen über Schleiermachers Verfasserschaft.
33 Ebda, Bd. 2, S. 224.
34 Ebda, Bd. 2, S. 224.
35 *Herder,* Humanitätsbriefe I, 2 (1793): Werke, Bd. 17, S. 8 f.
36 *Herder,* Humanitätsbriefe I,5 (1793): Werke, Bd. 17, S. 19.
37 Ebda, Bd. 17, S. 21.
38 Ebda, Bd. 17, S. 21.
39 *Herder,* Adrastea II, 3 (1801): Werke, Bd. 23, S. 220–232.
40 Ebda, Bd. 23, S. 227.
41 Ebda, Bd. 23, S. 226–228. – Vgl. schon Humanitätsbriefe I, 5 (1793): ebda, Bd. 17, S. 22.
42 Ebda, Bd. 23, S. 224 f.
43 Ebda, Bd. 23, S. 228.
44 Vgl. o. S. 56.
45 So lautet der Zwischentitel über dem letzten Abschnitt: *Herder,* Werke, Bd. 23, S. 228–232.
46 Ebda, Bd. 23, S. 231. – Ἀδράστεια, die »Unentfliehbare«, ist der Beiname der Nemesis.
47 Ebda, Bd. 23, S. 232.
48 S. o. S. 69 f.
49 Näheres darüber bei Friedrich *Meinecke,* Die Entstehung des Historismus (1936): Werke, Bd. 3, hg. v. Carl *Hinrichs,* München ²1965, S. 319 ff., 400 ff.
50 *Goethe,* Tag- und Jahres-Hefte, 1796: W. A. I, 35, S. 66.
51 *Goethe* an J. H. Meyer, 18. April 1796: W. A. IV, 11, S. 55.
52 *Goethe* an J. H. Meyer, 3. März 1796: W. A. IV, 11, S. 38.
53 *Goethe,* Anhang zur »Cellini«-Übersetzung (1803), Kap. X: W. A. I, 44, S. 334.
54 Ebda, Kap. X: W. A. I, 44, S. 334.
55 Leben des Benvenuto Cellini, florentinischen Goldschmieds und Bildhauers, von ihm selbst geschrieben. Übersetzt und mit einem Anhange herausgegeben von *Goethe.* Tübingen: Cotta 1803.
56 Dieser Anhang (W. A. I, 44, S. 297–392) entstand während des Halbjahrs September 1802/März 1803.
57 W. A. I, 44, S. 334.
58 *Goethe,* Rez. über: Bildnisse jetzt lebender Berliner Gelehrten, mit ihren Selbstbiographien, herausgegeben von S. M. *Lowe,* Berlin: Quien 1806 (darin Selbstbiographie Johannes von Müllers). In: Jenaische Allgemeine Literatur-Zeitung 1806, Nr. 48 (26. Febr.), Sp. 377–380:

W. A. I, 40, S. 360–366. – Müllers Selbstbiographie wieder in: Johannes von Müllers sämmtliche Werke, hg. v. Joh. Gg. *Müller,* 29. Teil (= Joh. v. Müllers Biographische Denkwürdigkeiten, 1. Teil), Stuttgart und Tübingen 1834, S. 1–26.

59 W. A. I, 40 S. 363.

60 W. A. I, 40, S. 364.

61 W. A. I, 40, S. 365.

62 W. A. I, 40, S. 362.

63 Carl Heinrich von Bogatzky's Lebenslauf, von ihm selbst beschrieben. Für die Liebhaber seiner Schriften und als Beytrag zur Geschichte der Spener'schen theologischen Schule herausgegeben [von *Knapp*]. Halle 1801, Vorbericht S. IV. – Der Vorbericht schließt S. VI mit einem zustimmenden Zitat von Herders Definition der »Lebensbeschreibungen« aus den Briefen an Joh. Gg. Müller, Mai 1790 (vgl. o. S. 56 und S. 108).

64 W. A. I, 40, S. 361.

65 W. A. I, 40, S. 361 f.

66 W. A. I, 40, S. 364.

67 *Goethe* an Philipp Hackert, 4. April 1806: Goethes Briefe, Bd. 3, Hamburg 1965, S. 20 (Erstdruck in: Goethe 23, 1961, S. 254).

68 W. A. I, 40, S. 365.

69 W. A. I, 40, S. 365.

70 S. o. S. 83 f.

71 *Goethe,* Geschichte der Farbenlehre, 4. Abt. (1809), Kap. Cardanus: W. A. II, 3, S. 219.

72 W. A. II, 3, S. 219.

73 W. A. II, 3, S. 219.

74 Vgl. Angelika *Groth,* Goethe als Wissenschaftshistoriker, München 1972 (Münchener Germanistische Beiträge. 7), bes. S. 189 u. 249 f.

75 *Goethe* an Philipp Hackert, 4. April 1806: Goethes Briefe, Bd. 3, Hamburg 1965, S. 20.

76 *Herder,* Werke, Bd. 23, S. 232.

77 S. o. S. 55 f., 105 ff.

78 *Herder,* Werke, Bd. 18, S. 587.

79 *Herder,* Humanitätsbriefe V (1795), Br. 54: ebda, Bd. 17, S. 265.

80 Friedrich August *Carus,* Der Psychologie zweiter Band. (= Nachgelassene Werke. Zweiter Theil) Leipzig 1808, S. 358 ff. – Z. T. wieder in: Zeit der Klassik, hg. v. Ernst *Volkmann,* Leipzig 1939 (Deutsche Literatur in Entwicklungsreihen. Reihe Deutsche Selbstzeugnisse, Bd. 10), S. 264–266.

81 S. o. S. 53.

82 S. o. S. 49 ff.

83 *Goethe,* Rez. Selbstbiographie Joh. v. Müllers (1806): W. A. I, 40, S. 364.

84 S. o. S. 47.

85 Vgl. *Niggl,* Fontanes »Meine Kinderjahre« und die Gattungstradition, S. 274–279 (V. Abschnitt).

86 Johann Gotthelf *Lindner*, Lehrbuch der schönen Wissenschaften, 2. Theil, Königsberg und Leipzig 1768, S. 258.

87 S. o. S. 43 f.

88 (Johann Georg *Wiggers*) Ueber die Biographie, Mitau 1777, S. 79. – Vgl. auch Hugo *Blair's* Vorlesungen über Rhetorik und schöne Wissenschaften, London 1783, übs. von K. G. *Schreiter*, 3. Theil, Liegnitz und Leipzig 1788, S. 243.

89 Johann Joachim *Eschenburg*, Entwurf einer Theorie und Literatur der schönen Wissenschaften, Berlin und Stettin 1783, S. 261.

90 Vgl. *Jäger*, Empfindsamkeit und Roman, S. 114–126. – *Hahl*, Reflexion und Erzählung, S. 43–61.

91 Friedrich von *Blanckenburg*, Versuch über den Roman, Leipzig und Liegnitz 1774, S. 379.

92 Ebda, S. 380.

93 Johann Carl *Wezel*, Herrmann und Ulrike. Ein komischer Roman in vier Bänden. Frankfurt und Leipzig 1780, Vorrede: Bd. 1, S. V.

94 Ebda, Bd. 1, S. IX.

95 *Jean Paul*, Vorschule der Ästhetik (1804), 2. Abt., XII. Programm, § 70 (Der epische Roman): Sämtliche Werke, ed. *Berend*, I. Abt., Bd. 11, S. 234.

96 Karl Ludewig *Woltmann*, Versuche über die Biographie, in: *Woltmann, Kleine historische* Schriften, 1. Theil, Jena 1797, S. 107.

97 Ebda, T. 1, S. 109.

98 Ebda, T. 1, S. 111 f.

99 Ebda, T. 1, S. 123.

100 Ebda, T. 1, S. 109.

101 Ebda, T. 1, S. 111.

102 Aloys *Schreiber*, Lehrbuch der Aesthetik, Heidelberg 1809, S. 383.

103 Theodor *Heinsius*, Teut oder theoretisch-praktisches Lehrbuch des gesammten Deutschen Sprachunterrichts, 3. Theil (Der Redner und Dichter), Berlin 1810, S. 126.

104 Friedrich *Bouterwek*, Aesthetik, 2., völlig umgearb. Ausgabe, Göttingen 1815, 2. Theil, S. 274–278. – Bouterwek scheint hierin beeinflußt von August Wilhelm *Schlegels* Vorlesungen über schöne Literatur und Kunst, 3. Theil (1803/04): DLD 19, S. 242.

105 *Bouterwek*, Aesthetik, T. 2, S. 279 f.

106 Z. B. Franz *Horn*, Latona, 2. Theil, Berlin 1812, S. 231 ff; wieder in: F. H., Die Poesie und Beredsamkeit der Deutschen, von Luthers Zeit bis zur Gegenwart, Bd. 4, Berlin 1829, S. 290–296. – Georg *Reinbeck*, Handbuch der Sprachwissenschaft, Bd. II, 1: Rhetorik. Essen und Duisburg 1816, S. 184 f. – Karl Heinrich Ludwig *Pölitz*, Das Gesammtgebiet der teutschen Sprache, Leipzig 1825, Bd. 2, S. 208 f. – Aber noch z. B. Friedrich August *Pischon*, Handbuch der deutschen Prosa (Berlin 1818) oder Joseph *Hillebrand,* Lehrbuch der Literatur-Aesthetik (Mainz 1827) berücksichtigen im Abschnitt über die Lebensbeschreibung nicht eigens die Selbstbiographie.

107 S. o. S. 44 f., 52 f.

108 *Wieland,* Geschichte des Agathon, ²1773, XVI. Buch, 1. Kap.: Werke, Bd. 3, S. 193.

109 Lorenz *Westenrieder*, Das Leben des guten Jünglings Engelhof, München 1781, Bd. 1, S. 24 f. – Vgl. dazu Eva D. *Becker*, Der deutsche Roman um 1780, Stuttgart 1964 (Germanistische Abhandlungen. 5), S. 188 f., und *Hahl*, Reflexion und Erzählung, S. 80 f.

110 Wieland, Agathon: Agathons »vertrauliche Erzählung … von seinem ganzen Lebens-Lauf« (1767: VII. Buch, 1.–8. Kap.; 1773: VII. u. VIII. Buch); »Geheime Geschichte der Danae« (1773: XIV. u. XV. Buch). – Knigge, Der Roman meines Lebens (1781/83): Lebensgeschichten des Hofmeisters Meyer (Bd. 1, S. 112–144) und des Freiherrn von Leidthal (Bd. 1, S. 186–208, 236–254) in Briefen. – Goethe, Wilhelm Meister (1780 ff.): Kindheitserinnerungen Wilhelms in Gesprächsform (1. Buch); »Bekenntnisse einer schönen Seele« (1795) als eingeschaltete Vorlesung aus einem Manuskript (6. Buch).

111 S. o. S. 49 f., 52 f.; 55, 105 ff.

112 Vorreden zum 1. und 2. Theil (1785/86). – Zur Titelmaske »Roman« vgl. o. S. 71 f.

113 *Goethe* an Herder, Mai 1794: W. A. IV, 10, S. 158.

114 *Goethe* an Friedrich Rochlitz, 29. März 1801: W. A. IV, 15, S. 209. – Vgl. *Rochlitz* an Goethe, 14. März 1801: Goethes Briefwechsel mit Friedrich Rochlitz, hg. v. Woldemar Frhr. v. *Biedermann*, Leipzig 1887, Nr. 3.

115 *Schiller* an Goethe, 20. Oktober 1797: Briefwechsel zwischen Schiller und Goethe, hg. v. Hans Gerhard *Gräf* und Albert *Leitzmann*, Leipzig 1912, Bd. 1, S. 424.

116 Athenäum I, 2. Berlin 1798, Nr. I: Krit.-Friedrich-Schlegel-Ausgabe, Bd. 2, S. 182.

117 Ebda, Bd. 2, S. 182 f.

118 Friedrich *Schlegel*, Gespräch über die Poesie (1800), Brief über den Roman: Ebda, Bd. 2, S. 337. – Vgl. F. *Schlegel*, Literary Notebooks, hrsg. v. Hans *Eichner*, London 1957, Nr. 1458: »Bekenntnisse sind Naturromane.«

119 Krit.-Friedrich-Schlegel-Ausgabe, Bd. 2, S. 337.

120 Ebda, Bd. 2, S. 337.

121 Ebda, Bd. 2, S. 338. – Vgl. F. *Schlegel*, Literary Notebooks, Nr. 581: »Werke die mit dem Roman verwandt sind: philosophische Dialogen, individuelle Reisebeschreibungen, Witzwerke, Bekentnisse ... – auch die Biographie – Anekdoten ...«; Nr. 1339: »Confessions gehören zu Romantischen Romanen.«

122 Friedrich *Schlegel*, Geschichte der alten und neuen Literatur (1812), 14. Vorlesung: Krit.-Friedrich-Schlegel-Ausgabe, Bd. 6, S. 332.

123 Ebda, Bd. 2, S. 331, 357.

124 Zu Schlegels Bewertung der Bekenntnisse im »Gespräch über die Poesie« vgl. Karl Konrad *Polheim*, Die Arabeske. Ansichten und Ideen aus Friedrich Schlegels Poetik. München 1966, S. 188–197, wo freilich der Versuch, Bekenntnisse und »schlechte« Romane als von Schlegel gleichbewertet zu erweisen (S. 152 ff.), nicht ganz überzeugt.

II. Vom Selbstbekenntnis zur praktisch-historischen Lebensbeschreibung. Freie Mischung der Gattungstypen

1 S. o. S. 63 ff.

2 Beispiele dafür sind die Lebensläufe der Bodilla Salström (1763–1800), verfaßt nach 1793: IX. Beilage (zur 36. Woche) 1800; der Maria Barbara Macrait (1729–1804), verfaßt nach 1797: No. II der Gemeintags-Lectionen vom Jahre 1805; der Anna Elisabetha Kernin (1730–1804), verfaßt nach 1798: No. I der Gemeintags-Lectionen vom Jahre 1805.

3 Beispiele dafür sind die Lebensläufe des Ernst Siegmund Fockel (1715–1795), verfaßt 1791: IX. Beilage (zur 40. Woche) 1795, wieder in: Gem.-Nachrichten 1848 I, 3, S. 465–480; des Bernhard Adam Grube (1715–1808), verfaßt 1806: Gem.-Nachrichten 1857 I, 4, S. 290–303; (nur bedingt, weil ausführliche Bekehrungsgeschichte: des Traugott Bagge (1729–1800), verfaßt nach 1792: Gem.-Nachrichten 1875, I, 3, S. 233–246).

4 S. o. S. 63 (Typ 2).

5 Z. B. Leben der Fräulein Henriette Sophie von Miltitz, von ihr selbst beschrieben (verfaßt 1783). In: Unterhaltungen mit Serena, moralischen Inhalts. [Dritter Theil.] Aus dem Nachlasse Johann Georg Müllers hrsg. von Johannes *Kirchhofer*. Winterthur 1835, S. 175–199. – Lebenslauf der am 23. Dezember 1808 in Kleinwelka entschlafenen ledigen Schwester Henriette Sophie Gräfin von Hohenthal (verfaßt 1807). In: Mitteilungen aus der Brüder-Gemeine 1908, Nr. 11 (Nov.), S. 505–527.

6 Lebenslauf der Prinzessin Henriette Caroline Luise zu Anhalt-Dessau, gebornen Gräfin zur Lippe, heimgegangen in Kleinwelke den 27sten July 1795 (verfaßt am 12. Oktober 1791). In: Gem.-Nachrichten 1832 I, 3, S. 438–461.

7 Z. B. ebda., S. 440 f., 443 (Todeswunsch), 445, 448 (quälende Glaubenszweifel).

8 Z. B. ebda., S. 445, 454 (Selbstvernichtung), 456, 457 f.

9 Z. B. ebda., S. 444 (»Selbstgefälligkeit«), 446 f. (Pharisäismus), 449 (»Empfindeley«, »Schwärmerey«), 451 (Selbstgerechtigkeit).

10 Ebda., S. 442.

11 Ebda., S. 454 f.

12 Ebda., S. 445, 449 f., 452, 453.

13 Ebda., S. 458.

14 Ebda., S. 444.

15 Ebda., S. 459.

16 Ebda., S. 448, 450, 454 f., 459; Gebetsrahmen: S. 438, 461.

17 Vgl. o. S. 9 f.

18 Catharina Elisabeth *Goethe* an ihren Sohn, Mitte Dezember 1795 (Briefe aus dem Elternhaus, hg. v. Ernst *Beutler*, Zürich 1960, S. 692) und 1. Oktober 1796 (ebda., S. 712). – Johann Kas-

par Lavaters Vermächtniß an Seine Freunde. Zürich 1796, H. 2, S. 263 (28. Hornung 1796). – Barbara *Schultheß* an Goethe, 27. Oktober 1795 (GJb 13, 1892, S. 16 u. 162).

19 Näheres darüber hat *Goethe* in »Dichtung und Wahrheit«, 8., 14. u. 15. Buch mitgeteilt: W. A. I, 27, S. 199–201 u. 28, S. 268 f. u. 301–303.

20 Vgl. vor allem Wilhelm v. *Humboldt* an Goehte, 9. Februar 1796: Briefe an Goethe, Bd. 1, Hamburg 1965, S. 217 f.

21 *Wieland*, nach: Literarische Zustände und Zeitgenossen. In Schilderungen aus Karl Aug. Böttiger's handschriftlichem Nachlasse. Herausgegeben von K. W. *Böttiger*. Bd. 1, Leipzig 1838, S. 169. – Charlotte von *Stein* an ihren Sohn Fritz, 6. Dez. 1796, und an Schillers Frau, 11. November 1795: Goethes Briefe an Frau von Stein. Hrsg. von A. *Schöll*. 3. Aufl. besorgt von Julius *Wahle*. Bd. 2, Frankfurt/Main 1900, S. 344. – Vgl. auch Lavaters Vermächtniß, H. 2, S. 263. – Zur Nachwirkung dieser zeitgenössischen Annahme s. u. S. 124, Anm. **.

22 *Goethe* an Schiller, 18. März 1795: Briefwechsel zwischen Schiller und Goethe, hg. v. Hans Gerhard *Gräf* und Albert *Leitzmann*. Leipzig 1912, Bd. 1, S. 61.

23 Dichtung und Wahrheit, 8. Buch (1812): W. A. I., 27, S. 199 f.

24 Albert *Bielschowsky*, Goethe. Sein Leben und seine Werke. 19. Aufl. München 1916, Bd. 2, S. 157.

25 Z. B. an Sebastian Friedrich Trescho, 2. Juli 1763 u. 20. Dezember 1764; an Friedrich Wenzeslaus Neißer, 15. Dezember 1768 u. 16. März 1769; an Karl v. Moser, 21. Januar 1774: Die schöne Seele. Bekenntnisse, Schriften und Briefe der Susanna Katharina von Klettenberg. Hg. v. Heinrich *Funck*. Leipzig 1911, S. 222, 226 f.; 242, 247 f.; 252–256.

26 Belege dafür in den Briefen: an Trescho, 2. Juli 1763 u. 20. Dezember 1764; an Neißer, 15. Dezember 1768; an Lavater, 9. Januar u. 12. September 1774; in den Liedern: »Komm, ewger Geist«, 11. Strophe; »Erscheine mir im Hirtenkleide«, 1. u. 5. Strophe: Die schöne Seele, S. 221, 227, 242 f., 251, 282; 203, 205 f.

27 An Trescho, 2. Juli 1763: ebda., S. 222.

28 An Trescho, 2. Juli 1763; an Lavater, 12. September 1774; Lieder: »Erscheine mir im Hirtenkleide«, 1. Strophe; »Eilt, Stunden, eilt«, 1. u. 2. Strophe; »O mein Immanuel«, 3. Strophe: ebda., S. 221, 282; 205, 208, 210.

29 An Karl v. Moser, 21. Januar 1774: ebda., S. 255.

30 An Lavater, 12. September 1774: ebda., S. 282.

31 W. A. I, 22, S. 316.

32 Z. B. ebda., S. 259, 278, 283 f., 287 f., 288 f., 305, 311, 316.

33 Vgl. August *Langen*, Der Wortschatz des deutschen Pietismus. Tübingen ²1968, S. 465.

34 Z. B. W. A. I, 22, S. 283, 287 f., 316.

35 Ebda., S. 311.

36 Ebda., S. 298 f.

37 Ebda., S. 295.

38 Ebda., S. 317. – Schon zu Beginn der »Bekenntnisse« wird diese psychologische Deutung der Vision präludiert: »Ein ähnliches Abenteuer mit einem reizenden kleinen Engel ... setzte ich so lange fort, daß meine Einbildungskraft sein Bild fast bis zur Erscheinung erhöhte.« (ebda., S. 261).

39 *Schiller* an Goethe, 17. August 1795: Briefwechsel, Bd. 1, S. 88.

40 *Goethe* an Schiller, 18. März 1795: ebda., Bd. 1, S. 61.

41 W. A. I, 22, S. 288–297 (Spannung zu Narziß), 312–318 (Entdeckung der Sünde und des Glaubens).

42 Vgl. ebda., S. 324.

43 Ebda., S. 327–356.

44 Ebda., S. 338, 335.

45 Ebda., S. 352 f.

46 *Schiller* an Goethe, 3. Juli 1796: Briefwechsel, Bd. 1, S. 180.

47 S. o. S. 65 ff.

48 Vgl. o. S. 104 ff.

49 Vgl. o. S. 69 ff.

50 Kurze Uebersicht meiner Lebensgeschichte. In: (Johann Georg Müller), Blumen/ auf den Altar/ meiner Geliebten./ 1786. – Handschrift in der Stadtbibliothek Schaffhausen/Schweiz, Nachlaß Joh. Gg. Müller, Nr. 154–156. – Blätter in Sedezformat, auf denen Müller in wöchentlichen Fortsetzungen vom April 1786 bis zur Vermählung im Oktober 1788 seiner Freundin und Braut eigene Gedanken (über Träume, Musik, Freundschaft, Ereignisse des Kirchenjahres), Lesefrüchte und längere Exzerpte aus Schriftstellern (Shaftesbury, Milton) zum Zwecke einer christlich-humanistischen Bildung mitteilt; vgl. Bl. 2r (23. April 1786): »Es ist mir beygefallen, Ihnen meine liebste Freundinn, alle Samstage ein solches Blättchen zu schreiben, nicht in Briefform, sondern in Form eines *Wochenblättchens*, worin ich das sagen will, was ich die Woche über entweder in Büchern, oder aus mir selbst *für Sie* gefunden habe.« Die eigene Lebensgeschichte erscheint darin zusammenhängend vom 3. September bis 19. November 1786 (Bll. 49r–102r). Bisher sind von ihr nur die Berichte über die beiden Aufenthalte bei Herder in Weimar 1780 und 1781/82 (Bll. 79v–80r; 87r–92v), der zweite nur unvollständig, publiziert: Aus dem Herder'schen Haus. Aufzeichnungen von Johann Georg Müller (1780–82). Hg. v. Jakob *Baechtold*. Berlin 1881, S. X–XII, XIV–XXI.

51 Vgl. Bl. 101v, wo Müller seine Braut diejenige Person nennt, »an die ich diesen kurzen Lebenslauf, in der Absicht, damit sie mich besser kenne, u. mit möglichster Aufrichtigkeit geschrieben habe.«

52 Z. B. Bl. 54v (Faulheit und Verwilderung durch schlechten Unterricht), 55v (Verstohlenheit als Wirkung des Leseverbots) 64r (Wehmut durch den Tod einiger Freunde), 69r (schwärmerische Ekstase durch übersteigerte Bibellektüre) 80r, 90v (Kleinmut und Unsicherheit gegenüber Herder), 82v (stürmische Empfindungen nach dem Religionsgespräch mit Tobler).

53 Z. B. Bl. 50r (Lektüre des »Oktavianus« als Ursache seines dauernden Hasses gegen Ungerechtigkeit), 51r (Traum von Salomo als Grundlage seines Weisheits-Ideals), 51v, 53v, (heftige Kritik an Erziehung und Unterricht in der Schule: »hätte mich einer meiner Lehrer geliebt ... ich wäre ein ganz anderer Mensch!«), 68r (Lektüre von Lavaters Tagebuch führt zum Entschluß, Geistlicher zu werden), 79v–80r (Begegnung mit Herder).

54 Bl. 69v, 85r.

55 S. o. S. 78.

56 Z. B. Bl. 57r (generelle Selbstanklage), 65r (Kritik schwärmerischer Selbstgespräche), 69v–70r (eines überspannten Vollkommenheitsstrebens), 71v–72r (seiner exzentrischen Theologie und seiner Übung der Selbstbeobachtung), 79v (der eigenen Ängstlichkeit).

57 S. o. S. 78, 73 f.

58 Z. B. Bl. 52r; 63r–v (Reflexion, z. T. in Gebetsform, über die weise Führung der Vorsehung, die sich »unserer Schwachheit« bedient); vgl. ferner Bl. 77r, 79r, 84v, 90r, 91r.

59 Z. B. Bl. 68r (zufällige Lektüre von Lavaters Tagebuch), 78v (Erlebnis des vatikanischen Apollo), 79v–80r (1. Begegnung mit Herder, gipfelnd im Zitat der Schlußstrophe aus Klopstocks Ode »An Bodmer«), 81v (Religionsgespräch mit Tobler).

60 Vgl. Bl. 49r, 63r, 79r, 101v.

61 Johann Georg Müller, Meine Lebens-Geschichte, 1796 [überarbeitet und um wenige Seiten fortgesetzt 1799]. Handschrift in der Stadtbibliothek Schaffhausen/Schweiz, Nachlaß Joh. Gg. Müller, Nr. 173. – 82 Manuskriptseiten im Quartformat, (leicht bearbeitete) Vorlage für den Erstdruck: Selbstbiographie, in: Johann Georg Müller, Lebensbild, dargestellt von Karl *Stokar*. Basel 1885, S. 1–80 (zitiert: SB).

62 SB, S. 3.

63 *Müller*, Uebersicht (1786), Bl. 91r.

64 Bekenntnisse a) 1796 gestrichen: Bl. 63r–v, 79r (Preis der Vorsehung), 68v (Reflexion über die eigene passive Rolle gegenüber dem Schicksal), 83r–84r (Exkurs über die Unerforschlichkeit Gottes und über den religiösen Zweifel), 95v (Betrachtungen über die Liebe); b) 1796 knapp referiert: Bl. 61r–64r = SB, S. 21 f. (Neigung zu »Ketzerei« und Bibelverachtung), 80r = SB, S. 42 (Kleinmut gegenüber Herder), 92v = SB, S. 54 (Abschied von Weimar). – Polemiken a) 1796 gestrichen: Bl. 54r (gespenstische Examensszene), 93r–v (Exkurs über Unterdrückung

mit Invektive gegen orthodoxe Philosophen); b) 1796 kurz referiert: 53v = SB, S. 11 (Kritik an den Lehrern).

65 Z. B. Bl. 53v, 61r–64r, 69r, 80r, 92v.

66 Z. B. SB, S. 19 f. (Prof. Deggeller, Prof. Altorfer), 8, 21 (Romanlektüre), 14, 25 (eigene poetische Pläne), 36 f., 43 f. (Einzelheiten des Studiums in Zürich und Göttingen: Charakteristik der Professoren und ihrer Kollegs; eigene Lektüre), 56 f. (Schaffhausener Freunde), 58 (Ausbildung der eigenen Schreibart und Predigtmethode), 60, 63 (Hiob-Übersetzung, Aufsatz »Der Tod Mosis«).

67 Z. B. SB, S. 28 (Selbstkasteiung), 38 (theologische Irrwege), 62 (Publikation seines »Glaubensbekenntnisses«), 63 (neue Liebe zur Bibel).

68 Ebda., S. 3 f., 50, 64.

69 Z. B. ebda., S. 6 (frühe finstere Eindrücke), 14 (Kindheitslektüre mit bleibenden Kenntnissen), 16 (äußerer Umstand der Katechese als Ursache der späteren Scheu).

70 S. o. S. 56.

71 S. o. S. 101 ff.

72 Biographie des Königl. Preuß. Geheimenkriegsraths zu Königsberg, Theodor Gottlieb von Hippel, zum Theil von ihm selbst verfaßt. Aus Schlichtegrolls Nekrolog [auf die Jahre 1796/97, Gotha 1800/01] besonders abgedruckt. Gotha 1801 (S. 3–4: Vorrede des Verlegers J. Perthes; S. 7–21: Vorrede Schlichtegrolls; S. 22–73: Vorrede Hippels zu seiner Selbstbiographie; S. 73–267: Hippels Selbstbiographie; S. 267–478: biographische Ergänzung durch Schlichtegroll mit ausführlichem Schriftenverzeichnis Hippels).

73 Ebda., S. 72.

74 Ebda., S. 88.

75 Z. B. ebda., S. 102–107, 123 (kindliche Vorstellungen über Gott, Gebet, Gewissen, Opfer; über die Lehre Jesu), 133 (Verhältnis zum Geld), 134 f. (Wunsch nach geschlechtlicher Aufklärung), 152 (kurze Selbstcharakteristik), 168 f. (»Seelenwonne« bei einer guten Tat), 186 (Spielfreude des Einsamen).

76 Ebda., S. 75 (Versuch, Ursache und Folgen bestimmter »widerlicher Empfindungen« zu benennen), 141–144 (Erklärung der eigenen Anlage zur »Satyre«: Vererbung oder Erziehung?).

77 Ebda., S. 125–131.

78 Ebda., S. 216–218; 236–240 (Zitate aus dem Reisetagebuch); 256–260.

79 Ebda., S. 260.

80 Ebda., S. 234. – Vgl. o. S. 105.

81 Ebda., S. 163, 209.

82 Z. B. ebda., S. 208 f. (an die Familie v. Keyser in Kronstadt), 220 (Reiselektüre Virgil und Horaz als Reliquien aufbewahrt); 166, 218 f. (Genugtuung über Selbstüberwindung), 172 (Reue über ironische Rezeptionsrede), 253–255, 260 (vergnügte Erinnerung an den Entwurf eines Lebensplans).

83 Ebda., S. 94 f. (Abhandlung »wider den unzeitigen Kohl«), 97–100 (kindliche Spiele), 140 f., 151 f., u. ö.

84 Ebda., S. 77–79, 81, 146–148; 122 f., 160 f., 167, 183; 84–87, 181 f., 211–213.

85 Ebda., S. 87.

86 J. G. H. Feder's Leben, Natur und Grundsätze. Zur Belehrung und Ermunterung seiner lieben Nachkommen, auch Anderer die Nutzbares daraus aufzunehmen geneigt sind. [Hrsg. von seinem Sohne K. Aug. L. *Feder*]. Leipzig, Hannover, Darmstadt 1825.

87 Ebda., S. XV.

88 Ebda., S. 7 f. (kindliche Vergehen), 26–30 (Knabenstreiche), 40 f., 56, 64 f. (»demühtigende Erinnerungen« an Jähzorn, Eitelkeit, Galanterie aus der Studenten- und Hofmeisterzeit).

89 Vgl. o. S. 79 f.

90 Feder's Leben, S. 118, 124 (Publikums-Mißerfolg nach der Kantischen Revolution), 135 ff. (Stimmungsbilder aus der Göttinger Gelehrtenwelt in der Revolutionszeit).

91 Ebda., S. 10.

92 Z. B. ebda., S. 8 f. (Religionsbräuche in seiner Kindheit), 10 (Formen der Gastfreundschaft, des Leichenbegängnisses, der Hochzeiten), 35–39 (akademischer Unterricht, Predigt).

93 Ebda., S. 129; noch deutlicher im Text S. 131: »von den Folgen der Französischen Revolution in Beziehung auf mich, meine Denkart und Schicksale«.

94 Ebda., S. 136, 134.

95 Ebda., S. 135 ff.

96 Ebda., S. 174–193.

97 Z. B. ebda., S. 177 f., 184 f., 188 ff.

98 Vgl. o. S. 84.

99 Johann Stephan Pütters Selbstbiographie zur dankbaren Jubelfeier seiner 50jährigen Professorstelle zu Göttingen. 2 Bde. Göttingen 1798. 884 S. – Diese zwei Bände umfassen nur den ersten Teil des Unternehmens, die »chronologische Selbstbiographie«; als zweiter Teil waren noch »synchronistische Bemerkungen« geplant, um »vieles, was in meiner Göttingischen Gelehrtengeschichte nur ganz kurz angedeutet worden, aus den von mir erlebten halbhundertjährigen Verhältnissen und Beobachtungen ausführlicher ins Licht zu setzen« (Vorrede). Da aber schon die »chronologische Selbstbiographie« diesen Zweck weithin erfüllte (s. u.), gedieh der zweite Teil über Entwürfe und Materialsammlungen nicht hinaus. – Der erwähnte »Versuch einer academischen Gelehrten-Geschichte von der Georg-Augustus-Universität zu Göttingen« (2 Bde. Göttingen 1765, 1788) ist, wie *Pütter* selbst betont, nicht »nach Art einer an einander hangenden historischen Erzehlung«, sondern »als ein Handbuch ... in gewisser systematischer Ordnung abgefaßt« (Selbstbiographie, S. 464 f.), so daß erst seine Lebensbeschreibung eine geschichtliche Darstellung der Göttinger Universität brachte.

100 Es handelt sich fast nur um Heiratsgeschichten im Bekanntenkreis, die eigene mit eingeschlossen: *Pütter*, Selbstbiographie, S. 237–247, 303–308 u. ö.

101 Ebda., S. 467–469 (für die Anhalt-Cöthnische Ritterschaft), S. 499–503 (für die Reichserbtruchsessischen Grafen in Preussen), 512 (Löwenstein-Wertheimische Revisionssache), 578–581 (für Churcölln), 585–596 (für den Fürsten von Anhalt-Bernburg; für den Herzog von Orleans; für die Landstände der Reussischen Herrschaft Gera) u. ö.

102 Ebda., S. 551–565, 846, 861 (Begegnungen in Bad Pyrmont); 388–414, 721 (Einladungen nach Gotha, nach Ballenstädt), 674 f. (Audienz beim Kurfürsten Karl Theodor von der Pfalz in Schwetzingen).

103 Nicht zuletzt nahegelegt und vorbereitet durch die genannte, von Gerlach von Münchhausen in Auftrag gegebene Göttinger Gelehrtengeschichte.

104 Z. B. *Pütter*, Selbstbiographie, S. 187, 189 f., 257, 260, 513 u. ö.

105 Z. B. ebda., S. 431, 441–444.

106 Ebda., S. 430–448, 806–831.

107 Ebda., S. 827.

108 Ebda., S. 435 f., 815–817.

109 Ebda., S. 197–199 (König Georg II.), 326 (Hessische Prinzen), 509 (Herzog Ferdinand von Braunschweig, 709–715 (Herzog Karl Eugen von Württemberg), 856 f. (Kronprinz von Dänemark), 858–860 (König Friedrich Wilhelm II. von Peußen).

110 Z. B. ebda., S. 342–345, 348, 370 (Siebenjähriger Krieg); 837 (Erster Koalitionskrieg).

111 Ebda., S. 838 f.

112 Ebda., S. 37 f.

113 [Selbstbiographie von] Johannes Müller. In: Bildnisse jetztlebender Berliner Gelehrten mit ihren Selbstbiographieen. Herausgegeben von S. M. *Lowe*. Berlin 1806 (S. III–IX: Vorbericht des Herausgebers; S. X: Miniaturporträt »Johannes von Müller« mit Vignette der drei Eidgenossen; S. 3–49: Selbstbiographie von Johannes von Müller).

114 Ebda., S. 3 f.

115 Ebda., S. 4–7; Zitat S. 6.

116 Ebda., S. 15–21.

117 Ebda., S. 22 f.; vgl. auch S. 31.

118 Z. B. ebda., S. 20 (»die Stürme der nordamerikanischen Revolution«), 28, 30 (»Unruhen von

Genf«), 31, 44 f. (Untergang des »alten freien großen Berns«), 37 f. (über den Fürstenbund), 40 (»Mißgeschick der coalisirten Waffen« im ersten Revolutionskrieg; Übergabe von Mainz), 44 (Napoleons Sieg bei Mantua).

119 Ebda., S. 24 f.
120 Ebda., S. 35 f.
121 Ebda., S. 46 f.
122 Ebda., S. 47 f.
123 Ebda., S. 28, 37 f., 40, 44, 31, 44 f.
124 Ebda., S. 28, 36 f., 44 mit den Schrifttiteln in den Fußnoten.
125 Ebda., S. 45.
126 Ebda., S. 23.
127 W. A. I, 40, S. 360–366. – Vgl. o. S. 110 ff.
128 W. A. I, 40, S. 362.
129 W. A. I, 40, S. 363.
130 W. A. I, 40, S. 363.
131 W. A. I, 40, S. 363 f.
132 August von Kotzebue, Mein literärischer Lebenslauf. In: A. v. K., Die jüngsten Kinder meiner Laune. Fünftes Bändchen. Leipzig 1796, S. 123–243. – Wieder u. d. T.: Mein literarischer Lebenslauf, in: A. v. K., Die jüngsten Kinder meiner Laune. Sechster Theil (= A. v. K. ausgewählte prosaische Schriften. 26. Bd.). Wien 1843, S. 101–182.
133 August Wilhelm Iffland, Meine theatralische Laufbahn. Leipzig 1798. 300 S. (Datiert: »Berlin, den 17ten April 1798.«).
134 S. o. S. 22 f.
135 *Kotzebue* (1796), S. 137–139, 147–159; *Iffland*, S. 1–23.
136 *Kotzebue* (1796), S. 165 f.; *Iffland*, S. 36–38.
137 *Kotzebue* (1796), S. 166, 182 f., 190 f.; *Iffland*, S. 17–21, 38–41, 145–155.
138 *Kotzebue* (1796), S. 220–243.
139 *Iffland*, S. 70 (»Der schönen herrlichen Zeit!«), 130 (»Unbeschreibliche Wehmuth erfüllt mich ... Jene Zeiten sind vorüber!«), 291, 294.
140 Ebda., S. 83–88 (»ein Wort über die älteren und neueren Deutschen Schauspieler«), 173 (Rechtfertigung, die vergängliche Kunst der Schauspieler für die Nachwelt zu rühmen).
141 *Kotzebue* (1796), S. 128 f., 158.
142 *Iffland*, S. 197.
143 Ebda., S. 198–204, 216–272, 280–285.
144 Z. B. in der dramatisch stilisierten Erzählung von Bombardement und Einnahme des belagerten Mannheim 1795 (ebda., S. 252–258).
145 Ebda., S. 281, 287.
146 S. u. S. 158 ff.
147 Vgl. Friedrich *Sengle*, Stilistische Sorglosigkeit und gesellschaftliche Bewährung (1963). In: F. S., Arbeiten zur deutschen Literatur 1750–1850. Stuttgart 1965, S. 164. – Georg *Jäger*, Roman und Empfindsamkeit, S. 103 ff.
148 Dr. Carl Friedrich Bahrdts Geschichte seines Lebens, seiner Meinungen und Schicksale. Von ihm selbst geschrieben. 4 Theile. Berlin 1790–1791.
149 Salomon Maimon's Lebensgeschichte. Von ihm selbst geschrieben und herausgegeben von K. P. *Moritz*. 2 Theile. Berlin 1792–1793.
150 *Bahrdt*, T. 1, S. 47 f.
151 *Maimon*, T. 2, Vorrede, S.)(3v.
152 *Bahrdt*, T. 2, S. 199 (Überschrift).
153 *Bahrdt*, T. 1, S. 293; T. 3, S. 47; T. 4, S. 113, 117. – *Maimon*, T. 1, S. 145, 292 u. ö.
154 *Bahrdt*, T. 1, S. 256 ff.; T. 4, S. 107 ff.
155 *Maimon*, T. 2, Vorrede)(4r.
156 S. o. S. 12 f.
157 S. o. S. 9–12.

158 *Bahrdt*, T. 1, S. 264–278; T. 2, S. 211–223; T. 4, S. 111–114.

159 *Maimon*, T. 2, S. 1–150.

160 *Bahrdt*, T. 2, S. 42 ff., 52–54, 143 ff.; T. 4, S. 192 ff.

161 *Maimon*, T. 1, bes. S. 1–23 (Ständegesellschaft in Polen; »Des Großvaters Ökonomie«), 43–48 (»Jüdische Schulen«), 120–125 (»Streben nach Geistesausbildung im ewigen Kampf mit Elend aller Art«).

162 Z. B. *Maimon*, T. 1, S. 270–273, 290–292; T. 2, S. 203–205, 238 f., 246–251.

163 *Bahrdt*, T. 3, S. 376–406; T. 4, S. 3–17.

164 *Maimon*, T. 1, S. 274 ff.

165 *Bahrdt*, T. 1, S. 134–145, 170–178, 370–381; T. 2, S. 83–105. – *Maimon*, T. 1, S. 80–105; T. 2, S. 208–213, 246–251.

166 *Bahrdt*, T. 1, S. 314–316, 362–364 (Leipzig); T. 2, S. 3–40 (Erfurt), 152–160 (Gießen), 318–322 (Marschlinz); T. 3, S. 43–45 (Dürkheim), 259–372 (Reise nach Holland und England); T. 4, S. 18–28 (Halle). – *Maimon*, T. 1, S. 198–203 (Hofmeister in einem polnischen Dorf), 261–263 (Königsberg); T. 2, S. 151–156 (Berlin), 200–205 (Holland).

167 *Bahrdt*, T. 1, S. 90–94 (Lehrer in Schulpforta), 118–122 (Crusius), 337–350 (»Ein origineller Geizhals«), 387–389 (Klotz); T. 2, S. 21–29 (Erfurter Kollegen), 165–181 (Gießener Kollegen), 297–300 (Salis von Marschlinz); T. 3, S. 24–36 (Hof von Dürkheim), 137–156 (Heidesheim: »Philanthropinische Bildergalerie«); T. 4, S. 19–25 (Hallische Kollegen). – *Maimon*, T. 1, S. 108–119 (Fürst R. …); T. 2, S. 168–186 (Moses Mendelssohn).

168 *Bahrdt*, T. 1, S. 80–114 (»Schulpforte wie sie zu meiner Zeit war«); T. 2, S. 328–335 (politische Verfassung des Bündnerlandes). – *Maimon*, T. 1, S. 1–23 (Gesellschaftszustände im Polen seiner Jugendzeit), 207–242, 256–258 (jüdisches Sektenwesen).

169 Z. B. bei *Maimon*, T. 1, 10. Kap.: »Man reißt sich um mich, ich bekomme zwey Weiber auf ein mal, und werde endlich gar entführt.« – 11. Kap.: »Meine Verheirathung im eilften Jahre macht mich zum Sklaven meiner Frau, und verschafft mir Prügel von meiner Schwiegermutter.« – T. 2, 13. Kap.: »Eine alte Närrin verliebt sich in mich, bekömmt aber einen Korb.«

170 Z. B. *Bahrdt*, T. 1, S. 153–170, 337–360; T. 2, S. 210–226, 227–238 (»Proben komischer Auftritte«). – *Maimon*, T. 1, S. 109–119.

171 Z. B. bei *Maimon*, T. 1, S. 59–65 (Talmud-Studium der Juden), 126–129 (über die Kabbala), 150–180 (»Kurze Darstellung der jüdischen Religion von ihrem Ursprung bis auf die neuesten Zeiten.«), 243–255 (»über Religionsgeheimnisse«); T. 2, S. 1–150 (Kommentar des Maimonides).

172 Z. B. *Bahrdt*, T. 1, S. 336, 385; T. 2, S. 326 f.; T. 4, S. 227. – *Maimon*, T. 1, S. 150, 243; T. 2, S. 151.

173 F. C. Laukhards, vorzeiten Magisters der Philosophie, und jetzt Musketiers unter dem von Thaddenschen Regiment zu Halle, Leben und Schicksale, von ihm selbst beschrieben … 5 Teile (in 6 Bden). Halle 1792; ab T. 3: Leipzig 1796–1802.

174 Ebda., T. 1, S. XII, 35; T. 2, S. 468, 507–512.

175 Im einzelnen werden dargestellt: Gießen (ebda., T. 1, S. 65–111), Mainz (T. 1, S. 219–228), Göttingen (T. 1, S. 248–266), Heidelberg (T. 1, S. 286–297), Straßburg (T. 2, S. 35–40), Halle (T. 2, S. 88–130).

176 So lautet der zusätzliche Titel des 3. und 4. Teils der Laukhard'schen Autobiographie.

177 Z. B. die Exkurse: »Französische Emigranten« (ebda., T. 3, S. 29–66), »Beschreibung der preußischen Feldlazarethe« (T. 3, S. 244–268), »Ursprung und Macht des Jakobinismus« (T. 4/1, S. 109–120), »Religionszustand in Frankreich, am Ende des Jahres 1793« (T. 4/1, S. 232–303), »Von den fremden Deserteurs in Frankreich« (T. 4/1, S. 406–417), »Beschreibung der französischen Lazarethe« (T. 4/1, S. 454–466), »Rechtspflege in Frankreich« (T. 4/1, S. 481–490). »Zustand der Kriegsgefangenen in Frankreich« (T. 4/2, S. 29–42), »Von der Freyheit und Gleichheit der Franzosen« (T. 4/2, S. 83–93), »Schreckens-System oder Terrorismus« (T. 4/2, S. 93–105), »Veränderung und Sturz des Terrorismus« (T. 4/2, S. 105–114). – Laukhard rechtfertigt diese »Ausschweifungen« und »Nebengänge« häufig durch den Hinweis auf ihren belehrenden Charakter, z. B. T. 3, S. 254, T. 4/1, S. 109, 405, 453.

178 Ebda., T. 4/1, S. 434.
179 Ebda., T. 3, S. 164 f. – Laukhard charakterisiert damit den anonymen Verfasser der »Briefe eines preußischen Augenzeugen über den Feldzug des Herzogs von Braunschweig gegen die Neufranken. Erstes bis Sechstes Pack (in 7 Bden.). Germanien 1794–1798«, die in Thema, Diktion und Urteil so genau mit Laukhards Feldzugserinnerungen übereinstimmen, daß auch diese »Briefe« von ihm stammen müssen.
180 Der deutsche Gil Blas. Eingeführt von Goethe oder Leben, Wanderungen und Schicksale Johann Christoph Sachses, eines Thüringers. Von ihm selbst verfaßt. Stuttgart und Tübingen 1822. Neuausgabe mit einem Nachwort von Wulf *Segebrecht*, München 1964. – [Johann Christian Mämpel] Der junge Feldjäger, in französischen und englischen Diensten während des spanisch-portugiesischen Kriegs von 1806 bis 1816. Eingeführt durch J. W. von Göthe. 2 Bdchen. Leipzig 1826. – Memoiren Robert Guillemard's verabschiedeten Sergenten. Begleitet mit historischen, meisten Theils ungedruckten Belegen von 1805–1823. 2 Theile. Leipzig 1827.
181 W. A. I, 42/2, S. 129 (Maximen und Reflexionen. Eigenes und Angeeignetes = Hecker Nr. 179).
182 W. A. I, 33, S. 75.
183 Z. B. Laukhards Leben, T. 3, S. 97, 315–317; T. 4/2, S. 105.
184 So *Goethe* im Vorwort zu Mämpels Kriegserinnerungen »Der junge Feldjäger« (1826): W. A. I, 42/1, S. 105.
185 S. o. S. 15, 30, 85.
186 Karl von Dittersdorfs Lebensbeschreibung. Seinem Sohne in die Feder diktirt. [Hrsg. von Karl *Spazier*]. Leipzig 1801. (S. III–X: Vorbericht des Herausgebers; S. XI–XII: Verzeichniß der Subscribenten; S. 1–294: Dittersdorfs Selbstbiographie). – Neuausgabe mit einem Nachwort von Norbert *Miller*, München 1967 (Lebensläufe. 12).
187 S. o. S. 22 f.
188 Z. B. Dittersdorfs Lebensbeschreibung (1801), S. 111–113 (Konzerte in Bologna), 122 f. (Wettstreit mit Lolli), 269–274 (Aufführung des Oratoriums »Hiob« in Berlin).
189 S. o. S. 87 ff.
190 Dittersdorfs Lebensbeschreibung (1801), S. IV (Vorbericht des Herausgebers).
191 Ebda., S. 5; vgl. ebda., S. 99, 154, 186 f., 188, 209, 247, 288.
192 Ebda., S. 65; vgl. ebda., S. 178, 25, 71.
193 Ebda., S. 15, 32, 55, 84, 114, 177 u. ö.
194 Z. B. Dittersdorfs Lebensbeschreibung (1801), S. 77 f. (Glücksgefühl beim ersten großen Konzerterfolg), 94, 98 (Gewissensbisse während und nach der Flucht), 294 (Selbstanklage in den Schlußsätzen).
195 Z. B. ebda., S. 140, 161–165, 203–205, 231–240, 279–285 (Gespräche mit dem Bischof von Großwardein, dem Kapellmeister Gazmann, mit Kaiser Joseph II., dem Fürstbischof von Breslau), 137 f. (erstes Auftreten als Kapelldirektor in Preßburg), 175–180 (Liebesabenteuer mit einer Solotänzerin und Lösung dieses Verhältnisses), 194–200 (Promotion zum Forstmeister, Verzicht auf die Weltreise, »ehrbare Heirat«), 286–288 (Verhalten gegenüber dem Fürstbischof und dem Schloßpersonal auf Johannesberg).
196 Ebda., S. 247 f., 251, 278, 286–290, 294; Zitat S. 288.
197 Ebda., S. 63–72 (Fest für Kaiser Franz I. in Schloßhof), 230–243, 253–274 (Konzerte und Opern in Wien und Berlin; Audienzen bei Kaiser Joseph II. und König Friedrich Wilhelm II.).
198 Ebda., S. 105–121.
199 Ebda., S. 214 f., 219 f.
200 Carl Friedrich Zelter, Erste Niederschrift der Selbstbiographie. In: Carl Friedrich Zelters Darstellungen seines Lebens. Zum ersten Male vollständig nach den Handschriften herausgegeben von Johann-Wolfgang *Schottländer*. (Schriften der Goethe-Gesellschaft. 44). Weimar 1931, S. 7–197. – Entwürfe für die Fortsetzung der ersten Niederschrift (ebda., S. 201–214) stammen aus dem Jahre 1822, eine zweite, wesentlich kürzere Niederschrift der Selbstbiographie (ebda., S. 215–259) folgte um 1825. – Im Erstdruck der hinterlassenen Papiere hat Zelters Enkel beide

Fassungen ineinandergearbeitet: Wilhelm *Rintel*, Carl Friedrich Zelter. Eine Lebensbeschreibung. Nach autobiographischen Manuscripten bearbeitet. Berlin 1861.

201 Schnittpunkte beider Linien sind z. B. *Zelter* (1931), S. 39, 45 f., 60, 81, 131–135, 143, 174.

202 Z. B. ebda., S. 16, 22, 60, 62, 70, 77, 93, 124 f., 129, 133, 142, 162 f. u. ö.

203 Z. B. ebda., S. 46, 56–59, 62, 128, 170–172, 175; Zitat S. 46.

204 Ebda., S. 39, 97, 139.

205 Z. B. ebda., S. 40–45 (Haus des Stadtmusikus George), 63 f., 82–86 (Milieu dreier Stockwerke
in einem Berliner Haus), 87 ff. (Hauswesen eines Domänenbeamten), 111 f. (»das inwendige
Leben des Schauspielergewerks«), 136 f. (das schöngeistige Haus Ephraim) u. a.

206 Ebda., S. 20 f., 23 f., 27, 29.

207 Ebda., S. 24.

208 Ebda., S. 64–80 (Aline), 87–103 (Bertha), 136 f., 149–159 (Jeanette); vgl. ferner ebda., S.
176–189 (Freundschaft mit Marie Eichner) und S. 190–197 (Bekanntschaft mit seiner ersten
Frau Sophie Flöricke).

209 Ebda., S. 95 f., 99–102 (Berthas Bräutigam), 153, 158 f. (Künstler im Hause Ephraim), 191 ff.
(Freier der Sophie Flöricke als komische Kontrastfiguren).

210 Ebda., S. 70–72, 74–76, 80, 97, 137.

211 Z. B. ebda., S. 105–107, 113–115, 179 f.

212 J. G. Seume, Mein Leben. Leipzig 1813. (S. 1–183: Seumes selbstbiographisches Fragment; S.
184–264: biographische Ergänzung durch Georg Joachim Göschen, unterzeichnet: »-n.«; S.
265–285: Nachricht von Seumes Tod und Begräbnis durch C. A. H. Clodius). – Neudruck von
Seumes Fragment in: J. G. Seume, Prosaschriften. Mit einer Einleitung von Werner *Kraft*. Köln
1962, S. 51–154.

213 *Seume*, Prosaschriften, S. 160.

214 *Seume* an Wieland, Januar 1810: Johann Gottfried Seume. Geschichte seines Lebens und seiner Schriften von Oskar *Planer* und Camillo *Reißmann*. Leipzig 1898, S. 639.

215 *Seume*, Mein Leben (1813), S. 18–23, 27 f.; 30–32, 35 f.; 47 f., 52–54, 69 f., 86 f.

216 Ebda., S. 5–7.

217 Ebda., S. 23–25, 37–41.

218 Ebda., S. 98–101.

219 Ebda., S. 102 f.; Zitat S. 103.

220 Ebda., S. 103–106; vgl. ebda., S. 109: »Am Ende ärgerte ich mich weiter nicht; leben muß man
überall: wo so viele durchkommen, wirst du auch: über den Ocean zu schwimmen war für einen jungen Kerl einladend genug; und zu sehen gab es jenseits auch etwas. So dachte ich.«

221 Ebda., S. 106–183.

222 Z. B. ebda., S. 123 f., 130 f., 155–158; 126, 139, 179 f.; 133 f., 146, 149–152, 162–170.

223 Ebda., S. 106, 109, 111, 113 f.; 172 f., 174 f.

224 Ebda., S. 171.

225 Ebda., S. 172.

226 Z. B. ebda., S. 116, 128 f.; 147 f., 153, 160 f.

227 Ebda., S. 135–138.

228 W. A. I, 22, S. 337.

229 Die bisher einzige nennenswerte größere Monographie über das Werk stammt von Kurt *Jahn*:
Goethes Dichtung und Wahrheit. Vorgeschichte – Entstehung – Kritik – Analyse. Halle 1908
(382 S.). – Überblicke mit Versuchen geschichtlicher Einordnung bieten: Gustav *Roethe*, Dichtung und Wahrheit. In: Berichte des Freien Deutschen Hochstifts 17 (1901), S. 1*–26*; wieder
in: G. R., Goethe. Berlin 1932, S. 1–24. – Georg *Misch*, Geschichte der Autobiographie, Bd.
IV/2 (geschrieben 1904). Frankfurt/Main 1969, S. 917–955. – Martin *Sommerfeld*, J. J. Rousseaus »Bekenntnisse« und Goethes »Dichtung und Wahrheit«. In: M. S., Goethe in Umwelt
und Folgezeit. Leiden 1935, S. 9–35. – Ewald A. *Boucke*, Einführung in Goethes selbstbiographisches Schaffen und Einleitung zu »Dichtung und Wahrheit«. In: Goethes Werke. Festausgabe. Bd. 15, Leipzig o. J., S. 7*–153*. – Ernst *Beutler*, Nachwort zu »Dichtung und Wahr-

heit«. In: Goethe-Gedenk-Ausgabe, Bd. 10, Zürich 1948, S. 881–955; wieder in: E. B., Essays um Goethe. Bremen ⁵1957, S. 697–779. – Erich *Trunz*, Anmerkungen zu »Dichtung und Wahrheit«. In: Goethes Werke. Bd. 9. Hamburg 1955, S. 599–631. – Durch die neue kritische Ausgabe wird künftig jede Einzelforschung auf eine sichere philologische Grundlage gestellt: Goethe. Aus meinem Leben. Dichtung und Wahrheit. Historisch-kritische Ausgabe, bearbeitet von Siegfried *Scheibe*. Bd. 1: Text; Bd. 2: Überlieferung, Variantenverzeichnis und Paralipomena. Berlin: Akademie Verlag 1970–1974 (= AA).

230 S. o. S. 109 ff. – Einen Überblick über alle theoretischen Äußerungen Goethes zur (Auto-)Biographie bringt Ursula *Wertheim*, Zu Problemen von Biographie und Autobiographie in Goethes Ästhetik. In: U. W., Goethe-Studien. Berlin 1968, S. 89–126.

231 Näheres darüber s. o. S. 110 ff.

232 Vgl. *Goethe* an Philipp Hackert, 4. April 1806: s. o. S. 111; *Goethe* an Christian Heinrich Schlosser, 23. November 1814.

233 *Goethe* an Johann Friedrich Rochlitz, 11. September 1811: W. A. IV, 22, S. 164.

234 *Goethe* an Cotta, 4. Mai 1811: W. A. IV, 22, S. 390.

235 *Goethe* an Franz Bernhard von Bucholtz, 14. Februar 1814: W. A. IV, 24, S. 153.

236 »Dichtung und Wahrheit« entstand im Zeitraum 1811–1831; Erstdruck u. d. T.: Aus meinem Leben Dichtung und Wahrheit. Von Goethe. Erster (– Dritter) Theil. Tübingen, in der J. G. Cottaischen Buchhandlung. 1811, 1812, 1814. – Vierter Theil. Goethe's Werke. Vollständige Ausgabe letzter Hand. Acht und vierzigster Band. Stuttgart und Tübingen, 1833 (Goethe's nachgelassene Werke. Achter Band). – Zur Entstehungsgeschichte im einzelnen vgl.: Kurt *Jahn*, Goethes Dichtung und Wahrheit, S. 127–238. – Momme *Mommsen* unter Mitwirkung von Katharina *Mommsen*, Die Entstehung von Goethes Werken in Dokumenten. Berlin 1958, Bd. 2, S. 348–529 (»Dichtung und Wahrheit«).

237 W. A. I, 26, S. 349–364; AA 2, S. 450–476 (Plp. 6); Goethes biographisches Schema in getreuer Nachbildung seiner Handschrift. Hrsg. von Georg *Witkowski*. Leipzig 1922.

238 W. A. I, 29, S. 253 f. und I, 53, S. 383–388; AA 2, S. 478–497 (Plp. 8).

239 W. A. I, 26, S. 349.

240 Ebda., S. 7.

241 Ebda.

242 Ebda.

243 Ebda.

244 W. A. I, 41/1, S. 218.

245 Vgl. o. S. 109. – Friedrich *Meinecke*, Die Entstehung des Historismus. In: F. M., Werke, Bd. 3, S. 319 ff. (Möser), 400 ff. (Herder).

246 W. A. I, 26, S. 8.

247 W. A. II, 3, S. 244 (Geschichte der Farbenlehre, 17. Jahrhundert, Allgemeine Betrachtungen; geschrieben 1809).

248 W. A. I, 26, S. 7.

249 W. A. III, 4, S. 121 (Tagebuch auf der Reise von Weimar nach Karlsbad, 18. Mai 1810).

250 W. A. II, 11, S. 59 (Bedeutende Fördernis durch ein einziges geistreiches Wort; 1823).) Vgl. o. S. 112.

251 W. A. I, 26, S. 16, 100; 27, S. 185 f.

252 W. A. I, 27, S. 307 f. (Herder); 26, S. 271 f., 339–342; 27, S. 8–10 (Gretchen); 28, S. 21, 22–24, 80 f., 118 (Friederike); 29, S. 23 f., 38 f., 57–59, 156–159, 178, 184 (Lili).

253 W. A. I, 28, S. 120.

254 W. A. I, 27, S. 109 f., 112; 28, S. 120, 225 u. ö.

255 W. A. I, 27, S. 110; 28, S. 150.

256 W. A. I, 42/2, S. 167 (Betrachtungen im Sinne der Wanderer, Nr. 2 = Hecker Nr. 442; 1829).

257 S. o. S. 76 ff., 87.

258 Z. B. W. A. I, 27, S. 25 f. (mit Cornelia), 201 f. (mit Susanne von Klettenberg) und die o. S. 208 Anm. 252 genannten Beispiele; vgl. auch die indirekte Art, die Selbstcharakteristik durch Freunde aussprechen zu lassen, z. B. W. A. I, 29, S. 93 (aus Mercks Mund).

259 Vgl. o. S. 148 ff.

260 Georg *Lukács*, Der historische Roman. IV, 3: Die biographische Form und ihre Problematik. In: G. L., Werke, Bd. 6 (Probleme des Realismus III). Neuwied und Berlin 1965, S. 372.

261 Z. B. W. A. I, 27, S. 71–108 (Geschichte der deutschen Literatur der Aufklärungszeit, mit gelegentlich eingestreuten Ich-Abschnitten), S. 295–302 (Stand und Wirken deutscher Schriftsteller); 28, S. 57–62, 65–67(französische Literatur und Theater), S. 112–116 (literarisches Leben der Zeit: Autor-Verleger-Publikum), S. 124–134 (Geschichte und Gegenwart des Reichskammergerichts), S. 192–197 (Zustand des deutschen Theaters), S. 209–219 (Taedium vitae und englische Literatur der Zeit); 29, S. 69–71, 73–78 (gegenseitiges Verhältnis der Stände in Deutschland).

262 Z. B. W. A. I, 26, S. 48 f., 73, 76 f., 99 f. (erstes Dichten und Verhältnis zum Publikum), S. 63–65 (kindlicher Gottesdienst), S. 74 f. (Puppenspiel), S. 202 f. (kindliche Bibelkritik) usw.

263 Z. B. W. A. I, 26, S. 166 f. (französisches Theater während der Besatzungszeit); 27, S. 96–99 (Bibelkritik der Spätaufklärung), S. 108–110 (Einfluß der »weitschweifigen Periode« der deutschen Literatur), S. 164–166, 182 f. (Lessings »Laokoon«, Winckelmann), S. 308, 313 f. (Herders Anregungen); 28, S. 61–65 (Einfluß der französischen Literatur der Zeit), S. 71–75, 197, 216 (Einfluß Shakespeares und der modernen englischen Dichtung).

264 W. A. I, 28, S. 68: »jene deutsche literarische Revolution,... wozu wir, bewußt und unbewußt, willig oder unwillig, unaufhaltsam mitwirkten«.

265 S. u. S. 161 ff.

266 Vgl. *Mommsen*, Die Entstehung von Goethes Werken, Bd. 2, S. 348–353. – *Jahn*, Goethes Dichtung und Wahrheit, S. 162.

267 W. A. I, 27, S. 302.

268 W. A. I. 26, S. 328.

269 W. A. I, 27, S. 296–299; 28, S. 111 f.

270 Zur Entwicklung des Weimar-Motivs vgl. *Trunz,* Anmerkungen zu »Dichtung und Wahrheit«, Bd. 9, S. 614.

271 W. A. I, 29, S. 62 f.

272 W. A. I, 29, S. 42–45, 49–57; 57–59; 91–137.

273 W. A. I, 29, S. 170–172.

274 Ebda., S. 191.

275 Das letzte Beispiel dafür begegnet im 17. Buch: ebda., S.66–78.

276 Ebda., S. 173–177. – Die Einordnung an dieser Stelle ist schon in einem »Gesamtschema des 4. Teils, ab Dezember 1816« vorgesehen (AA 2, S. 591 ff.: Plp. Nr. 132).

277 W. A. I. 29, S. 177.

278 Ebda., S. 173.

279 Ebda., S. 176.

280 *Goethe* an Johann Friedrich Rochlitz, 30. Januar 1812: W. A. IV, 22, S.252.

281 W. A. I, 28, S. 50.

282 Ebda.

283 Ebda., S. 356–358; AA 2, S. 581–582 (Plp. 122); zur Datierung vgl. AA 2, S. 145: »zwischen dem 3. Juni und dem 20. Juli 1813...entstanden.«

284 W. A. I, 28, S. 356.

285 Ebda., S. 357.

286 Ebda.

287 Nach AA 2, S. 138 f. zwischen 26. April und 3. Juni 1813 diktiert.

288 W. A. I, 29, S. 174, 176.

289 Ebda., S. 173.

290 Ebda., S. 176 f.

291 Ebda., S. 175.

292 Ebda., S. 192.

293 Ebda., S. 173.

294 W. A. I, 27, S. 302; 28, S. 50 f.; 29, S. 177, 180, 185 f.

295 *Goethe* zu Eckermann, 30. März 1831.

296 *Meinecke,* Die Entstehung des Historismus, S. 537.

297 *Goethe* zu Riemer, 4. April 1814; *Goethe* an Schelling, 16. Januar 1815: »Je älter man wird, desto mehr verallgemeint sich alles.« (W. A. IV, 25, S. 159).

298 Vgl. zum folgenden: *Meinecke,* Die Entstehung des Historismus, S. 565–576; Karl *Löwith,* Von Hegel zu Nietzsche, Frankfurt 1969, S. 240–253.

299 *Goethe* an Wilhelm vom Humboldt, 1. Dezember 1831 (W. A. IV, 49, S. 165). – Zur »Empfindung von Vergangenheit und Gegenwart in Eins« vgl. ferner: »Dichtung und Wahrheit«, 14. Buch (W. A. I, 28, S. 284), das Divan-Gedicht »Im Gegenwärtigen Vergangnes« (W. A. I, 6, S. 20 f.), »Tag- und Jahreshefte 1801« (geschrieben 1822/25: W. A. I, 35, S. 104). – Klaus-Rüdiger *Pohle,* »Aus meinem Leben. Dichtung und Wahrheit« oder Die Wiederholung des Lebens. Studien zur Altersperspektive der Geschichte der Jugend. Diss. (masch.) Freiburg/Brsg. 1972.

300 *Goethe,* Geschichte der Farbenlehre, Einleitung (geschrieben 1805): W. A. II, 3, S. VIII.

301 Näheres darüber bei *Groth,* Goethe als Wissenschaftshistoriker, S. 144 f. u. ö.

302 W. A. I, 27, S. 280–282.

303 Ebda., S. 277 f.

304 Vor allem W. A. I, 28, S. 67 f., 139 f., 227 f., 245 f.; 29, S. 88 f., 146 f. – Vgl. Melitta *Gerhard,* Goethes Sturm-und-Drang-Epoche in der Sicht des alten Goethe. Zu »Dichtung und Wahrheit«. In: Jahrbuch des Freien Deutschen Hochstifts 1970, S. 190–202.

305 W. A. I, 28, S. 217, 218, 228; 29, S. 88 f., 93 (Kritik aus Mercks Mund!), 94 f., 146 f.

306 W. A. I, 29, S. 84.

307 Ebda. – Vgl. *Goethe* an Zelter, 11. Mai 1820.

308 Z. B. W. A. I, 26, S. 104 f., 111, 238; 27, S. 113 u. ö.

309 Z. B. W. A. I, 26, S. 56 (Großvater Textor); 27, S. 131 f. (Behrisch), 192 f. (Langer), 306 f. (Herder); 29, S. 27–29 (Jung-Stilling), 187 f. (Demoiselle Delph).

310 Z. B. W. A. I, 26, S. 110, 126, 187; 27, S. 41 (Kinder, Kindheit); 27, S. 114; 29, S. 18 f., 95, 185 (Jüngling, Jugend). – Auffallend ist dabei Goethes Neigung, diese Altersstufen durch Verbindungen wie »Kinder und Volk«, »Jugend und ungebildete Völker«, »Jugend und Leben überhaupt« (W. A. I, 26, S. 126; 27, S. 114; 29, S. 185) noch mehr ins Allgemeine zu heben.

311 Z. B. W. A. I, 26, S. 77 (Dichter); 27, S. 191 f. (Freunde); 26, S. 272, 297 f.; 29, S. 157 f. (Liebende); 29, S. 61–63 (Bräutigam).

312 Z. B. W. A. I, 26, S. 151, 167, 204; 27, S. 164, 214 f., 276 f. u. ö.

313 W. A. III, 4, S. 121 (Tagebuch auf der Reise von Weimar nach Karlsbad, 18. Mai 1810).

314 Vgl. o. S. 56, 107 f.

315 W. A. I, 26, S. 104.

316 *Goethe* zu Eckermann, 30. März 1831.

317 *Goethe* an König Ludwig I. von Bayern, 11. Januar 1830; wiederholt im Brief an Zelter, 15. Februar 1830: W. A. IV, 46, S. 241 f.

LITERATURVERZEICHNIS

A. Quellen

I. Autobiographische Schriften und Sammelwerke

1. Autobiographien

Dr. Carl Friedrich *Bahrdts* Geschichte seines Lebens, seiner Meinungen und Schicksale. Von ihm selbst geschrieben. 4 Theile. Berlin 1790–1791. bei Friedrich Vieweg, dem älteren.

M. Adam *Bernds*, Evangel. Pred. Eigene Lebens-Beschreibung, Samt einer Aufrichtigen Entdeckung, und deutlichen Beschreibung einer der grösten, obwol großen Theils noch unbekannten Leibes- und Gemüths-Plage, Welche GOtt zuweilen über die Welt-Kinder, und auch wohl über seine eigene Kinder verhänget; Den Unwissenden zum Unterricht, Den Gelehrten zu weiterm Nachdencken, Den Sündern zum Schrecken, und Den Betrübten, und Angefochtenen zum Troste. Leipzig, 1738. Verlegts Johann Samuel Heinsius.

Bernd, Adam: Eigene Lebens-Beschreibung. Vollständige Ausgabe. Mit einem Nachwort, Anmerkungen, Namen- und Sachregister hrsg. von Volker *Hoffmann*. München 1973 (Die Fundgrube. 55).

Carl Heinrich von *Bogatzky's* Lebenslauf, von ihm selbst beschrieben. Für die Liebhaber seiner Schriften und als Beytrag zur Geschichte der Spener'schen theologischen Schule herausgegeben (von Knapp). Halle 1801.

[*Bräker*, Ulrich:] Auszüge aus der Lebensgeschichte eines armen Mannes. (Geschrieben i. J. 1781–85). In: Schweitzersches Museum. 4. Jg. (1788), H. 2–3, 5–6, 8–12; 5. Jg. (1789), H. 1–4. Zürich, bey Orell, Geßner, Füßli und Comp.

[*Bräker*, Ulrich:] Lebensgeschichte und Natürliche Ebentheuer des Armen Mannes im Tockenburg. Hrsg. von H. H. Füßli. Zürich, bey Orell, Geßner, Füßli und Compagnie 1789. (Sämtliche Schriften des Armen Mannes im Tockenburg. Gesammelt und hrsg. von H. H. *Füßli*. Erster Theil).

Bräker, Ulrich: Lebensgeschichte und Natürliche Ebentheuer des Armen Mannes im Tockenburg. Basel 1945 (Leben und Schriften Ulrich Bräkers, des Armen Mannes im Tockenburg. Dargestellt und hrsg. von Samuel *Voellmy*. 1. Bd.)

Bräkers Werke in einem Band. Ausgewählt und eingeleitet von Hans-Günther *Thalheim*. Berlin und Weimar 1964 (Bibliothek deutscher Klassiker).

Bräker, Ulrich: Der arme Mann im Tockenburg. Vollständiger Neudruck der Originalausgabe von 1789. Mit einem Nachwort von Wolfgang *Pfeiffer-Belli*. München 1965 (Die Fundgrube. 7).

Selbstbiographie des Senator Barthold Heinrich *Brockes*. Mitgetheilt von Dr. J. M. *Lappenberg*. In: Zeitschrift des Vereins für hamburgische Geschichte. Bd. 2, Hamburg 1847, S. 169–227.

D. Anton Friderich *Büsching*, königl. preußisch. Oberconsistorialraths, Directors des vereinigten berlinischen und cöllnischen Gymnasiums, und der beyden Schulen desselben, eigene Lebensgeschichte, in vier Stücken. Halle, verlegt von sel. Johann Jacob Curts Witwe. 1789.

Chronica eines fahrenden Schülers oder Wanderbüchlein des Johannes *Butzbach*. Aus der lateinischen Handschrift übersetzt und mit Beilagen vermehrt von D. J. *Becker*. Regensburg 1869.

Mémoires de l'impératrice *Catherine II*, écrits par ellemême. Hrsg. von *Herzen*. London 1859.

Memoiren der Kaiserin *Katharina II*. Nach den von der Kaiserlichen Russischen Akademie der Wissenschaften veröffentlichten Manuskripten übersetzt und hrsg. von Erich *Boehme*. 2 Bde. Leipzig 1913.

Leben des Benvenuto *Cellini*, florentinischen Goldschmieds und Bildhauers, von ihm selbst geschrieben. Übersetzt und mit einem Anhange herausgegeben von *Goethe*. Tübingen: Cotta 1803.

Meister Johann *Dietz* des Großen Kurfürsten Feldscher und Königlicher Hofbarbier (Mein Lebenslauf). Nach der alten Handschrift in der Königlichen Bibliothek zu Berlin zum ersten Male in Druck gegeben von Dr. Ernst *Consentius*. Ebenhausen bei München (1915). (Schicksal und Abenteuer. Lebensdokumente vergangener Jahrhunderte. 11). – 2. (mit der Handschrift nochmals verglichene und verbesserte) Auflage, Halle 1935.

Meister Johann Dietz des Großen Kurfürsten Feldscher Mein Lebenslauf. Hrsg. von Friedhelm *Kemp*. München 1966 (Lebensläufe. 6.).

Karl von *Dittersdorfs* Lebensbeschreibung. Seinem Sohne in die Feder diktirt. (Hrsg. von Karl *Spazier*). Leipzig, bei Breitkopf und Härtel. 1801.

Karl Ditters von *Dittersdorf*, Lebensbeschreibung. Hrsg. von Norbert *Miller*. München 1967 (Lebensläufe. 12).

Johann Christian *Edelmanns* von ihm selbst aufgesetzter Lebenslauf, angefangen den 9. Novemb. 1749; Zweiter Theil angefangen den 3. Januar 1752; Dritter Theil (angefangen Frühjahr 1753; Fragment). In: Joh. Chr. Edelmann's Selbstbiographie. Geschrieben 1752. Hrsg. von Carl Rudolph Wilhelm *Klose*. Berlin 1849.

(Veranlaßt durch: Des berichtigten Johann Christian Edelmanns, Leben und Schriften, Dessen Geburt und Familiae, welcher zu Weissenfels geboren und in Jena Theologiam studiret, solche aber verlassen; Dargegen die Spötterey der Christlichen Religion, der heiligen Schrift und der Geistlichkeit ergriffen. Franckfurt, 1750).

J. G. H. *Feder's* Leben, Natur und Grundsätze. Zur Belehrung und Ermunterung seiner lieben Nachkommen, auch Anderer die Nutzbares daraus aufzunehmen geneigt sind. (Hrsg. von seinem Sohne K. Aug. L. *Feder*.) Leipzig, Hannover, Darmstadt 1825.

Anfang und Fortgang der Bekehrung A[ugust] H[ermann] *Francke's* von ihm selbst beschrieben. In: Beiträge zur Geschichte August Hermann Francke's enthaltend den Briefwechsel Francke's und Spener's, hrsg. von G. *Krämer*. Halle 1861, S. 28–55.

H. M. August Hermann *Franckens* vormals Diaconi zu Erffurt, und nach dem er daselbst höchst unrechtmäßigst dimittiret, zu Hall in Sachsen Churf. Brandenburg. Prof. Hebraeae Lingvae, und in der Vorstadt Glaucha Pastoris Lebenslauff. In: August Hermann *Francke*, Werke in Auswahl. Hrsg. von Erhard *Peschke*. Berlin 1969, S. 5–29.

Frédéric II., Histoire de mon temps (Redaction von 1746). Hrsg. von Max *Posner*. Leipzig 1879 (Publicationen aus den K. Preussischen Staatsarchiven. 4), S. 143–499.

Fortgesetzte Nachricht von des Verfassers eignen Schriften, bis zum 1745sten Jahre. In: Johann Christoph *Gottsched*, Erste Gründe der gesammten Weltweisheit, Praktischer Theil. Siebente verbesserte Auflage. Leipzig, verlegts Bernhard Christoph Breitkopf, 1762, Vorrede.

Aus meinem Leben Dichtung und Wahrheit. Von *Goethe*. Erster (– Dritter) Theil. Tübingen, in der J.G. Cottaischen Buchhandlung. 1811, 1812, 1814. – Vierter Theil. Goethe's Werke. Vollständige Ausgabe letzter Hand. Acht und vierzigster Band. Stuttgart und Tübingen, 1833 (Goethe's nachgelassene Werke. Achter Band).

Goethe, Aus meinem Leben. Dichtung und Wahrheit. In: Goethe's Werke. Hrsg. im Auftrag der Großherzogin Sophie von Sachsen. I. Abt., Bd. 26–29, besorgt von Jakob *Baechtold* und Gustav v. *Loeper*. Weimar 1889–1891.

Goethe, Aus meinem Leben. Dichtung und Wahrheit. Historisch-kritische Ausgabe, bearbeitet von Siegfried *Scheibe*. Bd. 1: Text; Bd. 2: Überlieferung, Variantenverzeichnis und Paralipomena. Berlin 1970, 1974 (Herausgegeben von der Deutschen Akademie der Wissenschaften zu Berlin).

Lebensbeschreibung Herrn *Götzens von Berlichingen*. Nach der Ausgabe von 1731 herausgegeben von Albert *Leitzmann*. Halle 1916 (Quellenschriften zur neueren deutschen Literatur. Nr. 2).

Memoiren Robert *Guillemard's* verabschiedeten Sergenten. Begleitet mit historischen, meisten Theils ungedruckten Belegen von 1805–1823. (Übersetzt von Johann Christian *Mämpel*.) Eingeführt und eingeleitet von *Goethe*. 2 Theile. Leipzig: Weygand 1827.

Hamann, Johann Georg: Gedanken über meinen Lebenslauf. Psalm: XCIV. 19. In der Menge meiner Gedanken in mir (und über mich selbst) ergötzen deine Tröstungen meine Seele. London, den 21. April 1758 biß hieher hat mich der Herr geholfen. – Erstdruck in: Fr. *Roth*, Hamanns Schriften, Bd. 1, Berlin 1821, S. 149 ff. – Wieder in: *Hamann*, Sämtliche Werke. Hist.-krit. Ausgabe, hrsg. von Josef *Nadler*. Bd. 2: Schriften über Philosophie, Philologie, Kritik (1758–1763). Wien 1950, S. 9–54.

Reyß- und Lebens-Beschreibung. Mein Johann Caspar Antony *Hammerschmids*. Gebohren zu Lichtenstadt im König-Reich Böhaimb, von Vatter Johann Hammerschmid und Mutter Elisabetha. – Erstdruck u. d. T.: Memoiren eines Vergessenen. (1691–1716). Mitgeteilt von Dr. V. O. *Ludwig*. In: Jahrbuch des Stiftes Klosterneuburg, Bd. VII, 1, Wien und Leipzig 1915, S. 7–66.

Biographie des Königl. Preuß. Geheimenkriegsraths zu Königsberg, Theodor Gottlieb von *Hippel*, zum Theil von ihm selbst verfaßt. Aus Schlichtegrolls Nekrolog [auf die Jahre 1796/97, Gotha 1800/01] besonders abgedruckt. Gotha: Justus Perthes 1801.

Meine theatralische Laufbahn Von August Wilhelm *Iffland*. Leipzig, bey Georg Joachim Göschen. 1798.

Wahre und einfältige Historia Stephani *Isaaci* Allen frommen Christen und Liebhabern der Warheyt zu nutz in Druck verfertiget im Jar M. D. XXCVI. Hrsg. von W. *Rotscheid*. In: Quellen und Darstellungen aus der Geschichte des Reformationsjahrhunderts 14 (1910), S. 1–58.

Johann Heinrich *Jung's*, genannt Stilling, Lebensgeschichte, oder dessen Jugend, Jünglingsjahre, Wanderschaft, häusliches Leben, Lehrjahre und Alter. In: Johann Heinrich *Jung's* sämmtliche Schriften. Hrsg. von I.V. *Grollmann*. Bd. 1, Stuttgart 1835.

Henrich Stillings Jugend. Eine wahrhafte Geschichte. Neu erschienen im Insel-Verlag zu Leipzig 1907 (Neudruck der Original-Ausgabe von 1777, mit einem Nachwort von Franz *Deibel*).

Die schöne Seele. Bekenntnisse, Schriften und Briefe der Susanna Katharina von *Klettenberg*. Hrsg. von Heinrich *Funck*. Leipzig 1911.

Mein literärischer Lebenslauf. In: August von *Kotzebue*, Die jüngsten Kinder meiner Laune. Fünftes Bändchen. Leizig 1796, S. 123–243. – Wieder u. d. T.: Mein literärischer Lebenslauf. In: A. v. K., Die jüngsten Kinder meiner Laune. Sechster Theil (= A. v. K. ausgewählte prosaische Schriften. 26. Bd.). Wien 1843, S. 101–182.

Reisen und Gefangenschaft Hans Ulrich *Kraffts*. Aus der Originalhandschrift hrsg. von K. D. *Haßler*. Stuttgart 1861 (Bibliothek des literarischen Vereins in Stuttgart. 61).

Dr. Joachim *Langens,* Der Theologischen Facultaet zu Halle Senioris, und des Semin. Theolog. Direct. Lebenslauf, Zur Erweckung seiner in der Evangelischen Kirche stehenden, und ehemal gehabten vielen und wehrtesten Zuhörer, Von ihm selbst verfaßet, und mit einigen Erläuterungen, auch eingeschalteten Materien, ausgefertiget. Nebst einem Anhange Väterlicher Warnung, an die der Theologie ergebene studirende Jugend, vor dem Herrenhutischen Kirchenwesen und Missionswercke. Halle und Leipzig, bey Christ. Peter Francken, 1744.

F. C. *Laukhards*, vorzeiten Magisters der Philosophie, und jetzt Musketiers unter dem von Thaddenschen Regiment zu Halle, Leben und Schicksale, von ihm selbst beschrieben, und zur Warnung für Eltern und studierende Jünglinge herausgegeben. Ein Beitrag zur Charakteristik der Universitäten in Deutschland. Erster (– Zweiter) Theil. Halle, bei Michaelis und Bispink. 1792.

F. C. *Laukhards*, Magisters der Philosophie, und jezt Lehrers der ältern und neuern Sprachen auf der Universität zu Halle, Leben und Schicksale, von ihm selbst beschrieben. Dritter Theil, welcher dessen Begebenheiten, Erfahrungen und Bemerkungen während des Feldzugs gegen Frankreich von Anfang bis zur Blokade von Landau enthält. Leipzig, in Commission bei Gerhard Fleischer dem Jüngern. 1796 – Vierten Theils erste (– zweite) Abtheilung, welche die Fortsetzung von dessen Begebenheiten, Erfahrungen und Bemerkungen während des Feldzugs gegen Frankreich enthält. Leipzig, in Commission bey Gerhard Fleischer dem Jüngern. 1797.

F. C. *Laukhards,* Magisters der Philosophie und Sprachmeisters zu Halle, Leben und Schicksale, von ihm selbst beschrieben. Fünfter Theil, welcher dessen Begebenheiten und Erfahrungen bis gegen Ende des Jahres 1802 enthält. Leipzig, in Commission bey Gerhard Fleischer dem Jüngern. 1802.

[*Laukhard*, F. C.:] Briefe eines preußischen Augenzeugen über den Feldzug des Herzogs von Braunschweig gegen die Neufranken. Erstes bis Sechstes Pack (in 7 Bden.). Germanien 1794–1798.

Selbstbiographie des Fürsten *Leopold von Anhalt-Dessau* von 1676 bis 1703. Hrsg. von Ferdinand *Siebigk*. Dessau 1860, S. 5–33.

Friderici *Lucae* eigentliche Lebens- und Todesgeschichte. In: Der Chronist Friedrich Lucä. Ein Zeit- und Sittenbild aus der zweiten Hälfte des siebenzehnten Jahrhunderts. Nach einer von ihm selbst hinterlassenen Handschrift bearbeitet und mit Anmerkungen nebst einem Anhange versehen von Dr. Friedrich *Lucä*. Frankfurt a. M. 1854.

Salomon *Maimon's* Lebensgeschichte. Von ihm selbst geschrieben und herausgegeben von K. P. *Moritz*. In zwei Theilen. Berlin, 1792–1793. bei Friedrich Vieweg dem ältern.

[*Mämpel*, Johann Christian:] Der Junge Feldjäger in französischen und englischen Diensten während des Spanisch-Portugisischen Kriegs von 1806–1816. Eingeführt durch J. W. v. *Goethe*. 2 Bdchen. Leipzig 1826. bei Fr. Fleischer.

Johann David *Michaelis* ehemaligen Professors der Philosophie zu Göttingen, Königl. Großbrit. und Churbraunschweig-Lüneburgischen geheimen Justizrathes, Ritter des Königl. Schwedischen Nordstern-Ordens etc. etc. Lebensbeschreibung von ihm selbst abgefaßt, mit Anmerkungen von [Johann Matthäus] *Hassenkamp*. Nebst Bemerkungen über dessen litterarischen Character von Eichhorn, Schulz – – und dem Elogium von Heyne. Mit dem Brustbilde des Seligen und einem vollständigen Verzeichnisse seiner Schriften. Rinteln, in der Expedition der theologischen Annalen. Leipzig, in Commission bey Johann Ambrosius Barth. 1793.

Anton Reiser. Ein psychologischer Roman. Herausgegeben von Karl Philipp *Moritz*. 4 Theile. Berlin: Friedrich Maurer 1785–1790.

Moritz, Karl Philipp: Anton Reiser. Ein psychologischer Roman. Hrsg. von Ludwig *Geiger*. Heilbronn 1886 (Deutsche Litteraturdenkmale des 18. und 19. Jahrhunderts. Nr. 23).

Anton Reiser. Ein psychologischer Roman. Herausgegeben von Karl Philipp *Moritz*. Vollständiger Text nach der Erstausgabe (1785–1790). Hrsg. und mit einem Nachwort versehen von Klaus-Detlef *Müller*. München 1971 (Die Fundgrube. 52).

Moritz, Karl Philipp: Anton Reiser. Ein psychologischer Roman. Mit Textvarianten, Erläuterungen und einem Nachwort hrsg. von Wolfgang *Martens*. Stuttgart 1972 (Reclams UB Nr. 4813–18).

Lebens-Geschichte Johann Jacob *Mosers*, von ihme selbst beschrieben. o. O. 1768.

Lebens-Geschichte Johann Jacob *Mosers* Königlich-Dänischen Etats-Raths von ihm selbst beschrieben. Dritte, stark vermehrte und forgesetzte Auflage. 4 Theile. Frankfurt und Leipzig. 1777–1783.

Kurze Uebersicht meiner Lebensgeschichte. In: [Johann Georg *Müller*] Blumen auf den Altar meiner Geliebten. 1786, Bl. 49r–102r. Handschrift in der Stadtbibliothek Schaffhausen/Schweiz, Nachlaß J. G. Müller, Nr. 154–156.

Aus dem Herder'schen Hause. Aufzeichnungen von Johann Georg *Müller* (1780–82). Hrsg. von Jakob *Baechtold*. Berlin 1881.

Johann Georg *Müller*, Meine Lebens-Geschichte. für meine Maria und meine Freunde geschrieben. (Motto:) Gott! du hast mich von Jugend an geleitet, darum verkündige ich deine Wege! Psalm 71. – 1796. (überarbeitet und um wenige Seiten forgesetzt 1799). Handschrift in der Stadtbibliothek Schaffhausen/Schweiz, Nachlaß J. G. Müller, Nr. 173.

Selbstbiographie von 1796, in: Johann Georg *Müller*, Lebensbild, dargestellt von Karl *Stokar*. Basel 1885, S. 1–80.

[Selbstbiographie von] Johannes *Müller*. In: Bildnisse jetztlebender Berliner Gelehrten mit ihren Selbstbiographieen. Herausgegeben von S. M. *Lowe*. Berlin: Quien 1806, S. 3–49. – Wieder u. d. T.: Johannes von Müllers Lebensgeschichte, von ihm selbst beschrieben, in: Johannes von *Müllers* Biographische Denkwürdigkeiten. Hrsg. durch Johann Georg *Müller*. 1. Theil. Stuttgart und Tübingen 1834 (J. v. *Müllers* sämmtliche Werke. 29. Theil), S. 1–26.

Lebenslauf des Königlich Preußischen General-Feldmarschalls Dubislav Gneomar *von Natzmer*. Von ihm selbst aufgesetzt 1730. In: Memoiren des Freiherrn Dubislav Gneomar v. Natzmer, Königl. Preußischen Feldmarschalls, ... Mit specieller Erlaubniß des Besitzers hrsg., bearb. u. mit Erläuterungen versehen von Eufemia Gräfin *Ballestrem*. Berlin 1881, S. 1–178.

Des Württembergischen Prälaten Friedrich Christoph *Oetinger* Selbstbiographie. Hrsg. von Dr. Julius *Hamberger*. Mit einem Vorwort von Dr. Gotthilf Heinrich von Schubert. Stuttgart 1845.

Oetinger's Leben. In: M. Friedrich Christoph *Oetinger's* Lebens-Abriß, von ihm selbst entworfen. Nebst einem Anhang, enthaltend: seine Gebete in Verfolgungen, 18 Punkte über die heil. Schrift, die von seinem Sohne gehaltene Leichenpredigt, einen kurzen Auszug aus dem Tagebuch des letz-

tern, so wie eine Sammlung von Oetinger's Liedern. Zum Druck befördert von Freunden der Oe-
tingerschen Schriften. Stuttgart 1849. S. 1–56.

Oetinger, Friedrich Christoph: Selbstbiographie. Genealogie der reellen Gedanken eines Gottesgelehrten. Hrsg. von Julius *Roessle*. Metzingen 1961 (Zeugnisse der Schwabenväter. 1).

Eine kurtze Erzehlung / Wie mich die leitende Hand Gottes bißher geführet / und was sie bei meiner
Seelen gethan hat. In: Gespräche des Hertzens mit GOTT, Ander Theil. Auffgesetzet Von Johanna Eleonara *Petersen*, Gebohrne von und zu Merlau. Ploen, Verlegts Siegfried Ripenau. Gedruckt durch Tobias Schmidt, 1689. – Erweitert u. d. T.:

Leben Frauen Johannä Eleonorä *Petersen*, Gebohrner von und zu Merlau, Herrn D. Joh. Wilh. Petersens Ehe-Liebsten, von Ihr selbst mit eigner Hand aufgesetzet und vieler erbaulichen Merck-
würdigkeiten wegen zum Druck übergeben, daher es als ein Zweyter Theil zu Ihres Ehe-Herrn
Lebens-Beschreibung beygefüget werden kan. Andere Aufflage. Auff Kosten eines wohlbekanten
Freundes. 1719.

Lebens-Beschreibung Johannis Wilhelmi *Petersen*, Der Heiligen Schrifft Doctoris, vormahls Profes-
soris zu Rostock, nachgehends Predigers in Hanover an St. Egidii Kirche, darnach des Bischoffs in
Lübeck Superintendentis und Hoff-Predigers endlich Superintendentis in Lüneburg. Die zweyte
Edition. Auffs neue mit Fleiß übersehen, von vielen Druckfehlern gesäubert, und mit einer neuen
Vorrede vermehret; Auch am Ende dieser meiner Lebens-Beschreibung ein Catalogus aller meiner
gedruckten und noch ungedruckten Schrifften angefüget. Auff Kosten eines wohlbekannten
Freundes. 1719.

Thomas und Felix *Platter*, Zur Sittengeschichte des XVI. Jahrhunderts. Bearbeitet von Heinrich
Boos. Leipzig und Basel 1878.

Leben und Ereignisse des Peter *Prosch*, eines Tyrolers von Ried im Zillerthal, oder das wunderbare
Schicksal. Geschrieben in den Zeiten der Aufklärung. München 1789. Bey Anton Franz, kurfürstl. Hof-Akademie- und Landschaftsbuchdrucker.

Leben und Ereignisse des Peter *Prosch* eines Tyrolers von Ried im Zillerthal, oder Das wunderbare
Schicksal. Geschrieben in den Zeiten der Aufklärung. Hrsg. von Karl *Pörnbacher*. München 1964
(Lebensläufe. 2).

Johann Stephan *Pütters* Selbstbiographie zur dankbaren Jubelfeier seiner 50jährigen Professors-
stelle zu Göttingen. 2 Bde. Göttingen in Verlag bey Vandenhoeck und Ruprecht 1798.

Jacob Friedrich *Reimmanns*, Weyland Hochverdienten Superintendentens der Evangelischen Kirchen zu Hildesheim, Consistorialis und des Gymnasii Ephori Eigene Lebens-Beschreibung Oder
Historische Nachricht von Sich Selbst, Nahmentlich von Seiner Person und Schriften, Aus Dessen
eigenhändigen Aufsaz mitgetheilet, bis an Seinen Tod ausgeführet, und mit einigen Anmerkungen
und einem kurzen Vorbericht versehen von Friedrich Heinrich *Theunen*, Königlichen Preußischen Inspectore der Kirchen und Schulen im Holzkreyse des Herzogthums Magdeburg, und Pa-
store zu Atzendorf. Braunschweig in der Schröderischen Buchhandlung. 1745.

D. Johann Jacob *Reiskens* von ihm selbst aufgesetzte Lebensbeschreibung. Leipzig, in der Buchhandlung der Gelehrten, 1783 (Hrsg. von seiner Witwe Christine *Reiske*).

Rousseau, Jean-Jacques: Oeuvres Complètes. I. Les Confessions. Autres Textes Autobiographiques.
Paris 1959 (Bibliothèque de la Pléiade).

Der deutsche Gil Blas. Eingeführt von Goethe oder Leben, Wanderungen und Schicksale Johann
Christoph *Sachses*, eines Thüringers, Von ihm selbst verfaßt. Stuttgart und Tübingen:Cotta
1822.

Der deutsche Gil Blas. Eingeführt von Goethe oder Leben, Wanderungen und Schicksale Johann
Christoph *Sachses*, eines Thüringers. Hrsg. und mit einem Nachwort von Wulf *Segebrecht*. München 1964 (Die Fundgrube.1).

Bartholomäi *Sastrowen* Herkommen, Geburt und Lauff seines gantzen Lebens. Hrsg. von G. C. F.
Mohnike. 2 Bde. Greifswald 1823/24.

August Ludwig *Schlözer's* öffentliches und privat-Leben, von ihm selbst beschrieben. Erstes Fragment. Aufenthalt und Dienste in Rußland, vom J. 1761 bis 1765. Literar Nachrichten von Rußland in jenen Jaren. Göttingen, im Vandenhoeck- und Ruprechtschen Verlage 1802.

[Christian Friederich Daniel] *Schubart's* Leben und Gesinnungen. Von ihm selbst, im Kerker aufgesezt. Erster Theil. Stuttgart, bei den Gebrüdern Mäntler. 1791. – Zweiter Theil. Herausgegeben von seinem Sohne Ludwig *Schubart*. Stuttgart 1793.

D. Joh. Salomo *Semlers* Lebensbeschreibung von ihm selbst abgefaßt. 2 Theile. Halle, 1781 und 1782.

Mein Leben. J. G. *Seume*. Veritatem sequi et colere, tueri justitiam, omnibus aeque bene velle ac facere, nil extimescere. Leipzig, bei Georg Joachim Göschen 1813.

Mein Leben. In: J. G. *Seume*, Prosaschriften. Mit einer Einleitung von Werner *Kraft*. Köln 1962, S. 51–154.

Memoiren der Herzogin *Sophie* nachmals Kurfürstin *von Hannover*. Hrsg. von Dr. Adolf *Köcher*. Leipzig 1879 (Publicationen aus den K. Preussischen Staatsarchiven. 4), S. 1–142.

August Gottlieb *Spangenberg*, Kurzer Lebenslauf. In: Heimgang und Begräbniß unsers lieben Bruders, August Gottlieb Spangenberg, genannt Joseph. In: Archiv für die neueste Kirchengeschichte. Hrsg. von D. Heinrich Philipp Conrad *Henke*. 3. Quartal 1794. Weimar, S. 40–47.

Lebenslauf unsers seligen Bruders August Gottlieb *Spangenbergs*, genannt Joseph, von ihm selbst aufgesetzt. In: Archiv für die neueste Kirchengeschichte. Hrsg. von D. Heinrich Philipp Conrad *Henke*. 2. Bd., 3. St. Weimar 1795, S. 429–482.

D. Phil. Jacob *Speners* eigenhändig aufgesetzter Lebens-Lauff. In: Heinrich Anshelms von *Ziegler und Kliphausen* ... Continuirter Historischer Schau-Platz und Labyrinth der Zeit; ... Erste Fortsetzung. Leipzig 1718, S. 856–862.

Die Selbstbiographie Christophs *vonThein* 1453–1516. Hrsg. von Adam *Wolf*. In: Archiv für österreichische Geschichte 53 (1875), S. 103–123 (Text S. 110–123).

Merckwürdiges Leben und Thaten Des Weltberühmten Herrn Francisci Frey Herrns von der *Trenck*, Ihro Römisch-Kayserl. und Königl. Majestät in Ungarn und Böhmen etc. etc. würcklichen Obristen und Inhaber eines Sclavonischen Banduren-Regiments von den Herrschafften Vellika, Prestovatz, Pletermiza, Pakratz und Nostar, Von Ihm selbst bis zu Ende des Jahrs 1747. fortgesetzt. Franckfurth und Leipzig, 1748. (=2. Ausgabe).

Des Friedrichs Freyherrn von der *Trenck* merkwürdige Lebensgeschichte. Von ihm selbst als ein Lehrbuch für Menschen geschrieben, die wirklich unglücklich sind, oder noch gute Vorbilder für alle Fälle, zur Nachfolge bedürfen. – Mit Chursächß. gnädigster Freiheit. – Erster Theil, Leipzig: Beer 1787. – Zweiter Theil, Leipzig: Beer 1787. – Dritter und letzter Theil, Berlin: Vieweg 1787. – Nachtrag zur Lebensgeschichte Friedrichs Freyherrn von der Trenck. Vierter und merkwürdigster Band. Altona 1792, im August.

Christian *Wolffs* eigene Lebensbeschreibung. Hrsg. mit einer Abhandlung über Wolff von Heinrich *Wuttke*. Leipzig 1841 (Text der Lebensbeschreibung: S. 107–201).

Des weyland Reichs-Freyherrn von *Wolff* Ausführliche Nachricht von seinen eigenen Schriften die er in deutscher Sprache herausgegeben. Dritte verbesserte Auflage. Franckfurt am Mayn, 1757. in der Andreäischen Buchhandlung. (1. Auflage: 1726).

Carl Friedrich *Zelter*. Eine Lebensbeschreibung. Nach autobiographischen Manuscripten bearbeitet von Wilhelm *Rintel*. Berlin 1861.

Carl Friedrich *Zelters* Darstellungen seines Lebens. Zum ersten Male vollständig nach den Handschriften hrsg. von Johann-Wolfgang *Schottländer*. (Schriften der Goethe-Gesellschaft. 44). Weimar 1931.

Chronik des Burkard *Zink* (1368–1468), Buch III.: Leben des B. Zink. In: Die Chroniken der deutschen Städte vom 14. bis in's 16. Jahrhundert. Bd. 5, Leipzig 1866, S. 122–143.

Ludwigs von *Zinzendorf* ΠΕΡΙ ΕΑΥΤΟΥ. Das ist: Naturelle Reflexiones über allerhand Materien, Nach der Art wie Er bey sich selbst zu denken gewohnt ist; Denenjenigen Verständigen Lesern, welche sich nicht entbrechen können, über Ihn zu denken, in einigen Send-Schreiben, bescheidentlich dargelegt. o. O. u. J. (1746). – II. (Blatt:) S. 9–20. – Nachdruck in: Nikolaus Ludwig von *Zinzendorf*. Ergänzungsbände zu den Hauptschriften. Hrsg. von Erich *Beyreuther* und Gerhard *Meyer*. Bd. IV: Theologische Bedenken; Naturelle Reflexionen. Hildesheim 1964.

2. (Auto)biographische Sammelwerke

Arnold, Gottfrid: Unparteyische Kirchen- und Ketzer-Historie, Vom Anfang des Neuen Testaments Biß auff das Jahr Christi 1688. 4 Bde. Frankfurt ²1700.

Bock, Christoph Wilhelm und Johann Philipp *Moser:* Sammlung von Bildnissen gelehrter Männer und Künstler, nebst kurzen Biographien derselben. 2 Bde. Nürnberg 1791/94.

Büsching, Anton Friderich: Beyträge zur Lebensgeschichte merkwürdiger Personen. 6 Bde. Halle 1783–1789.

Collection universelle de Mémoires rélatifs à l' histoire de France. London und Paris 1785 ff.

Feyrabend: Reyssbuch. Frankfurt 1584.

Götten, Gabriel Wilhelm: Das Jetzt lebende Gelehrte Europa, Oder Nachrichten Von Den vornehmsten Lebens-Umständen und Schriften jetzt lebender Europäischer Gelehrten; Welche Mit Fleiß gesammelt und unpartheyisch aufgesetzet hat Gabriel Wilhelm Götten, Past. zu St. Michaelis in Hildesheim. Zweyte Auflage. Braunschweig, Verlegts Ludolph Schröder, 1735. – Der II. Theil. Braunschweig und Hildesheim, Verlegts Ludolph Schröders Wittbe, 1736. – Der dritte Theil. Zelle, 1737, 1739 und 1740, Verlegts Joachim Andreas Deetz.

[Herrnhuter »Wochen«blatt:] 1747–1760: »Jüngerhaus-Diarium« (hsl.); 1761–1818: »Gemein-Nachrichten« (hsl.); 1819–1894: »Nachrichten aus der Brüder-Gemeine«, Gnadau: Senft.

Hiller, Johann Adam: Lebensbeschreibungen berühmter Musikgelehrter. Leipzig 1774, ²1786.

Jöcher, Christian Gottlieb: Allgemeines Gelehrten-Lexicon. 4 Bde. 1750.

Leporin, Christian Polycarp: Jetzt lebendes gelehrtes Deutschland oder ausführliche Lebensbeschreibungen gelehrter Männer. 1724.

Lowe, S. M.: Bildnisse jetztlebender Berliner Gelehrten, mit ihren Selbstbiographieen. Berlin 1806.

Mattheson, Johann: Grundlage einer Ehren-Pforte, woran der Tüchtigsten Capellmeister, Componisten, Musikgelehrten, Tonkünstler etc. Leben, Wercke, Verdienste etc. erscheinen sollen. Zum fernern Ausbau angegeben von Mattheson. Hamburg 1740. In Verlegung des Verfassers. – Vollständiger, originalgetreuer Neudruck mit gelegentlichen bibliographischen Hinweisen und Matthesons Nachträgen hrsg. von Max *Schneider.* Berlin 1910.

Mencke, Johann Burchard: Compendiöses Gelehrten-Lexicon. 2 Bde. 1715-1722; ²1726, ³1733 hrsg. von Christian Gottlieb *Jöcher.*

Moritz, Carl Philipp, C. F. *Pockels* u. Salomon *Maimon: ΓΝΩΘΙ ΣΑΥΤΟΝ* oder Magazin zur Erfahrungsseelenkunde als ein Lesebuch für Gelehrte und Ungelehrte. Mit Unterstützung mehrerer Wahrheitsfreunde herausgegeben von Carl Philipp *Moritz.* 10 Bde. Berlin 1783-1793.

Moser, Friedrich Carl Frhr. von: Patriotisches Archiv. 12 Bde. Frankfurt und Leipzig 1784-1790. –: Neues patriotisches Archiv. 2 Bde. Mannheim 1792–1794.

Müller, Johann Georg: Bekenntnisse merkwürdiger Männer von sich selbst. 6 Bde. Winterthur, in der Steinerischen Buchhandlung 1791-1810; 2., verbess. Auflage 1806. (Bd. 4–6 hrsg. von Martin *Hurter).*

Pfenninger, Johann Konrad: Christliches Magazin. 1779–1780.

Reitz, Johann Henrich: Historie Der Wiedergebohrnen, Oder Exempel gottseliger, so bekannt- und benannt- als unbekannt- und unbenannter Christen, Männlichen und Weiblichen Geschlechts, In Allerley Ständen, Wie Dieselbe erst von GOTT gezogen und bekehret, und nach vielen Kämpffen und Aengsten, durch GOttes Geist und Wort, zum Glauben und Ruh ihres Gewissens gebracht seynd. Zusammen gestellt Von Johann Henrich Reitz. Vierte Edition, So mit einem dienlichen Register versehen. Itzstein, zu finden bey Joh. Jacob Haug, Buchbinder daselbst. 1717. (2. Auflage 1701).

[*Schiller,* Friedrich u. a.:] Wirtembergisches Repertorium der Litteratur. Eine Vierteljahr-Schrift. Auf Kosten der Herausgeber gedruckt. 3 Stücke. Stuttgart 1782–1783.

[*Schiller,* Friedrich u. a.:] Allgemeine Sammlung Historischer Memoires vom zwölften Jahrhundert bis auf die neuesten Zeiten, durch mehrere Verfasser übersetzt, mit den nötigen Anmerkungen versehen, und jedesmal mit einer universalhistorischen Übersicht begleitet. 2 Abteilungen. Jena 1790–1795 (–1806).

Schlichtegroll, Adolf Heinrich Friedrich von: Nekrolog, enthaltend Nachrichten von dem Leben merkwürdiger, in diesem Jahr verstorbener Personen. 22 Bde. Gotha 1791–1806.

Schröckh, Johann Matthias: Abbildungen und Lebensbeschreibungen berühmter Gelehrten. 3 Bde. Leipzig 1764–1769; 2. Aufl. u. d. T.: Lebensbeschreibungen berühmter Gelehrten. 2 Bde. Leipzig 1790.

–: Allgemeine Biographie. 8 Theile. Berlin 1767–1791.

Seybold, David Christoph: Selbstbiographien berühmter Männer. Ein Pendant zu J. G. Müllers Selbstbekenntnissen, gesammelt von Prof. Seybold. 2 Bde. Winterthur, in der Steinerischen Buchhandlung, 1796 u. 1799.

Wagner, Gottfried: Dissertatio de scriptoribus qui de sua ipsi vita exposuerunt. Wittenberg 1716.

Weidlich, Christoph: Zuverläßige Nachrichten von denen jetzt-lebenden Rechts-Gelehrten. 6 Theile. 1755–1766.

Deutsche Literatur in Entwicklungsreihen. Reihe Deutsche Selbstzeugnisse. Bd. 4–9, hrsg. von Marianne *Beyer-Fröhlich,* Leipzig 1930-1936; Bd. 10, hrsg. von Ernst *Volkmann,* Leipzig 1939 (Selbstzeugnisse vom Humanismus bis zur Klassik).

Herrnhuter Hefte. Hrsg. von der Direktion der Europäisch-Festländischen Brüder-Unität in Bad Boll. 6. u. 7. Heft. Hamburg 1953.

Mahrholz, Werner: Der deutsche Pietismus. Eine Auswahl von Zeugnissen, Urkunden und Bekenntnissen aus dem 17., 18. und 19. Jahrhundert. Berlin 1921.

Westphal, M.: Die besten deutschen Memoiren. Lebenserinnerungen und Selbstbiographien aus sieben Jahrhunderten. Mit einer Abhandlung über die Entwicklung der deutschen Selbstbiographie von Hermann Ulrich. Leipzig 1923, ²1971 (Kleine Literaturführer. 5).

3. Tagebücher

Gellert, Christian Fürchtegott: Tagebuch aus dem Jahre 1761. (Hrsg. von T. O. *Weigel*). Leipzig 1862.

Goethe, Johann Wolfgang: Tagebücher. Hrsg. von Peter *Boerner.* Gedenkausgabe der Werke, Briefe und Gespräche. 2. Ergänzungsband. Zürich 1964.

Haller, Albrecht von: Fragmente Religioser Empfindungen. In: Albrechts von Haller Weyl. Präsidenten der Königl. Gesellschaft der Wissenschaften zu Göttingen etc. etc. Tagebuch seiner Beobachtungen über Schriftsteller und über sich selbst. Zur Karakteristik der Philosophie und Religion dieses Mannes. (Hrsg. von Johann Georg *Heinzmann*). 2. Theil, Bern 1787, S. 219-319.

[*Lavater,* Johann Caspar:] Geheimes Tagebuch. Von einem Beobachter Seiner Selbst. Leipzig 1771; Frankfurt und Leipzig ²1773.

[*Lavater,* Johann Caspar:] Unveränderte Fragmente aus dem Tagebuche eines Beobachters seiner Selbst; oder des Tagebuches Zweyter Theil, nebst einem Schreiben an den Herausgeber desselben. Leipzig 1773; Frankfurt und Leipzig ²1774.

Moritz, Carl Philipp: Beiträge zur Philosophie des Lebens. Berlin 1780, ²1781.

II. Theoretische Schriften zur (Auto-)Biographik, Geschichtsschreibung und Psychologie. Ästhetik, Poetik. Rhetorik

Wertvolle Hilfe beim Aufspüren der Quellen zum Pragmatismus leistete die umfangreiche Bibliographie von Georg *Jäger,* Empfindsamkeit und Roman, Stuttgart 1969.

Abbt. Thomas: Anmerkungen über den wahren Begrif einer pragmatischen Geschichte. In: Briefe, die Neueste Litteratur betreffend 9 (1761), S. 118–125.

–: Allgemeine Erfordernisse der Schreibart eines Biographen … In: Briefe, die Neueste Litteratur betreffend 10 (1761), S. 211–213.

–: Nützliche Regeln für Biographen, aus dem Rambler. In: Briefe, die Neueste Litteratur betreffend 13 (1762), S. 51–60.

–: Fragment der ältesten Begebenheiten des menschlichen Geschlechts. Mit einer Vorrede hrsg. von Johann Peter *Miller,* Halle 1767.

Allgemeine historische Bibliothek von Mitgliedern des königlichen Instituts der historischen Wissenschaften zu Göttingen. Herausgegeben von Johann Christoph *Gatterer.* Halle 1767 ff.

[Anonym:] Einige Gedanken und Regeln von den deutschen Romanen. In: Critische Versuche ausgefertigt durch Einige Mitglieder der Deutschen Gesellschaft in Greifswald. 2. Bd. Greifswald 1744 (Critischer Versuch zur Aufnahme der Deutschen Sprache. 7. St. Greifswald 1743), S. 21–51.

[Anonym:] Von dem Plan der Biographien oder Lebensbeschreibungen. In: Allg. hist. Bibliothek 1 (1767), S. 31–34.

[Anonym:] Vom historischen Gewissen. Ein Fragment. In: Allg. hist. Bibliothek 1 (1767), S. 90–96.

[Anonym:] Rez. Joh. Matth. Schröckh, Abbildungen und Lebensbeschreibungen berühmter Gelehrten. 2 Bde. Leipzig 1764–1766. In: Allg. hist. Bibliothek 2 (1767), S. 207–231.

[Anonym:] Rez. Ehrengedächtnis Herrn Thomas Abbt. An Herrn D. Johann George Zimmermann von Friedrich Nicolai. Berlin und Stettin 1767. In: Allg. hist. Bibliothek 6 (1768), S. 114-137.

Aristoteles: Poetik. Übersetzung, Einleitung und Anmerkungen von Olof *Gigon.* Stuttgart 1961 (Reclams UB Nr. 2337).

Athenäum. Eine Zeitschrift von August Wilhelm *Schlegel* und Friedrich *Schlegel.* 1. Bd., 2. St. Berlin 1798.

Batteux, Charles: Einschränkung der schönen Künste auf einen einzigen Grundsatz. Aus dem Französischen übersetzt und mit verschiedenen eignen damit verwandten Abhandlungen begleitet von Johann Adolf *Schlegel.* Leipzig 1751; 3. Aufl. 2 Bde. 1769/70.

–: Einleitung in die Schönen Wissenschaften. Aus dem Französischen übersetzt und mit Zusätzen vermehrt von Karl Wilhelm *Ramler.* 4 Bde. Leipzig 1756–58, ²1762, ⁴1774.

Birken, Sigmund von: Teutsche Red- bind und Dichtkunst. Nürnberg 1679.

Blair, Hugo: Vorlesungen über Rhetorik und schöne Wissenschaften. Aus dem Englischen übersetzt und mit einigen Anmerkungen und Zusätzen begleitet von K. G. *Schreiter.* 4 Tle. Liegnitz und Leipzig 1785–1789.

Blanckenburg, Christian Friedrich von: Versuch über den Roman. Leipzig und Liegnitz 1774. – Faksimiledruck der Originalausgabe, mit einem Nachwort von Eberhard *Lämmert.* Stuttgart 1965.

Bolingbroke, Henry Saint-John, Viscount: Des Lords Bolingbroke Briefe über das Studium und den Nutzen der Geschichte. Aus dem Englischen übersetzt und mit Anmerkungen begleitet von C. F. R. *Vetterlein.* 2 Tle. Leipzig 1794.

Böttiger, Karl August: Literarische Zustände und Zeitgenossen. In Schilderungen aus Karl Aug. Böttiger's handschriftlichem Nachlasse. Herausgegeben von K. W. *Böttiger.* 2 Bdchen. Leipzig 1838.

Bouterwek, Friedrich: Aesthetik. 2 Tle. Leipzig 1806; 2., in den Principien berichtigte und völlig umgearbeitete Ausgabe. Göttingen 1815.

Breitinger, Johann Jacob: Critische Dichtkunst. 2 Bde. Zürich 1740. – Faksimiledruck mit einem Nachwort von Wolfgang *Bender.* Stuttgart 1966.

Briefe, die Neueste Litteratur betreffend. (Hrsg. von Lessing, Mendelssohn, Nicolai u. a.). T. 1–24. Berlin 1759–1765.

Buchner, Augustus: Poet. Wittenberg 1665.

Carus, Friedrich August: Der Psychologie zweiter Band. Specialpsychologie. Leipzig 1808 (F. A. Carus, Nachgelassene Werke. 2. Tl.).

Chladenius, Johann Martin: Allgemeine Geschichtswissenschaft, worinnen der Grund zu einer neuen Einsicht in alle Arten der Gelahrtheit geleget wird. Leipzig 1752.

Engel, Johann Jacob: Ueber Handlung, Gespräch und Erzehlung. In: Neue Bibliothek der schönen Wissenschaften und der freyen Künste. 16. Bd., 2. St. (1774). – Faksimiledruck der 1. Fassung von 1774. Hrsg. und mit einem Nachwort vers. von Ernst Theodor *Voss*. Stuttgart 1964.

–: Anfangsgründe einer Theorie der Dichtungsarten. Leipzig 1783, ²1804.

Ernesti, Johann August: De fide historica recte aestimanda disputatio. Leipzig 1746.

Eschenburg, Johann Joachim: Entwurf einer Theorie und Literatur der schönen Wissenschaften. Berlin und Stettin 1783, ²1789; 3., abgeänd. u. verm. Ausgabe u. d. T.: Entwurf einer Theorie und Literatur der schönen Redekünste. Berlin und Stettin 1805, ⁴1817; 5., völlig umgearb. Ausgabe von Moritz *Pinder*. Berlin 1836.

Fritze, Johann Gottlieb: Ueber Selbstbiographien. Aus dem Nachlaß des verstorbenen Herrn Hofraths Fritze. In: Deutsche Monatsschrift. 1795. Februar. Nr. VII: S. 156–168.

Fülleborn, Georg Gustav: Rhetorik. Ein Leitfaden beym Unterrichte in obern Klassen. Breslau 1802, ²1805.

Gatterer, Johann Christoph: Handbuch der Universalhistorie nach ihrem gesamten Umfange von Erschaffung der Welt bis zum Ursprunge der meisten heutigen Reiche und Staaten. 2 Tle. Göttingen 1761-1764.

–: Von der Evidenz in der Geschichtkunde. (Vorrede zu:) Die Allgemeine Welthistorie, die in England durch eine Gesellschaft von Gelehrten ausgefertigt worden. In einem vollständigen und pragmatischen Auszuge hrsg. von D. Friedrich Eberhard *Boysen*. Alte Historie I. Band. Halle 1767, S. 1–38.

–: Vom historischen Plan, und der darauf sich gründenden Zusammenfügung der Erzählungen. In: Allg. hist. Bibliothek 1 (1767), S. 15–89.

–: Rez. Th. Abbts Fragment … Halle 1767. In: Allg. hist. Bibliothek 4 (1767), S. 229–293.

–: Abhandlung vom Standort und Gesichtspunct des Geschichtschreibers oder der teutsche Livius. In: Allg. hist. Bibliothek 5 (1768), S. 3–29.

Gellert, Christian Fürchtegott: Praktische Abhandlung von dem guten Geschmacke in Briefen. (1751). In: C. F. *Gellerts* sämmtliche Schriften 4. Theil. Leipzig 1775.

Goethes Werke. Hrsg. im Auftrag der Großherzogin Sophie von Sachsen. 4 Abteilungen mit 133 Bdn. Weimar 1887–1919 (=W.A.).

–: Werke. Hamburger Ausgabe in 14 Bdn. Hrsg. von Erich *Trunz*. Hamburg 1948–1960.

–: Briefe. Hamburger Ausgabe in 4 Bdn. Hrsg. von Karl Robert *Mandelkow*. Hamburg 1962–1967.

–: Briefwechsel mit Friedrich Rochlitz. Hrsg. von Woldemar Frhr. v. *Biedermann*. Leipzig 1887.

–: Der Briefwechsel zwischen Schiller und Goethe. Nach den Hss. hrsg. von Hans Gerhard *Gräf* und Albert *Leitzmann*. 3 Bde. Leipzig 1912.

–: Goethes Briefe an Frau von Stein. Hrsg. von Adolf *Schöll*. 3. umgearbeitete Auflage besorgt von Julius *Wahle*. 2 Bde. Frankfurt/Main 1899–1900.

: Goethes biographisches Schema in getreuer Nachbildung seiner Handschrift. Hrsg. von Georg *Witkowski*. Leipzig 1922.

–: Momme *Mommsen* unter Mitwirkung von Katharina *Mommsen*, Die Entstehung von Goethes Werken in Dokumenten. 2 Bde. Berlin 1958.

Goethe, Johann Caspar, Cornelia Goethe, Catharina Elisabeth Goethe: Briefe aus dem Elternhaus. Hrsg. von Wolfgang *Pfeiffer-Belli*. Goethe, Gedenkausgabe der Werke, Briefe und Gespräche. 1. Ergänzungsband. Zürich 1960.

Gottsched, Johann Christoph: Versuch einer Critischen Dichtkunst. Leipzig 1730, ²1737; ⁴1751 (Nachdruck Darmstadt 1962).

–: Rez. G. W. *Götten,* Das Jetzt lebende Gelehrte Europa. T. 1, Hildesheim ²1735. In: Beyträge zur Critischen Historie der deutschen Sprache, Poesie und Beredsamkeit. 15. St. Leipzig 1736, S. 489.

Harsdörffer, Georg Philipp: Frauenzimmergesprechspiele. 5. Theil. Nürnberg 1645.

Heinsius, Theodor: Teut, oder theoretisch-praktisches Lehrbuch des gesammten deutschen Sprachunterrichts. 3. Theil (Der Redner und Dichter usw.). Berlin 1810.

Herder, Johann Gottfried: Sämtliche Werke. Hrsg. von Bernhard *Suphan*. 33 Bde. Berlin 1877–1913.

Heusinger, Johann Heinrich Gottlieb: Handbuch der Aesthetik. 2 Tle. Gotha 1797.

Hillebrand, Joseph: Lehrbuch der Literar-Aesthetik, oder Theorie und Geschichte der schönen Literatur. 2 Bde. Mainz 1827.

Home, Heinrich: Grundsätze der Kritik. Übersetzt von Johann Nicolaus *Meinhard.* Letzte (=3.) verbess. Auflage. 6 Bde. Wien 1790–1791.

Horn, Franz: Latona. 2. Theil. Berlin 1812.

—: Die Poesie und Beredsamkeit der Deutschen, von Luthers Zeit bis zur Gegenwart. Bd. 4. Berlin 1829.

Jean Paul: Vorschule der Ästhetik (1804/13). In: J. P., Sämtliche Werke. Historisch-kritische Ausgabe. Hrsg. von Eduard *Berend.* I. Abt., 11. Bd. Weimar 1935.

Jenisch, Daniel: Theorie der Lebens-Beschreibung. Berlin 1802.

Kant, Immanuel: Anthropologie in pragmatischer Hinsicht abgefaßt. Königsberg 1798.

Kästner, Abraham Gotthelf: Lebensbeschreibung Hrn. Christlob Mylius, weiland Mitglied der Gesellsch. der fr. Künste. In: Sammlung einiger Ausgesuchten Stücke, der Gesellschaft der freyen Künste zu Leipzig. 2. Theil. Leipzig 1755, S. 496–502.

Kinderling, Johann Friedrich August: Grundsäzze der Beredsamkeit. 2 Tle. Magdeburg 1771.

[*Knigge,* Adolf Franz Friedrich Frhr.:] Der Roman meines Lebens in Briefen herausgegeben. 4 Tle. Riga 1781–1783.

Lavater, Johann Caspar: Physiognomische Fragmente, zur Beförderung der Menschenkenntniß und Menschenliebe. 4 Versuche. Leipzig und Winterthur 1775–1778.

—: Johann Kaspar *Lavaters* Vermächtniß an Seine Freunde. Größtentheils Auszüge aus Seinem Tagebuch, vom Jahr 1796. 2 Hefte. Zürich: bey Orell, Geßner, Füßli und Kompagnie. 1796.

Lenglet du Fresnoy: Anweisung zur Erlernung der Historie. Aus dem Französischen übersetzt von P[hilipp] E[rnst] B[ertram]. 4 Tle. Gotha 1752–1754.

Lessing, Gotthold Ephraim: Sämtliche Schriften. Hrsg. von Karl *Lachmann* und Franz *Muncker.* 3. Aufl. 23 Bde. Stuttgart 1886–1924.

Lindner, Johann Gotthelf: Lehrbuch der schönen Wissenschaften, insonderheit der Prose und Poesie. 2 Tle. Königsberg und Leipzig 1767/68.

—: Kurzer Inbegrif der Aesthetik, Redekunst und Dichtkunst. 2 Tle. Königsberg und Leipzig 1771/72.

Moritz, Karl Philipp: Vorschlag zu einem Magazin einer Erfarungs Seelenkunde. An alle Verehrer und Beförderer gemeinnüziger Kentnisse und Wissenschaften, und an alle Beobachter des menschlichen Herzens, welche in jedem Stande, und in jeglichem Verhältniß, Wahrheit und Glückseligkeit unter den Menschen thätig zu befördern wünschen. In: Deutsches Museum. 6. St. Sommermond (= Juni), 1782. Nr. 2., S. 485–503.

—: Erinnerungen aus den frühesten Jahren der Kindheit. In: Magazin zur Erfahrungsseelenkunde. Bd. I, 1 (1783), S. 65–70.

Müller, Johann Georg: Der Briefwechsel der Brüder J. Georg Müller und Johann von Müller, 1789–1809. Hrsg. von Eduard *Haug.* Frauenfeld 1893.

Nettelbladt, Christian Daniel: Vorrede zu: *Weidlich,* Zuverläßige Nachrichten von denen jetzt-lebenden Rechts-Gelehrten. 1765.

Opitz, Martin: Buch von der Deutschen Poeterey (1624). Nach der Edition von Wilhelm *Braune* neu hrsg. von Richard *Alewyn.* Tübingen 1963 (Neudrucke deutscher Literaturwerke. N. F. 8).

Pischon, Friedrich August: Handbuch der deutschen Prosa. Berlin 1818.

C. *Plini* Caecili Secundi epistolarum libri novem … recensuit Mauritius Schuster. editio altera aucta et correctior. Lipsiae 1952. (Bibliotheca scriptorum Graecorum et Romanorum Teubneriana. 1657).

Pölitz, Karl Heinrich Ludwig: Das Gesammtgebiet der teutschen Sprache nach Prosa, Dichtkunst und Beredsamkeit theoretisch und practisch dargestellt. 4 Bde. Leipzig 1825.

Reinbeck, Georg: Handbuch der Sprachwissenschaft. 2. Bd. 2 Abtt. (Abt. 1: Die Rhetorik; Abt. 2: Die Poetik). Essen und Duisburg 1816-1817.

Rotth, Albrecht Christian: Vollständige Deutsche Poesie. 3. Theil. Leipzig 1688.

Rousseau, Jean-Jacques: Emil oder über die Erziehung. 4 Tle. Aus dem Französischen übersetzt von C. F. *Cramer* … und herausgegeben von Joachim Heinrich *Campe.* Braunschweig 1789–1791. (Allgemeine Revision des gesammten Schul- und Erziehungswesens von einer Gesellschaft practischer Erzieher. Zwölfter bis Fünfzehnter Theil. Hg. v. J. H. Campe).

Schiller, Friedrich: Sämtliche Werke. Säkular-Ausgabe. Bd. 13: Historische Schriften, 1. Teil. Stuttgart und Berlin (1905).

–: Sämtliche Werke. Hrsg. von Gerhard *Fricke* und Herbert G. *Göpfert*. Bd. 4: Historische Schriften. München 1958.

–: Der Briefwechsel zwischen Schiller und Goethe. Nach den Hss. hrsg. von Hans Gerhard *Gräf* und Albert *Leitzmann*. 3 Bde. Leipzig 1912.

Schlegel, August Wilhelm: Vorlesungen über schöne Literatur und Kunst. 3. Tl. (1803/04). Hrsg. von Jacob *Minor*. Heilbronn 1884 (Deutsche Litteraturdenkmale des 18. und 19. Jahrhunderts. Nr. 19).

Schlegel, Friedrich: Literary Notebooks 1797–1801, edited with introduction and commentary by Hans *Eichner*. University of London 1957.

–: Kritische Ausgabe. Hrsg. von Ernst *Behler*. Bd. 2 und 6. München u. a. 1967, 1961.

Schleiermacher, Friedrich: Briefe. Ausgewählt und eingeleitet von Hermann *Mulert*. Berlin 1923.

Schreiber, Aloys: Lehrbuch der Aesthetik. Heidelberg 1809.

Spener, Philipp Jacob: Theologische Bedencken Und andere Brieffliche Antworten. 4 Bde. Halle 1700–1702.

Stolle, Gottlieb: Anleitung zur Historie der Gelahrtheit. Jena 1718, ²1724.

Wagner, Gottfried: Dissertatio de scriptoribus, qui de sua ipsi vita exposuerunt. Wittenberg 1716.

Westenrieder, Lorenz: Das Leben des guten Jünglings Engelhof. 2 Tle. München 1781.

[*Wezel*, Johann Carl:] Herrmann und Ulrike. Ein komischer Roman in vier Bänden. Frankfurt und Leipzig 1780 (Vorrede: Bd. 1, S. III–XIV).

Wieland, Christoph Martin: Geschichte des Agathon. Unveränderter Abdruck der editio princeps (1767). Bearbeitet von Klaus *Schaefer*. Berlin 1961.

–: Über das Historische im Agathon. (= Einleitung zur 2. Auflage der »Geschichte des Agathon«, Leipzig 1773).

–: Werke. Hrsg. von Heinrich *Düntzer*. 40 Tle. in 17 Bdn. Berlin: Hempel 1879 ff.

–: Briefwechsel. Hrsg. von Hans Werner *Seiffert*. Bd. 1: Briefe der Bildungsjahre. (1. Juni 1750 bis 2. Juni 1760). Berlin 1963.

[*Wiggers*, Johann Georg:] Über die Biographie. Mitau 1777.

Woltmann, Karl Ludwig: Versuche über die Biographie. In: *Woltmann*, Kleine historische Schriften. 1. Theil. Jena 1797.

Zedler, Johann Heinrich: Grosses vollständiges Universal-Lexicon. Bd. 13. Halle und Leipzig 1735, Nachdruck Graz 1961 (Art. »Historie«, Sp. 284 f.).

B. Forschungsliteratur

Aichinger, Ingrid: Probleme der Autobiographie als Sprachkunstwerk. In: Österreich in Geschichte und Literatur 14 (1970), S. 418–434.

–: Friedrich Hebbel: Aufzeichnungen aus meinem Leben. Zur Problematik der literarischen Autobiographie im 19. Jahrhundert. In: Hebbel-Jahrbuch 1971/72, S. 139–158.

Alewyn, Richard: Der Roman des Barock. In: Formkräfte der deutschen Dichtung vom Barock bis zur Gegenwart. Göttingen 1963 (Kleine Vandenhoeck-Reihe Sonderband 1), S. 21–34.

Becker, Eva D.: Der deutsche Roman um 1780. Stuttgart 1964 (Germanistische Abhandlungen. 5).

Becker, Karl Wolfgang: Denn man lebt mit Lebendigen. Über Goethes »Dichtung und Wahrheit«. In: Studien zur Goethezeit. Festschrift für Lieselotte Blumenthal. Weimar 1968, S. 9–29.

Bertolini, Ingo: Studien zur Autobiographie des deutschen Pietismus. Diss. (masch.) Wien 1968.

Beutler, Ernst: Dichtung und Wahrheit. In: E. B., Essays um Goethe (Sammlung Dieterich. 101). Bremen ⁵1957, S. 697–779.

Beyer-Fröhlich, Marianne: Die Entwicklung der deutschen Selbstzeugnisse. Leipzig 1930, Nachdruck Darmstadt 1970 (Deutsche Literatur in Entwicklungsreihen. Reihe Deutsche Selbstzeugnisse. Bd. 1).

Bezold, Fritz von: Über die Anfänge der Selbstbiographie und ihre Entwicklung im Mittelalter. In:

Zeitschrift für Kulturgeschichte, N.F. 1 (1894), S. 145 ff. – Auch gesondert erschienen: Rektoratsrede Erlangen 1893.

Bielschowsky, Albert: Goethe. Sein Leben und seine Werke. 2 Bde. München ¹⁹1916.

Boerner, Peter: Einführung in Goethes Tagebücher. In: Johann Wolfgang *Goethe*. Gedenkausgabe der Werke, Briefe und Gespräche. 2. Ergänzungsband. Zürich und Stuttgart 1964, S. 597–653.

–:Tagebuch. Stuttgart 1969 (Slg. Metzler. 85).

Borcherdt, Hans Heinrich: Geschichte des Romans und der Novelle in Deutschland. 1. Teil: Vom frühen Mittelalter bis zu Wieland. Leipzig 1926.

Böschenstein-Schäfer, Renate: Idylle. Stuttgart 1967 (Slg. Metzler. 63).

Boucke, Ewald A.: Einführung in Goethes selbstbiographisches Schaffen und Einleitung zu »Dichtung und Wahrheit«. In: Goethes Werke. Festausgabe. Hrsg. von Robert *Petsch*. Bd. 15, Leipzig o. J., S. 7*–153*.

Bracken, Ernst von: Die Selbstbeobachtung bei Lavater. Ein Beitrag zur Geschichte der Idee der Subjektivität im 18. Jahrhundert. Münster 1932 (Universitäts-Archiv. 69).

Bruford, W. H.: Die gesellschaftlichen Grundlagen der Goethezeit. Weimar 1936.

Buchholz, Magdalena: Die Anfänge der deutschen Tagebuchschreibung. Beiträge zu ihrer Geschichte und Charakteristik. Diss. (masch.) Königsberg 1942.

Buddecke, Wolfram: C. M. Wielands Entwicklungsbegriff und die Geschichte des Agathon. Göttingen 1966 (Palaestra. 235).

Bühler, Charlotte: Der menschliche Lebenslauf als psychologisches Problem. 2. völlig veränd. Auflage Göttingen 1959.

Dechent, Hermann: Goethes Schöne Seele Susanna Katharina von Klettenberg. Ein Lebensbild. Gotha 1896.

–: Die autobiographische Quelle der Bekenntnisse einer schönen Seele. In: Berichte des Freien Deutschen Hochstifts N.F. 13 (1897), S. 10–59.

Dessoir, Max: Geschichte der neueren deutschen Psychologie. Bd. 1 (mehr nicht ersch.). Berlin 1894, ²1902.

–: Abriß einer Geschichte der Psychologie. Heidelberg 1911 (Die Psychologie in Einzeldarstellungen. 4).

Dilthey, Wilhelm: Der Aufbau der geschichtlichen Welt in den Geisteswissenschaften. In: *Dilthey*, Gesammelte Schriften, Bd. 7. Hrsg. von Bernhard *Groethuysen*, Leipzig und Berlin 1927.

–: Der Aufbau der geschichtlichen Welt in den Geisteswissenschaften. Einleitung von Manfred *Riedel*. Frankfurt 1970.

Dörrie, Heinrich: Der heroische Brief. Bestandsaufnahme, Geschichte, Kritik einer humanistischbarocken Literaturgattung. Berlin 1968.

Einem, Herbert von : Anmerkungen zu Goethes »Winckelmann«; in: *Goethes* Werke. Bd. 12: Schriften zur Kunst. Hamburg 1953, S. 595–605.

Eybisch, Hugo: Anton Reiser. Untersuchungen zur Lebensgeschichte von K. Ph. Moritz und zur Kritik seiner Autobiographie. Leipzig 1909 (Probefahrten. 14).

Fierz, Jürg: Goethes Porträtierungskunst in »Dichtung und Wahrheit«. Frauenfeld/Leipzig 1945 (Wege zur Dichtung. 48).

Fueter, Eduard: Geschichte der neueren Historiographie. München und Berlin 1911, ³1936 (Handbuch der mittelalterlichen und neueren Geschichte. Abt. I).

Gadamer, Hans-Georg: Wahrheit und Methode. Grundzüge einer philosophischen Hermeneutik. Tübingen 1960, ²1965.

Gerhard, Melitta: Goethes Sturm- und-Drang-Epoche in der Sicht des alten Goethe. Zu »Dichtung und Wahrheit«. In: Jahrbuch des Freien Deutschen Hochstifts 1970, S. 190–202.

Glagau, Hans: Die moderne Selbstbiographie als historische Quelle. Marburg 1903.

Glitsch, Alexander: Geschichte und gegenwärtiger Bestand der historischen Sammlung der Brüder-Unität. Herrnhut 1899.

Götz, Max: Der frühe bürgerliche Roman in Deutschland, 1720–1750. Diss. (masch.) München 1958.

von *Graevenitz*, Gerhart: Innerlichkeit und Öffentlichkeit. Aspekte deutscher »bürgerlicher« Literatur im frühen 18. Jahrhundert. In: DVjs 49 (1975), Sonderheft »18. Jahrhundert«, S. 1*–82*.

Groth, Angelika: Goethe als Wissenschaftshistoriker. München 1972 (Münchener Germanistische Beiträge. 7).

Günther, Hans R. G.: Psychologie des deutschen Pietismus. In: DVjs 4 (1926), S. 144–176.

–: Jung-Stilling. Ein Beitrag zur Psychologie des Pietismus. 2., veränderte Auflage München 1948.

Gusdorf, Georges: Conditions et limites de l'autobiographie. In: Formen der Selbstdarstellung. Analekten zu einer Geschichte des literarischen Selbstportraits. Festgabe für Fritz Neubert. Berlin 1956, S. 105–123.

Hahl, Werner: Reflexion und Erzählung. Ein Problem der Romantheorie von der Spätaufklärung bis zum programmatischen Realismus. Stuttgart usw. 1971 (Studien zur Poetik und Geschichte der Literatur. 18).

Harnack, Axel von : Gedanken über Memoiren und Tagebücher. In: Die Welt als Geschichte 10 (1950), S. 28–38.

–: Die Selbstbiographie – ihr Wesen und ihre Wirkung. In: Universitas 10 (1955), S. 689–698.

Hartmann, Rolf: Das Autobiographische in der Basler Leichenrede. Basel und Stuttgart 1963 (Basler Beiträge zur Geschichtswissenschaft. 90).

Hayn, Hugo und Alfred N. *Gotendorf*: Bibliotheca Germanorum erotica et curiosa. 8 Bde. München ³1912–14 (= Hayn-Gotendorf).

Hecht, Wolfgang: Christian Reuter. Stuttgart 1966 (Slg. Metzler. 46).

Hermand, Jost: Probleme der heutigen Gattungsgeschichte. In: Jahrbuch für Internationale Germanistik II, 1 (1970) S. 85–94.

Hirsch, Arnold: Bürgertum und Barock im deutschen Roman. Ein Beitrag zur Entstehungsgeschichte des bürgerlichen Weltbildes. Frankfurt 1934. – 2. Auflage, besorgt von Herbert *Singer*. Köln-Graz 1957 (Literatur und Leben. N.F. 1).

Hirsch, Emanuel: Geschichte der neuern evangelischen Theologie im Zusammenhang mit den allgemeinen Bewegungen des europäischen Denkens. 6 Bde. Gütersloh 1949 ff.

Jäger, Georg: Empfindsamkeit und Roman. Wortgeschichte, Theorie und Kritik im 18. und frühen 19. Jahrhundert. Stuttgart usw. 1969 (Studien zur Poetik und Geschichte der Literatur. 11).

Jahn, Kurt: Goethes Dichtung und Wahrheit. Vorgeschichte – Entstehung – Kritik – Analyse. Halle 1908.

Just, Klaus Günther: Essay. In: Deutsche Philologie im Aufriß. Hrsg. von Wolfgang *Stammler*. Bd. 2, Berlin 1954, Sp. 1689–1738.

Klaiber, Theodor: Die deutsche Selbstbiographie. Beschreibungen des eigenen Lebens, Memoiren, Tagebücher. Stuttgart 1921.

Koch, Franz: Goethe und Plotin. Leipzig 1925.

Kraus, Andreas: Vernunft und Geschichte. Die Bedeutung der deutschen Akademien für die Entwicklung der Geschichtswissenschaft im späten 18. Jahrhundert. Freiburg usw. 1963.

Kunisch, Hermann: Joseph von Eichendorff, Das Wiedersehen. Ein unveröffentlichtes Novellen-Fragment, aus der Handschrift mitgeteilt und erläutert. In: Aurora 25 (1965), S. 7–39. – Auch selbständig erschienen in der Schriftenreihe Kulturwerk Schlesien, Würzburg 1966.

–: Die Frankfurter Novellen- und Memoiren-Handschriften von Joseph von Eichendorff. In: Jahrbuch des Freien Deutschen Hochstifts 1968, S. 329–389.

Langen, August: Der Wortschatz des deutschen Pietismus. Tübingen ²1968.

Lempicki, Sigmund von: Geschichte der deutschen Literaturwissenschaft bis zum Ende des 18. Jahrhunderts. Göttingen ²1968.

Lockemann, Wolfgang: Die Entstehung des Erzählproblems. Untersuchungen zur deutschen Dichtungstheorie im 17. und 18. Jahrhundert. Meisenheim am Glan 1963 (Deutsche Studien. 3).

Löwith, Karl: Von Hegel zu Nietzsche. Der revolutionäre Bruch im Denken des 19. Jahrhunderts. Marx und Kierkegaard. Frankfurt/Main 1969.

Lugowski, Clemens: Die Form der Individualität im Roman. Studien zur inneren Struktur der frühen deutschen Prosaerzählung. Berlin 1932 (Neue Forschung. 14).

Lukács, Georg: Der historische Roman (1937). In: G. L., Werke, Bd. 6: Probleme des Realismus III. Neuwied und Berlin 1965.

Mahrholz, Werner: Deutsche Selbstbekenntnisse. Ein Beitrag zur Geschichte der Selbstbiographie von der Mystik bis zum Pietismus. Berlin 1919.

Martens, Wolfgang: Die Botschaft der Tugend. Die Aufklärung im Spiegel der deutschen Moralischen Wochenschriften. Stuttgart 1968.

Mayer, Hans: Aufklärer und Plebejer: Ulrich Bräker, der Arme Mann im Tockenburg. In: H.M., Von Lessing bis Thomas Mann. Wandlungen der bürgerlichen Literatur in Deutschland. Pfullingen 1959, S. 110–133.

–: Goethe, Dichtung und Wahrheit. In: H. M., Zur deutschen Klassik und Romantik. Pfullingen 1963, S. 93–121.

Meinecke, Friedrich: Die Entstehung des Historismus. In: *Meinecke,* Werke, Bd. 3. Hrsg. von Carl Hinrichs. München ²1965.

Meyer, Richard M.: Zur Entwicklungsgeschichte des Tagebuchs. In: R. M.*Meyer,* Gestalten und Probleme. Berlin 1905, S. 281–298.

Minder, Robert: Die religiöse Entwicklung von Karl Philipp Moritz auf Grund seiner autobiographischen Schriften. Studien zum »Reiser« und »Hartknopf«. Berlin 1936 (Neue Forschung. 28).

Misch, Georg: Geschichte der Autobiographie. 4 (in 8 Halb-) Bde. Leipzig, später Frankfurt 1907–1969: Bd. I: Altertum (1907, ³1949/50); Bd. II–IV, 1: Mittelalter (1955–1967); Bd. IV, 2: Renaissance bis 19. Jahrhundert (geschr. 1904, gedr. 1969).

Müller-Seidel, Walter: Autobiographie als Dichtung in der neueren Prosa. In: Der Deutschunterricht 3 (1951), H. 3, S. 29–50.

–: Probleme der literarischen Wertung. Über die Wissenschaftlichkeit eines unwissenschaftlichen Themas. Stuttgart 1965.

–: Fontanes Autobiographik. In: Jahrbuch der Deutschen Schillergesellschaft 13 (1969), S. 397–418.

Muschg, Walter: Goethes Glaube an das Dämonische. In: DVjs 32 (1958), S. 321–343.

Neumann, Bernd: Identität und Rollenzwang. Zur Theorie der Autobiographie. Frankfurt 1970 (Athenäum Paperbacks Germanistik. 3).

Niggl, Günter: Fontanes »Meine Kinderjahre« und die Gattungstradition. In: Sprache und Bekenntnis. Sonderband des Literaturwissenschaftlichen Jahrbuchs. Hermann Kunisch zum 70. Geburtstag. Berlin 1971, S. 257–279.

–: Zur Säkularisation der pietistischen Autobiographie im 18. Jahrhundert. In: Prismata. Dank an Bernhard Hanssler. Pullach bei München 1974, S. 155–172.

Oppel, Horst: Vom Wesen der Autobiographie. In: Helicon. Revue internationale des problèmes généraux de la littérature. Tome 4 (1942), S. 41–53.

Otto, Stephan: Zum Desiderat einer Kritik der historischen Vernunft und zur Theorie der Autobiographie. In: Studia Humanitatis. Ernesto Grassi zum 70. Geburtstag. München 1973, S. 221–235.

Pascal, Roy: The Autobiographical Novel and the Autobiography. In: Essays in Criticism 9 (1959), S. 134–150.

–: Autobiography as an Art Form. In: Proceedings of the 1957 Conference of FILLM. Heidelberg 1959, S. 114–119. (= Stil- und Formprobleme in der Literatur. Hrsg. von Paul Böckmann. Heidelberg 1959).

–: Design and truth in Autobiography. London 1960. – Dt. u. d. T.: Die Autobiographie. Gehalt und Gestalt. Stuttgart usw. 1965 (Sprache und Literatur. 19).

Planer, Oskar und Camillo *Reißmann*: Johann Gottfried Seume. Geschichte seines Lebens und seiner Schriften. Leipzig 1898.

Pohle, Klaus-Rüdiger: »Aus meinem Leben. Dichtung und Wahrheit« oder Die Wiederholung des Lebens. Studien zur Altersperspektive der Geschichte der Jugend omnis vivam. Diss. (masch.) Freiburg/Brsg. 1972.

Polheim, Karl Konrad: Die Arabeske. Ansichten und Ideen aus Friedrich Schlegels Poetik. München usw. 1966.

Rein, Adolf: Über die Entwicklung der Selbstbiographie im ausgehenden deutschen Mittelalter. In: Archiv für Kulturgeschichte 14 (1919), H. 1/2, S. 193–213.

Riemann, Robert: Goethes Romantechnik. Leipzig 1902.

Ritschl, Albrecht: Geschichte des Pietismus. 3 Bde. Bonn 1880–1886.

Roethe, Gustav: Dichtung und Wahrheit. In: Berichte des Freien Deutschen Hochstifts 17 (1901), S. 1*–26*. – Wieder in: G. R., Goethe. Berlin 1932, S. 1–24.

Rohner, Ludwig: Der deutsche Essay. Materialien zur Geschichte und Ästhetik einer literarischen Gattung. Neuwied und Berlin 1966.

Romein, Jan M.: Die Biographie. Einführung in ihre Geschichte und ihre Problematik. Bern 1948 (Slg. Dalp. 59).

Ruttkowski, Wolfgang Victor: Die literarischen Gattungen. Reflexionen über eine modifizierte Fundamentalpoetik. Bern und München 1968.

Schadewaldt, Wolfgang: Goethes Knabenmärchen ›Der neue Paris‹. Eine Deutung. In: W. Sch., Goethestudien. Natur und Altertum. Zürich und Stuttgart 1963, S. 263–282.

Scherpe, Klaus R.: Gattungspoetik im 18. Jahrhundert. Historische Entwicklung von Gottsched bis Herder. Stuttgart 1968 (Studien zur Allgemeinen und Vergleichenden Literaturwissenschaft. 2).

Schmeisser, Wolfgang: Studien über das vorromantische und romantische Tagebuch. Diss. (masch.) Freiburg 1952.

Schmidt, Gottfried: Die Banden oder Gesellschaften im alten Herrnhut. In: Zeitschrift für Brüdergeschichte 3 (1909), S. 145–207.

Schrimpf, Hans Joachim: Moritz, Anton Reiser. In: Der deutsche Roman vom Barock bis zur Gegenwart. Struktur und Geschichte Hrsg. von Benno v. *Wiese.* Bd. 1. Düsseldorf 1963, S. 95–131.

Schuler, Reinhard: Das Exemplarische bei Goethe. Die biographische Skizze zwischen 1803 und 1809. München 1973 (Zur Erkenntnis der Dichtung. 12).

Schüz, Monika: Die Autobiographie als Kunstwerk. Vergleichende Untersuchungen zu Dichter-Autobiographien im Zeitalter Goethes. Diss. (masch.) Kiel 1963.

Segebrecht, Wulf: Autobiographie und Dichtung. Eine Studie zum Werk E. T. A. Hoffmanns. Stuttgart 1967 (Germanistische Abhandlungen. 19).

Seidler, Herbert: Die Dichtung. Wesen, Form, Dasein. Stuttgart 1959, ²1965 (Kröners Taschenausgabe. 283).

–: Grillparzers Selbstbiographie als literarisches Kunstwerk. In: Österreich in Geschichte und Literatur 16 (1972), S. 17–35.

Sengle, Friedrich: Wieland. Stuttgart 1949.

–: Arbeiten zur deutschen Literatur 1750–1850. Stuttgart 1965.

–: Vorschläge zur Reform der literarischen Formenlehre. Stuttgart 1967, ²1969 (Dichtung und Erkenntnis. 1).

–: Biedermeierzeit. Deutsche Literatur im Spannungsfeld zwischen Restauration und Revolution 1815–1848..(bisher 2 von 3 Bden). Stuttgart 1971 ff. (Bd. 2: Die Formenwelt, S. 197–237: Die autobiographischen Formen [Erlebnisliteratur]).

Singer, Herbert: Der deutsche Roman zwischen Barock und Rokoko. Köln-Graz 1963 (Literatur und Leben. N.F.6).

–: Der galante Roman. Stuttgart 1961, ²1966 (Slg. Metzler. 10).

Sommerfeld, Martin: Die Reisebeschreibungen der deutschen Jerusalempilger im ausgehenden Mittelalter. In: DVjs 2 (1924), S. 816–851.

–: J. J. Rousseaus »Bekenntnisse« und Goethes »Dichtung und Wahrheit«. In: M. S., Goethe in Umwelt und Folgezeit. Leiden 1935, S. 9–35.

Stecher, Gottfried: Jung Stilling als Schriftsteller. Berlin 1913 (Palaestra. 120).

Stemme, Fritz: Karl Philipp Moritz und die Entwicklung von der pietistischen Autobiographie zur Romanliteratur der Erfahrungsseelenkunde. Diss. (masch.) Marburg 1950.

–: Die Säkularisation des Pietismus zur Erfahrungsseelenkunde. In: ZfdPh 72 (1953), S. 144–158.

Stöcklein, Paul: Unstern. Eine nicht vollendete Novelle von Joseph von Eichendorff. In: (Katalog) Bayerische Akademie der Schönen Künste: Joseph Freiher von Eichendorff. Ausstellung zum 100. Todestag. München 1957, S. 115–126.

Trunz, Erich: Anmerkungen zu Goethes »Dichtung und Wahrheit« und den übrigen autobiographischen Schriften. In: *Goethes* Werke. Bd. 9: Autobiographische Schriften. 1. Bd. Hamburg 1955, ³1959, S. 599–631.

Ullrich, Hermann: Robinson und Robinsonaden. Bibliographie, Geschichte, Kritik. Tl. 1. Weimar 1898 (Litterarhistorische Forschungen. 7).

Unger, Rudolf: Hamann und die Aufklärung. 2 Aufl. 2 Bde. Halle 1925 (Nachdruck Darmstadt 1963).

Voellmy, Samuel: Ulrich Bräker, der Arme Mann im Tockenburg. Ein Kultur- und Charakterbild aus dem 18. Jahrhundert. Zürich 1923.

–: Daniel Girtanner von St. Gallen, Ulrich Bräker aus dem Toggenburg und ihr Freundeskreis. St. Gallen 1928.

Voisine, Jacques: Naissance et évolution du terme littéraire »autobiographie«. In: La Littérature comparée en Europe orientale. Conférence de Budapest 1962. Rédigé par Istvan Sötér. Budapest 1963, S. 278–286.

Voßkamp, Wilhelm: Romantheorie in Deutschland. Von Martin Opitz bis Friedrich von Blanckenburg. Stuttgart 1973 (Germanistische Abhandlungen. 40).

Wackerl, Georg: Goethes Tag- und Jahreshefte. Berlin 1970. (Quellen und Forschungen zur Sprach- und Kulturgeschichte der germanischen Völker. N.F. 35).

Wegele, Franz Xaver von: Geschichte der deutschen Historiographie seit dem Auftreten des Humanismus. München und Leipzig 1885 (Geschichte der Wissenschaften in Deutschland. Neuere Zeit. 20).

Weinrich, Harald: Linguistik der Lüge. Heidelberg 1966.

Wertheim, Ursula: Zu Problemen von Biographie und Autobiographie in Goethes Ästhetik. In: U. W., Goethe-Studien. Berlin 1968. S. 89–126.

Winter, Ilselore: Zur Psychologie der Kindheitserinnerungen in Autobiographie und Selbstdarstellungen. Diss. (masch.) Mainz 1955.

Wolff, Max Ludwig: Geschichte der Romantheorie. 1. Teil: Von den Anfängen bis gegen die Mitte des 18. Jahrhunderts. Nürnberg 1915.

Wolffheim, Hans: Der Essay als Kunstform. Thesen zu einer neuen Forschungsaufgabe. In: Festgruß für Hans Pyritz. Sonderheft des Euphorion, 1955, S. 27–30.

Wuthenow, Ralph-Rainer: Das erinnerte Ich. Europäische Autobiographie und Selbstdarstellung im 18. Jahrhundert. München 1974.

REGISTER

1. Namen

Abbt, Thomas 41, 42, 43, 48, 183, 186
Acosta, Uriel 16
Agrippa von Nettesheim, Heinrich Cornelius 16
Aichinger, Ingrid XIII
Albrecht von Preußen, Herzog 16
Alewyn, Richard 179
Alfieri, Vittorio Graf XIII, 47, 153
Andreä, Johann Valentin 9, 16, 102
Anhalt-Dessau, Henriette Caroline Luise Prinzessin zu *122f.*, 125, 199
Anhalt-Dessau, Fürst Leopold I. von 28, *32–34, 35*, 180
Aristoteles, aristotelisch 36, 181
Arnold, Gottfried 3, 185
Augustinus, augustinisch 6, 8, 12, 13, 14, *55*, 102, 153

Bahrdt, Carl Friedrich 103, *141–143*, 144, 151, 169, 204f.
Basedow, Johann Bernhard 52, 184
Batteux, Charles 37, 182
Baumeister, Friedrich Christoph 23, 24, 177
Becker, Eva D. 198
Berlichingen, Gottfried von 16, 153, 175
Bernd, Adam 45, 53, *66f.*, 69, 96, 188
Bertolini, Ingo XII, 8, 12, 174, 175, 188
Beutler, Ernst 207
Beyer-Fröhlich, Marianne XII, 12, 91, *175*, 178, 189, 191, 195
Bielschowsky, Albert 124, 125, 200
Birken, Sigmund von 181
Blair, Hugo 57, 58, 182, 186, 197
Blanckenburg, Christian Friedrich von 71, 115, 116, 168, 190, 197
Bock, Christoph Wilhelm 22
Boerner, Peter XI, 189
Böschenstein-Schäfer, Renate 190
Bogatzky, Carl Heinrich von 104, 111, 174, 197

Bolingbroke, Henry Saint-John, Viscount 4, 173
Borcherdt, Hans Heinrich 180
Boucke, Ewald A. 207
Bourignon, Antoinette 106
Bouterwek, Friedrich 117, 168, 198
Bräker, Ulrich 29, 81, *82–87, 88, 95*, 97, 98, 104f., 112, 135, 140, 145, 146, 148, 159, 192f., 195
Breidenbach, Bernhard von 178
Breithaupt, Joachim Justus 53
Breitinger, Johann Jakob 37, 181
Breuning, Hans Jacob 178
Brockes, Barthold Hinrich 17, *18f.,* 20, 25, 26, 96, 176
Bucher, Friedrich Christian 3
Buchner, Augustus 181
Büsching, Anton Friderich 76, 80, 102, 117, 191f.
Burkhardt, Heinz XV, 187
Butzbach, Johannes 27, 178

Cardano, Geronimo 112, 153
Carossa, Hans XIII
Carus, Friedrich August 113, 197
Cellini, Benvenuto 106, 109, 112, 153, 166, 196
Chateaubriand, François René Vicomte de XIII
Chladenius, Johann Martin 45, 183
Christine von Schweden 103
Clodius, Christian August Heinrich 207
Cocchi, Antonio 173
Comenius, Johann Amos 17
Commines, Philippe de 59
Consentius, Ernst 32, 179

Dechent, Hermann 124
Defoe, Daniel 31
Dessoir, Max 69, 188, 189

2. Sachen

JAN 21 1913

JAN 31 1979